D1091789

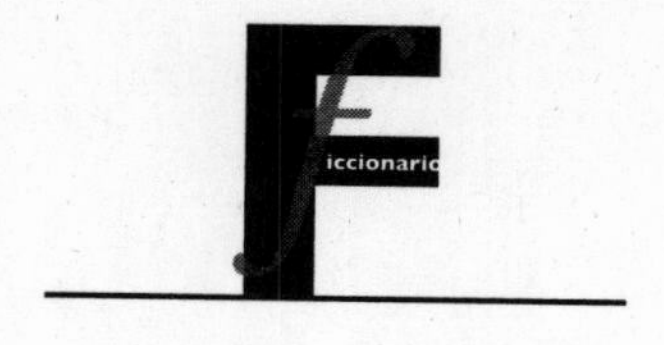

Bolcheviques

Paco Ignacio Taibo II

Barcelona • Bogotá • Buenos Aires • Caracas • Madrid • México D.F. • Montevideo • Quito • Santiago de Chile

1.ª edición: agosto 2008

© 2008 Paco Ignacio Taibo II

©Ediciones B México, S.A. de C.V. 2008
Bradley 52, Colonia Anzures. 11590, México, D.F.
www.edicionesb.com
www.edicionesb.com.mx

ISBN: 978-970-710-320-7

Impreso por Quebecor World.

Todos los derechos reservados. Bajo las sanciones establecidas en las leyes, queda rigurosamente prohibida, sin autorización escrita de los titulares del *copyright*, la reproducción total o parcial de esta obra por cualquier medio o procedimiento, comprendidos la reprografía y el tratamiento informático, así como la distribución de ejemplares mediante alquiler o préstamo públicos.

Bolcheviques

Historia narrativa de los orígenes del comunismo en México (1919-1925)

Paco Ignacio Taibo II

Este libro está endeudado con un montón de personas a las que agradezco el calor humano, el tiempo compartido en la búsqueda, las discusiones y la filosofía de «apoyo mutuo» que guió nuestras relaciones, tan ajenas a las prácticas de «trabajo esclavo» y canibalismo a las que la academia mexicana esta habituada.

Quiero registrar la colaboración de Rogelio Vizcaíno, con el que durante tres años trabajé en la construcción del fondo documental sobre la historia obrera del periodo 1918-1928; de Paloma Saiz que participó en la recolección de los materiales del archivo de Ámsterdam y me prestó sus trabajos sobre el sindicato panadero; de los miembros del seminario de historia obrera de la ENAH con los que trabajé en la formación de las bases documentales de prensa en 1921 y 1922; de los compañeros del *Huevo* mucha de cuya labor anónima aquí se utiliza; de Polo Michel con el que compartí chismes, descubrimientos y documentación sobre la historia del PCM en estos años; de Ricardo Melgar quien me prestó su libro inédito sobre la IC en América Latina; de Roberto Sandoval que me proporcionó documentación y traducciones; de Diego Valadés quien me facilitó el acceso al archivero de su padre; de multitud de bibliotecarios que hicieron mas fácil cinco años de rastreo y búsqueda.

Por último quisiera informar que a mis amigos Mario Núñez y Guillermo Fernández, queda dedicado este libro, cuya etapa final pudo realizarse gracias a un medio tiempo para la investigación que me brindó el Departamento de Derecho de la UNAM-Atzcapotzalco.

ZAGUÁN

I

Esta es la historia de un grupo de militantes que pretendieron ser la vanguardia de una clase trabajadora, y no lo lograron. Es también la historia de un espejismo, el de la Revolución Rusa vista en el valle de Anáhuac cuando se encontraba realmente a millares de kilómetros de distancia. Es, por tanto, una historia claramente marginal. Aquí se habla de un millar de ciudadanos, la mayor parte de ellos obreros y campesinos, de los cuales un par de centenares tiene nombre, apellido, trayectorias, manías, vocaciones heroicas o ridículas, pasiones y gustos. Por lo tanto, es casi una historia familiar.

El autor no siente que debe apesadumbrarse por eso. Durante años en México se ha venido haciendo pasar por historia global, una serie de noticias e informes sobre los actos, los aciertos, los engaños, las habilidades y la pericia de los caudillos y su poder. Esta pretendida historia social, falsificada en los reductos de la aristocracia de la historia mexicana desde el sur de la Ciudad de México, ha sido la usual moneda falsa con la que se ha traficado en el terreno de la historia posrevolucionaria de nuestro país. En este sentido, tan marginal es esta historia como aquellas: con la diferencia de que esta no pretende ser otra cosa.

Mi amigo Rogelio Vizcaíno, cuando hojeaba fragmentos del manuscrito, que luego habría de convertirse en este libro, me previno sobre los peligros de intentar hacer una historia mala del movimiento obrero mexicano de 1919 a 1925, so pretexto de hacer una historia de los orígenes del Partido Comunista Mexicano. He tratado de evitarlo.

Por eso, el hilo conductor de lo que aquí se narra no es las grandes huelgas, ni las condiciones de vida y trabajo o los desarrollos organizativos del movimiento obrero; sino los fracasos de Sen Katayama como dirigente comunista en país ajeno y sus triunfos en la manufactura de *hot cakes*, las penurias de Ferrer Aldana y su imprenta de pedal, los apuros del agente y secretario general Allen para jugar con dos barajas, los abnegados esfuerzos de la juventud comunista para hacerse con el movimiento inquilinario en México y Veracruz y cosas como esas.

A favor de este anecdotario (muy significativo para el que lo lea cuidadosamente), y su abundancia, se han perdido elementos contextuales. La pérdida ha sido voluntaria. Por un lado el autor pretendía obviar la mayor cantidad de información que no aportara directamente al desarrollo de la historia y por otro quería reducir el contexto a una situación de realidad. Se trataba de ver el país desde la perspectiva de los comunistas mexicanos y la influencia que sobre ellos pesaba, y de ver a la Internacional Comunista como un reflejo distante, del que a veces llegaban consignas, a veces mentiras, a veces silencios.

No sé si esto se habrá logrado. De buenas voluntades están empedrados los caminos que llevan a las librerías de viejo.

II

No era posible hacer una historia del comunismo mexicano en sus años de origen, sin abrirse paso en la selva espesa y tupida de la desinformación, que varias decenas de colegas habían montado a partir de los años cincuenta. Difícilmente podrá encontrarse otra etapa en la que la desinformación haya abundado de tal manera. No solo se trata de fraudes tendenciosos de falsificadores de la historia, discípulos de los maestros rusos; también de profesionales desprofesionalizados a los que la urgente voluntad de interpretar abrumaba y les hacía olvidar la necesidad de investigar e informar al lector. Por último hay anticomunistas de oficio cuya tendenciosa mirada solo ve la conspiración internacional que sus patrones les piden que muestren. Mucho había de todo esto, y mucho sigue habiendo.

Es sorprendente que el Colegio de México hubiera avalado en 1953 el trabajo de H. Bernstein, que reúne en diez páginas decenas de errores, y lo haya dejado ahí como el material básico sobre la historia del comunismo en su primera etapa durante varios años. No menos sorprendente es que la única historia del PC que existió durante muchos años fuera la de Márquez y Araujo, que ya en sus primeras páginas está saturada de informaciones equivocadas. No mucho mejores han sido los trabajos producidos por historiadores afines al Partido Comunista Mexicano, si exceptuamos el último trabajo de Arnoldo Martínez Verdugo, que corrige multitud de errores existentes en la histografía comunista[1]. De estos materiales se da abundante reseña en las notas de pie de página de este libro, y no se insiste más para no desviar la atención de los lectores de la historia que se cuenta, a la forma como esta historia había sido contada. Poco se salva de la quema. Probablemente el material más valioso producido (con un enfoque global, puesto que hay multitud de trabajos parciales muy importantes escritos por jóvenes historiadores mexicanos), sea el texto de Barry Carr, *Marxists, Communists and Anarchists, in the Mexican Labor Movement*. Y es que Carr es un historiador meticuloso que avanza sobre la historia sin prejuicios y sin vocación de intérprete.

En ese sentido, la mayor parte de este libro es un intento por reconstruir «lo que pasó», y poco espacio queda para contar «por qué pasó», tarea que queda para otros compañeros que prosigan la investigación. Hay una voluntad constante de reconstruir los hechos, de buscar que las informaciones existentes se ajusten, que el mapa de los sucesos se establezca, cediéndole espacio al lector para interpretarlo. Entre los buenos deseos del autor, se encuentra este de buscar para el lector una aproximación mas libre, menos condicionada por las hipótesis o las tesis. Esto no implica que frecuentemente el autor haya tratado de ordenar la información de cierta manera, o de ofrecer una explicación sobre cierto fenómeno. El vicio es grande, los pecadores abundamos.

III

El autor pretendió contar la historia del partido como una serie de trabajos de un puñado de militantes influidos por la acción del movimiento social y por las consignas que les llegaban de su Meca, la cuna de la primera revolución socialista triunfante en el planeta. Lejos está, pues, de la visión que compara el deber ser del partido («la obligada vanguardista de la clase») y su triste realidad, y encuentra la razón de su fracaso en no cumplir en papel que la historia le asigna, en los pecados de los dirigentes, los errores de las líneas políticas, la represión estatal o la voluntad del partido. La historia no es un director escénico que ande asignando papeles, ni el historiador es crítico de teatro callejero y social.

En este sentido se desvalorizaron los largos documentos que por pocos fueron leídos (según confiesan los escritos internos del propio partido) y se prestó particular interés a las consignas, las experiencias directas, las lecturas más inmediatas que los comunistas hicieron de la realidad.

En cambio, no se olvidó que el movimiento social era un contrapunto del accionar político de la secta. Un marco obligado, a veces silencioso pero omnipresente, y así trato de vérsele.

Dificultades superiores encontró el autor en esclarecer el concepto de vanguardia, y en ese terreno prefirió dejar a otros el debate teórico, y limitarse a matizar lo artificial de las situaciones de las vanguardias (entendiendo a los que dirigían temporalmente uno u otro movimiento, y no a los que se autoproclamaban como tal) y sus cambiantes relaciones con el movimiento de masas.

IV

Los comunistas mexicanos del inicio de la década de los veinte son vistos por el autor con simpatía. Reconoce aquí públicamente que profesa una curiosa doctrina, que hace que sienta como propias las experiencias de cualquier sector del movimiento popular, y que no reniegue de ninguna por motivos de membrete ideológico. Así, se acerca al puñado de militantes comunistas sin prejuicios, lo que le permite tratarlos indiscriminadamente y encariñarse con algunos, burlarse de otros o estimar profundamente a unos terceros. Sus penurias y errores son las nuestras.

De esta manera algunos resultaron policías o agentes norteamericanos sin que por ello el partido sea el «partido de los tiras», y otros locos y visionarios, sin que el partido en su conjunto necesite adoptar el adjetivo, y los más heroicos y abnegados, y los más también sectarios y bastante dogmáticos; y habrá burócratas y oportunistas, y dirigentes y dirigidos, y escaladores de la pequeña pirámide del poder partidario, y fieles servidores de la causa. Habrá personas, pues, aunque también habrá partido, y habrá una línea central y sus desviaciones, discrepancias conscientes e inconscientes y aciertos y errores compartidos en el eterno problema de organizar a las clases oprimidas contra sus opresores y acompañarlas en el camino de la revolución.

V

Los comunistas mexicanos vivieron en crisis; la crisis fue su fiel compañera. Nunca se pudieron despegar de ella. El autor desea advertir al lector que cuando en el texto se habla de crisis, se refiere a la crisis dentro de la crisis.

Los comunistas mexicanos en sus años de origen no fueron marxistas, Marx no se conoció en los ámbitos partidarios hasta 1925 (El *Manifiesto* se edita seis años después de haber nacido el PC). En el santoral comunista siempre aparecen primero Lenin y Trotski (a veces incluso Bujarin) antes de Marx, y este lo hace porque así se estilaba en otros lados, y no porque se le tuviese particular aprecio en México. No hay en este núcleo de militantes ninguna estima por las leyes de la economía política o el debate dialéctico. Lo que de Marx tiene les llega filtrado por el jacobinismo socialdemócrata de Lenin. El partido en este sentido es más bien bolchevique que marxista. Sus puntos de referencia ideológicos son de carácter histórico y se remontan no mas allá y únicamente a la Revolución Rusa. El autor quiere pues advertir que ese es el sentido que se le da a la usadísima palabra «bolchevique» a lo largo del texto.

VI

El autor deplora la falta de experimentación formal en la manufactura del libro. Reconoce su miedo a meterse en la búsqueda de nuevas formas de contar la historia, de nuevos enfoques narrativos, y sabe que no haberlo hecho va en prejuicio de la lectura más amena o más fluida, que hubiera deseado. Pero cuando lo que se narra implica la necesidad de polemizar con tantos, cuando la desinformación existente lo obliga a trabajar sus materiales de una manera puntillosa, probatoria... Poco se puede hacer.

VII

Un prólogo es siempre un intento fallido de mejorar un libro.

PIT II
México, DF, 1982 - Ahuatepec 1984

Notas al pie

1 La edición de este libro (entregado a la editorial en agosto de 1984) se encontraba en la etapa de revisión de galeras, cuando se publicó la *Historia del comunismo en México*, que contiene dos ensayos de Martínez Verdugo dedicados a los orígenes del PCM. El autor tan solo ha podido comentarlos mínimamente en algunas adiciones a las notas.

PRIMERA PARTE

LUCHA DE FÁBRICA. ENCUENTROS MARGINALES

Enero – 4 septiembre de 1919

1. UN MOVIMIENTO OCUPADO QUE NO HACE DEMASIADO CASO DE UNA CONVOCATORIA

A mediados de marzo de 1919, en las calles de la Ciudad de México apareció un cartel con el siguiente encabezado: «*CONVOCATORIA* al Primer Congreso Nacional Socialista.»

Se fijaba como fecha futura para la realización del acto el 15 de junio, y se invitaba a partidos socialistas, sindicatos, ligas de resistencia y periódicos obreros a enviar uno o dos delegados. Entre los objetivos se señalaban: «Declarar solemnemente qué fines persiguen los socialistas, ya constituyendo partidos, ya individualmente» y «designar un delegado para que represente a los socialistas de México en el próximo congreso internacional acordado en las conferencias de Berna.»

El documento cerraba con un apartado de «medidas políticas y económicas que se propone el comité organizador para acelerar el objetivo fundamental del socialismo», en el que presentaban treinta y siete demandas de muy diverso carácter y valor: voto secreto a los dieciocho años para hombres y mujeres, abolición de las corridas de toros, supresión del Senado, semana de cuarenta y cuatro horas, nacionalización de las minas, lavaderos y baños públicos gratuitos, seguro obligatorio de accidentes de trabajo y enfermedad, escuela racionalista, abolición del trabajo a domicilio, prohibición del trabajo a menores de dieciséis años, establecimiento de trabajo en las prisiones, autonomía municipal, impuestos progresivos a los que ganaran mas de mil pesos, libertad de prensa, derecho de referéndum y prohibición de bebidas alcohólicas.

Los firmantes del documento en nombre del comité organizador y, por tanto, del Partido Socialista convocante, eran Adolfo Santibáñez, Francisco Cervantes López, Felipe Dávalos y Timoteo García.[1]

La convocatoria fue recibida fríamente en los medios sindicales si se juzga por la abundante prensa obrera de la época, y tan solo recibió el aval de la sorprendente *Gale´s Magazine*[2].

No era de extrañarse. Por un lado, sonaba demasiado al lanzamiento de un nuevo proyecto electoral, y por otro, el movimiento obrero en los primeros meses de 1919 estaba involucrado en una serie de luchas y de trabajos de reorganización de futuro incierto, en el estrecho espacio que les permitía el régimen carrancista.

Las alusiones al voto, las demandas de carácter amplio, y en general el programa reivindicativo, invitaban a repetir al polémica sobre la utilidad de la «acción múltiple»[3] que se había librado en el movimiento tras la derrota de la huelgas generales de 1916, y que parecía zanjada de momento con la experiencia electoral fallida, en 1917, del Partido Socialista Obrero[4], cuando un grupo de militantes sindicales, la mayoría del ala más moderada del movimiento, habían participado en las elecciones para diputados, aunque solo en el ámbito del DF, y habían sido derrotados en los siete distritos en los que intervinieron.

Los convocantes al congreso le hablaban a un movimiento militante formado en el anarquismo. Y a partir de este anarquismo las posiciones deberían deslindarse. Estaban los que entendían las derrotas de las huelgas generales de 1916[5] como dos experiencias de las que se extraía la lección de que el movimiento debería ser fuerte y aliarse con un sector del Estado mexicano surgido de la revolución. Otro sector no había sido capaz aún de sintetizar estas mismas experiencias, aunque en principio las leía de una manera absolutamente opuesta; de lo que se trataba era de preservar la autonomía del movimiento obrero.

Para los últimos, esto implicaba la abstención electoral como un principio; para los primeros, una abstención temporal mientras se encontraba el aliado idóneo y se iba levantando un movimiento sindical potente que les permitiera negociar con un poder atrás con el gobierno.

La salida de la crisis posterior a las derrotas de 1916 había sido lenta y difícil[6], pero al iniciarse 1919 los dos proyectos sindicales se presentaban con posibilidades de dirigir la reorganización del movimiento nacionalmente, junto con multitud de proyectos regionales apoyados por grupos de afinidad y prensa con cada vez mayor incidencia en la lucha de fábrica[7].

La confederación Regional Obrera Mexicana (CROM) nacida en mayo de 1918, representaba la vertiente derechista de estos proyectos, quizá la que tenía más posibilidades de construir una organización obrera de masas en el país.

En sus primeros meses de vida, la CROM, nacida de una asamblea que conciliaba intereses diversos en el ámbito de las vanguardias y que plasmaba la necesidad de la unidad del sindicalismo nacional en el estrato base, había tenido un desarrollo muy tormentoso. Regionalmente, muchas de sus organizaciones habían protagonizado movimientos huelguísticos, enfrentándose a la represión de los gobernadores carrancistas, y en relativo aislamiento entre sí. Esto había producido derrotas en Monterrey, Tampico, Torreón y Orizaba a lo largo de 1918, que sin ser definitivas, habían mermado el poder de la federación. Su dirección nacional estaba copada por un grupo moderado formado desde el congreso del Saltillo por Luis N. Morones, Ricardo Treviño y Marcos Tristan, que vinculados a dirigentes regionales, constituían el equipo conservador y posibilista que estaba a la cabeza de la central.

Sin embargo no fueron diferencias en torno a la línea sindical lo que provocó la ruptura entre la izquierda y la derecha dentro de la CROM, sino la política internacional de la dirección de estrechar lazos con la AFL norteamericana, que aparecía a los ojos de los militantes sindicales mexicanos como claramente reaccionaria, entregada al gobierno y agresora de los Trabajadores Industriales del Mundo (IWW).

El choque más violento en torno a este problema se suscitó en noviembre de 1918 durante las conferencias AFL / CROM en Nuevo Laredo, cuando los grupos anarquistas dirigieron sus baterías contra Morones que a toda costa buscaba el pacto con la AFL y la utilización de la influencia de la central norteamericana para hacer política en México[8].

La dirección de la ofensiva contra Morones en particular y el equipo dirigente de la CROM en general, estuvo protagonizada por el periódico *Luz*, dirigido por Huitrón, López Doñez y Enrique H. Arce, quienes pidieron en sus páginas una y otra vez la destitución de Morones y la celebración de un IV congreso[9].

La posibilidad de que la CROM se convirtiera en central única se perdió así, y aunque el sector más conservador de la dirección sindical en el valle de México se incorporó a la CROM, los grupos anarquistas del interior de la República y los sindicatos más militantes del DF rompieron abiertamente con ella.

El 7 de noviembre de 1918 la ruptura se produjo formalmente en el DF, y cinco sindicatos (tranviarios, botoneros, harineros, panaderos y cocheros) iniciaron la escisión. Las cabezas visibles del proyecto alternativo, que tomó el nombre de Gran Cuerpo Central de Trabajadores[10], eran tres dirigentes sindicales: Genaro Gómez, Leonardo Hernández y Diego Aguillón; y un asesor de formación marxista, Nicolás Cano.

Genaro Gómez, dirigente de los panaderos, un sindicato con más de un millar de afiliados, había sido uno de los dirigentes del comité de huelga de 1916; Leonardo Hernández, organizador de los cocheros y asesor de los harineros había dirigido la lucha contra la alianza CROM/AFL; Diego Aguillón, tranviario, era el fundador de los Jóvenes Socialistas Rojos, y N. Cano, un minero de Guanajuato de treinta y nueve años, había sido diputado en el Congreso en 1916-17 y fue uno de los que habían intervenido en la formulación del artículo 123; era miembro de la dirección del pequeño Partido Socialista y asesor de los tranviarios[11].

El Gran Cuerpo había nacido apoyado por el Partido Socialista gracias a la presencia de Nicolás Cano y a la asesoría legal que Santibáñez brindaba a los sindicatos, pero la fuerza socialista era prestada, porque estaba basada en los sindicalistas de origen anarquista del DF que habían mantenido una actitud radical durante los enfrentamientos con Carranza en 1916 y 1917.

Creciendo rápidamente en los últimos meses de 1918 y los primeros de 1919, el Gran Cuerpo desplazó rápidamente a la CROM en el valle de México e inició su expansión nacional; pero la presencia de Cano a la cabeza de la federación provocaba suspicacia entre algunos núcleos anarquistas que se mantuvieron al margen, sobre todo tras una declaración suya en la que hablaba de las posibilidades de la acción múltiple, la intervención de las juntas de conciliación y la reglamentación del 123[12].

Si en el movimiento obrero la situación a fines de 1918 se caracterizaba por el estancamiento de la CROM, el crecimiento del Gran Cuerpo Central y la reorganización de los grupos anarquistas[13], las luchas que se dieron en el primer trimestre de 1919 harían que estos factores se desarrollaran más aún.

El año 1919 se inició en la capital con conflictos en las compañías harineras. Las demandas eran aumento salarial y cumplimiento de la constitucional jornada de ocho horas que ninguna empresa respetaba y que era papel muerto en el artículo 123. Primero fue en la Esperanza, luego en la Estrella y en la Compañía Harinera Mexicana. Tras la agitación se encontraba un pacto solidario entre los obreros molineros de todas las compañías del Distrito Federal respaldado por el apoyo del Gran Cuerpo, y resultado del trabajo organizado que Leonardo Hernández había realizado entre ellos.

El comportamiento de los patrones harineros es ilustrativo de las actividades del conjunto de los grupos patronales del país. La jornada legal podría ser de ocho horas, pero en las harineras se trabajaba once o doce, y ante los llamados a huelga, respondían con la amenaza de *lock out* y despidos masivos. El paro patronal se inició el 8 de enero. La junta de conciliación intervino a petición del Gran Cuerpo y convocó a los patrones harineros a una convención para fijar salarios.

Cinco mil obreros trabajaban en la industria de harinas y pastas del DF, concentrados en su enorme mayoría en ocho fábricas con un capital de veinte millones de pesos. Los patrones, gachupines en su enorme mayoría, estaban íntimamente ligados a la industria panadera[14].

Mientras se sucedían los paros parciales en algunas empresas, la patronal se declaraba en rebeldía boicoteando la convención convocada por las autoridades, y existía una gran agitación entre los obreros. El Gran Cuerpo abrió un segundo frente de lucha en los talleres de la Compañía de Tranvías, en Indianilla, donde se exigía la destitución de capataces, la reposición de Nicolás Cano y que se reconociera al sindicato. El 14 de enero estalló un paro parcial en los talleres. El conflicto era ahora directamente contra el gobierno carrancista que mantenía una administración temporal de los intereses de la compañía extranjera. El 17 se levantó el paro tras una entrevista del Gran Cuerpo con Carranza. La federación cromista de sindicatos del DF se había desolidarizado del movimiento y los tranviarios retrocedieron. Carranza se limitó a ofrecerles el retiro de la orden de selección del personal dada al iniciarse el movimiento y que se abrirían negociaciones sobre las demandas generales que lo originaron,[15]. El mismo día en que se realizaban las negociaciones, una movilización de mil trabajadores de todos los departamentos de la Compañía de Tranvías había de mostrar la fuerza del movimiento, a la que las autoridades respondieron con la decisión de alertar a la policía y declarando: «El gobierno apoya a la gerencia, ya conocemos a los agitadores, aténganse a las consecuencias.»

Si bien la amenaza de represión frenó el movimiento tranviario, la intransigencia patronal impulsó a los harineros, y hacia fines de mes ya eran cuatro las empresas en huelga: la Esperanza, la Estrella, la Guadalupe y la Fe. La lucha se desarrollaba con asambleas generales conjuntas de los trabajadores y pronto la demanda se unificó: jornada de ocho horas y salario mínimo en la industria molinera[16].

La respuesta gubernamental ejemplificaba su comportamiento global hacia las luchas obreras. Por un lado había promulgado el artículo 123, que no se cumplía en el interior de las fábricas, por otro mantenía una actitud pasiva en las medicaciones en las que intervenía, promoviendo negociaciones eternas y sin salida o absteniéndose de participar en los conflictos hasta que estos se agudizaban, y en ese momento amenazaba con la represión. El Carranza de 1919 no podía cubrirse con el manto del 123 constitucional de 1917.

Las juntas de conciliación exilian en el papel, muchas estaban instaladas formalmente, otras no habían empezado a funcionar; las menos, sin facultades ejecutivas y bajo control del poder regional, eran instrumentos de una política pro-industrial ejercida por los caudillos[17].

Estas concesiones continuas de la política carrancista a las patronales, tenían parcialmente su origen en la situación caótica en la que se encontraba la industria del país. Problemas de suministro de materias primas y combustible afectaban a casi todas las empresas del país. Algunas industrias, como la textil, tenían paralizadas el doce por ciento de las empresas (las más alejadas de los centros comerciales o las más atrasadas tecnológicamente); en la industria minera las tremendas oscilaciones del mercado de los metales pobres a causa del fin de la guerra mundial, mantenían en estado caótico las explotaciones que abrían y cerraban, sin importarles la situación de sus trabajadores, que quedaban en la calle de la noche a la mañana sin previo aviso; y problemas en el trasporte afectaban la distribución de combustible y la circulación de las mercancías[18].

Pero si la industria se encontraba en una situación muy inestable, las condiciones de trabajo se encontraban bien definidas. La inestabilidad industrial la pagaban los trabajadores. El costo de la vida había aumentado en el DF entre el setenta y nueve y el noventa por ciento respecto a 1910, aunque los salarios seguían iguales; las jornadas podían ir de nueve a catorce horas (desde luego la jornada de ocho horas no era respetada ni siquiera por empresas bajo administración estatal), abundaba el trabajo infantil (en el sector textil los menores de edad representaban un 10.8% de la fuerza laboral activa), en la mayoría de las empresas no existía seguro médico, no había garantías contra despido, los salarios eran muy bajos (los trabajadores municipales como jardineros, barrenderos, basureros ganaban setenta y cinco centavos diarios y los policías apenas uno cincuenta, cuando el subsistencia podía ser fijado en tres pesos); abundaba el destajo y no se solía pagar el séptimo día[19].

Con estas condiciones actuando como acicate, el ascenso de las movilizaciones continuó en febrero de 1919. Los textiles de Orizaba y los del DF comenzaron a protagonizar luchas aisladas contra capataces y para imponer la jornada de ocho horas; había inquietud entre los petroleros de Tampico, los textiles poblanos, los ferrocarrileros de los grandes talleres de Aguascalientes, los mineros del Norte.

La CROM se mantenía en una actitud pasiva, y el Gran Cuerpo que había crecido rápidamente (para febrero contaba con veinticuatro organizaciones en el DF y comenzaba a formar núcleos en provincia)[20], se veía desbordado y en marzo tuvo que convocar a una huelga general de apoyo a textiles, harineros y tranviarios, que no estalló finalmente, por falta de consistencia de sus promotores.

Los conflictos de estos dos últimos sectores no se resolvían. Carranza, en una entrevista con los tranviarios (la sexta en tres meses) emitió el siguiente boletín: «El señor presidente escuchó atentamente [...] manifestó que estudiaría el asunto y resolverá lo que sea de estricta justicia»[21]. Así llevaba tres meses dando largas al asunto, «escuchando atentamente» con oídos sordos, manifestando que estudiaría asuntos que dormían sobre su mesa, y posponiendo las resoluciones.

Los harineros, provocados por las empresas, generalizaron la huelga en las ocho fábricas el 25 de febrero, la policía cercó las empresas, Carranza señaló que las peticiones son justas pero «extemporáneas», los patrones contrataron esquiroles y pidieron garantías. Seis horas más tarde el Gran Cuerpo levantó nuevamente la huelga con la jornada de ocho horas impuesta de hecho y la promesa de que no habría represalias y que las conversaciones sobre el aumento salarial se darían mas tarde.[22]

Estas experiencias impulsaron cada vez más en las fábricas y talleres la idea de que el único camino era la acción directa. En la fábrica textil la Fama Montañesa los trabajadores decidieron prescindir de la junta de conciliación y respondieron con los hechos a la suspensión del segundo turno, decretada unilateralmente por la empresa. En otra empresa textil los trabajadores metieron violentamente a trabajar a un despedido. En el Molino el Euskaro los harineros impusieron la jornada de ocho horas de hecho, abandonando la fábrica al término de la jornada y sin esperar que sonara la sirena una hora mas tarde[23].

Pero la acción más trascendente la realizó el sindicato panadero con un movimiento simultáneo en centenares de panaderías de toda la Ciudad de México, abandonando el trabajo, en la jornada nocturna, tras siete horas de labor (en lugar de las nueve o diez que se acostumbraban). El movimiento, exitoso en casi todas las panaderías fue contestado por la patronal con represalias, pero se mantuvo durante los siguientes meses.[24] Este era el marco social de la convocatoria socialista de marzo de 1919. Y este era también la explicación del débil eco que la convocatoria había alcanzado. Mientras los socialistas se proponían construir un partido que entre otras cosas aboliera las corridas de toros o ganara la existencia de jurados en el sistema judicial nacional, el movimiento sindical estaba reconstruyendo su fuerza en medio de una feroz batalla contra las patronales y el carrancismo. Los trabajadores iban por un lado, los militantes socialistas por otro.

Las luchas continuaron con la misma intensidad. En abril fueron los rieleros de Aguascalientes, el centro ferrocarrilero más importante de la República, los que iniciaron una huelga para despedir a un mayordomo despótico y por aumento de salarios. La huelga se extiende. Se adelanta un paro convocado para el día 28 y entran en el movimiento rieleros de San Luis Potosí, Monterrey, Saltillo y Durango. Los talleres, y dentro de ellos los mecánicos, son el centro de la movilización. Ahora se exige el reconocimiento de las sociedades ferrocarrileras. La huelga llega a los talleres de Balbuena en la Ciudad de México. La CROM ofrece una huelga solidaria y no la hace. La huelga llega a Guadalajara. El Gran Cuerpo, que influye en el Ferrocarril Mexicano, hace prolongarse el movimiento hasta el sur del país. La dirección del movimiento habla a través de Valdés, delegado de los mecánicos de Aguascalientes: «La huelga no es antigobiernista, los ferrocarrileros se mantienen en la oposición y están serenos». La prensa ataca al movimiento. Al gobierno no le importan las declaraciones, los soldados hacen su aparición en los talleres, se producen algunas detenciones[25].

De repente la política gubernamental vira, y en lugar de las presiones contra los huelguistas, ataca a los dirigentes del Gran Cuerpo. El día 29 de abril el dirigente tranviario Diego Aguillón es secuestrado por la policía, se le lleva al cuartel de lanceros y de ahí al cuartel de zapadores. Lo hacen desaparecer. El 1 de mayo es detenido otro de los cuadros de dirección del GCCT, Genaro Castro. Ambos aparecerán más tarde, detenidos en Torreón. El gobierno de Carranza practica con los sindicalistas las deportaciones dentro del territorio nacional[26].

La huelga ferrocarrilera por fin termina con un empate; «victoria moral», dicen los obreros. Nada se consigue de aumento de salario, pero sí en cambio un reconocimiento parcial, el seis de mayo de las organizaciones que habían participado activamente en el movimiento. Carranza se entrevista con ellos para dar por terminada la huelga entre amenazas[27].

No se acaba de enfriar el medio sindical cuando, mientras en el Congreso se debate entre grandes obstrucciones una Ley Federal del Trabajo que regule el 123, se inicia la gran huelga magisterial.

Estalla en doscientas cuarenta y cuatro escuelas (cuarenta y nueve de enseñanza superior, ciento treinta y seis de elemental, cuarenta y tres nocturnas y dieciséis jardines de niños) en la Ciudad de México el 12 de mayo. La huelga ha sido forzada por la retención de pagos a los maestros por el Ayuntamiento; este culpa al gobierno que no le da presupuesto. Tres mil profesores se reúnen en la Escuela de Ingenieros Mecánicos. La Federación de Sindicatos Obreros del DF (FSODF-CROM) y el Gran Cuerpo ofrecen la huelga solidaria: estalla el movimiento en artes gráficas, entre los tranviarios, los choferes, la Alpina, los trabajadores del panteón Dolores... Persecuciones, golpes, arrestos; las maestras se ponen en el paso de tranvías para impedir que circulen manejados por esquiroles. El día 16 la huelga es quebrada en artes gráficas y periódicos que tras cuatro días de interrupción vuelven a salir a la calle. Los soldados yaquis de Obregón se hacen cargo de la guarnición de la ciudad. Circulan carros con ametralladoras. Una asamblea de los profesores en el salón Granat es disuelta por la policía. Hay heridos. La prensa anuncia el levantamiento del movimiento el día 17. No es verdad, los maestros y algunos gremios obreros resisten, otros van levantando la huelga, engañados o amedentrados. Un grupo de maestras feministas ataca un camión y los periódicos hacen un gran escándalo: «Eso es el feminismo». Las imprentas privadas se van a la huelga, nuevas detenciones. El día 19 Carranza ordena la clausura de los centros obreros; la policía toma el local del Gran Cuerpo, la Casa del Obrero Mundial, la FSODF, el Sindicato de Choferes, la Unión de Mecánicos, la Unión de Lino, tipógrafos. Los maestros cambian su pliego: reinstalación de los despedidos, liberación de los detenidos, garantías de pago a los profesores, protección a los obreros de los periódicos. El 20 de mayo la policía reservada detiene a los dirigentes más moderados de la FSODF (Yudico, Álvarez, Quintero); los liberan el 21, pero la advertencia ha sido clara. Se producen despidos en las fábricas. La huelga se desmorona. Se golpea a textiles y panaderos que no habían tenido una gran intervención en la huelga. El movimiento se hunde. Carranza abandona el uso de su mano derecha y utiliza la izquierda, nombra a Plutarco Elías Calles ministro de industria, y toma posesión después de la derrota de la huelga[28].

La Federación de Hilados y Tejidos, ante la clausura de todos los locales sindicales, le pregunta públicamente a Carranza, «¿Quiere usted destruir a los trabajadores?»[29] *Libertario* comenta: «Por lo que hace a los obreros que seguimos en su actitud de rebeldía a los maestros, mal la pasamos, [...] los empleados de gobierno [...] volvieron a cobrar sus decenas y en nada mitiga ahora los apuros de un diez por ciento de los obreros de artes gráficas y tranviarios que se quedaron sin trabajo.[30]»

No había terminado el movimiento magisterial cuando entraron en lucha los petroleros de Tampico. Todo se inició a principios de junio con un a huelga contra la Pierce Oil que fue reprimida. La huelga se hizo general. Un huelguista muerto, quince heridos graves. El jefe militar disuelve la Casa del Obrero Mundial («No es otra cosa que una agencia bolchevique»), quinientos huelguistas detenidos. El 22 se levanta la huelga general. Los presos van deportados a San Luis Potosí[31].

El ascenso del movimiento ha sido frenado por la represión. El Gran Cuerpo desaparece al quebrarse en el DF su columna vertebral.

El Partido Socialista al romperse el nexo entre Cano y el Gran Cuerpo no tiene ahora ningún contacto con los trabajadores organizados, aun así, persiste en su convocatoria. ¿Va un partido socialdemócrata a oponerle una muralla más eficaz al carrancismo?

En estos mismos meses de grandes huelgas y de violencias gubernamental contra los trabajadores, se produce un fenómeno que habrá de ser muy importante en la historia del movimiento obrero mexicano. Entre los últimos días de febrero y mediados de marzo, Morones convoca a varios de los líderes más moderados de la CROM al DF y forma el Grupo Acción, que se instituye como dirección real, aunque informal, de la confederación[32].

El instrumento de la acción múltiple se establece; ahora necesita su contraparte en el estado de la Revolución Mexicana para cerrar una alianza. Carranza no solo no se la ofrece, sino que incluso los golpea en la huelga de mayo.

NOTAS AL PIE

1 *Convocatoria al Primer Congreso Nacional Socialista*, marzo de 1919, Fondo ENAH.

2 Linn A.E. Gale:«First Congress of the Nacional Socialist Party of México», *Gale´s Magazine*, Nº 1, agosto de 1919. *Gale´s* era una revista socialista editada en inglés en la Ciudad de México de la que más adelante se ofrece abundante información.

3 El término «acción múltiple» fue fraguado por Tudó, Morones, Barragán Hernández y otros dirigentes conservadores del movimiento sindical mexicano. Por oposición al termino «acción directa», implicaba utilizar otros medios además de los de la lucha fabril, callejera y directa; o sea, intervención electoral, utilización de los instrumentos gubernamentales de mediación, apoyo en la legalidad burguesa, etc.

4 El PSO había sido dirigido por Luis N. Morones, J. Barragán Hernández, Ezequiel Salcedo y Enrique H. Arce, y además de los mencionados fueron candidatos: Reynaldo Cervantes Torres, Jacinto Huitron y Nicolás Jiménez. El programa electoral del PSO se deshacía en disculpas por utilizar el espacio electoral, del que solo se esperaba que contribuyera a «fomentar y sostener nuestras nacientes agrupaciones sindicalistas y, sobre todo a evitar los abusos y atropellos de que somos constantemente víctimas, debido a nuestro deficiente espíritu de clase», sin renunciar a la acción directa como fórmula central se hablaba de «ampliar el sistema de lucha» con la acción múltiple. Luis Araiza: *Historia del movimiento obrero mexicano,* ediciones de la COM, México 1975, T. IV y Rosalinda Monzón: «El Partido Socialista Obrero y el Partido Laborista Mexicano», *Historia Obrera*, Nº 25, septiembre de 1982.

5 Para una detallada reconstrucción de las huelgas de 1916 y su represión ver Jorge Jaber: *Reporte de 1916. Un año de vida del proletariado militante*, tesis de licenciatura, ENAH.

6 Sobre el pacto de 1915, ver el trabajo colectivo de Jorge Fernández, Jorge Robles y Jorge Jaber: «Alrededor de 1915. Coloquio de Historia Obrera de Mérida», *Memoria*, CEHSMO, México, 1981.

7 Un recuento superficial mostraría la existencia de grupos anarquistas en Aguascalientes (Cultura Racional), Ciudad Victoria (Alba Roja), DF (Luz, Los Autónomos, Jóvenes Socialistas Rojos), Guadalajara (Centro Femenino de Estudios Sociales, COM), Mérida (Centro de Estudios Sociales), Monterrey (Acción Consciente), Nuevo Laredo (Ferrer Guardia), Orizaba (Hermandad Ácrata, CROM), El Oro (Evolución, Luz y Fuerza), Puebla (Evolución Social), Veracruz (Evolución Social), Tampico (Fuerza y Cerebro, Vida Libre, Hermanos Rojos) y Zacatecas (Acción Cultural Sindicalista, Centro Femenino de Estudios Sociales). Entre los periódicos pueden citarse *Luz* (DF), *Iconoclasta* (Guadalajara), *Acción* (DF), *Acracia* (Ciudad Juárez), *Alba Roja* (Zacatecas), *Emancipación* (El Oro), *Fiat Lux* (DF), *Gale´s Magazine* (DF), *Ideas* (Mérida), *Libertario* (DF), *El Pequeño Grande* (Tampico), *Proparia* (Orizaba), *Resurgimiento* (Puebla), *El Socialista* (DF), *Tierra y Libertad* (DF), *Vida Libre* (Tam-

pico). Ver del autor: *Catálogo de la prensa obrera mexicana 1915-1934*, reporte de investigación, UAM-Atzcapotzalco, 1984.

8 En un complejo juego a dos bandas, Morones pretendía que la AFL avalara a la CROM ante el gobierno de Carranza y que la AFL presionara a petición de la CROM para que el gobierno norteamericano reconociera al mexicano. Con estas cartas en la mano, si bien no logró del carrancismo una actitud de privilegio hacia los movimientos fabriles dirigidos por la CROM, sí se colocó en la situación personal de embajador extraoficial de carrancismo, que puso a su disposición «fondos secretos» para viajes y reuniones internacionales. SER 18-1-24 y RVA/PIT II: *La matildona y sus vaquetones*, inédito.

9 *Luz* N° 75, 19 de febrero de 1919, N° 78, 2 de abril de 1919 y N° 79, 16 de abril de 1919. El congreso que dio nacimiento a la CROM había sido el III Congreso Nacional de la época revolucionaria precedido por uno en Veracruz y otro en Tampico en 1916 y 1917. Cuando los anarquistas pedían un «IV Congreso», hablaban de un nuevo congreso obrero nacional.

10 *Acta Fundacional del GCCT*, archivo JCV. Su desarrollo de fines de noviembre de 1918 a marzo de 1919 se reconstruye en *El Socialista* N° 24, 30 de septiembre de 1918 y N° 33, 10 de octubre de 1918. *El Pueblo* 16 y 23 de noviembre de 1918.

11 Nicolás Cano, nota biográfica del autor para el *Diccionario obrero latinoamericano*.

12 *Luz* N° 68, 27 de noviembre de 1918 y N° 70, 18 diciembre de 1918.

13 Convocado por el grupo Cultura Racional de Aguascalientes y con la adhesión de otros dieciséis grupos anarquistas, se citaría el 10 de marzo una convención nacional de grupos libertarios. *Luz* N° 79, 16 abril de 1919.

14 *El Universal* 3 y 9 de enero de 1919. *El Pueblo* 4, 7, 9 y 23 de enero de 1919. *AGN/Trabajo*, caja 169, expediente 8.

15 *El Pueblo*, 14 al 17 de enero de 1919. *El Demócrata* 16 y 17 de enero de 1919. *Luz* N° 74, 31 de enero de 1919.

16 *El Pueblo*, 27 de enero de 1919.

17 No existían juntas de conciliación en Guanajuato, Guerrero, Jalisco, Sinaloa, Sonora, Chiapas, Chihuahua, Tlaxcala, Hidalgo. En Aguascalientes «fue recibida con apatía, no pudo hacerse cargo de varios casos por falta de jurisprudencia. Se la usa poco y solo como conciliadora». En Tampico los obreros retiraron su representación porque las compañías no hacían caso de los fallos. La de Toluca era pro patronal, la de Colima solo había conocido tres casos en su vida. En resumen, además de la del DF que tenía cierta operatividad, funcionaban tres: Córdoba, Mérida y Zacatecas. AGN/Trabajo, c.126 e.32.

18 *El Demócrata,* 25 de enero de 1919 y *El Pueblo,* 25 de enero y 22 y 25 de marzo de 1919.

19 *El Pueblo*, 22 de marzo de 1919. Informe del inspector J. Poulat, 24 de marzo de 1920, *AGN/Trabajo*. PIT II: *Estadística salarial costurera a fines del carrancismo*, inédito. *Informes del censo industrial de 1919. AGN,/Trabajo*. Carleton Beals: *México an interpretation*, B.W. Huebsh, NY, 1923, p.115.

20 Según una estadística propia elaborada a partir de la prensa nacional. Un informador de la embajada norteamericana decía que en abril el Gran Cuerpo contaba con cuarenta y dos organizaciones en el DF y setenta y cinco en provincia. Barry Carr: *Marxists, Communists and Anarchists in the Mexican Labor Movement*, 1910-1925, mecanográfico, p.31.

21 *El Pueblo*, 14 de marzo de 1919.

22 *Libertario*, Nº 3, 9 marzo 1919 y *El Pueblo*, 11 febrero 1919.

23 *El Demócrata*, 6 de febrero de 1919 y *El Pueblo*, 9 y 10 de febrero de 1919.

24 *Luz*, Nº 77, 19 de marzo de 1919 y *El Pueblo*, 15 de marzo de 1919.

25 *El Pueblo*, 16, 18, 23, 27 a 29 de abril, 1 de mayo de 1919.

26 *Libertario*, Nº 10, 6 de mayo de 1919 y *El Pueblo*, 8 de mayo de 1919.

27 *El Pueblo*, 4 y 7 de mayo de 1919.

28 Carleton Beals: *Glass Houses*, J.B. Lippincott, NY, 1938, pp. 54-55. Rosendo Salazar y José G. Escobedo. *Las pugnas de la gleba*, PRI, México, 1976, p.259. *Libertario*, Nº 12, 20 de mayo de 1919. Irwin Granich: «Well, what about México?», *Liberator*, enero 1920. Higinio García: *La huelga general apoyando la del profesorado*, copia mecanográfica. *El Pueblo*, 11 al 14, 18, 20 y 24 de mayo de 1919. *El Demócrata*, 18 al 23, 28 y 31 de mayo de 1919. *El Sol*, 1 de mayo de 1925.

29 *El Demócrata*, 7 de junio de 1919.

30 *El Dictamen*, 24 de junio de 1919, citando a *Libertario* del DF.

31 E. Portes Gil: *Autobiografía de la Revolución Mexicana*, Instituto Mexicano de Cultura, México, 1964, pp. 249-256. *El Dictamen*, 22 y 23 de junio de 1919. *El Demócrata*, 14, 17, y 22 de junio y 2 y 4 de julio de 1919. AGN/*Trabajo*, c.169 e.40.

32 Rogelio Vizcaíno y Paco Ignacio Taibo II: *Memoria roja*, Leega-Júcar, México 1984, pp. 50-51.

2. PERSONAJES DE UN VIAJE AL SUR

Acontecimientos exteriores, sucedidos durante los dos últimos años, habían de ser determinantes en proporcionar protagonistas a esta historia que comienza a desenvolverse. En abril de 1917, los Estados Unidos declararon la guerra a los imperios centrales, entrando en la Primera Guerra Mundial. En un clima de euforia bélica y represión a los disidentes, el 5 de julio del mismo año, los ciudadanos en edad militar tuvieron que registrarse en las listas obligatorias de reclutamiento. Algunos no lo hicieron: sindicalistas revolucionarios, socialistas, intelectuales de la bohemia roja de Nueva York y California, pacifistas. Militantes socialistas, cobardes llenos de sentido común, aventureros y vividores, luchadores románticos cuya idea de futuro no incluía la muerte en una enfangada trinchera perdida en Europa, en una guerra en la que no creían y para la que no estaban dispuestos a proporcionar su cuerpo, evadieron el reclutamiento. Muchos de estos hombres vieron en México la única posibilidad de escaparse de la represión, la cárcel o el reclutamiento forzoso.

En los siguientes doce meses, los evasores del servicio militar, en grupo o en peregrinaciones individuales, fueron llegando a la frontera para cruzarla ilegalmente. A partir de ese momento se iniciaron segundas etapas de su viaje, cada vez más al Sur, que los llevaban a Tampico, a la Ciudad de México o incluso hasta la península de Yucatán. Iban guiados por imágenes que les habían proporcionado los reportajes o los cuentos de Jack London, John Reed, Lincoln Steffens, Kenneth Turner; por los rumores que emitía el «experimento socialista» del general Alvarado en Yucatán o por los exóticos sueños que habitan en un rincón inconsciente de la cabeza de cada americano desde la guerra de 1847.

Su gobierno, la voz del poder, los llama *slackers* (débiles, flojos, perezosos, huidizos) y ellos asumen el nombre dándole un nuevo sentido: evasores por motivos de conciencia.

El viaje hacia el Sur pudo durar una semana o un año, y en él van encontrando empleos, mezclándose con la vida mexicana y creando proyectos culturales, comerciales, periodísticos e incluso políticos.

La cifra de los *slackers* es nebulosa. Algunas fuentes americanas de años posteriores, estimuladas por el intervencionismo de la comisión senatorial Fall, hablan de diez mil; otras, de «algunos centenares». El número nunca se conocerá con precisión.

Los caminos hacia México no son necesariamente fáciles. Martin Brewster, un judío rumano naturalizado norteamericano, cuyo apellido original era Biernbaum, y que formaba parte de los medios socialistas de Nueva York, viajó a Los Ángeles, de ahí a San Diego, luego a Calexico e ingresó a México por Mexicali donde se encontró con docenas de desertores que habían cruzado clandestinamente la frontera y que querían viajar hacia el Sur. Bajaron en un pequeño bote por el río Colorado hasta Guaymas, en una travesía de seis días sin comida y bajo un sol tórrido. Una vez repuestos pudieron seguir a México, donde llegaron en septiembre de 1918[1].

Otros como Linn A.E. Gale, que en Nueva York había dirigido una revista socialista, hicieron su viaje en tren desde Juárez, y su primer choque con la realidad mexicana quedó retratado en estas líneas:

> No viajen en segunda clase a no ser que estén ansiosos de viajar empacados con peones como sardinas en una lata, e inhalar una atmósfera vil de tabaco, escupitajos, porquería y cualquier otra abominación, sin decir nada de acumular probablemente pulgas y piojos de los desafortunados que viajan en esos coches. Son víctimas de la lucha de clases y probablemente los compadecerán. Pero a no ser que tengan un estómago y una voluntad fuertes, eviten viajar con ellos[2].

Así, fueron llegando lentamente a la capital. No constituían un grupo unificado, no tenían un proyecto en común. Carleton Velas, un joven periodista nacido en 1893 en Medicine Lodge, Kansas, que se había graduado en Artes en 1910 en California, y que llegó a México en 1918 vía Ciudad Juárez, descubrió así a sus compañeros *slackers*: «Tipos que se hicieron ricos vendiendo medias; pillos, pacifistas reales y fraudulentos, naturalistas, coleccionistas de serpientes, ingenieros que querían pintar...[3]»

Quizá lo único que tenían en común la mayoría de los *slackers*, según los testimonios del propio Velas y de Robert Haberman, era que «consideraban obligatorio emborracharse.[4]»

La mayoría se ahogaron en el alcohol o en el clima, en la soledad o en el desarraigo y el desencanto. Añoraban demasiado los días dorados de la bohemia roja, sus mundos familiares.

El mito de la Revolución Mexicana se desmoronaba fácilmente al contacto con los restos de la revolución.

Richard Francis Phillips, un joven de veinticinco años que había formado parte de la Liga Estudiantil contra la Guerra de la Universidad de Columbia y que se había fugado a México tras casarse con su compañera Eleonore, escribía en un poema:

¿Dónde están ahora?
¿Eres tú ese
que rueda suavemente a lo largo
de las cuidadas calles de la colonia Roma
en tu automóvil de seis cilindros
con una mano que brilla reposando sobre la llanta de refacción del coche
de manera que el encendido diamante en tu pulgar
pueda verse con más facilidad?
¿Eres tú ese burócrata satisfecho
que sentado y fumando un puro
conversa amigablemente
en la familiaridad
de su oficina?
¿Puede ser
que seas ese contador
que se peina de raya en medio
y que no cree en nada
más
que en la columna de sociales de Excelsior
y en la incomparable magnanimidad de tu patrón?

¿Es verdad
como dicen
que eres ese escurridizo objeto
que se deshace en el borde de la banqueta,
una mano sifilítica apuntando a donde la otra
(arrancada de un balazo)
debió de haber estado
mientras gimes monótonamente:
«Una caridad por el amor de Dios?»
¿Cuál de todos eres?
¿Dónde están, soldados de la revolución?[5]

Pero el desencanto de algunos no paralizaba a todos. Irwin Granich, un judío neoyorkino, famoso años más tarde bajo el seudónimo Mike Gold[6] y que arribó a México por Tampico en 1917, escribía:

> En la Ciudad de México no hay rascacielos, y la gente se mueve lentamente por las calles. Allí hay siempre una suave fragancia de flores en el aire. Tenemos más tiempo para conocernos. La comida es más simple, las casas simples y más bellas, la gente, fuera de sus arranques de violencia infantil, son más calurosos y dulces, e inconscientemente camaraderiles. En los Estados Unidos encontré en el movimiento radical muchos socialistas, pero pocos camaradas. No tienes tiempo, porque aun en sus propias almas han recibido marcas irradicables de la fiebre, la prisa y la impaciente superficialidad de la ciudad norteamericana. Hay algo diferente aquí, y a pesar de que no puedo analizarlo claramente, sé que está muy próximo al amor fraternal de los camaradas con los que el nuevo mundo se ha de construir[7].

Mientras la mayoría de los *slackers* hizo de México una tierra de destierro temporal, algunos de ellos, los más animosos, los más militantes, evadieron las primeras imágenes, los primeros miedos y se vincularon al movimiento mexicano.

Quizá el primero en hacerlo, aunque de una manera muy sui géneris, fue Linn A.E. Gale. En junio de 1918, comenzó a editar su revista *Gale's Magazine*, «Órgano de la nueva civilización». Aunque su acción política tenía siempre en mira el movimiento radical de los Estados Unidos (la mejor prueba es que *Gale's* se editaba en inglés) poco a poco los temas mexicanos invadieron la revista y se volvieron la parte dominante de su contenido[8].

Gale junto con su esposa Magdalena, una excelente secretaria y mecanógrafa que fue despedida cuatro veces en México por compañías norteamericanas, en represalia por las actividades de su marido[9], practicaba el naturismo, era propagandista del control de la natalidad y mantenía relaciones con el socialismo europeo a través de sus contactos norteamericanos[10].

En torno a la revista *Gale's*, se agruparon algunos *slackers*: C.F. Tabler, un ingeniero de minas de origen alemán nacionalizado norteamericano en 1912, que había llegado a México en 1917 tras haber militado en la IWW, Parker, F. Snydr, y el filipino Fulgencio Luna *Sr.*

Otro grupo de *slackers*, que habían sido miembros de la IWW en Estados Unidos, se establecieron en la zona petrolera mexicana, donde existía un fuerte núcleo de trabajadores norteamericanos desde principios de siglo, y en donde encontraron grupos de la IWW mexicana organizados, al menos desde 1914. Fue el caso, entre otros, del neoyorkino Herman P. Levine, quien adoptó en México el seudónimo de Martín Paley, hijo de un empleado de origen ruso, nacido en 1893, que se estableció en México desde mayo de 1918[11].

Entre los que viajaron a Yucatán, habían de destacar Roberto Haberman, judío rumano nacido en 1883, naturalizado norteamericano, miembro del Partido Socialista Norteamericano desde 1906, y que estudiaba en la Universidad de Nueva York antes de huir a México. En Yucatán se relacionó rápidamente con Carrillo Puerto y colaboró en 1918 en la organización de las cooperativas de las Ligas de Resistencia del Partido Socialista Yucateco.[12] Un segundo exilado en la península yucateca era Walter Foertmeyer, nacido en 1890 en Cinncinati, miembro de la IWW, que había escapado de Estados Unidos vía Nueva Orleans en los primeros días de junio de 1917[13].

Pero quizá el más extraño de todos los exilados que cruzaron la frontera mexicana era Manabendra Nath Roy, un hindú cuya estancia en México había de ser ensombrecida por los futuros historiadores del movimiento obrero mexicano.

M.N. Roy, nacido en Arbalia, Bengala, en 1887, bajo el nombre de Marendranath Bhattacharjee, hijo de un maestro de escuela, inició su labor política a los catorce años dentro de las filas del nacionalismo radical indio. Casi todos sus biógrafos repasan muy imprecisamente sus acciones antibritánicas de esos primeros años, pero es muy posible que haya participado en actos terroristas. A la búsqueda de aliados para derrocar al Imperio Británico en India, estableció contactos con Alemania para obtener financiamiento y armas destinados a la revuelta independentista hindú. Al estallar la guerra mundial se vio involucrado en una operación para obtener fusiles alemanes descubierta por los británicos, y escapó milagrosamente a Batavia. En su viaje a Shangai tiene que abandonar el barco y permanece en un bote salvavidas sin agua durante dos días hasta que llegó a Cantón. Ahí entabló nuevas relaciones con el consulado alemán, y decidió ir a Alemania vía Estados Unidos. Llegó a Estados Unidos en 1916 con un pasaporte portugués encubierto bajo la personalidad de un religioso, el padre Martin, que iba a estudiar teología cristiana. Pasó un par de meses en Stamford donde se relacionó con otra estudiante, Evelyn Trent, con la que se casó. Buscó a los alemanes en Nueva York, pero se vio involucrado en el juicio contra nacionalistas hindúes en Estados Unidos acusados de violar la neutralidad norteamericana[14].

En su breve estancia en Estados Unidos, Bhattacharjee había muerto para dar nacimiento a M.N. Roy, nombre que lo acompañaría el resto de su vida, y con el que cruzó en junio de 1917 la frontera de México, huyendo de la detención en Estados Unidos.

Todos los testimonios coinciden al señalar que Roy volvió a enlazar con los alemanes en Ciudad de México, y que los abundantes fondos que manejaba (una parte de los cuales fueron destinados a los revolucionarios hindúes aunque parece que nunca llegaron a destino) tenían su origen en la embajada alemana[15].

En México, junto con Hebe in, alquiló una casa en la colonia Roma, Mérida 48, para ser exactos, y se limitó a mantener contacto con algunos personajes del gobierno mexicano, la embajada alemana, y a desarrollar propaganda pro-hindú. Se mexicanizó rápidamente y aprendió el español. En sus memorias reseña que en México se sentía como en casa, y que «el café de Orizaba era el mejor del mundo[16].»

En español escribe su primer texto, que se edita en 1918, «La voz de la India»[17], un largo folleto polémico en el que establece que la miseria de la India tiene su origen en el imperialismo británico. Están ausentes del texto conceptos clasistas; el sujeto, es el sujeto nacional: el país, la India, sojuzgada por el Imperio Inglés. Además de una abundante documentación, que fundamenta su anticolonismo, el folleto justifica la relación de Roy con los alemanes: «Alemania puede ser para la India lo que Francia fue para los colonos norteamericanos». Además del folleto, Roy escribe no menos de cuarenta artículos y da multitud de conferencias, siempre y sólo sobre el problema hindú[18].

En enero de 1919, funda la sociedad Liga Internacional de Amigos de la India, que dirige junto con su esposa[19].

No tiene a lo largo de 1918 y los primeros meses de 1919, ninguna intervención política en los asuntos nacionales.

En sus memorias, Roy se retrata de la siguiente manera: «Culturalmente era todavía un nacionalista; y el nacionalismo cultural es un prejuicio que muere muy difícilmente. El socialismo me atraía por sus connotaciones antiimperialistas[20].»

Un retrato de la época lo describe como un hombre alto, «de arrogante figura de tonos broncíneos, ojos negros de mirada penetrante y enérgica; acostumbraba a usar barba terminada en punta y espeso bigote con guías hacia arriba»; lo que un segundo testigo, completa: «vestía elegantemente, lo cual agregado al esplendor de que se había rodeado, lo hacía parecer en efecto como un príncipe de la India[21].»

El final de la guerra en noviembre de 1918, hace sentir a los *slackers* que pueden mostrarse más abiertamente en México.

En los primeros meses de 1919, M.N. Roy se relaciona con el Partido Socialista, pequeño grupo de una docena de miembros encabezados por Santibáñez, y en sus reuniones conoce a Richard Francis Phillips[22].

Phillips, que había rodado por el país, encontró su oportunidad en la Ciudad de México dando forma a un proyecto de mayor alcance que la revista *Gale*, aunque todavía lejos del movimiento mexicano. Aprovechando la aparición de *El Heraldo de México*, diario que impulsa Salvador Alvarado como palanca para su posible candidatura presidencial, y que nace el 26 de abril de 1919, Phillips crea una sección en inglés de una página, que confecciona diariamente con Mike Gold, Maurice Baker, el dibujante radical Henry Glinterkamp, Eleonore y una anciana norteamericana que se dedica a la sección de sociales[23].

La página en inglés de *El Heraldo* se volverá el portavoz de una parte de los *slackers* en México, y gracias a esta, Roy y Phillips (que firma Frank Reaman sus trabajos) estrechan sus relaciones.

Roy dirá años más tarde de Phillips:

> Charlie era un pacifista; no tenía obsesiones teóricas, su aproximación a la revolución era primariamente emocional. La idea de que en agradecimiento a la hospitalidad, deberíamos ayudar a México contra intervenciones extranjeras, le conmovía. Con su característica impetuosidad, declaraba que todos debíamos unirnos al partido socialista y construirlo como una organización revolucionaria de masas[24].

Phillips dirá de Roy: «Se tomaba a sí mismo muy en serio, y consideraba que su cometido en la vida consistía en prepararse para la liberación de la India del régimen británico y actuar como un militante protagonista de ella. Por aquel tiempo, no tenía ningún interés por los problemas económicos.[25]»

Mientras Roy y el grupo de *El Heraldo* se hacían amigos y comenzaban a fraguar su intervención en el movimiento radical mexicano, Gale hacía una declaración sorprendente en su revista: «Estoy orgulloso de estar a la vanguardia del movimiento bolchevique en México.[26]»

Y es que entonces, la prensa mexicana se hacía eco de una revolución que se había producido a millares de kilómetros de distancia.

Notas al pie

1 «¿Quiénes son los propagandistas del bolchevismo?», *Excelsior*, 12 de junio de 1920.

2 Linn A.E. Gale: «What to expect if you come to México», *Gale´s Magazine*, diciembre de 1920.

3 Beals / *Glass Houses*, capítulo III.

4 Ibíd., p. 33.

5 El poema *In the Black Wash* apareció firmado con el seudónimo Frank Seaman en *El Heraldo de México*, 27 de octubre de 1919, sobre los antecedentes de Phillips, Robert J. Alexander: *Communsim in Latin America*, Rutgers Univerity Press, NJ, 1957, p. 321 y Dranko Lazitch: *Biographical Dictionary of the Commintern*, Hoover Institution Press, Stamford, 1973.

6 Mike Gold, autor en los años treinta de la famosa novela *Judíos sin dinero* y de la obra teatral sobre México, *Fiesta*, era descrito en esos años por Beals de la siguiente manera: «Un judío húngaro [...] un producto de los ghettos de Nueva York y del Greennwich Village [...] en aquellos días fluctuaba entre la literatura y el marxismo, la bohemia y la lucha de clases. Era la opción primitiva entre aquellos que protestaban contra la moral convencional y aquellos interesados en la revuelta social». Beals/*Glass Houses*, pp. 35-36.

7 Granich/*What about*.

8 La revista era editada mensualmente, tenía un mínimo de treinta y dos páginas, y públicamente mantenía correspondencia con multitud de grupos socialistas y radicales de los Estados Unidos. Fuera de las colaboraciones tomadas de otros órganos de la prensa radical, era casi íntegramente redactada por Linn. A. Gale, que además la financiaba. Existe una colección completa en NYPL.

9 Gale se vanagloriaba de que gracias a las leyes mexicanas, ante cada uno de los despidos de su esposa había ganado las demandas por indemnización sacándoles setenta y cinco dólares a Samuel W. Rider de la Cámara de Comercio Norteamericana, trescientos setenta y cinco a G. Amswick y compañía y ciento cincuenta a M. A. Malo, un vendedor de ropa americana. La mayoría de estos dólares sirvieron para financiar la revista. L. A. Gale: «We slackers in México», *Gale´s Magazine*, junio de 1919 y *El Pueblo*, 8 de marzo de 1919.

10 M. N. Roy en sus *Memorias* ofrece la siguiente descripción de Gale: «[...] rentó un cuarto y anunció el establecimiento de la Iglesia del Nuevo Pensamiento en México, donde predicaba todos sus sermones los domingos en la mañana. En cuanto a su apariencia física era bastante apropiado para el papel; un hombre alto, esbelto, con una cara delgada y pálida terminada en una barbilla roja en punta. Si no hubiera sido por el esmoquin negro que usaba para ascender al púlpito, se le hubiera podido to-

mar por Jesucristo predicando el sermón de la montaña. Su público nunca superaba por mucho la docena. Su esposa hacía de Magdalena, de pie junto al púlpito con un vaporoso vestido blanco y trenzas de cabello rubio colgado a ambos lados de la cara, en actitud de adoración». M. N. Roy: *Memoires*, p.146. Se usa indistintamente la edición en inglés de Bombay, 1964, o la traducción parcial publicada en *El Buscón* Nº 1, México, 1982.

11 *NAW, DJ* 202600-1913-12.

12 Roberto Haberman: *The Divorce Laws of México*. Hoover a Hurley, *NAW, DJ*, 8120.0-1144. I Congreso Obrero Socialista celebrado en Motul, CEHSMO, México.

13 *NAW, DJ*, 202600-1913-3.

14 Ramyansu Sekhar Das: *Roy, the Humanist Philosopher*, New Delhi 1952. Shri Phanibhusan Chakravartti: *M. N. Roy*, Calcuta, 1961. Friedrich Katz: *La guerra secreta en México*, ERA, México, 1982 (versión en inglés se cita), p. 423.

15 R. S. Das y F. Katz citados. M. N. Roy en sus memorias reconoce abiertamente sus nexos con la embajada alemana, aunque nunca habla del monto del financiamiento, ni de qué parte de este se utilizó para su uso personal.

16 M. N. Roy/ *Memoires*, p. 116.

17 México 1918, SPI, archivo JCV. Aunque su español le permitía dictar conferencias en público (como las que pronunció en enero de 1919 en el teatro Ideal), es evidente que el estilo de su libro fue corregido, puesto que su sintaxis no era muy buena según se puede ver de su posterior correspondencia en español.

18 El único contacto hasta los últimos meses de 1918 de M.N. Roy con las ideas socialistas, se encuentra en una esporádica colaboración con una revista radical en Estados Unidos, y siempre sobre el problema hindú, desde la perspectiva anticolonialista. Muy lejos está el personaje de ser el «enviado de la Internacional Comunista a México», como lo han querido hacer pasar autores como Bernstein («Marxismo en México. 1917-1925», *Historia mexicana*, Nº 28, abril-junio 1953, p. 500) y Ricardo Treviño (*El espionaje comunista y la evolución doctrinaria del movimiento obrero*, SPI, México 1952, p. 20).

19 *Bases generales en la Liga Internacional Amigos de la India*, SPI, enero de 1919.

20 Roy/*Memoires*, p. 59. Las memorias de Roy respecto a su «periodo mexicano» deben leerse con gran cautela, cotejando los datos con otros testimonios y con la prensa nacional y obrera de la época. Seguirlas acríticamente puede invitar a graves errores.

21 «Los *bolshevikis* en la capital», *Excelsior*, 11 de junio de 1920 y José C. Valadés: «Efervescencia del cambio social en México», artículo inédito.

22 M.N Roy/*Memoires*, pp. 109-111 y Richard Francis Phillips entrevistado por Theodor Draper: «De México a Moscú», *Survey*, Nº 53, octubre de 1964, y Nº 55, abril de 1965. Traducción proporcionada por Roberto Sandoval.

23 *El Heraldo de México*, 26 de abril de 1919 y Phillips-Draper / «De México a Moscú.»

24 Roy/*Memoires*, p. 120.

25 Phillips-Draper/ «De México a Moscú.»

26 «Bolshevism in Mexico», *Gale´s Magazine*, febrero de 1919.

3. LA GARRA *BOLSHEVIKI*[1]

Para que esta historia progrese, nuevamente hay que retroceder, ahora para relatar la caótica forma en que adquirió carta de ciudadanía en México el concepto de bolchevismo.

A finales de 1917, los diarios nacionales informaron de manera harto confusa sobre los acontecimientos revolucionarios que se estaban produciendo en Rusia. Según aquellos sorprendentes textos, Lenine, un espía alemán, se había adueñado del poder con la ayuda de un judío amigo suyo llamado Trotzky. Mas tarde, Trotzky y Lenine se darían de golpes de Estado, caerían en manos de los blancos, quienes varias veces reconquistaron Moscou y serían asesinados en incontables ocasiones. Junto con esta popularización de los nombres de los dos dirigentes revolucionarios, se harían comunes los términos bolchevique y soviet, con múltiples significados, afines todos ellos al extremo radicalismo, al izquierdismo desesperado, al aventurerismo sin límite, al nihilismo definitivo.

Poco atractiva podía resultarle a los desorganizados trabajadores mexicanos aquella revolución que les quedaba tan lejos y cuyas noticias les llegaban a través del colador de los mentirosos profesionales de la gran prensa.

Aun así, los primeros ecos en los medios obreros nacionales se produjeron en la revista *Luz* que dirigía Jacinto Huitrón, cuando el 12 de diciembre de 1917 se publicó un artículo titulado: «El pueblo ruso»[2] en el que se hacía un retórico saludo a la emancipación de los siervos y los *mujiks*. La segunda mención apareció también en *Luz* dos meses más tarde[3] en una nota donde se afirmaba que Rusia era la avanzada del socialismo universal, «ahí fructifica la semilla de los divinos sembradores del anarquismo.»

En este artículo, titulado «Opiniones y comentarios. Rusia revolucionaria» se hablaba más de Bakunine, Kropotkine, Gorka y Tolstoi que de los mencionados Lenine y Troztky.

El reconocimiento adquirió pronto la forma lírica tan al uso en la prensa anarquista de la época; el 1 de marzo de 1918 el obrero jarocho Vicente de Paula Cano saludaba a la revolución con el poema *Obreros del mundo*[4]:

> *¡Obreros mirad hacia el oriente*
> *ved cómo el pasado se derrumba,*
> *oíd cómo suena lentamente*
> *la hora de redención omnipotente*
> *en que los muertos se alzan de la tumba!*

La prensa anarquista fue la primera en salir a la defensa de la Revolución Rusa en contra de las difamaciones de la prensa diaria; en enero de 1919, de una manera vaga, los sectores radicales del movimiento, aunque sin elementos suficientes, iban sumándose a una adhesión desinformada. Respondiendo a una encuesta realizada por varios diarios capitalinos, contra la opinión mayoritaria de los entrevistados, el dirigente del Gran Cuerpo, Leonardo Hernández, opinó que las «ideas bolcheviques pueden prosperar en México»[5], José Allen de los Jóvenes Socialistas Rojos precisó:

> Ignoro la traducción de la palabra bolchevique, pero si tener hambre es ser bolchevique, nosotros lo somos. En cuanto al comunismo, no es otra cosa que la idea ya añeja, de que su implantación será la salvación no solo de los trabajadores, sino de la humanidad entera. Y aunque ustedes y yo no lo queramos, llegará a implantarse. La guerra europea ha dado a los trabajadores la oportunidad de adueñarse del poder político y económico de su país, implantado la dictadura del proletariado[6].

Incluso algunos miembros de la Federación de Sindicatos Obreros del DF (cromista), como Rosendo Salazar, Rafael Quintero y José F. Gutiérrez, en una velada de la Unión de Dependientes de Restauran señalaron que eran simpatizantes de la Revolución Rusa y Alemana, aunque «coincidieron en que los obreros mexicanos no están maduros para el bolchevismo[7].»

En este contexto se producen las declaraciones de Gale citadas en el capítulo anterior y que se complementaron con una definición: «El bolchevismo no es antinacionalista, es un nacionalismo tan grande y profundo que se convierte en internacionalismo[8].»

Sin embargo las declaraciones no fueron más allá. Ni la prensa obrera aumentó su información sobre la Revolución Rusa, ni fue tema de debate en los medios sindicales; y sorprendentemente, no interesó al Partido Socialista Mexicano.

En cambio, obtuvo un profundo eco en un militante solitario, Vicente Ferrer Aldana, un impresor que había militado en el zapatismo durante la revolución y que unió sus amores por el pensamiento anarquista a su fe zapatista y su adhesión ferviente a la joven Revolución Rusa:

«El socialismo, en todas sus modalidades, ya de Estado, ya político, ya económico, ya anárquico, o ya bolcheviki, lleva siempre una finalidad: conseguir una equitativa distribución de la felicidad humana, entre todos los seres que habitan el planeta Tierra[9].»

En enero de 1919, habiendo oído que en Tampico J.A. Hernández, un miembro del grupo anarquista Hermanos Rojos, estaba a punto de sacar un periódico llamado *El Bolsheviqui*, se lanzó hacia el puerto para regresar inflamado a la capital, poniendo grandes carteles donde se leía: «*El bolchevique*, un periódico bolchevique; el primer periódico sovietista en México». Pero *El Bolchevique* abortó al ser prohibido por el general Dieguez el 25 de enero de ese año[10].

Ferrer persistió y en abril publicó *El Azote*, «periódico cauterizador de las llagas sociales», donde se incluía en folletín la Constitución rusa que algunos *slackers* habían traducido y hecho una colecta para publicarla. Ferrer Aldana combinó la salida de *El Azote* con la de *Libertario*[11], un periódico de divulgación anarquista.

El divorcio entre la Revolución Rusa y los anarquistas tardaría en producirse en México. En los primeros meses de 1919 *El Pequeño Grande* de la zona petrolera de Villa Cecilia, editado por los Hermanos Rojos, se sumó a la campaña de Ferrer con varios artículos: «Levántate y combate» (en donde se identificaba a bolcheviques y espartaquistas con anarquistas), «Programa revolucionario en Rusa» (donde se aportaba una versión anarquista del supuesto programa de Revolución Soviética) y «La obra de Lenin y Trotski llevan a afecto en Rusia, secundada por el proletariado indo-hispano» (donde se afirmaba que L. y T. eran los «constructores de la sociedad anarquista colectivista»[12].)

Sin embargo, no fueron los solitarios esfuerzos de los anarquistas los que más hicieron por la propagación, fueron los agentes del Departamento de Estado quienes hicieron llegar hasta México los ecos de la campaña de prensa que estimulaban en Estados Unidos. En enero, *Excelsior* repetía una denuncia originada en Nueva York según la cual existían «soviets secretos en México», en particular en Tampico, promovidos por la organización sindicalista revolucionaria norteamericana IWW[13]. De ahí en adelante con la ocasional colaboración de la prensa norteamericana, se inició una campaña en la que *Excelsior* llevaba la voz cantante que hizo mucho sin querer por divulgar la Revolución Rusa.

Mientras en *El Pueblo* se publicaba la mencionada encuesta sobre la presencia del bolchevismo en los medios obreros, en *El Demócrata* se daba a conocer la censura de correspondencia que se haría en la frontera para evitar la difusión del bolchevismo[14] y se inventaban extrañas historias como la que se publicó bajo el título «A vuelo de pájaro»:

> Varios individuos de mala catadura han ido a establecerse a la vecina localidad de San Ángel, donde se hacen pasar por bolcheviques, ante el asombro general de los trabajadores de seis importantes fábricas [...] Las autoridades van a hacer conciertos y actos culturales con obreros para denunciarlos[15].

En los medios sindicales mexicanos se produjeron tímidas respuestas ante la avalancha de información tendenciosa y absurda. Tanto el secretario general de los cocheros, Leonardo Hernández, como el de los panaderos, Genaro Gomes, trataron de salir al paso diciendo que no había agentes bolcheviques en México y que el bolchevismo era la respuesta revolucionaria a una situación de injusticia social que podía ser "posible" que se diera en México[16].

Estas voces solitarias eran ahogadas en la prensa por un alud de noticias sorprendentes. Un día la policía informaba que había estado a punto de detener al ruso Vladimir Zinoviev y al norteamericano James Scheider, agitadores bolcheviques en la zona textil de Río Blanco y Nogales, Veracruz, quienes habían desaparecido en las selvas de Tabasco y las sierras de Oaxaca llevando su maligna propaganda[17].

Otro día, se informa que la llegada a Veracruz del atache ruso Vasilio Alexandrovich Durasov, quien fue detenido como bolchevique al desembarcar proveniente de La Habana. Aunque el diplomático Blanco argumentó que él no tenía nada que ver con la Revolución de Octubre, fue deportado por las autoridades que señalaron que no había relaciones con Rusia[18].

Los bolcheviques crecían detrás de los árboles, y si para los periódicos a veces tomaban la forma de misteriosos rusos, la habitual es que se tratara de huelguistas desesperados ante la intransigencia patronal. Era hábito de *El Universal*, colgarse el adjetivo a las luchas obreras de provincia, bien fueran textiles de Puebla o agraristas michoacanos; la única condición es que los conflictos se hallaran lejos de los centros de información, y los supuestos bolcheviques no pudieran desmentir.

Una de las joyas de la campaña probatoria de la existencia de una conjura bolchevique en México, fue la información sobre la detención en Monterrey de Dimitri Nikitín. A este ciudadano ruso, no solo se le acusaba de ser agente bolchevique, sino también de haber conquistado a una viuda regiomontana y estar viviendo a sus costillas, lo cual fue abundante material de cargo para detenerlo en Tampico y aplicarle el artículo 33[19].

En el mismo mes en que Nikitín era deportado, una demostración sindical en los talleres del ferrocarril en el puerto de Tampico era difundida por la prensa de la capital como «demostración bolchevique[20].»

En vía de mientras y pían pianito, una información más consistente y directa sobre la Revolución Rusa comenzaba a circular selectivamente entre los *slackers* norteamericanos y en los medios dirigentes del anarquismo y el sindicalismo mexicano. La edición de la Constitución rusa llegó a venderse en una ventanilla de la Cámara de Diputados destinada a la atención al público; el periódico *Liberador*, órgano de la izquierda radical norteamericana, se vendía en algunos puestos de prensa de la Ciudad de México, Tampico, Monterrey y de sus páginas se extrajeron crónicas de John Reed que fueron traducidas al español. Ya más avanzado el año 1919, en la prensa obrera aparecieron artículos de Trotski, Zinoviev, Tchicherin, Lenin y Rosa Luxemburgo, junto con informaciones sobre los avances del Ejército Rojo empeñado en guerra civil contra los Blancos[21].

Gale´s Maginazine colaboró ampliamente en esta labor, y desde la página en inglés de *El Heraldo* lo mismo hicieron Phillips y Granich, quienes usaban como fuente informativa materiales de *Soviet Russia Today*[22].

En la labor en los medios sindicales, el más eficaz seguía siendo Vicente Ferrer Aldana, que había convertido la difusión de la Revolución Rusa en una cruzada personal:

> Corrió al sindicato de panaderos y a la Federación de Sindicatos del DF, dando a conocer la buena nueva; sembró la ciudad de hojas en las que se leía: «La Revolución Mexicana debe de transformarse en Revolución Rusa y acabar con todos los parásitos»; acudió a los estudiantes pretendiendo convencerlos de la necesidad de que fueran los primeros defensores de los bolcheviques[23].

El trabajo de los *slackers* y de Ferrer Aldana se veía apoyado por la información que llegaba a México en la páginas de la prensa radical norteamericana, y en el material publicado en la prensa anarcosindicalista española que en esos años arribaba regularmente a México vía Veracruz.

Sin embargo, el fenómeno seguía siendo decididamente minoritario y marginal, mucho más sólido en los delirios de la prensa nacional que en la realidad del movimiento.

Así, se seguía informando sobre «misteriosas reuniones de rojos en Sonora y Sinaloa», que hicieron llegar a la capital la Constitución bolchevique[24] o se hablaba de la «lección de bolchevismo a golpes» que los obreros Pablo Ubaldo y Aniceto Alcántara propinaron al patrón gachupín establero Joaquín Bilbao[25].

Bolshevike se volvía Albert Diedel, alias Bishop, por el delito de portar un volante socialista y hablar cinco idiomas, con la agravante de que habiendo nacido en Alemania se hubiera naturalizado mexicano[26]; y bolchevique se volvía un incidente militar provocado por un grupo de soldados ebrios que colgaron una bandera roja en el poblado de Algodones, Baja California[27].

Para fines de 1919, por los medios antes narrados, la palabra bolchevique se había incorporado al lenguaje nacional. La página de espectáculos de *El Demócrata* reseñaba el estreno de *La guerra bolsheviki*, «la película de arte más emocionante»[28] y en el diamante capitalino triunfaba La Novena Soviet, también conocidos como los Bolsheviki, equipo de béisbol de los cronistas deportivos de los diarios[29].

Aunque la información sobre la Revolución Rusa se encontraba muy lejos de haber conmovido a los trabajadores mexicanos, y su experiencia y sus contenidos eran prácticamente desconocidos por amplios sectores del sindicalismo militante, algunas palabras habían quedado: Lenine, Trotzky, soviet, bolchevique, asociadas a la idea de prácticas radicales contra el capital.

Un poco más profunda era la información que los anarquistas manejaban, a la que habían aportado más sus deseos que los verdaderos hechos; y por último, una minoría de militantes, muchos de ellos *slacker*, habían visto en Rusia un proyecto a seguir, un camino: el camino[30].

Notas al pie

1 Una primera versión de este capítulo fue editada en el suplemento *Sábado* de *unomásuno* y se encuentra recogida en Vicaíno/Taibo II/*Memoria roja*.

2 *Luz* N° 12, 12 diciembre de 1917.

3 *Luz,* N° 34, 6 de febrero de 1918.

4 *Bandera Roja,* N° 4, 1 de marzo de 1918.

5 *El Pueblo*, 18 de enero de 1919.

6 Artículo de José Allen firmado con el seudónimo Alejo Lens y publicado por *La Voz de México*, 15 de septiembre 1942, reproducido en Fabio Barbosa: *La CROM de Luis Morones a Antonio Hernández*, UAP, Puebla 1980.

7 *El Universal*, 13 de enero de 1919.

8 «Bolshevism in México», *Gale's Magazine*, febrero de 1919.

9 *Libertario,* N° 3, 9 de marzo de 1919.

10 José C. Valadés: «Vicente Ferrer Aldana y el socialismo mexicano», artículo inédito y *Luz,* N° 75, 19 de enero de 1919.

11 *El Azote,* N° 1, 21 de abril. *Libertario* salió a fines de febrero, el N° 2 es del 2 de marzo de 1919. Roy/*Memoires*, p. 117.

12 *El Pequeño Grande*, N° 8, 9 de marzo de 1919 y N° Extra del 10 de mayo de 1919.

13 *Excélsior*, 8 de enero 1919.

14 *El Demócrata*, 24 de enero de 1919.

15 *El Pueblo*, 30 de enero de 1919.

16 *El Pueblo*, 16 y 21 de febrero de 1919.

17 *El Pueblo*, 10 de marzo de 1919.

18 *El Pueblo*, 25 de marzo de 1919. El incidente Durasov, extrañamente, no se encuentra registrado en el archivo histórico de la SER ni se menciona en el libro de Héctor Cárdenas: *Las relaciones mexicano-soviéticas*.

19 *El Demócrata*, 30 de mayo de 1919.

20 *El Pueblo*, 8 de mayo de 1919.

21 Linn A. Gale: «We slackers in México», *Gale's Magazine* N° 11, junio de 1919. *Libertario*, N° 6, 30 de marzo de 1919. Vicente Fuentes Díaz citando a Manuel Díaz Ramírez señala que por entonces circuló ampliamente en México el panfleto *Sesenta y cuatro preguntas y respuestas sobre el bolcheviquismo*, de Rhys Williams. Los *partidos políticos en México*, editorial Altiplano, México, 1972.

22 Phillips-Draper/«De México a Moscú.»

23 Valadés/*Ferrer Aldana*. En *Efervescencia del cambio social*, JCV ofrece la siguiente descripción de Ferrer: «[...] un tipo rechoncho, siempre limpiándose el sudor de su rostro, inteligente y trabajador incansable. Tenía siempre la manía de fraguar planes revolucionarios y se proclamaba con orgullo el conspirador número uno del país.»

24 *El Pueblo*, 2 de abril de 1919.

25 *El Demócrata*, 17 de junio de 1919.

26 *El Demócrata*, 8 de octubre de 1919.

27 *El Demócrata*, 12 de septiembre de 1919.

28 *El Demócrata*, 30 de octubre de 1919.

29 *El Universal*, 11 de agosto de 1919.

30 Muy lejos nos encontramos de la versión magnificada que algunos historiadores comunistas han difundido sobre el impacto de la Revolución de Octubre en el movimiento obrero mexicano. En ensayos que sorprenden por su falta de información, abundan párrafos como estos:

«A los ojos de la grandes masas la salida se hallaba en el ejemplo de los obreros y campesinos rusos [...] la gran Revolución Socialista de Octubre ejercía una profunda influencia y llamaba a seguir el ejemplo de los bolcheviques», Arnoldo Martínez Verdugo, *Partido Comunista Mexicano, trayectoria y perspectivas*, FCP, México, 1971.

«Es la Revolución Socialista de Octubre la que viene a iluminar el camino [...] a mostrar la senda segura por la que había que caminar», Dionisio Encinas: «La Revolución Socialista de Octubre y su influencia en el desarrollo del movimiento revolucionario en México», *Liberación* N° 8, noviembre-diciembre de 1957.

Pero si en los textos de estos dos ex secretarios generales del PC hay magnificación, en historiadores como el ruso Boris Koval (*La gran Revolución de Octubre y América Latina*, Editorial Progreso, Moscú, 1978), lo que abunda es desinformación organizada. Su libro tiene como punto de partida que la Revolución de Octubre impactó América Latina, y todo el problema es encontrar fuentes (la importancia y la valoración de ellas es lo menos) para probarlo.

4. HACIA EL CONGRESO: IZQUIERDA Y DERECHA

La incorporación de Richard Francis Phillips y Manabendra Nath Roy al Partido Socialista Mexicano, debió de producirse al iniciarse 1919, antes de la convocatoria al Congreso y antes incluso de que el proyecto de *El Heraldo* tomara forma. Roy en esos días había decidido intervenir más activamente en la vida social mexicana y daba conferencias frecuentemente en su casa en la calle de Mérida, que aunque limitadas en su mayoría a la defensa de la India contra el imperialismo británico, tocaban temas más generales y se comenzaba a hablar del imperialismo americano y de la Revolución Rusa[1].

Por esos meses, Gale inició también su aproximación al PSM. El primer contacto que puede registrarse es una colaboración en su revista del editor de *El Socialista*, Francisco Cervantes López[2].

Todos los testimonios de la época coinciden en señalar la debilidad del Partido Socialista. Phillips habla de «cinco gatos» que limitaban sus actividades a la propaganda[3]; Roy menciona que el grupo no pasaba de la docena[4].

Esta debilidad era expresión de la ausencia de un pensamiento marxista en el movimiento obrero mexicano. Contra lo que han afirmado varios historiadores, no existía en México ningún núcleo «marxista revolucionario» y el marxismo, en su variante más socialdemócrata y conservadora era monopolio del pequeño PS[5].

Para junio de 1919, el partido se encontraba más debilitado aún. Nicolás Cano, su único dirigente con influencia en el movimiento sindical, se había retirado desde febrero a su tierra natal, Guanajuato[6], y la represión al Gran Cuerpo tras la huelga magisterial de mayo había roto los endebles lazos del partido con el movimiento sindical, que se encontraba ahora en la capital en una situación catastrófica.

La represión del movimiento con el cierre de locales y la ofensiva patronal que siguió, alcanzó también aunque lateralmente a Gale, cuando el 11 de junio fue detenido por la policía reservada, acusado de «fabricar sustancias anticonceptivas y hacer propaganda contra la concepción sexual». Multado con quinientos pesos y quince días de cárcel a petición de las autoridades sanitarias, fue liberado por intervención del ministro de Gobernación[7].

El citatorio al congreso, fechado originalmente para el 15 de junio, fue pospuesto para el 15 de agosto primero y después para el 25. Parecía que la iniciativa estaba condenada a la muerte.

En estas condiciones, Roy y Phillips decidieron darle un impulso a la propaganda del partido y remodelaron *El Socialista*. Se trataba de convertir el pequeño pasquín de ocho páginas en una revista de treinta y dos, con pastas de cartón, abundantes artículos sobre el movimiento obrero internacional y material para el debate ideológico y de principios. La revista, que continuó con la numeración de *El Socialista* y su nombre, aunque prescindiendo del «El», aparecía dirigida por Cervantes López, aunque lo estaba realmente por Roy, quien además la financiaba, y salió a la luz el 1 de agosto. En ella aparecían artículos de Roy sobre la India, de Evelyn Roy sobre problemas de la mujer, un llamado al futuro congreso firmado por Cervantes López y material de un debate interno del PSM firmado por Gale. En el editorial se informaba que la revista sería quincenal, se precisaba su carácter como un centro para el debate y el estudio de los problemas sociales y se invitaba a las corrientes no socialistas a la participación. Tenía dos anuncios en la tercera de forros, uno de *Gale´s Magazine* y otro del despacho laboral de Adolfo Santibáñez; abundaba la información internacional sobre Alemania, Italia, Inglaterra, artículos tomados de *Vorwaerts* de Berlín, *The Call* de Nueva York y la prensa comunista rusa[8]. Lo más interesante era un artículo de L.A. Gale titulado «El deber de los socialistas mexicanos», en el que se proponía la defensa del gobierno de Carranza ante la inevitable invasión norteamericana, cuyo contenido había provocado choques en la sesión del partido del 11 de junio de 1919.[9] Gale yendo mas allá que en otros textos pro carrancistas publicados en su revista, afirmaba:

> Mientras tanto, aunque yo pertenezco a lo que se conoce como la izquierda del Partido Socialista, y aunque de costumbre no creo en los compromisos, pido que el partido coopere con el gobierno mexicano tanto como le sea posible. Creo que el gobierno de Carranza ha hecho una obra buena en consideración de todas las circunstancias.

Las frases eran muy polémicas a tan solo dos meses de la represión militar y policiaca de la huelga magisterial y el cierre de los locales sindicales por el gobierno carrancista. Phillips que había combatido la represión carrancista desde las páginas en inglés de *El Heraldo*, a pesar de su incómoda situación, sin duda debe haberse opuesto.

En el número 39, publicado el 15 de agosto, además de abundar en la línea marcada en el numero anterior, el *Socialista* publicaba un artículo de Enrique H. Arce, que atacaba violentamente a Morones y proponía la reorganización del sindicalismo dirigida por el socialismo revolucionario.[10] Si algo caracterizaba estos dos números era el absoluto distanciamiento de la revista, y por tanto del partido, del movimiento obrero. Ni un artículo, ni un debate en torno a los problemas organizativos de la clase.

¿Qué posibilidades podía entonces tener el congreso? ¿Podría el Partido Socialista apoyarse en otras organizaciones en el interior del país?

En agosto de 1919, existían en México varios partidos regionales con influencia en el movimiento obrero y campesino. Sin duda el más importante era el Partido Socialista de Yucatán, nacido en 1916 como combinación de las actividades de la Casa del Obrero Mundial y el gobierno regional de Salvador Alvarado, y desde 1917 era dirigido por Felipe Carrillo Puerto, quien un año más tarde ocuparía interinamente el gobierno del Estado y sería diputado federal. Basado en algunos grupos obreros y magisteriales de Mérida y con su punto de apoyo en la ligas de resistencia en el campo yucateco, el PSY manejaba un concepto muy superficial del socialismo, enmarcado en una línea de reivindicaciones económicas globales y trabajo electoral combinado con la organización de las ligas. En marzo-abril de 1919 en su congreso celebrado en la ciudad de Motul, tan solo la voz de Haberman había dado un contenido socialista a los debates, al introducir en medio de discusiones sobre educación y agricultura planificada, una explicación del socialismo del siguiente tenor: «Consiste en que toda la riqueza pública, los ferrocarriles, las tiendas y en Yucatán también los campos henequeros pertenezcan a los obreros». Tras el Congreso de Motul, el partido intensificó la organización campesina y desarrolló una gran agitación agraria, que iniciando 1919, lo llevó a chocar contra el gobierno central. Tras la decisión de la Secretaría de Agricultura de no proceder al reparto de terrenos henequeros, la traición del gobernador Castro Morales y el inicio de la represión contra las Ligas, el PSY se encontraba a la defensiva. Las elecciones estatales que deberían celebrarse a fin de año se presentaban como muy difíciles para los socialistas yucatecos con el apoyo definido del gobierno central a la candidatura del liberal MENA Brito aliado a los militares[11].

El PSY no era el único partido «socialista»; desde abril de 1919, existía en Michoacán un pequeño partido socialista, el PSM, dirigido por Isaac Arriaga. También originado por militantes de la Casa del Obrero Mundial, tenía proyecto electoral y un pequeño trabajo de organización campesina. Su dirigente, denunciado como bolchevique, había sido detenido en Uruapan el 25 de abril acusado de repartir la tierra[12].

Había asimismo un partido socialista en Hidalgo y otro en Puebla, el primero muy vinculado a Morones, el segundo con muy poca implantación en el fuerte movimiento sindical poblano.

Ninguno de ellos podía ser caracterizado como un partido socialista en el sentido estricto de la palabra. El marxismo era prácticamente desconocido dentro de estos pequeños aparatos, que surgidos del anarquismo de la Casa del Obrero Mundial e influidos por las tesis de la acción múltiple» de Tudó y Morones, habían desarrollado una política de organización sindical y agraria y comenzaban a incursionar en el electoralismo vinculados a caudillos regionales populistas como Alvarado o Múgica.

No existían tampoco grupos marxistas dentro del movimiento sindical, aunque dentro de la CROM, la tendencia acaudillada por Morones tenía algunos puntos de apoyo en organizaciones sindicales que creían en la posibilidad de combinar la lucha reivindicativa con la acción electoral. Solían ser grupos que en su desarrollo habían encontrado la benevolencia de caudillos militares, si no es que el declarado apoyo de caudillos militares revolucionarios como Cándido Aguilar en Veracruz (los grupos de Orizaba), Enrique Estrada en Zacatecas (la Cámara del Trabajo) o Espinosa Míreles (la dirección de la Unión Minera Mexicana).

Estos grupos de militantes, aunque formados muy superficialmente en el anarquismo, solo habían tomado de este el lenguaje, el discurso contra la explotación capitalista y la retórica humanista, así como los conceptos organizativos que le habían llegado del anarcosindicalismo español. Eran minoritarios y se movían en un clima político frente a sus bases, en las que abundaba la desconfianza hacia la «política», reafirmada plenamente por los tres últimos años de ingratas experiencias.

Lo dominante en el movimiento obrero de la época era un sindicalismo anarquizante, antipolítico y minoritario en los centros de trabajo, aunque bastante unánime en los cuadros militantes, las organizaciones de afinidad y las redacciones de los periódicos obreros.

El proyecto socialdemócrata esbozado en el programa preliminar que Santibáñez y Cervantes López habían puesto a circular en la convocatoria socialista, podía vincular a los partidos regionales de zonas no industriales, pero difícilmente podría cautivar a los núcleos sindicalistas de los centros obreros del país.

Pocos podían ser los puntos de apoyo en el DF, quizá algún miembro del extinto Gran Cuerpo y sin lugar a dudas Ferrer Aldana en solitario y probablemente lo que quedaba de los Jóvenes Socialistas Rojos.

Los Jóvenes Socialistas Rojos habían nacido en diciembre de 1919 como la juventud militante del Gran Cuerpo Central de Trabajadores y tenían la estructura y la ideología de los grupos anarquistas de afinidad que se multiplicaron en el país a lo largo de aquellos años, por lo que habían participado en la convocatoria del congreso de grupos anarquistas[13] que se citó en marzo y que no habría de realizarse.

Sus dirigentes eran Nicolás Ramos García, Martín de la Rosa, el tranviario Diego Aguillón, Guillermo Santiesteban y entre sus miembros estaban el carpintero Eduardo Camacho y el mecánico de los Establecimientos Fabriles y Militares, José

Allen[14]. El trabajo que realizaron de diciembre de 1918 a mayo de 1919 consistió en conferencias de Rosendo Salazar, algunas particularmente extrañas como «¿Qué es el concierto cósmico?», de Gonzalo Lecuona sobre sexualidad y de Jacinto Huitron sobre sindicalismo[15]. Además promovieron las clases de gimnasia aprovechando la estancia en México de un «compañero sueco», la formación de una orquesta y de equipos deportivos. En febrero una parte del equipo fundacional renunció y otro grupo encabezado por Jesús Hernández se hizo cargo. Al fin, en mayo, la represión contra el Gran Cuerpo los dejó sin local y desarticulados, y al llegar agosto estaban muy mermadas sus filas y sin posibilidades de reorganizarse[16].

Pero si bien en la izquierda sindical el Congreso Socialista no tenía grandes perspectivas, entre abril y agosto de 1919 se habían producido algunos movimientos importantes para el grupo de la acción múltiple.

El Grupo Acción había visto en el movimiento de mayo y a pesar de las estrechas relaciones de Morones con el gobierno, la imposibilidad de profundizar su alianza con Carranza, y comenzó a moverse en el mar electoral que en aquellos meses se había desatado en la República para las elecciones de 1920. Morones y sus compañeros realizaron sondeos entre los tres candidatos: Álvaro Obregón, Pablo González, Ignacio Bonillas (el hombre de Carranza) y se decidieron por Obregón. El 6 de agosto de 1919 los miembros del Grupo Acción firmaron a espaldas de la CROM un convenio privado con Obregón, comprometiéndose a apoyarlo electoralmente. Aunque en el texto subyacía que la CROM quedaba comprometida con el pacto, ninguno de los cuatro secretarios del comité nacional lo firmó, y el apoyo se estableció a través del control que el Grupo Acción ejercía en la central. A cambio del apoyo electoral, Morones, Yudico, Moneda, Gasca, Treviño y sus compañeros obtuvieron la promesa de que el próximo ministro de Trabajo del gabinete, si Obregón triunfaba, sería uno de ellos, que tendrían opción a proponer un candidato al Ministerio de Agricultura, que el CC de la CROM sería el interlocutor obligado entre el Estado y el movimiento obrero, y además apoyo económico («facilidades para la propaganda y la organización obrera»). En el documento se asentaba que el grupo formaría un partido para ofrecer este apoyo electoral[17].

Así, y urgidos por construir un aparato con el que cumplir su compromiso, los miembros del Grupo Acción veían en la convocatoria socialista la posibilidad de construir el partido que necesitaban.

Notas al pie

1 José C. Valadés: *Memorias de un joven rebelde*, original mecanográfico. Valadés, entonces un adolescente con inquietudes políticas muy difusas, asistió a varias de estas conferencias, y recuerda: «Reinaba con mucha sencillez la filosofía india, para enseguida hacerla influencia sobre la vida en Oriente, pero principalmente en Rusia. Así ligaba lo oriental a lo ruso; después lo ruso a lo occidental. Finalmente hacía esplender una existencia universal sin dominio imperial, una Rusia libre, un mundo libre.»

2 Francisco Cervantes López: «Socialismo», *Gale´s Magazine*, abril de 1919.

3 Phillips-Draper/«De México a Moscú.»

4 Roy/*Memoires*, p. 78.

5 Uno de los muchos mitos en la historia del PCM, es la existencia, previa al partido, de marxistas revolucionarios dispersos. Esta tesis es avalada por Martínez Verdugo/*PCM*, Lino Medina («La fundación y los primeros años del PCM», *Nueva época*, Nº 4 y 5, abril-mayo de 1969), I. Vizgunova (*La situación de la clase obrera en México*, FCP, México, 1978), Marcela Neymet (*Cronología del Partido Comunista*, ECP, México, 1981) y Márquez y Araujo (*El Partido Comunista Mexicano*, El Caballito, México, 1973). Se cita en su apoyo la existencia del grupo de los Jóvenes Socialistas Rojos, que como se verá era de forma e ideología un grupo anarquista; del grupo de Díaz Ramírez en Veracruz (se trata del grupo Antorcha Libertaria del que se hablará más tarde, formado en 1919 y en el que confluían anarquistas, sindicalistas industriales [IWW] y sindicalistas revolucionarios), del Grupo de Soria en Michoacán (tal grupo nunca existió, Soria se incorporó al PC hasta 1921) y se menciona por todos ellos el Grupo Marxista Rojo de Cano y Mauro Tobón. Este último nace de una confusión originada en el texto de Rosendo Salazar y José G. Escobedo, *Las pugnas de la gleba*, donde fuera de contexto habla de un grupo marxista rojo refiriéndose a los dos militantes mencionados; ni existió con tal nombre, ni fue un grupo (sino el Partido Comunista Revolucionario) ni los acontecimientos se produjeron antes del surgimiento del PC, sino hasta 1921. Tobón fundaría en 1922 un grupo en Orizaba con ese amplio contexto de desinformación y errores en los que se encuentra sumida la historia del comunismo mexicano, si no fuera porque reunidas así parecen instrumentar la tesis falsa de que el partido surge como producto de la difusión del marxismo, y es el encuentro de una serie de grupos marxistas dispersos, y no de la forma que se narra en estas páginas.

6 *El Socialista,* Nº 36, febrero de 1919.

7 *El Dictamen,* 13 de junio de 1919 y *El Demócrata*, 15 de junio de 1919.

8 *Socialista,* Nº 38, 1 de agosto de 1919. Los tres números de *Socialista* en la colección RVA/PIT II.

9 Gale era, pues, en esos momentos, contra lo que se había dicho hasta ahora, miembro del PSM. Su intervención era parte del debate interno del partido, como se dice en el prólogo que la redacción de la revista hace a su artículo, y él mismo se define como miembro del «ala izquierda del PSM.»

10 «Sindicalismo a base de socialismo revolucionario», *Socialista,* Nº 39, 15 de agosto de 1919.

11 Francisco J. Paoli-Enrique Montalvo: *El socialismo olvidado de Yucatán*, Siglo XXI, México, 1977; *El Demócrata,* 13 y 25 de julio. I Congreso Socialista celebrado en Motul.

12 Fuentes Díaz/*Los partidos*, p. 183 y *El Pueblo*, 26 de abril de 1919.

13 El congreso fue convocado para neutralizar el deslizamiento a la derecha de la CROM, pero al iniciarse el reflujo tras las derrotas de mayo de 1919 no se realizó. *El Pueblo*, 19 de diciembre y *Luz* Nº 79, 16 de abril de 1919.

14 José Allen/*La voz de México. El pueblo*, 19 de enero de 1919.

15 *El Pueblo*, 15 y 22 de febrero de 1919 y *Libertario,* Nº 2, 2 de marzo de 1919.

16 *Libertario*, Nº 3, 9 de marzo de 1919. *El Demócrata,* 3 y 15 de febrero de 1919. *El Pueblo,* 22 de febrero, 15 de marzo y 25 de julio de 1919.

17 Araiza/*Historia*, pp. 45 y 48. En la trascripción que han seguido autores recientes, se lee equivocadamente «el partido que se formó», lo que supondría la existencia de una partido previo al pacto, en lugar de «el partido que se forme», que es lo que verdaderamente dice el original.

5. UN TURBULENTO CONGRESO

Al fin, el 25 de agosto, en el local del Gran Cuerpo Obrero Independiente se reunieron los asistentes al congreso socialista.

El grupo de socialistas tenía nueve delegados con ocho votos: Santibáñez, Francis Phillips e Hipólito Flores representando al partido, Roy a la revista, su esposa Evelyn al Centro Radical Femenino de Guadalajara, Timoteo García representando a los campesinos de Ojocaliente, Francisco Cervantes López traía una representación del sindicato de estibadores de Salina Cruz y Linn A.E. Gale y el filipino Fulgencio Luna *Sr.*, representaban a la revista *Gale.*

Los sindicalistas revolucionarios del DF solo tenían un delegado en la persona de Leonardo Hernández como representante del sindicato de Molineros del DF.

Jacinto Huitron hablaba de los anarquistas representando al grupo Luz, Vicente Ferrer Aldana se representaba a sí mismo a través del unipersonal Grupo Ácrata del DF.

José Allen y Eduardo Camacho por los Jóvenes Socialistas Rojos, Fortino B., Serrano Ortiz y Armando Salcedo por el Gran Centro Obrero Independiente de la Ciudad de México, una organización cultural a medio camino entre las posiciones moronistas y la izquierda sindical del valle de México.

El grupo Acción se hacía presente con Luis N. Morones, Samuel Yúdico y estaba apoyado por Luis Romero y Agustín Martínez.

La provincia estaba representada por Miguel A. Quintero y Miguel Reyes del Partido Socialista Michoacano; Aurelio Pérez y Pérez del Partido de los Trabajadores de Puebla; Lázaro Ramírez de la Sociedad de Obreros Libres de Parras, y cuatro zacatecanos: José Inés Medina y Francisco Vela de la Cámara Obrera y Celestino Castro y Leonidas Hernández del Centro Sindicalista de El Carro. En total, treinta delegados[1].

Además de la evidente ausencia de los militantes sindicalistas revolucionarios o anarquistas de las zonas industriales del país, eran muy notorias otras ausencias: la de los socialistas yucatecos, en particular Carrillo Puerto, Haberman, Elena Torres y Franco, empeñados en ese momento en un combate frontal contra el carrancismo en Yucatán; la de Nicolás Cano que no había venido desde Guanajuato, la de Genaro Gómez dirigente del sindicato panadero y figura central en el movimiento sindical rojo del DF, la de Enrique H. Arce, animador de la revista *Luz* junto con Huitron, que había adoptado en últimas fechas posiciones socialistas, abandonando su anarquismo.

Con una presencia poco significativa de lo más activo del movimiento obrero, y sus mejores militantes, el congreso había fracasado parcialmente antes de comenzar.

En la primera sesión se nombró secretario del congreso al carpintero zacatecano José Inés Medina, presidente de debates de Allen, y se nombró una comisión revisora de credenciales y una de reglamento interior.

No bien se había iniciado el acto, cuando comenzaron los enfrentamientos. El punto inicial fue la aprobación o no de las credenciales de Morones y Yúdico, fieramente recusadas por Santibáñez y Gale, que objetaban la trayectoria de Morones.

Cervantes López cuenta la reacción del dirigente cromista: «Con la berbia que le es característica, con la palabrería hueca que le es peculiar [...] injurió soezmente a los que formábamos el comité organizador y nos llamó ignorantes, malvados, etc.[2]»

La votación se empató y M.N. Roy dio el voto decisivo para que los representantes del Grupo Acción se quedaran en el congreso. Bien porque él y los que votaron a favor pensaran que había que mantener un frente los más amplio posible, bien porque Morones y Yúdico traían credenciales de «organizaciones radicales bien conocidas», su voto quebró la armonía del grupo socialista promotor. Santibáñez se retiró del Congreso y su lugar fue tomado por Phillips, y Gale que había sido acusado de carrancista por Morones con el apoyo de Roy y Phillips, declaró la guerra a sus compañeros[3].

Al día siguiente las sesiones se trasladaron al sindicato panadero y continuaron con el mismo encono. Se trabajaba siete horas diarias de acuerdo al reglamento de sesiones[4] y se siguió el orden del día propuesto en la convocatoria, que implicaba en los primeros cuatro puntos una declaración de principios y programática.

En pocas cosas volvieron a unirse Gale y Roy-Phillips excepto en la decisión de que la adhesión del nuevo partido socialista será a la Internacional Comunista y no a la Internacional Socialista, punto en el que Morones estuvo en desacuerdo.

A lo largo de las sesiones fueron construyéndose varios grupos, uno que Roy y Phillips (a los que se sumó Allen) capitaneaban, otro con Morones y Yúdico, un tercero con Gale y Luna, y un cuarto en el que solitario Jacinto Huitron defendía la ortodoxia anarquista ante las proposiciones socialistas de los concurrentes[5].

La mayoría de los asistentes se mantuvo en una posición intermedia ante las posiciones más definidas y algunos delegados, como Ferrer Aldana, trataron de conciliarlas inútilmente.

Tras una semana de debates, una declaración de principios redactada por Phillips fue aprobada por veintidós delegados[6]. En ella se establecía que el objetivo de la lucha era «la posesión y dirección comunista de todos los medios de producción, distribución y cambio [...] quedando constituida la sociedad solamente por los que trabajan». Se adoptaba el socialismo revolucionario como medio de lucha y se declaraba que «la acción múltiple no desorienta al socialismo revolucionario y que sí le abre paso [...] pero no se toma oficialmente esta determinación, dejando a las organizaciones [...] seguir sus propias inclinaciones.»

Los veintidós delegados firmantes (tras la autoexclusión de Huitron por un lado, Santibáñez por el suyo y los moronistas por otro) se autoinstituyeron en comité nacional de nuevo partido y pasaron a elegir a la dirección, quedando como secretario general José Allen, como secretario del exterior Francisco Cervantes López, secretario del interior Forino B., Serrano Ortiz, tesorero J. Quintero y secretario de actas M. Reyes[7].

Para evitar nuevos choques entre Gale y Roy, se pospuso la decisión de quienes serian delegados del PSM ante la III Internacional Comunista. Por último, el 4 de septiembre se aprobó un Plan de Acción de diez puntos[8]. En ellos, el comité nacional se reconocía como provisional y esperaba ser sustituido por una convención que sería posterior a la organización regional de la República, encargados de difundir los acuerdos del congreso y promover la fundación de escuelas, bibliotecas y periódicos; se hacía una afirmación más precisa del valor del voto de la lucha electoral en el punto cinco al afirmar que «no negamos el valor del voto y del éxito de elegir candidatos a puestos políticos, siempre que esto no desvíe la acción de efectiva lucha de clases»[9]. Se hablaba de «comunismo industrial», «conquista industrial del poder político», terminología de la IWW que Gale había introducido en el documento, y se reconocía la necesidad de la dictadura del proletariado.

Se concebía el partido como una combinación de sindicatos afiliados y partidos regionales, los sindicatos estructurados en base al modelo industrial.

El problema agrario era resuelto con la fórmula de colectivización y no reparto.

Por último se hacía énfasis en la conquista del poder municipal, señalando que «el día en que haya suficiente número de tales gobiernos de los trabajadores se acabará el dominio burgués.»

Con estos acuerdos, el congreso se levantó. Aparentemente, se había constituido un partido socialista afín a la Comintern y armonizando los criterios de la mayoría de los asistentes. Los miembros del Grupo Acción tendrían que buscar en otro lado el partido que deberían ofrecer a Obregón para las futuras elecciones y los miembros del nuevo partido buscar el espacio que les dejaba el moronismo por un lado y los anarcosindicalistas por el otro, un espacio muy poco claro en la sociedad proletaria mexicana.

NOTAS AL PIE

1 Salazar-Escobedo/*Las pugnas*, p. 271. Djed Bojórquez: «El Congreso Socialista», *El Monitor Republicano*, 4 septiembre 1919. L. A. E. Gale: «Gompers dominates Mexican Socialist Congress, Communist Party organized», *Gale´s Magazine*, septiembre de 1919.

De los treinta delegados se citan aquí veintiocho nombres. En el dato de «treinta» coinciden Francisco Cervantes López en una crónica realizada después del congreso («El I Congreso Socialista», *Socialista*, Nº 40, 15 de septiembre 1919) y Ferrer Aldana («I Congreso Socialista en la Ciudad de México», *Libertario*, Nº 14, 31 de agosto de 1919). Muy lejos de la cifra que da Roy en sus *Memorias* de «varios cientos de delegados» (p. 146) y de la que ofrecen los informadores norteamericanos de «sesenta delegados» (*NAW DJ*, 374726).

2 Cervantes López/*El primer...* El conflicto por las credenciales se narra en, además de los textos ya citados: Linn A. E. Gale: «Bolsheviqui Gold», *Gale´s Magazine*, junio-julio de 1920 y Carr/*Marxists...*

3 El carrancismo de Gale era evidente, pero poco podía decir Morones de eso que, hasta hacía un mes, había sido agente del gobierno a sueldo en sus negociaciones con Estados Unidos, o el mismo M.N. Roy que había mantenido múltiples contactos con el ministro de Gobernación Aguirre Berlanga, según narra en sus memorias.

4 *Reglamento interior para las discusiones en el I Congreso Nacional Socialista*, Fondo ENAH.

5 Gale/*Gompers dominates.*

6 Conozco tres ediciones de la «Declaración de principios aceptados por el I Congreso Nacional Socialista celebrado en México del 25 de agosto al 4 de septiembre de 1919», *Socialista*, Nº 40, 15 septiembre 1919; *Oposición*, Nº 294, 19-25 de julio de 1979 y *El Soviet*, Nº 1, 13 de octubre de 1919. Aunque muchos autores hablen de veintiún firmantes, si se cotejan las tres ediciones (o las dos originales) se encuentran combinados los veintidós nombres (se pueden confirmar con el artículo de *Gale´s Magazine* de septiembre de 1919). Los veintidós firmantes del manifiesto son: Roy, Allen, Cervantes López, Phillips (como Seaman), Evelyn Roy, Leonardo Hernández, Camacho, Gale, Luna, Hipólito Flores, Serrano Ortiz, Ferrer Aldana, Timoteo García, A. Salcedo, Quintero, Reyes, Pérez y Pérez, Lázaro Ramírez, Medina, Vela, Celestino Castro y Leonidas Hernández.

7 Gale/*Gompers dominates.*

8 «Programa de acción adoptado por el I Congreso Nacional Socialista», *Socialista*, Nº 40, 15 septiembre 1919.

9 Se precisaba en el segundo párrafo del punto cinco que «el P. Nacional Socialista tomará parte en campañas electorales, no como una acción política de oficio, sino como medio de propaganda.»

SEGUNDA PARTE

EL NACIMIENTO DEL PARTIDO O «YO TENÍA VEINTIDÓS NEGRITOS, YA NOMÁS ME QUEDA UNO»

4 de septiembre de 1919 - junio 1920

1. UN SECRETARIO GENERAL[1]

José Allen, el secretario general del flamante Partido Socialista, nació el 8 de julio de 1885 en la Ciudad de México. Era nieto de un ingeniero militar norteamericano que habiendo llegado a México con la columna de Scout durante la guerra de 1847, se casó con una mexicana y aquí se aposentó[2].

De oficio mecánico, Allen trabajó con motores en minas y ranchos[3], y en 1918 ingresó a los Establecimientos Fabriles y Militares, las fábricas de armas y municiones del gobierno mexicano.

Ahí fue reclutado por el agregado militar de la embajada norteamericana, el coronel Campbell[4] para que informara sobre la preparación del armamento y el desarrollo de la industria bélica mexicana. Corrían tiempos en que la posibilidad de una intervención militar de los Estados Unidos en México no podía descartarse, y Campbell encontró en el mecánico de treinta y tres años un informador eficaz.

Allen describió más tarde sus motivos de una manera muy simple: «Siempre he estado bajo la impresión de que era ciudadano americano. Creo que mi padre fue registrado como ciudadano en el consulado de la Ciudad de México[5].»

Probablemente impulsado por su reclutador, José Allen ingresó en el Gran Cuerpo Central de Trabajadores de 1919, y más tarde en un pequeño grupo juvenil cercano a la organización sindical, los Jóvenes Socialistas Rojos. Contra lo que señalaría posteriormente, no ocupó ningún cargo directivo en la organización sindical[6] y solo por el hecho de mantenerse activo dentro de ella fue adquiriendo presencia en el movimiento radical.

José C. Valadés ofrece un buen retrato de Allen en aquellos años:

> Tenía Allen unos treinta y cinco años de edad, de mediana estatura, un poco encorvado, de grandes ojos verdes tras de enormes espe-

> juelos, perfectamente afeitado y con una voz ronca y sorda, de hablar tan lento que a veces sus palabras se perdían. Siempre llevaba una mano en el pantalón, y al hablar movía mecánicamente la cabeza, bien en sentido afirmativo o bien en negativo. Sobre su claro talento revelaba ser un hombre de gran energía[7].

Allen estaba casado con Amelia Cruz, hija del general Cruz, uno de los puntales del grupo de militares congregado en torno a Obregón.

Después de las represiones de mayo, Allen realizó algunas intervenciones públicas hablando en nombre del Gran Cuerpo o de los Jóvenes Socialistas Rojos[8], y con esta trayectoria previa, llegó al congreso de agosto como uno de los representantes del grupo.

A falta de otro mejor, este fue el hombre que el grupo de Roy y Phillips promovió para la jefatura del partido. Unida a su aparente fidelidad al naciente equipo, estaba su característica de ser mexicano (aunque a él no le acabara de gustar), un atributo central para ser nombrado secretario general del partido, cargo que por motivos obvios no podía ocupar uno de los *slackers*.

El agregado militar norteamericano debía haber recibido con sorpresa la información. El hombre que había reclutado como espía en la industria militar mexicana, se había convertido en el número uno dentro del equipo de radicales mexicanos y extranjeros sobre los que tenía puestos la mira.

Notas al pie

1 Una primera aproximación a la historia de Allen por Rogelio Vizcaíno y el autor en «Camarada José Allen», *Nexos*, Nº 61, enero de 1983.

2 *NAW, DJ*, 202600-1913 y *SRE* expediente 9-4-172.

3 *Carrillo Puerto a Soto y Gama*, 4 de junio de 1920.

4 Campbell tenía fama de borracho y juerguista, un año más tarde fue sustituido como jefe de Allen por el coronel Harvey W. Miller.

5 *NAW, DJ*, 202600-1919-11.

6 *La voz de México*, 15 de septiembre de 1944.

7 Valadés/*Ferrer Aldana*.

8 Un mitin en el sindicato panadero y una conferencia sobre la situación del movimiento obrero europeo. *El Pueblo*, 30 de abril de 1919 y *El Demócrata*, 25 de junio de 1919.

2. EL CAMARADA GALE

La unidad del grupo firmante de la declaración y el programa del PSM duró tan solo cuatro días. El siete de septiembre[1] tres de los convencionistas se separaron del partido para fundar el Partido Comunista de México.

Linn A.E. Gale, junto con Luna y Santibáñez encabezaban la ruptura. El argumento fundamental era que «Gompers había dominado el congreso del Partido Socialista» a través de Morones y sus cómplices Roy y Phillips. En el artículo de balance del Congreso que explica la separación y que se publicó en inglés en *Gale´s Magazine* de septiembre, Linn A.E. Gale sostenía que Phillips (bajo su seudónimo Frank Reaman) y Roy «habían aparentado combatir fuertemente a Morones, y a las ideas de la AFL pero silenciosamente trabajaban», para ellos[2].

Caracterizándose como el ala izquierda del congreso, definía a Roy y a Phillips como a dos recién llegados al movimiento radical, que se habían unido al socialismo en los últimos meses. En apariencia, no había más argumentos para la ruptura, aunque abundaban los adjetivos.

El grupo, que el día 7 de septiembre integró el Partido Comunista de México, estaba formado por los *slackers* cercanos a la revista *Gale* y por dos de los dirigentes del viejo Partido Socialista, Adolfo Santibáñez y Enrique H. Arce.

El primer acto del nuevo partido fue hacer público un manifiesto en inglés que fijaba la posición del partido[3] en ocho puntos:

1) Adhesión absoluta a los principios revolucionarios marxistas y a la III Internacional.

2) Apoyo a la izquierda revolucionaria internacional (bolcheviques, espartaquistas, etc.)

3) Negación a relacionarse con grupos no comunistas revolucionarios.

4) Promoción del sindicalismo industrial, de la huelga política, de la combinación del trabajo sindical industrial y de la lucha política.

5) Condena de las guerras; de los intereses intervencionistas norteamericanos contra México.

6) Dirigir todas las energías «hacia la dictadura del proletariado.»

7) Apoyar y promover a la IWW.

8) Organización del PC de México a través de un comité provisional. Convocatoria de un congreso para noviembre de 1919. Construcción del partido en el país, intervención electoral, construcción de locales de la IWW, cuota mensual de un peso por miembro.

La dirección del partido estaba integrada por Santibáñez como secretario internacional, Arce como secretario nacional y el ferrocarrilero Goa Barreda, que había sido IWW en Estados Unidos, como tesorero; completaban el Comité tres *slackers*: Gale, Luna y C.F. Tabler. Aunque formalmente el partido estaba dirigido por tres mexicanos, Linn A.E. Gale era la figura clave del proyecto; y el centro de la ruptura era la nominación del delegado mexicano a la reunión en Moscú de la III Internacional.

El comité electo en la convención del Partido Socialista, había dado la clara mayoría al grupo de Roy-Phillips, con Allen como dirigente formal; y era evidente que Roy sería el más serio candidato para viajar a Moscú en representación de los socialistas mexicanos. Gale que le había disputado el boleto, quedaba fuera de la posibilidad de ganarlo, si permanecía dentro del PS.

Tras esta pugna aparentemente pueril, se encontraba la forma como los *slackers*, o al menos algunos de ellos, entendían el movimiento mexicano como un escalón para la intervención en los movimientos radicales de sus propios países. No es difícil descubrir en los escritos de Gale esta actitud, como tampoco es difícil encontrarla en los de Manabendra Nath Roy. El movimiento mexicano así, era un trampolín para la intervención en el espacio radical internacional de un indio y un norteamericano vivamente interesados en sus causas nacionales. No quiere esto decir que despreciaran los problemas de México, sino que en ellos había una doble fidelidad. Roy había sido empujado por las circunstancias a irse alejando cada vez más de la Revolución de la India cuando más la buscaba; la guerra había sacado a Gale de la activa política del radicalismo en Estados Unidos, y su trabajo periodístico en México realizado en inglés y dirigido hacia sus compatriotas era una mínima compensación para su necesidad de intervención en los asuntos norteamericanos.

Cuando el recién organizado PC de M nombró un mes más tarde a sus tres delegados al congreso de la IC, Gale encabezaba la lista junto con Barreda y Araujo[4].

Santibáñez que había sido presionado para incorporarse al PC de M, no resistió mucho tiempo y renunció en octubre a la dirección formal del partido[5] siendo sustituido por Barreda, quien a su vez cedió el cargo de tesorero a Tabler.

Tras ese primer cambio en la dirección, se reconstituyó el comité ejecutivo y el comité nacional. Dada la ausencia de militantes, se echó mano de lo poco que había en la red de la revista *Gale*. A los seis miembros originales se sumó J.C. Parker, A.P. Araujo, un ex magonista con gran prestigio en la zona de Muzquiz, Coahuila, y el famoso Dimitri Nikitin que, tras haber evitado la deportación, vivía con «su viuda» en Monterrey. En el comité nacional entraron las esposas de Linn y Geo, Magdalena Gale y Josefina Barreda, junto con un *slacker* que vivía en Tlaxcala, Federico Sommer[6].

Durante el primer mes de vida, el grupo mantuvo una gran actividad, básicamente dedicada a la correspondencia, comunicando a todos los grupos radicales norteamericanos que el Partido Comunista se había gestado en México.

A fines de octubre se fundaron la local del PC de M y la IWW en la Ciudad de México. La del PC de M contaba con cuarenta miembros y mantenía regulares mítines bilingües, además de estudiar el *Socialismo utópico y socialismo científico*, de Engels[7].

El primer revés en el proyecto del grupo, que implicaba su reconocimiento por la IWW y el comunismo norteamericano, se produjo cuando en octubre Industrial Worker atacó al PC de M acusándolo de fomentar una IWW maternizada, construida de arriba hacia abajo bajo tutela de los comunistas y sin dejar libertad de desarrollo a los grupos de trabajadores. La IWW norteamericana se oponía además a una cláusula común en los estatutos de la IWW mexicana y el PC de M, mediante la cual tres miembros de cada Comité participarían en la dirección de la otra organización[8].

Gale se apresuró a responder en un tono bastante conciliador señalando que la IWW estaba muerta en México (solo dos uniones en Tampico, la del transporte marítimo y la del petróleo, y dos o tres más en otras partes del país) y que necesitaba del PC de M para desarrollarse[9].

Los norteamericanos no respondieron, pero desde luego, retiraron su apoyo al PC de M. La cosa quedó así por el momento.

Para noviembre de 1919, podía decirse que a pesar de las dificultades, el primer partido comunista había nacido en México, su proyecto político, cuya ortodoxia y similitud respecto al proyecto del PC de los Estados Unidos e incluso de la Internacional podía ser difícilmente discutible[10], estaba de pie; sus nexos con el movimiento obrero mexicano eran muy débiles, por no decir inexistentes, la personalidad de su guía y gurú, un tanto extraña, no exenta de un toque megalómano. Linn A.E. Gale, un año más tarde, en un artículo firmado con el seudónimo el Luchador Viejo, diría de sí mismo:

> El hombre más odiado por los capitalistas mexicanos, sin ninguna excepción, así como el blanco de los mas viles ataques por los autonombrados radicales, Linn A.E. Gale es el eterno centro de tormentas, a causa de que nadie es más constructivo y práctico en las sugestiones. Es una perfecta batería eléctrica de energía y proporciona esa habilidad ejecutiva y genio para la organización que los mexicanos raramente tenemos [...] posee una pluma salvaje y azota sin piedad a los que considera traidores. Es tan incansable como una máquina y tan invulnerable como el acero[11].

Notas al pie

1 «A los camaradas obreros», *El Comunista de México*, Nº 1, enero de 1920 y julio García/*manuscrito*.

2 Linn A. E. Gale/*Gompers dominates*.

3 «Manifesto of Communsit Party of México», *Gale´s Magazine*, Nº 4, octubre de 1919 y *NAW, DJ*, 374726.

4 *Communist Party of México*, volante, *NAW, DJ*, 374726.

5 «What the Mexican Communists are doing», *Gale´s Magazine*, Nº 5, noviembre de 1919.

6 *NAW, DJ*, 374726.

7 «What the Mexican Communists...»

8 «The Mexican Communsits», *Industrial Worker*, octubre de 1919.

9 Linn A.E. Gale: «The Mexican Communists and the IWW», *Gale´s Magazine*, Nº 6, diciembre de 1919.

10 El comunismo mexicano de años posteriores nunca reconoció esta ortodoxia, ni aceptó a Linn A.E. Gale en su santoral; en años sucesivos el PC de M fue llamado: «Grupo provocador dirigido por el aventurero y espía Linn A. Gale» (Fernández Anaya); «Grupo que jugó un papel de provocación constante» (Dionisio Encina); su fundador nunca fue bajado de «Aventurero norteamericano» (Lino Medina).

11 El Luchador Viejo: «Mexican wobblies convene on the roof», *Gale´s Magazine*, agosto de 1920.

3. EL AGENTE DE LA INTERNACIONAL

El grupo del PSM sacó otro número más de la revista *Socialista*, que ya no incluía los anuncios del despacho de Santibáñez y de *Gale´s Magazine*, pero que propagandizaba el manifiesto de la Internacional Comunista. Luego abandonó el proyecto[1]. En lugar de dedicarse a la prensa, Roy comenzó a ser visto con más frecuencia en el sindicato panadero y escribió varios artículos en *El Heraldo*[2]. Resultaba paradójico pero significativo que el primer enfrentamiento entre los socialistas radicales mexicanos se dieran en inglés, *Gale´s Magazine* contra la página de *El Heraldo*. En esta última se informó de la «expulsión» de Linn A.E. Gale de las filas del PSM por «no poder confiar en su integridad, haber buscado arrastrar al partido para nominar al secretario de Gobernación Berlanga como candidato a presidente en la próxima sucesión y haber revelado secretos de esa organización»[3], a lo que Gale respondió denunciando a Phillips (Seaman) como agente de Salvador Alvarado, director entonces de *El Heraldo*.

En los primeros días de octubre, en la página en inglés de *El Heraldo*, que Phillips manejaba con gran autonomía respecto al resto del periódico, aparecieron varios artículos[4] defendiendo a los bolcheviques contra la intervención militar de las potencias imperialistas que apoyaban a los Ejércitos Blancos[5]. A raíz de estos artículos Phillips cuenta que llegó a su oficina

> un norteamericano de origen mexicano, que se presentó como Rafael Mallen, y conversamos un rato. Dijo que acababa de llegar de los Estados Unidos, que le parecía tan interesante que hubiera una sección inglesa [...]. Quería saber si teníamos posición política. Y le dijimos que obviamente teníamos una gran simpatía por los socialistas, y por el ala izquierda del movimiento socialista [...]. Preguntó qué opinábamos de Rusia, y yo le dije que si había leído nuestro diario ya ha-

> bría visto que simpatizábamos con Rusia. Entonces dijo, después de cambiar de tema y de pasar a otros asuntos, que tenía un amigo que había venido con él a México, al que le gustaría encontrarse con nosotros, que estaba deseoso de hacerlo. Dijo que su amigo le gustaría invitarnos a comer, a mí y a Mike Gold[6].

Poco después se encontraban en el hotel Regis con un hombre que les fue presentado como el señor Alexandrescu:

«Era el hombre más cauteloso que conocí nunca, y de los más dados al secreto, a hablar en susurros y mirando alrededor. Y por cierto que a causa de todo su misterio, por cierto que por eso mismo, nos dimos cuenta de que era alguna clase de emisario ruso.»

Alexandrescu que se presentó como un hombre de negocios que venía de Chicago para permanecer en México por tiempo indefinido, era Mijail Borodín, agente de la Internacional Comunista.

Borodín, cuyo nombre real era Mijail Markovich Gruzenberg, había nacido en 1884 en Ianovitchi, provincia de Vitebsk. En su juventud se había unido al socialismo judío del Bund y en 1903 al sector bolchevique de la social democrática rusa. Militó en Letonia, fue delgado en el Congreso de Estocolmo de 1906. Tras una breve detención, emigró a los Estados Unidos, donde vivió en Chicago; allí se afilió al Partido Socialista de América. Regresó a Rusia en 1918, y se incorporó al secretariado de la Internacional Comunista como colaborador[7].

Dentro de sus trabajos para el secretariado de la IC, mantuvo una curiosa relación con el consulado de México en Moscú. Tras la renuncia del cónsul titular en 1918, se creó una extraña situación que Borodín aprovechó para manejar al secretario del consulado y que sirviera como cobertura de agentes de la Internacional que pasaban clandestinamente hacia Alemania, así como para hacerse con pasaportes y sellos con los que dotó a algunos de los agentes de la IC. Él mismo poseía bajo su nombre original (Gruzenberg) un pasaporte mexicano con el que viajó por Europa[8].

En abril de 1919 dejó Rusia, traía en su equipaje un nombramiento como cónsul general de la República Socialista Federal Soviética ante el gobierno de México, con un mandato para que buscara el establecimiento de las relaciones comerciales entre los dos países[9].

La misión de Borodín se presenta de una manera muy confusa y puede ser reconstruida con dificultad a partir de informaciones sueltas aquí y allá. Se sabe que en su maleta de doble fondo, llevaba joyas («joyas de zarina») por una gran cantidad de dólares (un millón de dólares según algunos autores)[10]. El destino de los fondos es más incierto todavía. Es posible que una parte tuviera como destino la agencia comercial soviética que Martens dirigía en Nueva York, y se decía que el resto de los fondos tenía como objetivo financiar a los grupos comunistas que pudieran surgir en la región.

Parece ser que Borodín vendió algunas de las joyas en Holanda, de donde salió a mediados de julio hacia Santo Domingo a bordo del SS Hurón[11]. De ahí viajó a Estados Unidos, siendo detenido temporalmente desde el 7 de septiembre en Ellis Island, por el Departamento de Migración; al ser liberado, a pesar de las objeciones del Departamento de Justicia, viajó a Chicago donde se reunió con su esposa, una rusa compañera de estudios, con la que se había casado durante su anterior estancia en Estados Unidos y de la que tenía dos hijos; y a fines de septiembre se les escabulló a los policías del Departamento de Justicia norteamericano para reaparecer en México[12].

Este era el hombre con el que Phillips y Mike Gold comieron los primeros días de octubre.

Borodín, tras haber sondeado ampliamente a los dos jóvenes *slackers*, se sinceró. Estos decidieron conectarlo con Roy, introducirlo en el pequeño círculo interior del PSM.

Roy cuenta:

> Una tarde, Charlie e Irwin entraron súbitamente, perturbando mi siesta postmatinal. Estaban colmados por la emoción: un líder bolchevique ruso, un verdadero bolchevique de carne y hueso, había llegado secretamente a México directamente desde la tierra de la revolución proletaria. Aunque yo mismo estaba suficientemente agitado por las noticias, el ingenuo entusiasmo de ellos provocó mi burlona pregunta: «¿Cómo lo reconocieron? ¿Tenía barba y un cuchillo entre los dientes? [13]»

Poco después, Borodín, al que también se le conocía por el apodo de Brandywine, se instaló en la casa del indio.

Según testimonios soviéticos[14], Borodín se entrevistó con Carranza y con el ministro de Relaciones Exteriores, Hilario Medina, y aunque no obtuvo un tratado comercial, ni mucho menos una promesa de futuras relaciones diplomáticas entre México y la Unión Soviética, pudo sondear la posición del presidente de México, no hostil aunque cauta, ante el posible establecimiento de relaciones con los soviets.

Su intervención en los asuntos internos del PSM fue realizada desde el círculo interno del partido. Sin duda discutió ampliamente con Roy (este recuerda en sus memorias que Borodín lo introdujo en «los misterios de la dialéctica») e influyó poderosamente en su opiniones, que en aquellos días combinaban su defensa de los revolucionarios indios perseguidos en Estados Unidos, con un socialismo bastante elemental y primitivo, y una defensa del vegetarianismo, dado que «los hábitos carnívoros corresponden a un espíritu depredador y guerrero.[15]»

La presencia de Borodín también se dejó sentir en la prensa que en aquellos días editaba el grupo del PSM. Tras haber abandonado el proyecto de *Socialista*, Roy había ayudado a Allen a financiar un pequeño periódico llamado *El Soviet* cuyo primer número fue impreso en los talleres Tierra y Libertad de Ferrer Aldana y apareció el 13 de octubre en 1919, teniendo como director a Eduardo Camacho, y como editor al «Grupo Hermanos Rojos de México»[16]. Los primeros números, además de dar noticias sobre el movimiento obrero en el Valle de México, publicaron llamamientos del congreso fundacional de la III Internacional, entre ellos la «Plataforma de la Internacional Comunista», y abundantes noticias sobre el desarrollo de la revolución en Rusia, que complementaban las que se editaban en la página en inglés de *El Heraldo*[17].

A causa de su amor por el clandestinaje, Borodín no tuvo relaciones con los mexicanos que participaban en el Partido Socialista, con la excepción del que debería resultarle el único no indicado, su secretario general y agente de la embajada norteamericana, José Allen. Aunque si Borodín lo hubiera querido, pocos eran los que podían haberlo conocido, dado que el comité nacional de los primeros días de septiembre comenzaba a disgregarse a causa de los fieros vientos que desataba la campaña presidencial de Obregón.

Parece ser que durante los últimos días de octubre, o los primeros de noviembre, Borodín trabó contacto con otros dos mexicanos que lo conocieron en su verdadera personalidad: Felipe Carrillo Puerto, al que le propuso que vendiera henequén a la Rusia soviética, y el general Francisco Múgica.[18]

Quizá lo que ocupó la mayor parte del tiempo del enviado bolchevique fue el problema de las joyas de la zarina que habían viajado con él hasta Santo Domingo y que había perdido.

Los detalles sobre la misteriosa historia de las joyas de la zarina no corresponden exactamente en las cuatro versiones (escritas cada una en su momento y sin conocimiento entre sí) que nos han dejado Carleton Velas, José C. Valadés, M.N Roy y Richard Francis Phillips[19], aunque comparándolas, puede obtenerse el siguiente rocambolesco resumen:

Borodín viajó de Europa a Santo Domingo porque esperaba obtener allí una visa para entrar en los Estados Unidos con su pasaporte mexicano. En el viaje conoció a un «joven aristócrata austriaco, frustrado, desilusionado, y amargado», o a «un conocido comunista alemán», o a un «marinero alemán», o a un «ayudante amigo suyo». Al llegar a Santo Domingo o a Haití (tómese en cuenta que la isla es la misma), temeroso de que lo detuvieran al entrar en Estados Unidos encargó a su compañero que le cuidara las maletas (aquí las versiones discrepan en si el compañero conocía el contenido de estas), en cuyo segundo fondo se encontraban ocultas las joyas (básicamente diamantes de la tiara de la zarina según unos), y le encargó que las hiciera llegar a su mujer en Chicago. La historia se aclara a partir de este instante. Borodín efectivamente fue detenido y registrado, y la maleta nunca llegó a Chicago. De manera que, en México, tras confesarle a Roy sus tribulaciones, el agente de la Internacional decidió enviar a Mallen a recuperar las joyas. Pero este no regresaba; visto lo cual, le tocó el turno al animoso R.F. Phillips, quien sin saber lo que contenían las maletas, se fue armado con un revólver a buscar a Mallen, primero a La Habana y luego a Haití. A Mallen no lo encontró, pero sí al cuidador de las maletas con el que tuvo un violento altercado cuando descubrió que estaban abiertas. Localizó a Mallen más tarde y a punta de pistola se lo trajo de regreso a México en un buque de la Ward Line. Borodín y Roy lo esperaban con una botella de *champagne*, pero el júbilo se trocó en furia cuando descubrieron que no había diamantes.

¿Quién los tenía? Las versiones vuelven a discrepar: ¿Mallen que se los había quitado al personaje cuidador?, ¿el alemán?, ¿o alguien que se los había robado al alemán (o austriaco en su caso)?

El caso es que el mito circuló profundamente en México y el círculo interno del PSM lo conoció y lo difundió ampliamente.

La pérdida de las joyas obligó en principio a Borodín a depender de los fondos de Roy, y además a sentir que peligraba su cabeza ante los responsables de la Internacional. Roy cuenta que avaló la historia de Borodín en Moscú un año más tarde, lo que permitió a su amigo quedar libre de culpa.

Sobre el destino de las joyas nuevamente las versiones discrepan. Mientras unos las dan perdidas, otros las hacen aparecer en manos de la policía de La Habana que se las quitó a un «bolchevique ruso»[20] y otros señalan que meses más tarde llegaron a Chicago a manos de la señora Borodín quien las remitió al Partido Comunista Norteamericano.

Si las joyas tenían como objeto financiar la Revolución Comunista en América Latina, nunca cumplieron su objetivo.

Mientras Phillips estaba en Haití tratando de recuperarlas, el Partido Socialista Mexicano trató de intervenir en la gran huelga obrera de Orizaba que en esos momentos estaba conmoviendo los medios sindicales.

El comité nacional hizo una declaración y Roy acompañó al ministro del Trabajo, Plutarco Elías Calles, a Orizaba cuando se reunió allá una comisión mediadora.[21] A través de las páginas de *El Soviet*, cuyo tiraje subió a dos mil quinientos ejemplares,[22] y de la página en inglés de *El Heraldo*, lo que motivó que su dueño, Salvador Alvarado, le reclamara a Phillips[23].

El 15 de noviembre el PSM se reunió para ratificar su adhesión a la Internacional Comunista, protestar por el bloqueo imperialista a que las potencias tenían sometidos a los rusos, y discutir la conveniencia o no de asistir al Congreso Laborista Panamericano que se realizaría en Washington[24]. La reunión sirvió para constatar que la «política» estaba haciendo estragos en sus filas.

El Centro Obrero Independiente, una de las organizaciones que se habían adherido formalmente al PSM, estaba escindido porque mientras una parte apoyaba a Obregón, la otra se hacía eco de la candidatura de Pablo González[25], el Partido Socialista Michoacano se había sumado a la candidatura de Obregón[26], y la Cámara Obrera de Zacatecas lo siguió poco después[27]. Poca importancia tenían las declaraciones de apoliticismo del PSM, lo evidente es que el congreso de agosto-septiembre había unido de palabra a unos grupos, pero no había construido un proyecto. El conglomerado socialista se disgregaba a la primera oportunidad.

Mientras el movimiento obrero vibraba sindicalmente, los grupúsculos socialistas se encandilaban en la campaña electoral de Obregón, y el «círculo interno» del PSM se dedicaba a la propaganda sobre la Revolución Rusa.

El hombre de la Internacional no fue capaz de cambiar este caótico panorama, a lo más, lo hizo más confuso al meter varios de los dirigentes del PSM en la búsqueda de las joyas de la zarina. Mientras tanto, su hora de retirarse de la escena se acercaba.

Notas al pie

1 *Socialista*, Nº 40, 15 de septiembre de 1919.

2 Escribió sobre la India (19 de septiembre), sobre la doctrina Moroe (21 de septiembre) y sobre las relaciones México-EEUU (sin firmar pero en su estilo, 16 de septiembre). Su esposa Evelyn colaboró también en *El Heraldo* con una serie titulada «México and her people» (22 septiembre-27 octubre).

3 «Spiritual and politics adventurer unmasked», *El Heraldo*, 13 de septiembre de 1919.

4 *Gale´s Magazine*, octubre de 1919.

5 *El Heraldo de México*, 4, 7 y 12 de octubre de 1919. Julio Gracia/*manuscrito*, es el que relaciona la aparición de los artículos en *El Heraldo* con la conexión Mallén-Phillips.

6 Mike Gold era el seudónimo que había adoptado en México Irwin Granich. Phillips-Draper/«De México a Moscú.»

7 B. Lazitch: *Biographical Dictionary of the Commintern*, Hoover Institution Press, Stamford, 1973. Barry Car/*Marxist*. Vera V. Akimova: *Two Years in Revolutionary China*. 1925-1927, East Assian Research Center, Harvard University, Cambridge, 1967.

8 *SRE* exp. 17-15-4.

9 Fechado el 16 de abril de 1919, el nombramiento permitía a Borodín actuar como representante oficial ante el gobierno mexicano. *Relaciones mexicano-soviéticas*, Archivo Histórico Diplomático, México, 1981. M. I. Trush («Las actividades de Lenin en el terreno de la política exterior», *América Latina*, Nº 2, editorial Progreso, Moscú, 1974) afirma que también traía un mandato del Consejo de Comisarios del Pueblo firmado por Lenin y fechado el 17 de abril.

10 Tres personas conectadas con la historia dan cifras diferentes. Carleton Beals (*Glass Houses*) dice que era un millón de dólares, Brewster (Confesiones a *Excelsior*) habla de cinco millones (diez millones de pesos) y Roy (*Memoires*) dice que se trataba de un millón de rublos (medio millón de dólares).

11 Carr/*Marxist*.

12 Borodín se encontraba en Chicago el 9 de septiembre de 1919 (*NAW, DJ*, 374726), lo que hace imposible su presencia en México durante el congreso socialista, como tantos autores han afirmado.

13 M.N. Roy/*Memoires*, p. 139 (trad. *El Buscón*). Roy se extiende largamente en sus memorias sobre las entrevistas iniciales con Borodín, colocándose en un papel protagónico y sin aportar informaciones sustanciales sobre las conversaciones sostenidas.

14 M.I. Trush: *Actividades de Lenin*. Roy también lo afirma en sus memorias. No existen sin embargo huellas documentales de las relaciones oficiales de Borodín con el

gobierno de México ni en el archivo Carranza ni en el de Relaciones Exteriores. Es muy probable que no se haya redactado ni siquiera una minuta de las conversaciones, dado que Carranza permanentemente presionado por los Estados Unidos, no podía tener interés en aquellos momentos y en plena coyuntura electoral en relacionarse públicamente con un enviado de la Rusia soviética.

15 *El Heraldo de México*, 15 y 17 de octubre de 1919.

16 *El Soviet*, Nº 1, 13 de octubre de 1919. Su lema era «Trabajadores del mundo, uníos.»

17 El bolchevismo del PSM o al menos del grupo central (los *slackers*, Ferrer Aldana y los Hermanos Rojos) se había sostenido desde el congreso en donde, recuérdese, se había decidido la adhesión a la III Internacional; esta actitud se había mantenido en la página en inglés de *El Heraldo* (Phillips-Granich), en *Libertario* (Ferrer Aldana) y se fortalecía ahora con la aparición de *El Soviet*. Ver: «La prisión de Lenin es inexacta», *El Soviet*, Nº 1; «Editorial», *El Soviet*, Nº 3, 3 noviembre 19191; «Manifiesto comunista lanzado por la III Internacional de Moscú», «Declaraciones pacíficas de Nicolai Lenin», «Reanudación de relaciones con la Rusia soviet», «Informes de W. Bullit sobre la Rusia soviet», en *El Soviet*, Nº 4, 10 noviembre de 1919; «La situación militar en Rusia», «Segundo Manifiesto de la Internacional» (bajo este título se conoció una edición bastante fiel de la «Plataforma de la Internacional Comunista») y «Educación en la nueva Rusia», en *El Soviet*, Nº 5, 17 noviembre de 1919; y «Lenin, el líder bolchevique», en *El Heraldo*, 8 de noviembre de 1919.

18 J.C. Valadés/*Memorias*..., p. 203.

19 Carleton Beals/*Glass Houses*; M. N. Roy/*Memoires*; Phillips-Draper/*De México a Moscú* y J.C. Valadés: «Los comienzos de Luis M. Morones», artículo inédito.

20 Valadés/*Ferrer Aldana*.

21 «Importante sesión del PSM», *El Soviet*, Nº 4, 10 de noviembre de 1919 y M.N. Roy, *Memoires*, p. 130 (trad. *El Buscón*).

22 *El Soviet*, Nº 5, 17 de noviembre de 1919.

23 «El general empezó a recibir protestas, y entonces me llamó a su despacho y me pidió explicaciones. Y yo simulé inocencia, dije que no entendía de qué se quejaba la gente». Phillips-Draper/*De México*...

24 *El Soviet*, Nº 5, 17 noviembre de 1919.

25 «Historias de un cuartelazo», *El Monitor Republicano*, 8 de noviembre de 1919.

26 *El Heraldo de México*, 24 de noviembre de 1919.

27 *El Monitor Republicano*, 4 de diciembre de 1919.

4. NACE EL PARTIDO

El lunes 24 de noviembre[1] de 1919 el pequeño grupo de Roy-Phillips-Allen se reunió. Aunque formalmente la reunión se cubrió bajo la forma de una Asamblea del Comité Nacional del PSM, de los veintidós miembros originales, solo podrían haber asistido siete (Roy, Evelyn, Allen, Phillips, Camacho, Ferrer Aldana y Leonardo Hernández); ni los del PC de M, ni los michoacanos, ni los del Centro Obrero Independiente, ni los zacatecanos (los primeros por haberse ya escindido, los siguientes por haberse incorporado al obregonismo) asistieron; no se tienen noticia sobre los poblanos y el coahuilense, y se sabe que algunos socialistas como Cervantes López y Timoteo García no fueron invitados a la reunión[2].

Según Carleton Velas, que se había incorporado al partido en esos días, se trataba de «seis gatos», y además curiosamente Mijail Borodín no estuvo presente[3]. No eran muchos más los miembros de todo el partido. Por las memorias de Roy conocemos el nombre del lugar donde se celebró el encuentro, un café llamado El Chino[4]. El objeto de la reunión era nombrar formalmente a los delegados al congreso de la Internacional Comunista, convertir al PSM en Partido Comunista y pedir su admisión y reconocimiento por la IC.

Producto del encuentro fueron los nombramientos de Roy y Phillips como delegados y un manifiesto que vio la luz en *El Soviet*, Nº 6 con el título «El Partido Socialista Mexicano tratará de unificar su actuación con los partidos comunistas de otras regiones,»[5] en el que sin duda con la colaboración de Borodín, se desarrollaba esquemáticamente la línea del partido, que a partir de ese momento cambiaba su nombre por el de Partido Comunista Mexicano.

Luego de ratificar las declaraciones esenciales del manifiesto fundacional del PSM y su programa de acción y de señalar su adhesión al manifiesto de la Internacional Comunista que se había hecho publico en México[6], el manifiesto hablaba de la quiebra de los partidos socialistas durante la guerra y lo absurdo de repetir su camino, justificando con esto la decisión de cambiar el nombre del partido.

Se trataba de un documento puramente formal, para cumplir el requisito de ortodoxia que Borodín necesitaba cara a Moscú, pero en las ultimas líneas, una enfática declaración representaba un cambio importante en los planteamientos tácticos, y este no estaba originado en la influencia de Borodín o en el acatamiento formal de los llamados de la Internacional, sino probablemente en la relación que el pequeño grupo de militantes había mantenido con las luchas electorales de Orizaba y el DF:

«El partido no tomará participación en las luchas electorales e invita al proletariado a hacer lo mismo, apartándose de senderos que los lleven a seguir en su esclavitud.»

Estas breves líneas abrían la posibilidad de un encuentro del pequeño grupo de comunistas con los anarquistas y los sindicalistas revolucionarios, y los colocaban fuera de la ortodoxia de la IC[7].

Allen, que automáticamente pasó de ser secretario del PSM a secretario general del nuevo PCM, firmó el 29 de noviembre una carta dirigida a Angélica Balabanov, secretaria general de la IC, en la que tras informar de los resultados del congreso de agosto-septiembre, de la adhesión al manifiesto de la IC y del cambio de nombre del Partido Socialista, decía:

> Tengo el placer de informar a usted que el PCM ha iniciado una organización con objeto de llamar en próxima fecha a un congreso comunista latinoamericano [...] Este congreso deberá, entre otras cosas importantes denunciar públicamente, la conducta de la amarilla Internacional de Berna y declarar la adhesión de todo el continente latinoamericano a la III Internacional Comunista[8].

Se informaba también en la carta, del surgimiento de un Bureau Comunista Latinoamericano de la III Internacional, y del cambio de nombre de *El Soviet* que se convertiría en *El Comunista Latinoamericano*.

La misiva terminaba pidiendo que «se registrara el partido en la III Internacional.»

La distancia entre la palabra escrita y la realidad haría pensar en que la historia se prefalsificaba. Una versión más lógica indica que los documentos tenían destinatarios diferentes a los que iban dirigidos y pretendían entrar en el complejo juego de los «números ficción». La carta le decía a la Internacional que ya existía el PC en México, que ya existía un Bureau Latinoamericano, aunque fuese en el papel. Y en el papel había una definición contra el socialismo amarillo de Berna, aunque este nunca hubiera existido en México.

Formalmente, la misión de Borodín se había cumplido. Pero se vivía en el reino de las palabras. El recién nacido Partido Comunista Mexicano era una pequeña secta[9] que penosamente reuniría un par de docenas de afiliados, sin presencia en el movimiento obrero mexicano y con pretensiones verbales de crear un Bureau Latinoamericano que declararía «la adhesión de todo el continente» a la IC a través de un congreso.

Con la misma fecha (29 de noviembre) Borodín desde su escondite en la colonia Roma comunicó su respuesta a Allen, misma que se reprodujo en un volante:

> Deploro mucho no haber podido estar presente en su última junta en la cual adoptasteis algunas importantes medidas, entre ellas la decisión de afiliar su partido a la III Internacional y ser conocidos como Partido Comunista.
>
> Es esta una decisión oportuna y hará, estoy seguro, que tenga consecuencias de gran interés en el curso del movimiento revolucionario de la clase trabajadora mexicana.
>
> [...] vosotros no conocéis más que un camino, el único revolucionario y por consiguiente efectivo y que ese camino es por medio del completo lanzamiento del estado burgués y por la institución de la dictadura temporal del proletariado.
>
> [...]
>
> Tenéis ante vosotros una tremenda tarea: la de organizar a la clase trabajadora de México para la lucha final que debe venir inevitablemente y que vendrá pronto.

Y concluía:

> Os aseguro que como vuestro partido es el único en México que es verdaderamente proletario y revolucionario, cuando vuestro delegado se presente al Bureau de la III Internacional, será admitido con todos los derechos que gozan otros de los partidos afiliados a la III Internacional.
>
> Mientras tanto a mi regreso a Moscú, yo expondré el asunto ante el Bureau, y cuando su delegado llegue, el partido habría sido admitido

Y firmaba: «Vuestro por la revolución social. M. Borodín, representante del Bureau de la III Internacional.[10]»

La carta descalificaba las pretensiones del PC de M y de Gale, dándole al PCM el espaldarazo definitivo en materia internacional.

Resulta interesante que Borodín hubiera permitido que en la declaración del PSM se hubiera introducido el manejo del concepto antielectoral, y a esa luz, la frase: «La dictadura temporal del proletariado» (otro punto de choque con las tendencias anarquistas), que se lee en su carta, parece ser una segunda concesión a las condiciones de México.

Hay muchas formas de ver la reunión del 24 de agosto, quizá la que se desprende más claramente de los hechos es la de una asamblea clandestina (no hubo ningún reporte en la prensa obrera ni nacional, no fue convocada, ni siquiera por el órgano extraoficial del partido, *El Soviet*) de una minoría del comité nacional del PSM (dada la descomposición del CN difícilmente podría haberse reunido a la mayoría, aunque es evidente que se eliminó de la reunión a un pequeño grupo de socialistas encabezados por Cervantes López, en ese momento formalmente, secretario del exterior del partido), para tomar un acuerdo destinado a la exportación (el cambio de nombre), ratificar otro ya tomado (la adhesión a la IC) y elegir a los delegados.

La historia oficiosa del PCM no lo ha registrado así. Como si con palabras pudieran exorcizar los hechos, la reunión donde se fundó el Partido Comunista Mexicano ha sido bautizada como «Conferencia Nacional del Partido», «Asamblea Plenaria del Comité Nacional con la asistencia de un representante de la IC», donde se «acordó por aclamación el cambio de nombre» y cuyo contenido ha sido calificado como «la unión del movimiento obrero con el marxismo.[11]»

NOTAS AL PIE

1 La fecha que debe aceptarse como la fundacional del Partido Comunista es señalada por Mario Gill (*México y la Revolución de Octubre*, ECP, México, 1976) y reafirmada por Arnoldo Martínez Verdugo («La Fundación», *Oposición*, 26 de julio-1 de agosto de 1979). Aunque no poseo confirmación de alguna fuente directa, estas me permiten decir que el acontecimiento se produjo entre el 23 y el 25 de noviembre, por lo que creo que la de los autores citados debe darse como válida.

2 Linn A. E. Gale: «Los socialistas mexicanos repudian a los traidores», *El Comunista de México*, N° 1, enero de 1920.

3 M. Borodín a J. Allen, 29 de noviembre de 1919; volante, *NAW DJ*, 374726. Carleton Beals/*Glass Houses*, p. 50.

4 M.N. Roy/*Memoires*, pp. 79, 166 y 170.

5 *El Soviet*, N° 6, 26 de noviembre de 1919. Hay una reproducción en *Oposición*, 26 julio-1 de agosto 1979.

6 *Socialista*, N° 40, 15 de septiembre de 1919 y *El Soviet*, N° 4, 10 de noviembre de 1919. Un segundo manifiesto de la IC se produjo en *El Soviet*, N° 5, 17 de noviembre de 1919.

7 En el primer manifiesto de la IC reproducido en México (citado) se consideraba el parlamentarismo un medio de lucha «de valor secundario», pero no se descartaba.

8 *Allen a Angélica Balabanov*, 29 de noviembre de 1919, reproducido en *Oposición*, 26 julio-1 agosto 1979.

9 Barry Carr en su trabajo citado (*Marxists...*) se preocupa por establecer con gran precisión el carácter de minisecta y membrete artificial con cara a la exportación del PC de M de Gale. No muy diferente es el caso del PCM de Roy-Phillips. Un estudio comparativo de ambos partidos comunistas permitiría en esta etapa, verlos con características similares: Afiliación: entre veinte y cuarenta miembros; presencia en el movimiento obrero: nula; estructura nacional: ninguna en el caso del PCM, militantes solitarios en varios estados en el caso del PC de M; dedicación central: propaganda y correspondencia con el exterior; prensa: *Libertario*, página de *El Heraldo* (en inglés) y *El Soviet* el PCM, y *Gale's Magazine* (en inglés), el PC de M.

10 *M. Borodín a José Allen*, 29 de noviembre 1919, volante, *NAW, DJ* 374726.

11 El tema está tratado con mayor amplitud en la nota de pie de página N° 22 de la p. 15 de *Memoria roja*. Los textos de los historiadores afines al PC de donde han salido los entrecomillados pueden revisarse en Peláez/*Cronología...* p. 15, Lino Medina/ *La fundación*, Dionisio Encina/ *La revolución socialista*, I. Vizgunova/ *La situación*, p. 133 y Boris Koval/*La gran* p. 114. En el último libro, Martínez Verdugo corrige y califica la reunión tan solo como «Asamblea del PSM en el DF» (p.29), aun esta afirmación me parece exagerada. A la reunión ni se invitó, ni asistieron dos tercios de los miembros del partido en la capital.

5. LA GRAN HUELGA DE ORIZABA Y LAS DOS MANOS DE CARRANZA

Entre el Congreso Socialista de agosto y la fundación del PCM el 24 de noviembre, se desplegó en México la segunda oleada del movimiento sindical, ahora con un eje en la zona industrial de Orizaba[1]. Los antecedentes se encontraban en el intento patronal de trabajar los segundos turnos con obreros dotados de contratos individuales, y ya había producido en junio una huelga en la textil Santa Rosa, tras la que la patronal había impuesto su criterio, limitándose los sindicalistas a impedir que los contratos individuales pudieran imponerse en el primer turno de la empresa.

Días después de la huelga, el carrancismo había mandado detener a los secretarios del interior y del exterior de la Cámara del Trabajo de Orizaba, acusándolos de haber firmado un manifiesto ofensivo contra el gobierno federal. Aunque la detención solamente duró tres días, servía como alerta respecto a las posibilidades represivas, siempre en pie del régimen.

El 20 de octubre, las restantes empresas de la zona industrial de Orizaba trataron de extender la experiencia de Santa Rosa e imponer los contratos individuales en todas las fábricas. La respuesta fue la huelga en las hiladuras de Cocolapan a la que siguieron todos los demás trabajadores organizados de la región. Diez mil obreros pararon las empresas Cocolapan, Miraflores, San Lorenzo, Santa Rosa, Cerritos, Santa Gertrudis, la Cervecería Moctezuma, la fábrica de puros La Violeta, la Compañía Fronteriza, la Molinera y la Hacienda de Jalapilla.

La patronal exigió el cese del presidente de la junta de conciliación, lo que enardeció más aún los ánimos de los trabajadores que ante el éxito de la demanda retiraron a sus representantes.

En tres días se habían sumado en huelga solidaria los ferrocarrileros del Mexicano y los electricistas y tranviarios de Orizaba.

Carranza ordenó la movilización de tropas en la zona, y a pesar de los esfuerzos del gobernador Cándido Aguilar, partidario de una línea mas conciliadora con los trabajadores, la tensión creció.

En este contexto, Carranza apeló nuevamente a Calles al que nombró ministro de Industria. Plutarco Elías Calles tomó posesión el 3 de septiembre y comenzó las negociaciones con sus conocidos cromistas. La federación de Orizaba era el núcleo más importante de la CROM en el país, y la dirección cromista desde Zacatecas, encabezada por Escobedo, Valdés y Rodarte, estaba dispuesta a defenderla con una posición mucho más radical que la de los hombres del Grupo Acción, empeñados en buscar salidas políticas al conflicto que no pasaran por la huelga general. El triunfo de la línea de los contratos individuales que trataba de imponer la patronal orizabeña, podía significar el fin de la CROM, y ambas tendencias estaban conscientes de ello.

El CC de la CROM envió una circular convocando a la huelga general, que fue reproducida en todos los periódicos obreros del país, y pidió a todas las organizaciones adheridas que esperaran su orden para iniciarla. Paralelamente, comisiones de los textiles recorrieron las zonas industriales de Puebla y de Tlaxcala, restableciendo relaciones con grupos textiles sindicalizados, y llegaron hasta el Valle de México, aumentando la agitación. A fines de octubre se dieron grandes mítines en Puebla, en los centros ferrocarrileros y en el DF.

Las tensiones crecían, un testigo ocular narraba al corresponsal de *El Heraldo de México*, que cuando su tren manejado por esquiroles pasó por los suburbios de Orizaba, los huelguistas «se desataron en obscenidades, dando vivas al bolchevismo y gritando mueras a los capitalistas.»

El 30 de octubre los huelguistas iniciaron una marcha a pie hacia Córdoba. Ocho mil hombres y mujeres estaban dispuestos a marchar; en las torres de Córdoba, asiento del gobierno estatal, se habían montado cañones y la ciudad estaba resguardada por quinientos soldados al mando del general Millán. El 31 de octubre el ejército detuvo la manifestación en Coatlapa.

La penuria dominaba la zona industrial, el comercio sumándose a la patronal, había decretado el cierre temporal, y el 1 de noviembre los huelguistas desesperados comenzaron a saquear los comercios y a atacar a los tranvías que aún circulaban. En Córdoba había miedo, en Orizaba desesperación. Para aumentar la tensión, el 2 de noviembre se produjeron dos temblores, y el ejército atacó una de las múltiples manifestaciones que se realizaban en la ciudad.

La orden de huelga general nacional que debía lanzar el comité de la CROM, no llegaba.

Con el inicio de noviembre Calles, cuya situación dentro del gobierno no era muy cómoda, pasó a la mediación personal y a mediados del mes llevó su vagón de ferrocarril hasta Orizaba. En medio de su equipo de asesores, viajaba M.N. Roy como delegado del PSM.

Si bien la huelga general no había sido decretada, las organizaciones locales comenzaron a enviar apoyos económicos a los huelguistas.

Los miembros del Grupo Acción mientras tanto, trataban de que la huelga no estallara, y declaraban a la prensa: «No se hable de huelga general en tanto no se defina el estado de salud de la señora esposa del primer magistrado [...] el movimiento no estallará hasta cuando el señor Carranza haya dicho su ultima palabra.»

Si la derecha del movimiento frenaba, la izquierda se encontraba desarticulada e impotente para lanzar una iniciativa. Los grupos anarquistas se limitaron a la denuncia y a los llamados a la movilización a escala regional; pero descoordinados entre sí, no tomaron una iniciativa unitaria.

En medio de estas tensiones, de asaltos de los huelguistas a los comercios, de toma militar de la región, los patrones de Orizaba recibieron cartas donde se les amenazaba de muerte. La prensa aclaró que no podía tratarse de trabajadores mexicanos, que los autores sin duda, «por el lenguaje, eran de Barcelona.»

Pero la violencia que había de surgir no sería individual, en México no prosperaría la vía del atentado. La violencia estalló el 9 de noviembre y fue de masas, cuando los huelguistas comenzaron a apedrear a los pocos esquiroles que trataban de entrar en las fábricas. Coincidiendo con una manifestación citada por los grupos anarquistas de Orizaba contra la dirección de la CROM, se produjeron los primeros sabotajes de turbinas en la compañía de luz.

A pesar de los esfuerzos de los grupos más militantes, en la segunda semana de noviembre el movimiento comenzó a declinar por hambre. Grupos de mujeres aunque todavía minoritarios, se acercaron a las puertas de las empresas a pedir trabajo y en Cocolapan una tercera parte de los trabajadores trató de romper la huelga, lo que produjo un nuevo choque sangriento con los huelguistas.

El CC de la CROM presionado internamente por el Grupo Acción, se mantuvo en silencio respecto a la convocatoria de huelga general, pero llamó a un boicot de los productos textiles de las empresas que se encontraban en huelga.

Calles en Orizaba, tras conferenciar con Carranza, se jugó su última carta y presentó el 18 de noviembre un ultimátum a los patrones: reabrir las fábricas para impedir la huelga general, en caso contrario incautación gubernamental. Los industriales rechazaron la propuesta, y se trasladaron al DF. Durante una semana, prosiguieron los estire y afloje entre el gobierno y la patronal. La CROM presionó, declarando que las claves que se enviarían por telégrafo estaban listas y la huelga general convocada. En Puebla los obreros respondieron señalando que por ellos la cosa ya habría estallado hace mucho tiempo.

Al fin, el 29 de diciembre con un convenio que no podía dejar totalmente satisfecha a ninguna de las partes se terminó el movimiento. La huelga se levantaba, los patrones no podían sustituir a los trabajadores sindicalizados ni imponer contratos individuales en las fábricas donde los había. El fallo final quedaba para la junta central de conciliación.

La CROM presentó el fin del movimiento como un triunfo propio y la mediación de Plutarco Elías Calles, y la agitación descendió.

En el DF, la reanimación tras la represión de mayo era mucho más lenta, conatos de huelgas en tranvías y en el sector eléctrico[2], y una declaración de reaparición en escena del Gran Cuerpo que fue apoyada en la prensa por el PCM[3].

Desde el poder, el movimiento obrero estaba lejos de ser la principal preocupación de Carranza, que se debatía entre el peligro de una intervención americana, muy agitada en los medios periodísticos gringos, y una campaña presidencial en la que su candidato se veía apabullado por los dos militares que hasta hacía unos meses habían sido los pilares del constitucionalismo, Álvaro Obregón y Pablo González.

Sin embargo, estas preocupaciones ajenas a la marcha de las relaciones obrero-patronales, no impidieron al carrancismo golpear en algunos puntos a los sindicalistas, sin distinción de corrientes. Lo mismo el gobernador de San Luis Potosí impedía la circulación del periódico cromista *Acción*[4] deteniendo a sus voceadores, que el general Osuna clausuraba la Casa del Obrero Mundial en Tampico, quizás el centro de influencia más importante de los grupos anarquistas en el país[5], que el jefe de armas de Puebla reprimía en Cholula a setenta y dos representantes de la importante Confederación Sindicalista de Puebla, causando con ello la indignación de los trabajadores organizados en las zonas de Puebla y Tlaxcala[6].

Podría ser que eventualmente utilizara como su mano izquierda a Plutarco Elías Calles, pero su mano derecha represiva ejercía las funciones del poder con mucha mayor frecuencia.

La siguiente muestra de vitalidad de los sindicalistas mexicanos surgió de los textiles del DF, cuando una cadena de huelgas aisladas se fue convirtiendo en un proyecto de huelga general. En su vanguardia ya no estaban los sindicalistas afines al Gran Cuerpo, sino una tendencia política que había hecho una alianza electoral con el partido de Salvador Alvarado para presentar una candidatura común en las elecciones municipales del DF[7].

Sin duda se trataba de un movimiento muy heterogéneo en el que intervenían influencias muy variadas y en el que las asambleas iban haciendo virar la conducción de la lucha hacia una u otra posición. Mientras una parte de su dirección formal hacía política electoral, otra impulsaba la huelga solidaria, o se negaba a tener tratos con las juntas de conciliación, o realizaba acciones directas dentro de las fábricas que incluían por primera vez tortuguismo en la producción.

Lo que estaba fuera de duda era la tremenda combatividad de los obreros textiles. En San Antonio Abad, a pesar de las condiciones represivas del carrancismo, habían estallado tres huelgas, de semana cada una, en el último año. Junto a esta capacidad de lucha, los textileros eran el sector en que las demandas solidarias aparecían con mayor frecuencia; un despido provocaba una huelga, la destitución de un capataz, la petición de que se igualara el salario de las mujeres con el de los hombres provocaba una huelga masculina para apoyar a sus compañeras.

En diciembre estalló la segunda huelga general pidiendo aumento salarial y aunque la levantaron el día 26, dejando que la junta de conciliación mediara en el conflicto, la tensión permaneció en pie.

Estas movilizaciones se combinaron en el espacio y el tiempo con el movimiento aislado de los camareros (un sector bajo fuerte influencia del grupo anarquista del español César Pandelo) en pro del pago del día de descanso dominical. Carranza había reglamentado el artículo 123 en el apartado del descanso del séptimo día, el seis de diciembre, con un decreto, pero dejaba en el aire el problema de si las empresas debían o no de pagarlo. Multitud de reclamaciones comenzaron a surgir a lo largo del país, porque las empresas daban libre el domingo, pero no lo pagaban, sobre todo en sectores ligados al comercio y los servicios, que solían trabajar los domingos, como restauranteros, camareras, dependientes de comercio. Calles intervino nuevamente con una declaración conciliadora: «Es prematura la agitación que se anuncia aunque nadie negara el fondo de justicia que la inspira.[8]»

Con la huelga textil del DF y la inquietud por el problema del pago del domingo, un nuevo frente de lucha sindical se abrió en Puebla al estallar una huelga en cuatro fábricas de la zona de Puebla-Apizaco por aumentos salariales del veinte por ciento. Inmediatamente, el jefe de la zona militar movilizó a las tropas para vigilar a los trabajadores[9].

El año 1919 terminó con esta situación incierta. Una CROM dividida entres sus dirigentes formales y los miembros del Grupo Acción, que regionalmente presentaba un mosaico de direcciones con relativa autonomía. Una izquierda obrera fragmentada y muy reprimida, aislada en direcciones sindicales desunidas, en grupos de afinidad sin conexión entre sí, o en pequeños grupos comunistas.

El Grupo Acción precisó el camino del ala derecha al lanzarse a consolidar el proyecto que necesitaba para cumplir su compromiso con Obregón, y el 21 de diciembre se reunieron en el DF sesenta y tres dirigentes sindicales cromistas para celebrar a todo vapor el Congreso Constituyente del Partido Laborista Mexicano.

Convocado por Eduardo Moneda y con todas las cabezas del Grupo Acción presentes, la convención dio un veloz repaso a la coyuntura nacional. No hubo intentos de perfilar un programa mínimamente reformista. José L. Gutiérrez apoyado por Morones declaró: «El estudio del programa no debe de dar lugar a disquisiciones en el momento y concrétese la asamblea a manifestar si está de acuerdo con la formación del partido.»

Morones amplió la causa de cinismo agregando que «[...] en reuniones íntimas se cambien impresiones.»

Se habló de los tres candidatos presidenciales, y tras señalar que ni Bonillas ni Pablo González respondieron a sus proposiciones y que Obregón las aceptó (nunca se informó cuál había sido el contenido del pacto secreto del 6 de agosto), por unanimidad se declaró candidato del nuevo partido.

El centro organizador del partido quedó compuesto por Celestino Gasca, Eduardo Moneda y Castrejón. Entre los sesenta y tres firmantes había solo un miembro del CC cromista, el tesorero Fernando Rodarte[10].

Si el obregonismo lograba triunfar en las próximas elecciones, la búsqueda de un caudillo al que acogerse, que había protagonizado durante los dos últimos años el ala derecha de la vanguardia sindical en México, habría terminado.

NOTAS AL PIE

1 La información sobre el movimiento de Orizaba en: Salazar-Escobedo/*Las pugnas...* pp. 263-268, José G, Escobedo: *Notas biográficas*, edición del autor, México, 1951, pp. 43-44. *AGN* Ramo Trabajo, caja 170 exp. 9. AGN Gobernación. M.N. Roy/ *Memoires*, pp. 168-169. *El Demócrata*, 23 de julio, 15, 22 al 30 de octubre de 1919. *El Dictamen*, 14 y 16 de agosto de 1919. *Iconoclasta*, Nº 9, noviembre de 1919. *Alba Roja*, Nº 30, 1 de noviembre de 1919. *El Heraldo de México*, Nº 28, 31 octubre, 1, 2, 6, 7, 9, 11, 12, al 15, 17 al 20, 22, 24 al 27 y 30 de noviembre de 1919. *El Soviet*, Nº 5, 17 de noviembre de 1919. *Resurgimiento*, Nº 30, 22 de noviembre de 1919. *El Monitor Republicano*, 3 y 14 de noviembre y 6 de diciembre de 1919.

2 *El Heraldo de México*, 3 y 4 de septiembre de 1919. *El Demócrata*, 5 de septiembre de 1919.

3 *El Heraldo de México*, 7 de octubre de 1919 y *El Soviet*, Nº 5, 17 de noviembre de 1919.

4 *El Heraldo de México*, 2 de noviembre de 1919.

5 *El Pequeño Grande*, Nº 24, 30 de noviembre de 1919. Informe del inspector Enrique S. Cerdán, *Boletín del AGN*, Nº 15, enero-marzo de 1981.

6 *El Heraldo de México*, 31 de diciembre de 1919.

7 Para las luchas textiles de fines de 1919, ver: *El Heraldo de México*, 15 y 19 de noviembre y 1, 5, 18, 23 y 25 de diciembre de 1919 y *El Monitor Republicano*, 18 y 27 de diciembre de 1919.

8 *El Monitor Republicano*, 7 y 20 de diciembre de 1919.

9 *El Heraldo de México*, 31 de diciembre de 1919.

10 Para el congreso del PLM se sigue el texto de *Informe sobre los Rojos* del autor y R. Vizcaíno. Una edición corregida del texto en *Memoria roja*, Leega-Júcar, 1984. Acta fundacional en Araiza/*Historia...* pp. 37-40 y Salazar-Escobedo/*Las pugnas...* pp. 275-277.

6. EL BUREAU LATINOAMERICANO Y LA DESPEDIDA DE ROY Y BORODÍN

El Bureau Latinoamericano del IC, cuya función había anticipado Allen en su carta a la Balabanova, surgió a la vida pública en un manifiesto fechado el 8 de diciembre en 1919 y que fue publicado en *El Soviet*[1]. En este se informaba de la instalación del Bureau y de la composición de su primer comité, en el que además de José Allen se encontraban los nombres de Leopoldo Urmachea, Elena Torres, Martín Brewster y Antonio Ruiz. Los cuatro formaban parte del nuevo grupo de militantes del PCM que habían sido reclutados en el último mes.

Antonio Ruiz era secretario general del sindicato panadero, centro de reuniones del radicalismo del valle de México[2], Martín Brewster del que ya se ha hablado en esta crónica, fungía como mayordomo de Roy[3], Leopoldo Urmachea era un anarcosindicalista peruano simpatizante de la Revolución Rusa, que había sido deportado de Lima por su actividad dentro del sindicato La Estrella del Perú y llegado a México en noviembre de 1919[4]; Elena Torres, profesora yucateca, formaba parte del equipo de Carrillo Puerto, miembro del Partido Socialista Yucateco se había visto obligada a abandonar la península por la terrible represión declarada por el carrancismo, siendo reclutada para el Bureau por Evelyn Roy, con quien mantenía relaciones desde tiempo antes, por su mutua intervención en el feminismo radical mexicano[5].

El objetivo del Bureau, se especificaba desde los primeros párrafos, era la convocatoria de un Congreso Latinoamericano que debería celebrarse en México «lo más pronto posible» al que se invitaba a todos los comunistas de América Latina así como a delegados de los Estados Unidos y Canadá.

Tras arremeter contra la Internacional de Berna, el laborismo y los políticos profesionales «cuyo único fin es impedir que la clase explotada se rebele», llamaba a organizar un congreso que fuera una opción frente a la American Federation of Labor.

El manifiesto hacía una definición anticapitalista y antiimperialista antes de desembocar en al adhesión a la Revolución Rusa. El Bureau, cuyo único objetivo era convocar el congreso, mismo que nunca se realizó (ni siquiera fue precisada la fecha de reunión), murió en el olvido en los siguientes meses.

Para los observadores exteriores, la lista de firmantes del manifiesto mostraba la nueva generación de militantes que se habían incorporado al partido, ausentes del congreso de agosto, y que venían a revelar a los prófugos electoreros y a los que iban para Europa.

Entre los nuevos adherentes, lo más significativo era la incorporación al PCM del grupo dirigido por Carrillo Puerto[6] dentro del que se contaban Roberto Haberman y Agustín Franco junto con Elena Torres u otros miembros destacados de la inteligencia del Partido Socialista Yucateco.

Los PSY se encontraban prácticamente exilados en la Ciudad de México. El coronel Zamarrita, hombre del carrancismo y de los latifundistas de la península, se había encargado de hacerles la estancia imposible en su tierra. Elecciones fraudulentas, asesinatos de campesinos de las Ligas de Resistencia y por último un ataque brutal contra el local de la Liga Central de Resistencia de Mérida (sede del partido) donde destruyó los archivos y se incendió el inmueble[7].

Junto a los yucatecos, un par de brillantes maestras, Estela Carrasco y María del Refugio García, que habían trabajado intensamente en las filas del feminismo radical, se habían unido al PCM. Ellas habían acercado al general Francisco J, Múgica a los comunistas, y este había mantenido conversaciones con Borodín y Roy.

Muy poco después de la publicación del manifiesto, Mijail Borodín se preparó para abandonar México. Aunque no había podido avanzar en el establecimiento de relaciones entre la Republica Soviética y el gobierno carrancista, había impulsado la formación del PCM, y en el papel había cumplido su objetivo de crear una opción comunista en la AFL. A sus espaldas dejaba el rumor de las joyas de la zarina que trajo obsesionado a Carrillo y sus hermanos[8]. Con Borodín se iba Phillips como su secretario. Así, el comunismo mexicano perdía (temporalmente) el auxilio del más voluntarioso y militante de los *slackers*, sin duda, el más mexicano de todos ellos.

La estancia de Borodín en México se había prolongado tres meses. Ahora, comenzaba a urgirle reincorporarse al movimiento comunista que giraba en torno a la IC. El segundo congreso había sido ya convocado y sería antecedido por una conferencia de los comunistas de Europa Occidental en Holanda. En diciembre de 1919 Phillips y él salieron con pasaportes falsos rumbo a España por Veracruz. Poco después Irwin Granich (Mike Gold) abandonaría México para regresar a Estados Unidos.

La publicación de la carta de Borodín reconociendo al PCM como único representante de la IC, sin duda alteró los ánimos de los miembros del PC de M de Gale. El cambio del nombre del partido y la forma como se realizó, había provocado la ruptura de un grupo de socialistas encabezados por Cervantes López, que no habían sido avisados. Este grupo reconstruyó el PSM y Cervantes fue electo su secretario general. En una reunión con el grupo de Gale para estudiar las posibilidades de la fusión, Cervantes denunció que Roy había suspendido los fondos para la publicación de *Socialista* y que él y Phillips habían actuado con «falta de sinceridad y honradez»[9]. Cervantes se sentía fortalecido porque Santibáñez se había reincorporado a su partido abandonando a Gale, y porque el viejo grupo de socialistas habían permanecido fieles.

Gale mientras tanto, había continuado, en artículos, cartas y circulares, denunciado al PCM como moronista[10] y había apelado al partido norteamericano para que interviniera en la dispuesta[11].

Los choques menudearon en los últimos meses del año[12]. Cervantes hizo pública una opinión que Allen había emitido en una reunión del comité del PSM en el sentido de que la huelga de Orizaba era «política», lo cual se difundió ampliamente desprestigiando al PCM entre los sindicalistas.

Más violento fue el último encuentro entre Roy y Gale en el sindicato panadero. El indio denunció a Gale en una reunión como «falso apóstol y falso propagandista del bolchevismo», y este amenazó con contar las interioridades del grupo comunista, «Manabendra al escuchar aquella amenaza, palideció intensamente y lanzando relámpagos de ira por sus ojos negros y duros metió la diestra en la bolsa de su gabán sacando un revólver cuyo cañón enderezó al pecho de Gale amenazadoramente. Se interpusieron algunos de los que estaban próximos al indio y lograron calmarlo, pero juró que si Gale llegaba a cometer las anunciadas indiscreciones, moriría.[13]»

Las tensiones en el mundillo de las sectas radicales aumentaron. La relación anarquistas-Revolución de Octubre comenzaba a mostrar pequeñas grietas. En México el primer documento que señaló la ruptura fue la publicación en *El Pequeño Grande* de un llamamiento del Bureau Provisional de la Conferencia de Anarquistas Sindicalistas Rusos, en el que establecían sus diferencias con los bolcheviques. En noviembre Huitron y Gale polemizaron violentamente en la prensa obrera[14].

El PCM fortalecido por los nuevos reclutamientos, si bien no impulsó el congreso continental, se puso en acción para cumplir la otra proposición que Allen había hecho en la carta a la Balabanova, y en el local del Bureau, en la calle de las Estaciones, donde antes había estado una pulquería, se montaron las oficinas de *El Comunista*. El único número de *El Soviet* salió el 16 de diciembre, y el 26 del mismo mes, un día después de Navidad, apareció el semanario. El proyecto se había puesto en pie con la aportación de mil pesos de Roy, otros mil de Allen (sin duda llegados a través de la Embajada Norteamericana) y la colaboración con elementos técnicos de Vicente Ferrer Aldana. A la cabeza de la revista se encontraba este y Elena Torres y la primera impresión fue de cinco mil doscientos ejemplares[15].

En enero de 1920, Roy y Evelyn abandonaron México. Tras una desaparición formal de los ambientes del DF que fue cubierta por sus amigos, entre ellos Carleton Velas, que había heredado el departamento de la colonia Roma[16], Roy, con un pasaporte del hermano Allen, Roberto (hecho que Allen comunicó apresuradamente a la embajada norteamericana), salió para Veracruz y de ahí embarcó hacia Europa para asistir al congreso de la IC[17].

Al subir al buque no sabía que ya nunca regresaría al país donde se había hecho comunista.

Por esos mismos días, la policía de Tampico detenía a varios «agentes bolcheviques», entre ellos un perfecto desconocido, Waleski, al que acusaban de ser el «verdadero jefe de la propaganda bolchevique en México» y de estar agitando en los campos petroleros[18].

Mientras los bolcheviques reales abandonaban México tranquilamente, los bolcheviques de la prensa seguían recorriendo el país como un fantasma.

Notas al pie

1 *El Soviet*, N° 8, 16 de diciembre de 1919; reproducido en *Oposición*, 23-29 de agosto de 1979.

2 *El Monitor Republicano*, 12 de mayo de 1920.

3 Julio García/*manuscrito*, p. 10.

4 Según datos proporcionados por Ricardo Melgar Bao, Urmachea era nativo de El Callao, nacido hacia 1880. Panadero en Lima. Activo militante y más tarde dirigente del movimiento sindical anarquista desde 1894. Deportado a fines de octubre de 1919. Al llegar a México se había incorporado al sindicato panadero y ahí había sido reclutado por los miembros del PCM. Publicó en *El Soviet*, N° 4 (10/XI/1919) un artículo de fuerte corte anarcosindicalista titulado: «Las organizaciones obreras en Sudamérica.»

5 *Excelsior*, 12 de junio de 1920 y *El Monitor Republicano*, 23 de diciembre de 1919.

6 La discutida presencia de Carrillo Puerto en las filas del PCM durante los últimos meses de 1919 y los primeros de 1920, puede comprobarse a través de los testimonios de J.C. Valadés («Carrillo Puerto el tipo de líder», artículo inédito), Escobedo/*Notas biográficas*, p. 27 y el artículo citado de Allen en *La Voz de México*. Carrillo, como el autor ha podido comprobar, utilizaba papel membretado del Bureau para su correspondencia personal (*FCP a Soto y Gama*, 4 de julio 1920).

7 Paoli-Montalvo/*El socialismo*..., p. 93. *El Heraldo de México*, 17 y 18 de noviembre de 1919. Irwin Granich: «Well, what about México?», *Libertador*, enero de 1920. Para ilustrar el comportamiento de Zamarripa, esta entrevista con Casimiro del Valle, al que se le dieron veinticuatro horas para abandonar Yucatán: «Preguntado el susodicho coronel, sobre el artículo constitucional de que echó mano para desterrar a nuestro compañero de Yucatán, contestó muy campante: "Haciendo uso del artículo 33 de la Constitución general denominada *Mis pistolas*".» (*Irredento*, N° 7, diciembre de 1919).

8 «A Felipe se le ofreció la mitad del valor de las joyas si colaboraba a recuperarlas [...] Felipe estaba ansioso de participar en la jugada, pero surgió como una alternativa a pagar mordida al deshonesto oficial haitiano, la organización de una expedición filibustero para hacerse con las joyas. La casa del oficial quedaba en las afueras de Puerto Príncipe. Un desembarco bien planeado podía hacer que el asalto y la huida no fueran detectados. Felipe podía conseguir un bote y hombres armados, su hermano Benjamín estaría a cargo». Beals/*Glass Houses*.

9 Gale/«Los socialistas...» Las denuncias mutuas abundaban. Los comunistas «oficiales», habían acusado repetidamente a Cervantes López de ser un agente de Aguirre Berlanga. P. García: «El movimiento comunista en México» citado por Pablo González Casanova en el tomo VI de la *Historia del movimiento obrero mexicano*, Siglo XXI, México, 1980.

10 *Circular del PC de M*, diciembre de 1919, Archivo JCV.

11 En este conflicto había tratado de mediar el comunista japonés Sen Katayama, miembro del Bureau Continental de la IC que residía en los Estados Unidos, pero no había tenido éxito. Colaboraba en cambio en la revista de Gale con artículos teóricos. (Ver el número de diciembre de 1919 de *Gale´s Magazine*).

12 P. García/*El movimiento comunista*.

13 «Los bolcheviques esperan recibir muy pronto dieciocho millones de dólares», *Excelsior*, 14 de junio de 1920.

14 *Luz*, N° 83, 25 de noviembre de 1919.

15 En esta carrera de ser «los primeros» en algo, los comunistas mexicanos pueden vanagloriarse de que el primer órgano central de un partido comunista dirigido en el mundo por una mujer fue *El Comunista*, que estuvo a cargo de Elena Torres. El semanario apareció como *El Soviet*, órgano del PCM y del Bureau Latinoamericano de la III Internacional". *El Comunista*, N° 3, 8 de enero de 1920. José C. Valadés/*Ferrer Aldana*, José C. Valadés/ *Los comienzos de Luis N. Morones*. Allen/*La voz de México*, 15 de septiembre de 1944.

16 Beals/*Glass Houses*, p. 52. Roy abandonó el país cautelosamente porque temía que los ingleses pudieran detenerlo en algún punto del trayecto. Allen informó a los norteamericanos, pero parece ser que estos no transmitieron a tiempo la información a los británicos.

17 *NAW, DJ* (José Allen Informante) 202600-1913. Gale aprovechó la salida de Roy de México para elaborar una nueva denuncia, en la que algunos de los argumentos eran que el indio se había comprado una capa de seiscientos pesos (¡ !) y su mujer unas hebillas de plata para sus zapatos con el dinero del partido. García/ *manuscrito*.

18 *El Monitor Republicano*, 19 de diciembre de 1919. *NAW, FA* (MP 138, Colmex) informe Waleski.

7. APARTE JAROCHO

Si el país en términos de sus poderes reales o del desarrollo de sus movimientos obreros no podía verse de otra manera que regionalmente, esta visión obligada se imponía en la observación de los grupos de «vanguardia.»

Para la historia que aquí se está contando, se impone un aparte sobre lo que ocurría en el Puerto de Veracruz ese año de 1919.

En enero de 1919, los sindicalistas veracruzanos influidos por el trabajo individual de algunos militantes anarquistas, se declararon «por la acción directa y apolíticos» en un mitin realizado en el puerto, no reconocieron a las juntas más que para que fijaran el salario mínimo y presionaron por el mes de reparto de utilidades que les concedía la Ley del Trabajo en Veracruz[1].

Vinculados a este movimiento se encontraban un buen número de anarquistas: Rafael García Auli, el Negro García, dirigente de los estibadores; Heron Proal, de oficio sastre[2], que había figurado en la dirección del movimiento del puerto desde 1916; los carpinteros de Huatusco, Úrsulo Galván y Manuel Almanza; el anarquista español José Fernández Oca; el tabaquero Juan Barrios y el tranviario Antonio Ballezo.

García se había concentrado en el trabajo sindical entre los estibadores, Almanza y Galván habían militado de manera errabunda por el Golfo de México, llegando a tener una intervención destacada en Tampico durante la huelga petrolera de 1918[3]. Fernández Oca hacía su labor entre los panaderos. Todos mantenían correspondencia con grupos anarquistas de otras partes del país[4] o recibían materiales del anarcosindicalismo español; pero no existía un proyecto común.

Esta era el ala izquierda de la militancia obrera jarocha, pero en el puerto existía también un pequeño grupo cromista capitaneado por el linotipista Carlos L. Gracidas, quien en 1917 había intentado ganar las elecciones de la alcaldía sin éxito, y cuya influencia no iba más allá de la Unión de Linotipistas de Veracruz[5].

Un hecho ajeno al movimiento obrero iba a darle forma al radicalismo veracruzano. En los primeros meses de 1919, un militante de la IWW que había pasado una docena de años en los Estados Unidos, regresó a la ciudad de Veracruz, de donde era originario y en la que tenía parientes. Su nombre era Manuel Díaz Ramírez[6], y su primer trabajo fue fundar una academia nocturna para trabajadores donde se daban clases de inglés. A ella asistieron Heron Proal, Rafael García, Manuel Almanza, León P. Reyes, Úrsulo Galván y Juan Barrios, entre otros radicales anarquistas del puerto[7]. Y en ella nació el grupo Evolución Social, un grupo de afinidad de carácter anarquista[8] que en marzo de 1919 comenzó a realizar mítines semanales de divulgación ideológica en los que combinaban los temas tradicionales de la propaganda anarquista con la defensa de la Revolución Rusa, un factor nuevo en el puerto.

En abril de 1919, el grupo Evolución Social editó un manifiesto de origen IWW sobre el 1 de mayo. En su introducción, señalaba: «El ejemplo noble y viril de nuestros hermanos los rusos; movimiento que se extiende ya por todos los ámbitos de la tierra y que reclama [...] nuestro inmediato concurso.[9]»

A mediados del 19, la parte más radical del grupo se reconstituyó y creó el grupo Antorcha Libertaria. Formaban parte de él Díaz Ramírez, Proal, Galván, Almanza, Fernández Oca, el Negro García, Barrios y Carlos Aubry. Además de continuar la lucha agitativa con sus mítines semanales, casi todos ellos en el teatro Eslava, los miembros del grupo comenzaron a tener una mayor participación en el movimiento sindical que se reanimaba en el puerto lo mismo que en el resto del país. Úrsulo Galván, Carlos Aubry y Heron Proal colaboraron en la creación del sindicato de molineras de la Fortaleza, y en junio y julio de ese año mantuvieron una dura lucha contra la patronal hasta que fueron derrotados[10].

En octubre, el grupo dio nacimiento a un periódico, *Irredento*[11], que tuvo varias etapas según Manuel Almanza, desde la venta en el mercado, hasta la promoción truculenta en las peluquerías. El periódico jamás pudo pagar la deuda con el equipo editor a pesar del apoyo de la Unión de Marineros y los estibadores del puerto, o de su éxito entre las sirvientas, cuando se creó una sección permanente de denuncias contra los patrones caseros y la explotación del trabajo domiciliario[12].

La actividad periodística, sin embargo, les permitió entrar en el circuito del radicalismo escrito y se relacionaron con el periódico anarquista *Luz*, con la prensa IWW en Estados Unidos, con Ferrer Aldana y los periódicos comunistas y con los Hermanos Rojos de Tampico que editaban el *Pequeño Grande*.

Los números que se conocen del diario, muestran una combinación de informaciones sindicales, apoyo a la Revolución Rusa y divulgación anarquista, combinados con denuncias de médicos que tratan de seducir a sus enfermeras, patrones que se les olvida el aguinaldo y otros similares en un tono y lenguaje muy popular[13].

Aunque la labor de *Irredento* era muy irregular, el grupo Antorcha Libertaria adquirió mayor presencia en el movimiento obrero veracruzano y consolidó a un grupo de militantes que habrían de dirigir en los siguientes años los movimientos sociales más importantes de Veracruz.

Notas al pie

1 *El Demócrata*, 25 de enero de 1919.

2 Nacido en Tulancingo, Hidalgo en 1881. Su familia se traslada a Veracruz cuando tiene diecisiete años. Durante los siguientes nueve, trabaja en el barco escuela Yucatán. Tuerto (multitud de historias explican la pérdida de ese ojo, entre otras la de que recibió un latigazo de un capataz), sastre al fin («estudié para sastre y salí un desastre»), participa en el congreso de 1916 y es electo secretario general de la efímera Confederación del Trabajo de la República Mexicana. Casado en 1916 con Herminia Cortés. Datos de Mario Gill: «Revolución y extremismo en Veracruz», *Historia mexicana*, Nº 8, abril-junio de 1953 y de las notas biográficas de Rogelio de la Mora.

3 Rafael Ortega (Leafar Agetro): *Las luchas proletarias en Veracruz, historia y autocrítica*, Editorial Barricada, Veracruz, 1942.

4 Para caracterizar la importancia de estos intercambios epistolares, vale este texto sobre Úrsulo Galván quien en 1917 era corresponsal en el puerto de la revista *Luz*: «Escribir cartas era para él casi un hábito arraigado. Algunas veces, en vez de cartas individuales lanzaba circulares de texto igual, como aquellas que suelen girar los comerciantes para enaltecer las veintitantas cualidades de un nuevo jabón de tocador. Y como careciera de mimeógrafos, multigrados y otros aparatos de imprimir, se veía obligado a escribir a máquina, cuantas copias consideraba necesarias [...]». Manuel Almanza: *Historia del agrarismo en el Estado de Veracruz*, manuscrito inédito, VII-52.

5 *Luz*, Nº 28, 26 de diciembre de 1917 y *El Universal*, 2 de enero de 1919.

6 Nacido alrededor de 1885, había trabajado en varias ciudades de Estados Unidos (Tampa, Chicago, Los Ángeles, Nueva York, San Francisco). Era de oficio cigarrero y en los EEUU había militado dentro de la IWW intensamente. Era amigo de Hill Haywood y mantuvo relaciones con los *wobbies* de Chicago a su regreso a México. *NAW, DJ* 202600-1913 y Manuel Díaz Ramírez: «Hablando con Lenin», *Liberación*, Nº 8, noviembre de 1957.

7 Almanza/*Agrarismo*, VII-82.

8 *Luz*, Nº 78, 2 de abril de 1919 y Nº 79, 16 de abril de 1919. Evolución Social fue uno de los grupos que apoyó la convocatoria del congreso anarquista, que nunca se realizó, en 1919.

9 *1 de mayo*, folleto editado por el grupo Evolución Social, abril de 1919. Archivo JCV.

10 Para la historia de las luchas de las molineras asesoradas por Proal y Aubry, ver *El Dictamen*, 20 junio-5 julio de 1919.

11 Existe una colección fragmentaria en el archivo de IIES (números 6 al 10).

12 Almanza/*Agrarismo*, VII.

13 *Irredento*, Nº 6, 21 de diciembre y Nº 7, 28 de diciembre de 1919.

8. APARTE FEMINISTA

Dos fermentos ideológicos y una coyuntura social intervinieron en el agitado México de 1919, para el surgimiento del feminismo rojo. Por un lado, la presencia en textos anarquistas de amplia circulación, de una reivindicación de la mujer como compañera e igual; por otro, la influencia del feminismo sufragista anglosajón que llegó a México encabezado por las *slackers*. Estos elementos se aunaron a una creciente sindicalización de las mujeres trabajadoras que se había iniciado desde los años 15 y 16[1].

A fines de 1918, en Guadalajara, dos maestras de escuela, María Trinidad Hernández Cambre y Ana Berta Romero[2] lanzaron a la calle el periódico *Iconoclasta*, órgano del Centro Radical Femenino, un grupo de afinidad al estilo de los grupos anarquistas, que se encontraba muy próximo a los militantes de la Casa del Obrero Mundial de Guadalajara.

El periódico, que llevaba el lema «Por la liberación de la mujer», costaba cinco centavos y combinaba la difusión de los planteamientos de la escuela moderna de Ferrer Guardia, con la divulgación de textos de Kropotkin. Al lado de artículos encendidos que establecían la igualdad de la mujer respecto al hombre[3] aparecían circulares sindicales y multitud de poemas y «pensamientos» de escritores conocidos.

Por los mismos meses, nacía en la Ciudad de México el grupo Alma Roja formado por obreras textiles, bordadoras y telefonistas y en Zacatecas el Centro Femenino de estudios Sociales[4].

En la península de Yucatán, el feminismo había avanzado notablemente dentro del Partido Socialista Yucateco y las Ligas de Resistencia. Impulsado por las maestras socialistas, en el Congreso de Motul (marzo-abril de 1918) se había desarrollado en el punto sexto de la orden del día un programa de feminismo socialista, reivindicador de los derechos de la mujer. En el preámbulo se hablaba de la doble explotación de la mujer por mano del capital y el padre o marido, del derecho a la intervención electoral y de la probada capacidad para participar en las organizaciones sindicales y el gobierno[5]. La comisión que preparó el dictamen estaba formada por tres hombres y una mujer, la única que participó en el congreso, representando a la Liga Central de Resistencia de Mérida, Elena Torres, una maestra de veinte años, que se había significado en el movimiento socialista[6].

En mayo de 1919, la huelga magisterial dio la base social para que estos fermentos aislados, crearan un importante centro organizador entre las maestras de la capital, al lanzar a la lucha a centenares de estas, y llevarlas al enfrentamiento frontal contra la represión carrancista. Las jóvenes maestras que se arrojaron frente a los tranvías para imponer la huelga general, habían ganado en los hechos un espacio político para un feminismo rojo.

Durante julio y agosto, en la Ciudad de México, dos mujeres influyeron a través de la prensa a darle forma a este fermento. Juana B. Gutiérrez de Mendoza, la mujer de cuarenta y cinco años que había sido magonista y zapatista, quien en julio de 1919 comenzó a editar *El Desmonte*, y Evelyn Trent Roy, que utilizó las páginas de *El Heraldo* y *Socialista* para difundir planteamientos feministas.

Gutiérrez de Mendoza, con *El Desmonte*, reanudó la labor periodística que había realizado durante muchos años. El suyo era uno de esos periódicos radicales unipersonal, que atacaba furiosamente al carrancismo, se definía contra la línea conciliadora de la AFL-CROM y hacía un llamado a la nueva revolución[7]. En su periódico, del que solo salieron unos números, se apoyaban a los grupos radicales de la época (partidos socialistas, sindicatos rojos) y se atacaba a la religión.

Paralelamente, Evelyn publicó algunos artículos en *El Heraldo* en los que hablaba de la emancipación femenina[8] y en *Socialista* de principios de agosto[9] definió las ideas clave del grupo de compañeras de los *slackers* que habían venido a México: existencia de una enorme cantidad de mujeres en la industria (el fenómeno parcialmente debería atribuirse a la enorme cantidad de hombres muertos en el periodo revolucionario, junto con el desarrollo acelerado en los últimos años de la revolución de una industria de servicios y manufacturas que empleaba mano de obra femenina), transformación de la vieja sociedad masculina, necesidad de cambio social, surgimiento del feminismo, «que es la gloria y la esperanza de nuestra edad», demandas políticas del feminismo surgidas de la injusticia económica («crímenes contra la mujer y el niño en la era industrial»). Luego, mencionaba las leyes proteccionistas de la Constitución y su absoluta falta de vigencia y terminaba llamando al «verdadero espíritu del feminismo»: cooperación no solo para resolver los problemas de su sexo sino también para mejorar la sociedad entera.

Evelyn se había relacionado estrechamente con las editoras de *Iconoclasta* en Guadalajara (incluso representó al Centro Radical Femenino en el Congreso Socialista de agosto-septiembre), y colaboró en su periódico, así como Trinidad Hernández Cambre y Berta Romero colaboraron en *Socialista*[10]. Simultáneamente, el feminismo radical yucateco se enlazó con los grupos del Distrito Federal a través de Elena Torres que en julio de 1919 había sido enviada por el Partido Socialista Yucateco a la capital como su representante[11].

Al fin, entre septiembre y octubre de 1919 nació en la Ciudad de México el Consejo Nacional de Mujeres. La organización estaba impulsada por Evelyn Roy, por Juana B. Gutiérrez de Mendoza, por Elena Torres, y contaba en sus filas con Thoberg de Haberman (la esposa de Robert) y dos activas militantes magisteriales, María del Refugio García y la guerrerense Estela Carrasco, compañera de Martín Paley[12].

El consejo adoptó un programa dividido en tres rubros: emancipación social, económica y política. En el primero establecía: paga igual a trabajo igual, salario mínimo, regulación de tarifas, condiciones sanitarias en las empresas, cumplimientos de la Constitución en lo relativo a las condiciones laborales de la mujer, acceso para las mujeres a las mismas posiciones de responsabilidad que los hombres, comisiones mixtas de hombres y mujeres-patrones para resolver conflictos dentro de la fábrica.

En el aspecto social, destacaban: formación de asociaciones libertarias en el campo intelectual y obrero para luchar por el avance de la mujer, abolición de los distritos de prostitución, regeneración de las prostitutas, moralidad igual para hombres y mujeres, supervisión de hospitales sanatorios y asilos, fundación de dormitorios y comedores para las mujeres trabajadoras, guarderías infantiles para los hijos de mujeres trabajadoras y prohibición de bebidas alcohólicas.

En el aspecto político enfatizaban el derecho al voto y la posibilidad de que las mujeres fueran candidatas para cargos de elección popular[13].

La presidenta de la nueva organización fue Gutiérrez de Mendoza y la vicepresidenta Elena Torres.

La unidad de este primer grupo, que celebraba mítines de propaganda y conferencias en medios sindicales, se rompió rápidamente cuando el grupo de mujeres cercanas a la tendencia de Roy-Phillips del PSM expulsaron a la presidenta Juana B. Gutiérrez a fines de octubre[14].

El pretexto para la expulsión, es que la presidenta había realizado de manera personal un periódico (*Alba*) haciéndolo pasar por el periódico de la organización[15].

Tras la fractura, el equipo dirigente del consejo quedó en manos de Elena Torres, Estela Carrasco y María del Refugio Gracia, que se hizo cargo de la administración del nuevo periódico de la organización, *La Mujer*, cuyo primer número salió a la calle el 14 de enero de 1920, y para el segundo alcanzó el tiraje de cuatro mil quinientos ejemplares.

El consejo, que se reunía por esos días en la casa de Evelyn Roy, estrechó lazos con el recién nacido PCM, y se volvió prácticamente un frente feminista del partido cuando sus tres dirigentes se incorporaron a sus filas. *La Mujer* combinó entonces la propaganda feminista, con información sobre los avances de la Revolución Rusa[16].

En los primeros meses de 1919 y los primeros del 20, la organización trato de extenderse nacionalmente llegando hasta Veracruz[17], pero la militancia de sus dirigentes se fue encauzando hacia el PCM, y pronto el consejo se convirtió en una organización de la capital, llegando a desaparecer incluso los nexos que mantenía con el movimiento de Guadalajara y Yucatán.

Notas al pie

1 Entre sus antecedentes, la historia del Grupo Femenino Ácrata de la Casa del Obrero Mundial, y la participación de Esther Torres en el comité de huelga de 1916. Ver las entrevistas con Esther Torres en el programa de historia oral del CEHSMO.

2 El centro se fundó el 16 de agosto de 1918; el *Iconoclasta* salió a la calle el 8 de septiembre del mismo año (Salazar-Escobedo/*Las Pugnas*..., pp. 243-245). Su actividad provocó una violenta respuesta de la prensa burguesa: «Creía yo que las viejas radicales que escriben en el periódico protestante y socialista *Iconoclasta* fueran siquiera de clase media. Yo las vi el otro día en el congreso. Son puras peladas, prietas y feas como carambas, el puro sesinaje [*sic*]». *La Lucha*, N° 7, 28 de noviembre de 1918.

3 Ana María Romero: «No es superior el hombre a la mujer», *Iconoclasta*, N° 9, Guadalajara, 9 de noviembre de 1919.

4 *El Pueblo*, 1 de marzo de 1919 y *Luz*, N° 79, 16 de abril de 1919.

5 El dictamen resumido, establecía: 1) Las ligas de resistencias tienen la obligación de aceptar mujeres. 2) Se realizará una campaña de afiliación. 3) Las mujeres pagarán cincuenta por ciento menos de cuota menos que los hombres teniendo los mismos derechos. 4) Las mujeres tienen derecho a votar y ser votadas dentro de las ligas cuando cumplan seis meses de antigüedad. 5) El gobierno del Estado no podrá contratar en oficinas mujeres que no estén organizadas. 6) Las ligas gestionarán a las mujeres organizadas empleo en fábricas y oficinas. 7) Libertad de propaganda dentro de las fábricas. 8) Derecho de voto a la mujer (Guanajuato ya lo había concedido, Yucatán sería el segundo estado de la República, de aceptar el gobierno esta proposicion). *I Congreso Socialista Celebrado en Motul*, estado de Yucatán. CEHSMO, México, 1977.

6 JCV la describe así: «Pequeña de cuerpo, con rostro enfermizo, con una imaginación volcánica, de palabra tarda aunque convincente, Elena gozaba de grandes simpatías entre los obreros». JCV/*Carrillo Puerto*.

7 Juana B. Gutiérrez de Mendoza: «Desmontando» y «Hechos, no palabras», en *El Desmonte*, N° 1, 15 de julio de 1919.

8 Dentro de la serie «México and her people» citada.

9 Evelyn Roy: «La mujer mexicana y el movimiento feminista mundial», *Socialista*, N° 38, 1 de agosto de 1919.

10 Berta Romero: «Es la mujer quien salvará al mundo», *Socialista*, N° 39, 15 de agosto de 1919 y María Trinidad Hernández Cambre: «La condición de la mujer mexicana», *Socialista*, N° 40, 15 de septiembre de 1919.

11 «El partido socialista yucateco», *El Desmonte*, N° 1, 15 de julio 1919.

12 «Boletín del Consejo Nacional de Mujeres», *Iconoclasta*, N° 9, 9 de noviembre de 1919. Valadés las describe así: «Cuca tenía dotes de organizadora y ciertos aires de sufragista inglesa, aunque sin ser rubia, ni vieja, ni usa gafas ni traje de sastre. Estela era esbelta, simpática, con ciertas facultades oratorias y entregada siempre a la lectura de literatura socialista». Valadés/ *Múgica...*

13 «The Advent of Feminism in México», *El Heraldo de México*, 3 de diciembre de 1919.

14 *El Monitor Republicano*, 9 de noviembre de 1919.

15 «Por el Consejo Nacional de Mujeres», *Iconoclasta*, N° 10, 23 de noviembre de 1919.

16 En el número 2 de *La Mujer* (29 enero 1920) se prometía un folleto sobre «La mujer y el niño en la Rusia soviet», y se publicaba un informe del viaje de la comisión Wilson a territorio soviético.

17 Ver la colección de *Irredento* de Veracruz.

9. LEJOS DE MÉXICO, HACIA MÉXICO

En diciembre de 1919, Borodín y Richard Francis Phillips tomaron un barco en Veracruz hacia España. La presencia de Phillips era importante para Borodín tanto por su experiencia, como por su conocimiento del español. Phillips, en sus memorias, se quejaba de la forma como viajaba el ruso:

> Él siempre defendía su alto nivel de vida, que era muy considerable, diciendo que ese era el único modo que permitía a los revolucionarios viajar sin hacerse sospechosos de ser revolucionarios. Pero nunca me gustó ni acabó de convencerme; reconozco que había cierta utilidad en viajar como pasajero de primera clase, pero que esto no requería una suite de lujo, ni viajar de un modo que llamara la atención[1].

La pareja desembarcó en La Coruña en los últimos días del año y de ahí se dirigió a Madrid[2].

Siguiendo el peculiar método de enterarse por la prensa, de quienes representaban a las corrientes radicales en el obrerismo socialista español, Phillips (que usaba entonces el nombre de J. Ramírez) y Borodín se entrevistaron con miembros del ala izquierda del PSOE y con anarcosindicalistas de la CNT. Borodín partió poco después para Francia y tras participar ahí en una reunión con los socialistas de izquierda, siguió camino hacia Ámsterdam a donde llegó en febrero para asistir a una conferencia del Bureau de Europa Occidental de la Internacional Comunista.

Phillips-Ramírez, mientras tanto en España, viviendo con los escasos fondos que le dejó el ruso, colaboró en la fundación del Partido Comunista Español, producto de una escisión de la Juventud Socialista en abril de 1921.

Sin fondos y sin Borodín, tras cuatro meses de trabajo tenaz y labor editorial[3], Phillips pidió a México instrucciones y recibió en cambio un mandato del Partido Comunista Mexicano para que lo representara en el congreso de la Comintern.

Mientras tanto, Roy, que había llegado tarde a la conferencia de Ámsterdam, partió para Moscú.

Allí, en junio de 1920, se volvieron a encontrar los representantes del comunismo mexicano, y el 17 de julio en Petrogrado, asistieron a la inauguración del II Congreso de la Internacional Comunista.

Si para Phillips todo estaba por verse, y el destino no tenía nombre, para Roy, su presencia en Moscú obedecía a un proyecto en el que México había sido solo un escalón, una etapa. Era su «regreso a la India alrededor del Mundo.[4]»

No es de extrañar entonces, que las intervenciones de Roy en el congreso hayan tenido que ver siempre con los problemas de la India, y nunca con los de América Latina.

Phillips en cambio, aunque no tomó palabra en el congreso, mantuvo una conversación con Lenin sobre México de la que ha dejado una breve descripción:

> Él estaba interesado en verme, y en tener una entrevista personal conmigo. Fui al Kremlin durante el congreso [...] Conversamos en francés e inglés [...] No estaba interesado en el movimiento socialista de México. Comprendió de inmediato que tenía que ser muy rudimentario. Pero le interesaban las masas y el pueblo de México, su relación con Estados Unidos (si había o no un movimiento de oposición fuerte a los Estados Unidos), y estaba ansioso también por saber si existía un movimiento indígena en México [...] y si teníamos alguna literatura en sus idiomas [...] Le interesaba la base campesina de un movimiento en México, y hablamos algo sobre agricultura [...] La conversación duró unos veinte minutos[5].

Mientras los archivos soviéticos no se abran a la investigación, nada podrá saberse sobre los informes que rindieron Borodín y Roy sobre México, aunque estos de alguna manera destacaban la potencialidad del movimiento sindical mexicano, según se desprende de acontecimientos que habrán de ser narrados más tarde.

Roy y Borodín nunca regresaron a México, sin embargo Evelyn mandó cartas a Elena Torres donde se pintaba la sociedad soviética de la época del comunismo de guerra de una manera idílica, en la que se mezclaban los logros de la revolución en su primera etapa y el igualitarismo de los primeros años, con exageraciones sobre el nivel de vida de los trabajadores y sobre lo que habían alcanzado gracias a la revolución[6].

Roy y Phillips hicieron llegar algunos materiales del II congreso, que fueron parcialmente publicados en México por el *Boletín Comunista* a lo largo de 1920. Entre los materiales hechos públicos destacaba un breve comunicado sobre el II congreso de la IC[7], las tesis de Lenin sobre el movimiento sindical y los comités de fábrica[8], las tesis del comité ejecutivo de la IC[9] y las veintiuna condiciones de adhesión de la Internacional Comunista que fueron publicadas por el PCM en *Boletín Comunista* y por Gale en *El comunista en México*[10].

Pero un documento escrito en Moscú y destinado a las clases obreras europeas, se modificaba por razones de geografía y experiencia al ser publicado y leído en México. Las tesis de Lenin sobre el trabajo sindical fueron aplaudidas por *Boletín Comunista*, señalando que comprobaban la justeza de la lucha contra el moronismo, identificado con el reformismo europeo. De ellas se concluía: «Los comunistas deben concentrar todos los esfuerzos en destruir la influencia asesina de los oportunistas.[11]»

Sin embargo, las tesis de la IC sobre el «parlamentarismo táctico» eran cuestionadas por Allen en un artículo publicado en octubre de 1920:

> No creemos útil emplear en este país el arma parlamentaria, porque estamos convencidos de que nada podremos hacer con esa arma [...] Nosotros los comunistas latinoamericanos, y especialmente los de la región mexicana, no tenemos ya ninguna fe en la utilidad que pudiera reportarnos la actuación de elementos nuestros en las luchas parlamentarias municipales o de cualquier otra especie, porque estamos convencidos de que nada podremos hacer con esa arma que tiendan a penetrar en instituciones gubernamentales en la actualidad [...] ¿Para qué nos serviría entrar en instituciones del Estado, si diez años de experiencia nos han mostrado la facilidad con la que se derrumban esas instituciones [...]? Las revueltas por adueñarse del poder político y económico cuando triunfan se lo deben a las masas usando armas extraparlamentarias[12].

Gale en cambio valoraba otros párrafos diferentes del manifiesto del comité Ejecutivo de la IC, y en particular aquel que decía: «No debe existir en cada país mas de un partido comunista», lo que permitía denunciar como divisionistas y herejes a sus vecinos del PCM[13].

Los materiales del II congreso fueron minimamente conocidos por los comunistas mexicanos, y el partido nunca recibió un informe de sus delegados; a pesar de todo, el mito soviético se fortaleció en los medios sindicales a los que llegaba la prensa del PCM, y algunas informaciones parciales se difundirían a mediados de 1920, en un momento en que el movimiento radical crecía enfrentándose a la CROM.

Notas al pie

1 Phillips-Draper. *De México a Moscú.*

2 Gerald Meaker: *La izquierda revolucionaria en España*, Ariel, Barcelona, 1978, p. 330.

3 Además de colaborar en la nueva prensa de los comunistas españoles, Phillips difundió los manifiestos del Bureau Comunista Latinoamericano en España. «Los socialistas de América Latina por la III Internacional», *España Nueva*, Madrid, 28, 30 y 31 de enero de 1920.

4 Roy/*Memoires*, p. 220.

5 Phillips («De México a Moscú») dejó un preciso retrato de Lenin a raíz de esta entrevista: «Tengo la impresión de un hombre pecoso, de tez muy viva, que conversaba con la más absoluta falta de afectación (con completa comodidad) y también con una habilidad asombrosa para colocarse en el nivel del otro, de modo que uno estaba hablando con un amigo, y él estaba hablando con un amigo. Empleaba frases muy familiares, y sin embargo parecía muy rápido, despierto, agudo. Parecía un hombre absolutamente desinteresado: parecía que no le interesaba nada fuera del movimiento. Y, claro, eso era su vida entera, naturalmente, de manera que no puede sorprender. Pero el impacto de su personalidad era muy grande, y era el impacto de un hombre amistoso, que al mismo tiempo era un hombre muy determinado, muy decidido, que podría ser implacable.»

6 He aquí extractos: «Los hombres en el poder hacen todo lo que es bueno para los trabajadores [...] Hay mucha disciplina, las fábricas funcionan [...] los sueldos mínimos son de cinco a seis mil rublos al mes, lo suficiente para vivir cómodamente [...] Hay juntas por todas partes de la ciudad y cada quien es libre de expresar sus ideas [...] Todos los comestibles buenos, la leche, trigo, manteca, etc., son distribuidos entre los niños, los trabajadores y los soldados, lo demás que sobra es para los otros elementos de la sociedad [...] Todo anda bien, el matrimonio y el divorcio son fáciles y libres, no hay prostitutas, todo el mundo trabaja, piensa y aprende». Evelyn Roy: Correspondencia de Rusia, *Boletín Comunista*, N° 2, 30 de agosto de 1920.

7 *Boletín Comunista*, N° 1, 8 de agosto de 1920.

8 *Boletín Comunista*, N° 4, 3 de octubre de 1920.

9 *Boletín Comunista*, N° 3, 16 de septiembre de 1920.

10 *Boletín Comunista* extra, 10 de enero de 1921 y *El Comunista de México*, N° 6, febrero de 1921.

11 «Los sindicatos en México y el Partido Comunista», *Boletín Comunista*, N° 4, 3 de octubre de 1920.

12 José Allen (como Alejo Lens): «Sobre las tesis del comité ejecutivo de la III Internacional», *Boletín Comunista*, N°4, 3 de octubre de 1920.

13 Linn A.E Gale: «El II Congreso de la IC», *El Comunista de México*, N°4, octubre de 1920.

10. INICIA 1920, LA CAÍDA DE CARRANZA Y LA SOLEDAD DE ALLEN

En el mundillo radical, el año 1920 se inició cuando la prensa capitalina se hizo eco de una denuncia extravagante generada en la prensa norteamericana. Según esta, Linn A.E. Gale y el ministro de Gobernación carrancista Aguirre Berlanga preparaban una invasión bolchevique a los Estados Unidos. Los delirios de la prensa de San Antonio incluían la existencia de un barco ruso lleno de pertrechos para los bolcheviques mexicanos que encabezados por el general Green preparaban la invasión. Al comenzar el artículo intervencionista, la prensa mexicana señalaba: «Si no fuera porque los Estados Unidos constituyen el país más burgués del mundo [...] nos causarían risa tales reportajes.[1]»

Lejos estaba Gale de estar a la cabeza de un ejército rojo. Penosamente, había convertido su revista *Nueva Civilización* en el *El Comunista de México*, cuyo primer número salió en enero como órgano del PC de M y de la IWW, con el equipo de habituales en la redacción, a los que se había logrado sumar a José Refugio Rodríguez y Ángel Bernal[2].

Tampoco prosperaba demasiado la IWW, que además de ofrecer periódicos radicales gratuitos a los que se dieran una vuelta por su local de la calle Independencia 5 despacho 1[3], estaba esperanzada en organizar a los barberos del DF aprovechando la experiencia sindical de un «compañero peluquero que pronto llegará del Canadá.[4]»

El único éxito de la IWW en estos primeros meses de 1920 lo obtendría al afiliar por carta a un centenar de trabajadores de Orizaba bajo la dirección de Cutberto Arroyo[5].

Mientras tanto, la CROM convocó el 27 de enero a su II convención, a celebrarse en Aguascalientes, sin fecha aún determinada. En ella proponían como temas a discusión la estructura organizada de la CROM, el papel de los Grupos Culturales en la educación, las tácticas de lucha y un proyecto de representaciones en el comité central de los principales gremios (textil ferrocarrilero, minero). La convocatoria culminaba con una nota que textualmente decía:

> Habiendo llegado al conocimiento de este comité ciertas versiones propaladas con motivo de la actual campaña política en la República, hacemos constar que la Confederación Regional Obrera Mexicana, en su carácter de cuerpo organizador para la lucha económica, nada tiene que ver con los partidos políticos militantes, ni con los que se instituyan en el futuro[6].

La aclaración era forzosa. Después de la fundación del PLM el mes anterior, todos los miembros del Grupo Acción y dirigentes cromistas se habían lanzado en una desaforada campaña electoral recorriendo toda la República con fondos proporcionados por el comité Obregonista, visitando sindicatos y buscando votantes y adhesión para su candidatura. Incluso Rodarte, el tesorero del comité central, estaba involucrado en el trabajo; Valdés y Escobedo, así, trataban de equilibrar las fuerzas dentro de la CROM y evitar escisiones de confederaciones y sindicatos hostiles a la politiquería, como la Confederación Sindicalista de Puebla, algunos de los sindicatos de Orizaba, las propias organizaciones ferrocarrileras de Aguascalientes integradas a la CROM.

A raíz de la convocatoria, en esos primeros meses del año 20, se expresaron opiniones contradictorias. Por un lado los anarcocomunistas de Antorcha Libertaria de Veracruz hicieron un llamado a los Grupos Culturales para invadir la Asamblea Cromista y presionar posteriormente a la confederación panamericana[7] con el objetivo de expulsar a moronistas y gromperistas de ambas.

Si esto decía Antorcha, la Confederación Sindicalista de Puebla en su congreso de abril declaraba que el modo más eficaz de combatir al capital era el sindicalismo revolucionario, y que en la lucha no había lugar para politiquería[8].

En ese ambiente francamente movedizo, un nuevo grupo hizo su ingreso a la cofradía de las sectas en el DF. Se trataba de un núcleo de estudiantes, empleados obreros de los barrios de Mixcoac y Tacubaya que encabezaban el empleado José C. Valadés, el estudiante Eduardo Delhumeau, el obrero textil Francisco Abad y el estudiante Torres Vivanco, y que llevaba el nombre de Juventud Igualitaria[9]. Su manifiesto abogando por una sociedad de iguales estaba fechado el 6 de enero de 1920, e hicieron su presentación en escena en una reunión en el sindicato panadero donde fueron arrasados por las intervenciones de los comunistas del grupo Allen y los de Gale, con Huitrón y otros anarquistas como terceros en discordia.

El manifiesto del grupo fue recogido por algunos periódicos que los acusaron de estar haciendo propaganda bolchevique, y el padre de Delhumeau les retiró el permiso para seguirse reuniendo en su despacho, con lo cual la mayoría de los Igualitarios desertaron, quedando tan solo los más animosos encabezados por Valadés y sujetos a las múltiples invitaciones de los grupos «adultos» para engrosar sus filas[10].

Entre las muchas reuniones a las que los Igualitarios asistieron, ingresando así de hecho a la farándula roja, hay una que dejó especiales recuerdos en la cabeza del joven Valadés: aquella en la que Carrillo Puerto los invitó a firmar un pacto de sangre en el que se comprometían «a derrocar el régimen capitalista y burgués; a establecer la dictadura del proletariado; a formar el Partido Comunista de México; a entregar los destinos del país al comité del partido, y a realizar todos los postulados de la revolución social.[11]»

A pesar de sus incendiarias intervenciones, Felipe Carrillo Puerto se encontraba encerrado en los marcos del pequeño partido comunista, y pronto los rompió. A la llegada de Obregón a la Ciudad de México en plena campaña presidencial, fue a recibirlo a la estación, lo que provocó multitud de críticas de parte de sus compañeros.

Carrillo respondió:

> Lo que necesitamos, compañeros, es trabajar bien para aprovecharnos de los políticos profesionales. El general Obregón está preparando una revolución contra Carranza, y al igual que los obregonistas debemos irnos al campo de batalla, lanzar nuestro plan comunista y transformar la revolución política en revolución social.

Pero el partido no había renunciado a su línea antielectoral y de no alianza con caudillos políticos. En un manifiesto lanzado el 6 de enero de 1920, el comité apoyaba al Partido Socialista de Yucatán ante la agresión carrancista, pero señalaba:

«No estamos de acuerdo con su política de apoyar a tal o cual partido burgués. La política burguesa nos trae dificultades y nos desvía del camino recto hacia la emancipación social y económica de los obreros.[12]»

Carrillo no hizo demasiado caso a las reconvenciones, y en marzo se fue para Zacatecas para asistir a la convención del Partido Laborista, y ahí, codo con codo con los líderes moronistas y con militares del equipo de Obregón, selló su suerte a la futura candidatura del militar[13].

El PCM se vio mermado con el abandono de los yucatecos que habían pasado un trimestre en las filas del partido. Junto con ellos se fueron a Michoacán con Francisco J. Múgica las profesoras Cuca García y Estela Carrasco, y por último, Elena Torres partió para Veracruz[14].

En abril, la administración carrancista prohibió *El Comunista*, al que ya le había quitado la franquicia postal unos meses antes[15]. Los acontecimientos desmoralizaron a Ferrer Aldana que se separó del grupo.

Cuando en mayo estalló la huelga textil en la capital, y en Sonora se inició el movimiento de Agua Prieta que habría de conducir a una rebelión militar del ala izquierda del constitucionalismo contra Carranza, el PCM se hallaba reducido a media docena de afiliados, entre ellos solo uno de los veintidós miembros del comité ejecutivo nacional que en septiembre del año anterior habían constituido el Partido Socialista Mexicano. Y este solitario miembro, secretario general del PCM, José Allen, era informador de la embajada norteamericana.

Como las cosas siguieran así, Allen se iba a ver obligado a reconstruir el partido para tener algo que informar.

Notas al pie

1 *El Monitor Republicano*, 21 de enero de 1920.

2 José Refugio Rodríguez, pintor de brocha gorda, era miembro de la IWW, Bernal, impresor, coordinaba a un pequeño grupo de tipógrafos que trataban de construir la sección de impresores de la IWW en el DF.

3 *El Monitor Republicano*, 1 de febrero de 1920.

4 Geo Barreda a la IWW de Spokane (Washington), 16 de febrero de 1920, *NAW, DJ*, 276300.

5 «News of the American Labor Movement», *Gale´s Magazine*, mayo de 1920.

6 Convocatoria a la II convención de la CROM, *volante.*

7 «A los camaradas de América», *Irredento*, N° 10, 22 de abril de 1920.

8 *Resurgimiento*, extra, s/f, 1920.

9 J.C. Valadés: «Efervescencia del cambio social en México», articulo inédito. J. C. Valadés: *Memorias de un joven rebelde*, manuscrito inédito, p. 169 y ss. J.C. Valadés: «La juventud», *La Humanidad*, N° 2, febrero de 1923.

10 J.C. Valadés/*Memorias*, p. 176.

11 J.C. Valadés/*Carrillo Puerto.*

12 *El monitor Republicano*, 6 de enero de 1920.

13 Salazar-Escobedo/*Las Pugnas...*, pp. 278-279. Valadés/*Carrillo Puerto.*

14 Allen/*La Voz de México*, 15 de septiembre 1944.

15 «¿Qué es el PCM?», *El Comunista*, N° 3, 8 de enero de 1920. Valadés/*Ferrer Aldana.*

TERCERA PARTE

LOS COMUNISTAS Y EL AUGE SINDICAL

Junio 1920 - primeros días de febrero de 1921

1. EL PODER DE AGUA PRIETA Y EL MOVIMIENTO OBRERO

El mismo día que los revolucionarios triunfantes entraron a la Ciudad de México, tras un levantamiento militar en varios frentes, que había de culminar con la muerte de Carranza y que más que una revolución fue calificado como una «huelga de generales», en el DF había además de la huelga textil, una huelga de policías[1]. Esta relación entre el nuevo poder y la huelga como forma de lucha fundamental de los trabajadores mexicanos, había de recorrer los siguientes meses estableciendo una movilización obrera sin paralelo en la historia de México. Era el resultado natural del desmoronamiento del carrancismo, de la caída del dique que había estado impidiendo desde 1916 el despliegue reivindicativo y organizativo de los trabajadores a lo largo del país. El nuevo poder, el poder de lo hombres de Sonora (Obregón, Calles, De la Huerta), habría de ser medido por los trabajadores, su proyecto populista habría de pasar la prueba de fuego de un movimiento obrero emergente.

El 24 de mayo el congreso eligió a Adolfo de la Huerta como presidente interino, encargado de convocar a nuevas elecciones y ceder el poder en diciembre al nuevo presidente. Ese mismo día los panaderos realizaron una asamblea masiva y levantaron sus denuncias y sus reivindicaciones, advirtiendo que daban diez días a la patronal para conceder el aumento salarial, y si no, junta de conciliación o no junta, irían a la huelga[2].

El gobernador interino del DF, Gómez Noriega, tras advertirles que no toleraría movilizaciones publicas, declaró:

> El lunes muy temprano se girará una orden a todos los doscientos treinta y siete propietarios de panaderías para concurrir a las juntas que se les convoca; y si no lo hacen los mandaré aprehender por la policía y los sentenciaré a tres días de reclusión; si no asisten después a la

nueva cita, los retendré otros tres días por desacato a un mandamiento de la autoridad, y así, de tres en tres días terminaré mi interinato.

A la misma hora, pero a unas cuadras del local del sindicato panadero, los telefonistas de la Ericsson dieron diez días a la empresa para que satisficiera su pliego de peticiones[3]. Así se inicio el interinato de De la Huerta, aunque la presión bajo un poco al ser resuelta la huelga textil con una promesa.

Titubeando, De la Huerta y las fuerzas que se expresaban a través de él, comenzaron a cambiar las relaciones entre el poder y los trabajadores. Primero fue el nombramiento de Garribo Caníbal como gobernador provisional de Yucatán, lo que permitió que las ligas de resistencia revivieran[4], luego las declaraciones a la prensa del 4 de junio donde el presidente abogaba por una Ley Federal del Ttrabajo, promoviendo que la que estaba en trámite en el Senado se discutiera más ampliamente y con menos premura.

Quizá la elección menos afortunada en la búsqueda de esta nueva línea frente al movimiento de los trabajadores, fue el nombramiento como secretario de Industria del general Jacinto B. Treviño, quien en su toma de posesión el 7 de junio realizó ambiguas declaraciones sobre la protección a la industria, el comercio y el trabajo; pero el gobierno surgido del movimiento de Agua Prieta tenía que combinar en su seno los diferentes grupos militares y caudillos que lo habían hecho posible, y en él cabían progresistas como Calles y Alvarado junto con conservadores como Ortiz Rubio[5].

Si bien era evidente que De la Huerta quería dejar atrás la línea represiva del carrancismo, también lo era que no esperaba aquella explosión obrera que tomaría forma en los siguientes meses.

La inquietud laboral se expresó al principio de una forma confusa: amenazas de huelga, noticias vagas sobre la reorganización de sindicatos[6] y por fin las primeras explosiones: un movimiento minero en Chihuahua que afectaba a cuatro minas, la huelga de los trabajadores de la Hormiga en el DF contra un despido injustificado y una gran huelga de trabajadores en La Laguna, que afectaba a diez mil jornaleros, por aumento de salario y jornada de ocho horas. El mismo día, se produjo un movimiento entre los tres mil quinientos metalúrgicos de la Asarco, Cia. de Minerales y Metales y Fundidora de Hierro y Acero en Monterrey. Luego, una tras otra fueron estallando nuevas huelgas: refinería del Águila en Minatitlan, ferrocarrileros de Tamaulipas, ferrocarrileros de Orizaba, tranviarios de San Luis Potosí, hilanderos de Puebla, estibadores de Tampico, hilanderos de Veracruz[7].

El movimiento no seguía un plan prefijado por nadie, había organizaciones cromistas, independientes, influidas por anarquistas, recién formadas, controladas por caudillos regionales, influidas por el Gran Cuerpo...

Lo único que unificaba a todos esos movimientos sueltos a lo largo del país, era que tenían deudas por cobrar con sus patronales, que el poder había frenado durante 1918 y 1919. Los trabajadores medían el delahuertismo de la única forma en que la clase trabajadora sabe hacerlo, con la huelga.

Antes de que terminara el mes de junio, se sumaron a la oleada de movimientos los textiles de la Hércules de Querétaro y nuevos grupos mineros[8].

El movimiento obtuvo victorias en los ferrocarriles de Tamaulipas, donde se logró un cuarenta por ciento de aumento salarial; en la refinería el Águila, donde se firmó temporalmente un contrato colectivo; entre los tranviarios del DF y los estibadores de Tampico que obtuvieron un veinticinco por ciento de aumento.

En otras huelgas se llegó a transacciones, mismas que los patrones solo aceptaron para ganar tiempo, aunque no estaban dispuestos a cumplirlas, como en la fábrica Hércules donde se dieron un plazo de un mes para reconocer el sindicato, o el ferrocarril de Orizaba donde reconocieron el adeudo pero no lo pagaron.

Algunos movimientos, sin embargo, enfrentaron a una patronal unida, orgullosa, prepotente y acostumbrada a no tener que hacer concesiones, y las luchas se enconaron en le sector textil del DF (llevando el movimiento en los últimos días del mes al borde de una huelga general) porque no se concedía un aumento salarial y se mantenía en pie el despido de Isidro Carmona, uno de los dirigentes de la Hormiga (mismo que al fin aceptó la liquidación), aunque se reinstaló a otros tres obreros[9].

Antes del ascenso, De la Huerta puso en juego su capacidad de mediación y el peso de la figura presidencial. Intervino personalmente en el conflicto de la Hormiga para que no desembocara en una huelga general textil en el valle de México, y el 1 de julio creó el Departamento de Trabajo adjunto a la Presidencia de la República a cuya cabeza colocó al cromista Eduardo Moneda[10].

La medida tenía muchas implicaciones y le había tomado al gobierno un mes llegar a ella, presionado por el estallamiento de las huelgas y la indudable apariencia de que apenas el movimiento se estaba iniciando. Por un lado, la creación del departamento demostraba la desconfianza del presidente en la habilidad mediadora de su ministro de Trabajo, por otro, el afianzamiento público de las relaciones entre los caudillos y el Grupo Acción, que no podían sino crear una gran desconfianza en las patronales y las embajadas extranjeras que representaban a los grandes consorcios capitalistas dueños de casi toda la industria mexicana.

Moneda era el primero de una larga serie de funcionarios cromistas que llegarían a puestos públicos en esos meses, utilizando la presión del movimiento y cuya función esencial sería tratar de frenarlo y canalizarlo dentro de los marcos de la alianza firmada el 6 de agosto de 1919 con Obregón.

Esta sería la táctica, pero si algo era evidente en principio, era que no controlaban nada de aquel mundo de feroces presiones patronales y violenta respuesta obrera, contenido por varios años.

Un balance somero de la situación el 3 de julio mostraba que las huelgas continuaban en Monterrey, Tampico, Torreón, Chihuahua, Querétaro, Orizaba, Puebla y se habían sumado huelguistas de Veracruz y Salina Cruz. La huelga de trabajadores agrícolas de La Laguna se iba calentando y los choques entre pistoleros patronales y huelguistas abundaban. En el DF una pequeña huelga en el taller la Minerva, comenzaba la movilización del millar de cigarreros del Buen Tono, indignados porque la patronal no había cumplido su promesa de aumento del cincuenta por ciento, y estaba en pie la amenaza de los panaderos.

Plutarco Elías Calles giró entonces una circular a tono con la línea presidencial, donde se ordenaba a los jefes militares que ofrecieran protección a los trabajadores y a los patrones simultáneamente[11]; la medida tendía a tratar de impedir que la violencia, encubierta a lo largo de todo el país, brotara.

El 2 de julio, los obreros de la Asarco de Aguascalientes se habían ida a la huelga. Las demandas: aumento salarial y disminución de la jornada (ganaban un peso diario[12] y trabajaban nueve o diez horas).

Un anónimo reportero de Monterrey contaba:

> A la mañana de hoy, a las puertas de los talleres de la Asarco se registró un verdadero motín en que un grupo numeroso de huelguistas se impuso por la fuerza para impedir que otros obreros entraran a trabajar. En el desorden hubo pedradas en abundancia y golpes, resultando varios individuos con lesiones contusas, y ningún herido de consideración. La policía tuvo que intervenir para restablecer el orden, pero los obreros en huelga consiguieron su objetivo, pues en general los que no han secundado el movimiento no pudieron entrar a trabajar[13].

Los primeros días de julio mostraron que la oleada no solo no decrecía, sino que iba en aumento. Estallaron huelgas mineras en el Oro, en Otzoltepec, y en dos industrias textiles poblanas donde las empresas se negaban a reconocer al sindicato[14].

En el DF mientras los tranviarios amenazaban con volver a ponerse en pie de huelga porque la empresa violaba los convenios[15], comenzó una nueva oleada de huelgas textiles. En la Fama Montañesa por aumento salarial, en Santa Teresa para impedir que se rebajara la categoría y el salario de los maestros, en Río Hondo para que la empresa pagara indemnizaciones por paros imputables, en la Linera por la destitución de un capataz[16]. El 4 de julio se produjo en la zona textil del sur de la ciudad un gran mitin sindical con la participación de seis fábricas exigiendo reconocimiento sindical, reglamentación de tarifas y readmisión de despedidos[17], el movimiento incluía una crítica violenta al secretario general de la federación textil J. Dolores Pérez (miembro del Partido Cooperatista que usaba al movimiento para apoderarse del Ayuntamiento), por su tibieza y por hacer política a espaldas de los trabajadores[18]; la dirección sindical estaba pasando a manos de los militantes radicales electos en asambleas.

El mismo día que se efectuaba el mitin textil que abrió la fase de movimientos huelguísticos, De la Huerta tomaba nuevamente la palabra para referirse al «problema obrero»:

> El gobierno está dispuesto a impartir a los industriales nacionales y extranjeros, las garantías a que tienen derecho y les otorga nuestra Constitución. Por eso, no deben tener ningunos temores de sufrir algún atentado en sus vidas o sus intereses los industriales del Mineral del Oro, o de cualquier otro lugar del país, ya que el gobierno está dispuesto a reprimir con toda energía cualquier intento de desorden que trate de llevarse a cabo[19].

Una de cal y otra de arena, porque al día siguiente, el presidente eligió al cromista Celestino Gasca como gobernador del DF[20], lo que provocó una fuerte protesta patronal, que no veía en la designación el intento gubernamental por controlar el impulso espontáneo que venía de las fábricas, sino la entronización del radicalismo. Los sectores más duros de la patronal del DF representados por Barbaroux (de los textileros del Sur) y Lizaldi (los patrones panaderos gachupines) dirigieron un memorial a De la Huerta suplicándole que reconsiderara el nombramiento, mientras se hablaba de un paro patronal en los medios industriales[21].

En medio de nuevos movimientos huelguísticos (cuatro mil mineros en Pachuca y amenazas de huelga petrolera), De la Huerta tomó nuevamente la palabra: «Ni socialismo sin freno ni sublevación sin castigo. El movimiento obrero no tiene el relieve que se le ha querido dar.[22]»

El 12 de julio estalló la huelga general petrolera en Tamaulipas y Veracruz, los campos de la Huasteca, la Oklahoma, la Cortés Oil, la Pierce Oil y la Transcontinental se paralizaron en solidaridad con el Águila y levantaron nuevas demandas: aumento salarial, mejora de las condiciones de trabajo y salario base a los peones[23].

Un periódico obrero caracterizaba así el movimiento:

> El elemento trabajador de Tampico en arranque de espontánea solidaridad de clase, que habla muy alto a su favor, con una organización bastante deficiente, cual es la organización por oficios, sin anterior preparación, sin fondos de resistencia; secundó el paro general, no ya porque vislumbrara un triunfo halagador, sino porque en su intimidad siente, maldice, protesta y desea disfrutar de algo de lo que produce[24].

Cambios importantes se estaban produciendo en los sindicatos a lo largo del país, pero antes de que estos cambios cuajaran, las huelgas estallaban, sin fondos de resistencia, sin coordinación regional o gremial. El cambio fundamental era el paso de los sindicatos de afiliación minoritaria a afiliación mayoritaria; los grupos sindicales que se habían mantenido como minorías organizadas durante 1919, pasaban a convertirse en el centro organizador de la absoluta mayoría. Así el sindicato panadero del DF pasaba de mil a tres mil afiliados, los sindicatos textiles de cinco a diez mil, el sindicato de la Hércules de trescientos a mil.

Otro cambio central era la consolidación de sindicatos por empresa, y de pequeñas federaciones (como la Federación Tranviaria que empezaba a operar como una fuerza única y no como la unión accidental de los sindicatos de Tráfico, Talleres y Vía), o el fortalecimiento de las federaciones regionales, como la Poblana que en la zona de Puebla-Apizaco, consolidó prácticamente organizaciones en todos los centros industriales.

Si en junio fueron veintidos mil los huelguistas, en julio llegan a sesenta y cinco mil ochocientos veinticinco, a pesar de que muchos de los movimientos han terminado o se han levantado con un aplazamiento[25].

El ascenso sindical se mantiene.

Notas al pie

1 Carleton Beals aporta estas imágenes: «Durante veinticuatro horas, la ciudad había estado casi sin protección policial. Pero solo dos crímenes menores habían sido reportados. Un asunto habitual en una cantina barata y una panadería atracada. Hablaba bien de la moral de una ciudad de casi un millón de habitantes, que en un tiempo de incertidumbre, con la capital privada de todo gobierno efectivo, nada fuera de los ordinario sucedió». Beals/ *Glass Houses*, p. 60.

2 *Excelsior*, 25 de mayo de 1920.

3 *El Demócrata*, 25 de mayo de 1920.

4 Paoli-Montalvo/*El socialismo*..., p. 121. Un mes más tarde, el 20 de junio, llegaron a Yucatán el gobernador provisional Enrique Recio y Felipe Carrillo Puerto, quien tocando tierra yucateca se despachó un incendiario discurso en maya llamando a apoyar a Obregón y desarrollar el socialismo peninsular.

5 *Excelsior*, 6 de junio de 1920 y *El Demócrata*, 8 de junio de 1920.

6 Las citadas de panaderos y tranviarios; la organización de la Unión de Obreros y Empleados de Artes Gráficas de los Talleres Oficiales (5 junio) impulsada por los cromistas; del sindicato panadero de Veracruz (17 junio) y de los tranviarios de San Luis Potosí (20 junio).

7 *Archivo General de la Nación*, Ramo Trabajo, 1920, varios expedientes. *El Universal*, 7 y 20 de junio de 1920. *Excelsior*, 18, 23, 25 al 28 de junio de 1920. *El Demócrata*, 2 al 4 de julio de 1920. *Boletín de la Secretaría de Industria, Comercio y Trabajo*, agosto de 1920. Paco Ignacio Taibo II; *Las huelgas del verano del 20 de Monterrey*, Cuadernos del OIDMO, Monterrey, 1981.

8 *El Demócrata*, 2 de julio de 1920.

9 Los patrones apelaron a todo: intransigencia, maniobras dilatorias (que tanto resultado les habían dado en la última etapa del carrancismo), uso de esquiroles, amenazas (la Ward Line ante la huelga de estibadores de Tampico amenazó con boicotear el puerto indefinidamente), campañas de prensa, listas negras (en el ferrocarril de Atlixco, la empresa declaró «bolcheviques» a los trabajadores y circuló listas de sus nombres a otras empresas tras despedirlos).

10 *El Demócrata*, 2 de julio de 1920.

11 *El Demócrata*, 4 de julio de 1920.

12 Un estudio hecho público por la SICT (*El Demócrata,* 1 de julio de 1920) sobre el costo de la vida, mostraba que con un peso podía comprarse un kilo de chile verde, o tres kilos de harina de trigo, o un kilo de carbón, o dos kilos de arroz, y que se necesitaban diez días de trabajo con el jornal diario de una persona para comprar unos zapatos de mala calidad.

13 *El Demócrata*, 3 de julio de 1920.

14 *El Demócrata*, 4 y 5 de julio de 1920.

15 *El Demócrata*, 5 de julio de 1920.

16 Las huelgas textiles de julio resultaron todas triunfantes. *El Demócrata* 7, 8, 9 y 12 de julio de 1920 y *AGN* Ramo Trabajo, expedientes varios, 1920 que se citan sin la actual clasificación de aquí en adelante, por haber sido consultados en el desaparecido archivo de microfilm del CEHSMO.

17 *El Demócrata*, 5 de julio de 1920.

18 *El Demócrata*, 3 de julio de 1920.

19 *Excelsior*, 4 de julio de 1920.

20 Gasca, zapatero de origen, miembro del Grupo Acción y ex oficial de los Batallones Rojos del 15, había sido electo de una terna propuesta por la FSODF que incluía al coronel Filiberto Villareal (hombre afín al Grupo Acción) y al general J. Domingo Ramírez Garrido (un socialista cristiano). *Celestino Gasca*, México DF, 1942, SPI.

21 *Excelsior*, 7 de julio de 1920.

22 *El Demócrata*, 9 de julio de 1920.

23 La huelga se prolongó hasta el 22 de junio con resultados adversos a los obreros. *El Demócrata* 13 al 23 de julio de 1920.

24 *Vida Nueva*, N° 1, 16 de agosto de 1920.

25 Paco Ignacio Taibo II: «Estadística de huelgas en el interinato de De la Huerta», *Historia Obrera*, N° 20, septiembre de 1980.

2. REORGANIZACIÓN Y ENCUENTRO CON LA ACRACIA

El día en que los Hombres de Agua Prieta entraban en la capital, Carleton Velas contempló por una ventana cómo Carrillo Puerto venía a caballo encabezando el desfile. La última vez que lo había visto, hacía apenas un par de meses, discutían acerca de cómo recuperar de Haití las joyas de la zarina con una expedición armada para financiar la revolución de castas de Yucatán[1].

En otro punto del recorrido, el solitario Vicente Ferrer Aldana trataba de hacer un mitin:

> «Cuando pase Obregón, lancen vivas al bolchevismo y vamos a ver si podemos organizar una manifestación llamativa...»
>
> Y cuando Obregón a caballo, tostado por el sol, con una pequeña y rizada barba; con un sombrero de Panamá arriscado y detenido con un barboquejo apretado reciamente y sonriente, apareció seguido de cientos de hombres armados, harapientos, fatigados, que marchaban sin ton ni son, deteniéndose de vez en cuando para vitorear al caudillo, Ferrer Aldana se volvió a sus amigos y les dijo:
>
> «Ahora, muchachos... ¡Viva la Rusia Roja!»
>
> «¡Viva!»
>
> «¡Viva el bolchevismo!»
>
> «¡Viva! —respondieron sus amigos—. ¡Viva! —dijeron también los soldados obregonistas.
>
> Obregón sonriente, inclinando ligeramente la cabeza, dirigió un saludo a Ferrer Aldana.
>
> Ferrer Aldana quedó desconcertado: Obregón había confundido al agitador comunista con un amigo[2].

Los tiempos habían cambiado. Haberman no regresó al DF a sumarse al partido, sino a ofrecer sus servicios a Morones, quien lo comisionó como enlace entre la CROM y la AFL[3], Elena Torres se acercó a J.D. Ramírez Garrido, que había sido nombrado jefe de la policía del DF y estaba dispuesto a radicalizarla y modernizarla, y obtuvo un puesto de secretaria en el Servicio Secreto[4], Martín Brewster quien estaba absolutamente lumpenizado y vivía de lenón, trató de ofrecer sus servicios a la embajada norteamericana, y como lo corrieron (seguramente porque contaban con los de Allen, mucho mas seguros), se acercó al director de *Excelsior*, Rafael Alducín, al que vendió los secretos del partido por una mísera cantidad[5].

El diario, empeñado en una campaña contra las movilizaciones sindicales, encabezó sus ediciones de los días 10 al 19 de junio[6] con titulares como: «Los bolcheviques en la capital», «Los bolcheviques se indignan y nos amenazan» o «Los bolcheviques de México esperan recibir muy pronto dieciocho millones de dólares.»

Aunque la información básica era cierta (despojándola del tono amarillista y de las reflexiones del reportero), poco daño podía hacer al partido, porque los actores de los hechos narrados, se encontraban hacía tiempo fuera de circulación.

El Universal se sumó a la campaña, en la que parte importante del financiamiento tenían las campañas petroleras, y hasta el progresista *Demócrata* intervino con un absurdo reportaje titulado: «Asamblea roja en la capital», aunque más tarde abandonó la línea de inventar conspiraciones, publicando incluso una encuesta con los dirigentes más moderados del movimiento (Gasca, J. Dolores Pérez, Moneda) quienes contestaron: «República socialista y nunca República bolchevique.[7]»

Con un mes de movilizaciones tras de sí, y tratando de salirle al paso al movimiento, la CROM realizó su II convención en Aguascalientes del 1 al 9 de julio. Por tercera vez, los radicales, sin aparato propio, trataron de intervenir. Se hicieron presentes Méndez y Huitron, cuyas credenciales fueron rechazadas, Urmachea y Genaro Gomes representando al PC y a los panaderos, que se vieron obligados a retirarse ante la ofensiva amarilla, y los grupos ferrocarrileros que también abandonaron el encuentro.

Los miembros del Grupo Acción que controlaron plenamente la Convención, eligieron un nuevo comité central, en el que esta vez los dos cargos de importancia estaban ocupados por miembros del grupo: Eulalio Martínez y José López Cortes como secretario general y del Exterior[8].

El ala derecha del movimiento tenía ya un claro proyecto que consistía en permitir la lucha económica pero manteniéndola dentro de cauces de negociaciones y aislamiento; la colaboración con el gobierno para crear un gran aparato mediador en el que la dirección cromista y los cuadros del Grupo Acción jugaran un papel esencial; la utilización del ascenso para desarrollar orgánicamente la CROM, construyendo nuevos sindicatos de empresa, y permitiendo a sus sectores más combativos un relativo margen de autonomía; incorporación de miembros del Grupo Acción y la CROM, al aparato gubernamental (además de Moneda, Gasca, Morones era el director de los Establecimientos Fabriles y Militares, Yudico del Parque Central de Automóviles del DF, y Rosendo Salazar de los Talleres Gráficos de la Nación)[9].

La izquierda en cambio, fragmentada, no tenía nada más que su vocación de intervenir en todas las derrotas.

En la Ciudad de México, el grupo del PCM se había visto incrementado por la llegada de un importante refuerzo, Manuel Díaz Ramírez, el anarco-comunista dirigente de Antorcha Libertaria de Veracruz, quien había sido traído a la capital por Elena Torres[10].

Díaz Ramírez ingresó en el PCM y junto con Urmachea que había sido nombrado secretario del interior del potente sindicato panadero, el ruso Pablo Bodar y Allen, se dieron a la tarea de reconstruir la prensa comunista. Aunque antes de que viera la luz un periódico partidario, salieron *El Microteléfono* de los trabajadores de la Ericsson apoyados por Urmachea y *Juventud Mundial*, órgano de los Jóvenes Igualitarios[11].

Sin embargo, la reanimación del movimiento dio forma nuevamente a los radicales y comenzó a reunirlos en torno al sindicato panadero. Nuevas caras se sumaban a las viejas. Allí estaba Alberto Araoz de León, joven telefonista, Moisés Guerrero, ex miembro de los Jóvenes Socialistas Rojos que trabajaban en los talleres del Palacio de Hierro, el veterano tranviario anarquista Rodolfo Aguirre, el eterno Leonardo Hernández y desde luego Jacinto Huitron; junto a ellos Genaro Gómez que volvía a conducir a los panaderos, Urmachea y Ruiz. Incluso en una esquina del local se podía ver a los restos de los Igualitarios con una nueva figura cerca de ellos, el joven socialista suizo Edgar Woog (Alfredo Stiner para los efectos de esta historia)[12], que los impulsaba a construir la Juventud Comunista.

Las luchas obreras lanzaron a todos estos militantes a impulsar una serie de proyectos propagandísticos, organizativos y sindicales que se complementaban entre sí, y fueron trazando las líneas maestras de una alianza del izquierdismo del valle de México que pronto obtendrían importantes resultados.

Incluso Gale trató de aproximarse al calor que se desprendía de la hoguera y que se reflejaba en el renacer del movimiento radical, e inició contactos para unificar el PSM y a los dos partidos comunistas[13].

El proceso unitario tuvo algunas salidas de falso, una de ellas fue el intento encabezado por Huitron para agrupar a todos los radicales de la Ciudad de México, que cristalizó en una serie de reuniones de algo que provisionalmente se llamó «Bloque revolucionario»; allí se encontraron: Huitron por los anarquistas, Cervantes López por la IWW, Hipólito Rodríguez por el PC de M, Manuel Díaz Ramírez por el PCM y Arívali por los sindicatos independientes.

El objetivo del Bloque era crear un organismo de enlace para luchar contra la CROM, pero la propuesta de Huitron de crear una federación «les pareció muy anarquista» a los del PC de M y la de construir un sindicato unitario, inaceptable a los de la IWW[14].

Así murió el proyecto sin haber nacido del todo, y cedió el paso a otro en el que sindicalistas revolucionarios, anarquistas y comunistas del PCM coincidían: una confederación roja.

Paralelamente a ese proceso, los comunistas lograron sacar el primer periódico, *Boletín Comunista*, el 8 de agosto de 1920; Manuel Díaz Ramírez aparecía como administrador. El editorial establece la nueva línea del partido, y señala que *Boletín Comunista* tratará de expresar no una opinión de grupo, sino la de un frente de revolucionario[15]. El pequeño periódico, además propagandizaba ampliamente las relaciones mexicanas con la Rusia soviet, y en su primer número anunció la convocatoria del II Congreso de la IC.

Una semana después, se hizo la declaración de principios de la nueva organización sindical, la Federación Comunista del Proletariado Mexicano (11 de agosto), cinco días mas tarde (16 de agosto) sale a la calle *Vía Nueva*, el órgano periodístico de la Federación, y una semana después se constituyó formalmente la Juventud Comunista.

En estos meses de movilización obrera, los Jóvenes Igualitarios habían sido invitados varias veces a unirse al PCM por Allen, pero lo habían rechazado. «Las simpatías del grupo por la Revolución Rusa eran bien visibles, pero no cabía en nuestras inquietudes aceptar la dictadura del proletariado, ¿dictadura por qué y para qué?[16]»

Pero la labor de Stiner con el grupo de Igualitarios fue definitiva, y el 22 de agosto, un par de docenas de jóvenes, en su mayoría obreros, decidieron fundar la Federación de Jóvenes Comunistas[17]. En el grupo destacaban además de Stiner y Valadés, un joven canario recién llegado a México, Rosendo Gómez Lorenzo, el ayudante mecánico Miguel Órnelas, la costurera María Alonso, el estudiante Fernando Torres Vivanco, Delhumeau y Abad (que venían del grupo original de Igualitarios) y el joven panadero Felipe Hernández[18].

Brocha en mano, los Jóvenes Comunistas salieron a la calle a pegar su primer manifiesto: «¡Jóvenes Proletariados!»[19], que la prensa se encargó de satanizar días después.

El auge obrero combinado con los acontecimientos aquí narrados y que tenían un gran reflejo en la propaganda que circulaba en los barrios fabriles, provocaron una segunda campaña de prensa antibolchevique tan fiera como la de junio. *El Universal* dirigido por Félix Palavicini y voz de los capitalistas ingleses y norteamericanos, llevó la ofensiva, con esa mezcla de información real y desinformación que combinándose con noticias llegadas de la prensa de Estados Unidos, les proporcionaba base material para titulares como «Un consejo de obreros y soldados existe ya en México», «Los bolcheviques serán expulsados». Curiosamente, en la campaña no solo lo siguió el *Excelsior*, presto siempre a este tipo de trabajo sucio, sino que incluso se sumó *El Heraldo*[20].

La distribución de un extraño y anónimo volante en la capital, permitió a los periódicos reaccionarios impulsar su ofensiva en un terreno más sólido. Se trataba del volante *Hermano soldado*, que firmado por un «Soviet de obreros, campesinos y soldados» se había repartido en los cuarteles, en el Colegio Militar e incluso en la jefatura de la guarnición de la Ciudad de México[21].

El volante, en un tono exaltado llamaba a preparar la revolución social, integrar soviets en el ejército y unirse a las luchas de los trabajadores[22].

La reacción de los militares fue rápida, Calles declaró que no sabía de la existencia de los volantes, pero que actuaría con toda energía[23], el general Eduardo García fue más preciso: «Sabemos que son varios extranjeros los que realizan la labor a que ustedes se refieren en su información [...] Ya tenemos los nombres de estos individuos a los cuales les será aplicado el artículo 33.[24]»

La respuesta policiaca estuvo muy por debajo de las expectativas de la prensa, y se limitó a un ataque contra las oficinas de Gale y una acusación contra este y Tabler por haber editado la mencionada hoja[25]. Gale, que ya había sido detenido por dos días en julio, y liberado tras la declaración de De la Huerta de que «a nadie se perseguirá por sus ideas políticas»[26], huyó de la capital.

El PCM denunció en términos muy acres su retirada:

> Vemos a comunistas que huyen después de denominarse por sí y ante sí *líderes del bolchevismo en México, autores intelectuales de todo movimiento radical en México*, imprimiendo *su nombre* en cuantos periódicos, folletos u hojas sueltas pueden hacerlo, o bien esos mismos radicales mandan cartas plañideras, suplicantes a los gobernantes, diciéndoles «que esos comunistas hacen su propaganda dentro de la ley.[27]»

La denuncia acabó con las posibilidades limitadas de que los dos partidos comunistas se reunieran, los comunistas del PCM siguieron en el trabajo unitario con los anarquistas para promover la FCPM, y los del PC de M, en trabajos de organización de la IWW, y con una postura cada vez más conciliadora ante el gobierno.

NOTAS AL PIE

1 Beals/*Glass Houses*, p. 51.

2 Valadés/*Vicente Ferrer*... Tras esa acción, Ferrer Aldana decepcionado se retiró del Partido Comunista y se vinculó al agrarismo de Soto y Gama.

3 Beals/*Glass Houses*, p. 71.

4 Haberman y Beals: «El gobierno de México y los trabajadores mexicanos», *Liberator*, octubre de 1920, reproducido en *Vida Nueva*, N° 7, 24 de octubre de 1920. J.D. Ramírez Garrido dio un nuevo color a la policía del DF durante el interinato de De la Huerta: Les aumentó el sueldo, prestó la banda de música para que tocara en los mitines obreros, no concedió licencias a chóferes de servicio que no estuvieran sindicalizados, aumentó los salarios diarios de tres a cinco pesos, dio uniformes y zapatos gratis, creó la Casa del Policía, y empleó a diez mujeres en el departamento cuyo trabajo era colaborar en la organización de mujeres obreras.

5 Según Gale («Bolshevikis Gold», *Gale´s Magazine*, junio-julio de 1920) Brewster cobró a *Excelsior* entre ciento cincuenta y trescientos cincuenta pesos por la información para los reportajes. Julio García ofrece la siguiente descripción de las actividades de Brewster en su manuscrito citado (pp. 10 y 11):

> Cuando salieron de México Roy y su esposa quedó Brewster de nuevo en malas condiciones. Trabajó en la escuela inglesa de la señora Acnez, pero fue despedido pronto por sus irregularidades de conducta.
>
> Sin dinero, desesperado, se dedicó días después a cometer actos tan depravados que por respeto a mis compañeros me niego a relatar; finalmente, no pudiendo obtener por este medio tanto dinero como quería, Brewster escribió una colección de artículos dando informaciones falsas [...] y los vendió al señor Rafael Alducín, director de *Excelsior* por unos mil pesos.

Tras la denuncia, Allen encontró a Brewster en una reunión del sindicato panadero y lo golpeó (caso patológico el de Allen que se sentía defensor del partido sobre el que informaba). Después de esto, Brewster se hizo humo y abandonó el país.

6 Las denuncias de Brewster se centraban en el periodo de fines de 1919, cuyos personajes centrales (Roy, Borodín, Phillips) habían dejado México hacía meses. *Excelsior*, 10 al 14 de junio, con dos anexos sobre Puebla (17 junio) y Orizaba (19 junio).

7 *El Demócrata*, 5 y 16 de junio de 1920.

8 *Excelsior*, 31 de mayo de 1920. *El Demócrata*, 8, 10 y 11 de julio de 1920 y Salazar y Escobedo/ *Las pugnas*..., pp. 271 y ss.

9 Allen/*La Voz de México*, 15 septiembre 1944.

10 José Allen: «El movimiento comunista en México», informe mecanográfico.

11 *El Microteléfono*, N° 0, 25 de junio de 1920. El editorial estaba firmado por Urma-

chea. *Juventud Mundial*, N° 1, 25 de junio de 1920, Archivo JVC. La incorporación de Bodar, también conocido como Pablo Palos, socialdemócrata ruso que se había exiliado en México durante la guerra mundial y que era maestro universitario, fue vital para la reanimación de la prensa comunista. Allen/ informe del 29 de agosto de 1920, *NAW RG 165*, 812.0-1250.

12 Nacido en 1898 en Suiza, estudia en Basilea y Hamburgo, se une a la juventud socialdemócrata suiza y al PSD en 1917. Viaja con su familia a México, donde su padre establece una joyería. Adopta al conectarse con los medios radicales el seudónimo de Alfredo Stirner. Lazich/*Biographical Dictionary of the Commintern*. J.C. Valadés («Múgica en el PCM») lo describe así: «[...] debe tener unos veinte años, con el pelo cortado muy corto dejando caer sobre la frente un pequeño tupé, con barba cerrada y con un carácter extremadamente apacible, pero firme.»

13 Gale/ *Bolsheviki Gold.*

14 *Vida Nueva*, N° 2, 22 de agosto de 1920 y *Gale's Magazine*, agosto de 1920.

15 *Boletín Comunista*, N°1, 8 de agosto de 1920. Órgano del Bureau Comunista de la III Internacional. «El boletín no es un órgano de determinada agrupación, sino de todos los verdaderos revolucionarios proletarios.»

16 Valadés/*Múgica*.

17 La fecha fundacional de la JC había permanecido en la oscuridad, algunos autores la situaban en enero de 1920 confundiendo su nacimiento con el del grupo de Los Igualitarios (Juan Jerónimo Bertrand: «A la juventud», *El Obrero Comunista*, N° 12, 17 de diciembre de 1921); Mancisidor la fecha en 1922 y Gerardo Peláez (*Cronología* citada) en septiembre de 1920. La fecha exacta la ofrece Valadés con el acta en la mano en sus *Memorias*, p. 196.

18 Esta primera lista de fundadores de la JC se obtiene al cruzar las informaciones de Allen (*NAW RG 165*, 812.0-125), Valadés (*Memorias*, p. 196) y Manuel Díaz Ramírez (en el libro de Fuentes Díaz, página 338) con informaciones de prensa.

19 El llamamiento fue publicado y censurado por *El Universal* el 27 de agosto de 1920.

20 *El Universal*, 20, 24 al 27, 30 y 31 de agosto de 1920. *El Heraldo de México*, 25 y 30 de agosto de 1920.

21 Hay una copia en *NAW FA* (Colme MP 138) y otra fue publicada censurada por *El Universal*, el 24 de agosto de 1920.

22 Los primeros testimonios sitúan la distribución de «Hermano Soldado» el 20 de agosto. Las versiones sobre su autoría son contradictorias. Valadés dice que Carrillo Puerto dio el dinero a un grupo de jóvenes para que lo imprimiera («Carrillo Puerto, el tipo de líder»); en apoyo a esta tesis está la reacción de Carrillo al ser entrevistado por la prensa:

> «Muy bien, perfectamente bien. Así debe hacerse. No más soldados, no más oprobio.»
>
> «Fíjate en lo que hablas Felipe —dijo el Dr. Cantón—. No debe tolerarse esta práctica en estos momentos de transición. Además no vamos nosotros a hacer esa propaganda dentro de la Cámara...»
>
> «En la Cámara no, pero en la calle, yo sí la haré...»
>
> «En la calle puedes hacer lo que quieras, pero en estos momentos tan delicados...»
>
> «Piensa tú lo que quieras, doctor. Yo aplaudo la propaganda soviet, y se acabó.»
>
> (*El Universal*, 25 de agosto de 1920).

Según Gale, la hoja había surgido del PCM y eso informó al jefe de policía Ramírez Garrido. Allen se la atribuye a Cervantes López y al Bloque Revolucionario ya disuelto (Informe 29 agosto). El agente norteamericano Summerlin acusa a Proal y al Negro García de distribuirla en Veracruz (*NAW FA*, MP 138, 812.000). Curiosamente el volante también circuló en Monterrey en esos días (*El Universal*, 31 de agosto de 1920).

23 *El Universal*, 24 de agosto de 1920.

24 *El Universal*, 30 de agosto de 1920.

25 «Towarsd Soviets in México», *Gale´s Magazine*, septiembre de 1920.

26 El 21 de julio fue detenido, *El Demócrata* 22 al 24 de julio de 1920. Huyó al ser liberado, a una hacienda de Morelos (Allen/ *Informe* 29 de agosto).

27 «La prensa capitalista y los radicales», *Boletín Comunista*, Nº 2, 30 de agosto de 1920.

3. UNA OPCIÓN ROJA ANTE CONDICIONES NEGRAS

En agosto de 1920 se combatía contra las jornadas de trabajo anticonstitucionales, dominantes en la casi totalidad de la industria a tres años de promulgado el artículo 123 de la Constitución que establecía la jornada de ocho horas[1], por aumentos de salario y por el descanso dominical pagado; pero lo que convertía en enconadas y violentas las movilizaciones era el despotismo, el racismo, la violencia patronal que se ejercía permanentemente contra los trabajadores.

El mundo industrial mexicano a la caída de Carranza podía ofrecer ejemplos aterradores: en la textil poblana Guadalupe Analco, el encargado español Francisco de la Concha había comprado a un piquete de soldados que vigilaban la fábrica, para que fusilara a «tres agitadores», y solo la intervención de un oficial pudo impedirlo[2]. En las minas de Guanajuato había tres muertes promedio al mes por accidentes de trabajo, y a la viuda le entregaban «como un favor», puesto que no había compromiso por parte de la empresa, entre ocho y treinta pesos de indemnización (el ataúd costaba veinte pesos)[3]. Las tiendas de raya persistían; en Tampico y Veracruz las compañías petroleras mantenían en los campos «comisarías» que vendían alimentos y enseres con un recargo del veinticinco por ciento por concepto de transporte, y eran las únicas autorizadas a hacer comercio en la zona; en la telefónica Ericsson, en mayo, se pagaba con vales; en la mina Ojuela de Peñoles una parte del salario se pagaba con vales para la tienda de raya[4].

Los instrumentos para mantener esta política eran los encargados, los administradores, los capataces y los empleados, y a un observador actual, le sorprendería descubrir la cantidad de extranjeros que existían en esta capa privilegiada.

En el Palacio de Hierro, desde el gerente a los empleados, todos eran franceses; en la Alpina, el encargado era francés, lo mismo que el gerente; en las fábricas textiles poblanas todos los encargados eran españoles así como la mitad de los empleados y tres cuartas partes de los capataces. En la mina el Boleo los anuncios dirigidos a los trabajadores en el tablero de avisos, aparecían en francés. El gerente de Peñoles era un gringo que no hablaba español, y sus órdenes se impartían en inglés. En las compañías de Tampico el porcentaje de empleados extranjeros se encontraba de la siguiente manera: Compañía de Luz 88%, Transcontinental 82%, el Águila 65%, Texas Oil 75%, Huasteca Petroleum 88%; y sus salarios doblaban el de un empleado de nacionalidad mexicana que ocupara su mismo cargo[5].

Un informe del petrolero T.A. del Pino, mostraba las condiciones de cultivo de la violencia en un campo petrolero de la Transcontinental:

> Llegados al campo, los dejan en relativa libertad para guarecerse ya debajo de un árbol o de chozas hechas al minuto con cañas y zacates, ¿Y las casas? Están en los planos que tiene el superintendente en su oficina provisional, pero cómodamente instalada en su carpa impermeable, ¿Y la comida y el hotel? El hotel no hace falta puesto que en otra carpa impermeable también y resguardada por cuatro o seis americanos mofletudos, hay montones de cajas atestadas de buen jamón, conservas, frutas, mantequilla, galletas y cuanto apetecible y transportable puede hallarse en las ciudades americanas. Eso, dirán ustedes, ¿será para los trabajadores? ¡No señor!, eso es para los perros gordos de la compañía, de superintendente para abajo. Para los trabajadores, lo que hay en otra carpa ya no tan impermeable como las otras, es maíz, a veces húmedo y picado, frijol de dudoso cocimiento, harina no se sabe de qué, sal, manteca y demás cosas indispensables para que los «pelados» no se mueran de hambre. Todo eso lo venden a precio de costo y previa adquisición de una tarjeta cuyo valor es de $5 y en la cual van anotando lo que se pide[6].

Estas condiciones, con pequeñas variaciones en rasgos secundarios, prevalecían en el conjunto de la industria, y no es difícil explicarse el encono con el que algunas luchas se dieron mientras el ascenso de las movilizaciones iniciado en junio proseguía y se extendía a lo largo del país.

En agosto, en medio de multitud de pequeños enfrentamientos, dos grandes luchas se produjeron e hicieron correr abundante tinta en la prensa nacional y en la prensa obrera: el motín de Metepec y la huelga de los electricistas del puerto de Veracruz.

En Metepec, las ofensivas del sindicato habían sido frenadas por la empresa con despidos y *lock outs*. El último se había levantado a fines de julio tras una lenta conciliación en la que intervino la Secretaría de Industria, Comercio y Trabajo. Se discutía sobre todo el derecho sindical a cobrar cuotas, la ilegalidad de los despidos, en particular el del dirigente textil Mauro Tobón al que se había provocado dentro de la fábrica para que reaccionara con violencia ante un capataz y así poder echarlo a la calle[7], y sobre todo el reconocimiento del sindicato. Apenas una semana después de reanudadas las labores, la empresa despidió a cuatro trabajadores por estar cobrando cuotas sindicales en horas de trabajo, lo que hizo enfurecer a los sindicalistas que se lanzaron sobre las oficinas de la compañía. Al grito de «¡Mueran los gachupines y viva Rusia!»[8], trataron de entrar en las oficinas y fueron recibidos por el administrador Menéndez, pistola en mano. Los trabajadores respondieron apuñalando a Menéndez y al cajero Rafael Cordero. La presencia de los soldados que dispararon contra los sindicalistas, terminó con el amotinamiento. Cuatro dirigentes sindicales fueron detenidos, y la empresa respondió con un nuevo *lock out*[9]. Los choques se generalizaron en toda la zona de Atlixco donde la patronal se organizaba en el Centro Industrial Mexicano (Hilados y Tejidos de Algodón y Lan), y mantenía unificadas las administraciones para enfrentar a los sindicatos; los cierres patronales se alternaron con los choques violentos, las huelgas y los despidos[10].

Las puñaladas recibidas por los empleados de confianza de Metepec, la principal fábrica textil del país, con cerca de cinco mil trabajadores, fueron extraordinariamente útiles a las patronales para pasar a la ofensiva en la prensa (*Excelsior* y *El Universal*), y a través de un alud de telegramas al presidente y al secretario de Trabajo, obligaron a que De la Huerta censurara públicamente a los trabajadores sin oírlos[11].

Si Metepec fue una derrota para los sindicalistas, en eso mismos días, la huelga electricista de Veracruz representó una importante victoria.

El origen fue la demanda de los electricistas del puerto (tranviarios y generación de energía) de un cincuenta por ciento de aumento, reconocimiento sindical y readmisión de despedidos. La respuesta de la compañía extranjera, fue No a todas las demandas y el 9 de agosto estalló la huelga[12]. La experiencia de la huelga entre los ferrocarrileros de la Terminal de Veracruz (realizada en julio de 16-25) por aumento salarial y reconocimiento sindical, que triunfó gracias al apoyo de una huelga general portuaria que afecto a tres mil quinientos trabajadores, estaba detrás del movimiento electricista.

La empresa se apoyó en el gobierno del Estado y fundamentalmente en el general Guadalupe Sánchez, jefe de la zona militar de Veracruz, y puso los tranvías en movimiento con esquiroles y custodiados por soldados. Los trabajadores respondieron con «miles de hojas sueltas a los pasajeros pidiendo a estos que no usaran los tranvías durante la huelga si tenían simpatías con la lucha del obrero.[13]»

La empresa intentó sobornar al Negro García, presidente de la Liga de Trabajadores del Puerto[14], provocó a los huelguistas llevando alcohol a las guardias, y ofreció jugosas primas a los esquiroles.

Los incidentes se prodigaron, choques contra los esquiroles, abundante sabotaje a las instalaciones[15] e incluso la detención de policías por los huelguistas, que los entregaron a las autoridades militares[16]. En un clima de creciente tensión en el puerto, los sindicatos acordaron la huelga general solidaria y el 18 de agosto marinos, fogoneros, estibadores, panaderos, tabaqueros, carretilleros y ferrocarrileros, cesaron labores en solidaridad con los electricistas[17].

El mismo día en que estalló la huelga, el general Guadalupe Sánchez agredió a un sindicalista en un tranvía manejado por esquiroles y varios obreros estuvieron a punto de lincharlo. Relucieron las pistolas y hubo algunos tiros sueltos y muchos golpes[18]. La patronal del puerto respondió a la huelga general con el desconocimiento de los sindicatos y los soldados salieron a la calle. El ala derecha del movimiento encabezada por Rafael Gracia apeló a la CROM en el DF y puso todo el peso de la solución en las negociaciones. El ala izquierda, que encabezaban Heron Proal y Luis

Cortes, llamó al sabotaje y la presión sobre los esquiroles. En los días 19 al 21 de agosto abundaron los choques. La mediación del gobierno fue nuevamente la clave para la solución del conflicto y el 28 de agosto se levantó la huelga general con el triunfo de las tres demandas de los electricistas[19].

No fueron estos los únicos movimientos que se produjeron en el país en el mes de agosto[20], a su lado, el triunfo económico de la huelga de los trabajadores electricistas de Aguascalientes, que obtuvieron un treinta y siete por ciento de aumento salarial, y la ofensiva en Guadalajara, que encabezada por la Unión de Trabajadores del Hierro fue el inicio para huelgas en sastrerías, telégrafos y artes graficas[21].

Lo que ahora se ponía en el centro, una vez que se estaban encontrando movilizaciones regionales solidarias, era la dirección del conjunto del movimiento y su coordinación.

Para la CROM, la mejor forma de dirigir el movimiento era no dirigirlo, aislar cada una de las luchas, y separar las mediaciones, colaborar en las negociaciones y consolidarse orgánicamente. Su arma más importante era la cercanía de los miembros del Grupo Acción con el poder de los gobernantes y en términos de movilización, la amenaza de la huelga general, de la que mucho se habló pero que jamás se impulsó, preparó, ni mucho menos se ordenó. La CROM se disculpaba ante la prensa reaccionaria cuando caracterizaba la oleada de huelgas de la siguiente manera:

> Lo que ocurre actualmente en México no es otra cosa que la explotación de la siras de los obreros contenidas por los gobernantes de ayer que solo atendían las menadas de los primeros con prisiones o caballazos.
>
> Eso es todo. Que se atienda en lo que cabe a los trabajadores que tenían aplazadas sus demandas a los patrones, y dentro de pocos días veréis que ya no hay la sucesión de huelgas por que venimos atravesando[22].

Las opciones rojas ante la proposición cromista serían la Federación Comunista del Proletariado Mexicano, la acción directa y la huelga solidaria; y el primer encuentro se daría en el valle de México.

Notas al pie

1 En las panaderías las jornadas eran de doce y catorce horas, en la llantera Pelzer la jornada semanal era de cincuenta y cuatro horas. *Resurgimiento*, de Puebla, informaba que la jornada laboral en el Mayorazgo llegaba a las quince horas y que hubo días de veintitrés horas de trabajo continuo (citado por *Gale´s Magazine*, abril de 1920).

2 «Industrial Unionism in México», *Gale´s Magazine*; abril de 1920.

3 C.F. Tabler: «Starving miners murdered in Guanajuato», *Gale´s Magazine*, agosto de 1920.

4 Informe Cayetano Pérez Ruiz, *AGN Ramo Trabajo*, 1920. *Excelsior*, 25 de mayo de 1920.

5 Paco Ignacio Taibo II: *La guerra contra los capataces* en 1920-25, inédito.

6 T.A del Pino: «Desde Tampico», *Vida Nueva*, Nº 6, 10 de octubre de 1920.

7 Mauro Tobón, secretario general del sindicato, de origen veracruzano, había sido despedido anteriormente de las textiles de Orizaba. Sindicato Obrero Revolucionario a J. Treviño, 4 de agosto de 1920; Informe de la Compañía Industrial de Atlixco, 5 de agosto de 1920, *AGN Trabajo*. La compañía provocó a los trabajadores tras el despido de Tobón al negarse a indemnizarlo con los tres meses, y al poner un cartel a la entrada de la fábrica donde se «notificaba la expulsión con letras grandes, irritando a los trabajadores.»

8 Informe inspector Clemente A. Jacques al jefe del Departamento del Trabajo, 17 agosto 1920. *AGN, Trabajo*.

9 El motín es narrado en *Excelsior*, 12 de agosto de 1920. La empresa exigió que en adelante hubiera una guardia armada permanente de ochenta soldados en Metepec, se diera por válido un despido masivo y fuera vigente la prohibición de recaudar cuotas sindicales dentro de la fábrica. Cuatro dirigentes del sindicato fueron encarcelados acusados de ser «instigadores del motín», aunque no habían intervenido en los hechos.

10 Hubo motines en San Juan Amandi, huelga y *lock out* en El León y boicot obrero a la empresa Santo Domingo, además de una amenaza de huelga textil en todo el estado. *AGN, Trabajo* y *El Demócrata*, 12 y 15 de agosto de 1920.

11 *Excelsior*, 12 de agosto de 1920.

12 Manuel Ramírez, presidente del sindicato de electricistas al secretario de Industria, 2 de agosto de 1920, *AGN, Trabajo.*

13 *Vida Nueva*, Nº 4-5, 26 de septiembre de 1920.

14 Rafael García a Antonio I. Villareal, 6 de agosto de 1920, *AGN, Trabajo*. Le ofrecieron dos mil pesos para que no apoyara la huelga, un adelanto de quinientos se lo

hicieron llegar a través del inspector de tranvías Agustín Corchado, que el Negro mostró en la Aduana ante testigos.

15 *Excelsior*, 13 y 14 de agosto de 1920.

16 «Para demostrar más esa fuerza, tuvieron la humorada de llevar presos con el comité de huelga a cerca de doscientos policías que tuvieron la osadía de querer imponerse a los huelguistas, y habiendo sido enviada fuerza a rescatarlos, el comité de huelga los entregó mediante recibo». *Boletín Comunista*, Nº 2, 30 de agosto de 1920.

17 Telegrama del gobernador provisional de Veracruz al secretario de Industria, Comercio y Trabajo, 18 de agosto de 1920, *AGN, Trabajo*.

18 *Excelsior*, 12 de agosto de 1920.

19 *Vida Nueva*, Nº 4-5, 26 de septiembre de 1920.

20 *Vida Nueva*, Nº 2, 22 de agosto de 1920 y AGN, Trabajo.

21 Expediente huelgas Guadalajara. *AGN, Trabajo*, 1920.

22 Aparecido en *Acción*, citado por *Aurora Social*, Nº 13, 4 de septiembre de 1920.

[illegible]

4. EL COMBATE POR EL VALLE DE MÉXICO ENTRE LA IZQUIERDA Y LA DERECHA SINDICAL

La dirección cromista y sus ángeles tutelares, los miembros del Grupo Acción, encontraban extraordinariamente difícil ubicarse en el maremágnum huelguístico del verano de 1920. Atrapados en una estrecha caja, cuyas paredes era el desbordante movimiento de masas en el ámbito regional (que saltaba sin previo aviso de una parte a otra del país), la intransigencia de las patronales, sus compromisos con el gobierno de De la Huerta y la presión de los rojos, los sindicalistas del Grupo Acción maniobraban continuamente para tratar de mantener el movimiento bajo control y simultáneamente no perder prestigio ni fuerza entre los millares de sindicalistas que diariamente se reorganizaban o creaban sus sindicatos. Morones y su equipo peleaban en muchos planos. Moneda desde la Secretaría Adjunta a la Presidencia trataba de mediar, López Cortes desde la dirección de la Federación de Sindicatos del DF trataba de contener las huelgas y conciliarlas antes de que se desbordaran, Morones trataba de organizar a los trabajadores de dependencias estatales sin que esto significara un conflicto con miembros del equipo gobernante. En este caos de máscaras, la demagogia abundaba. Cuando en julio se fundó la Unión de Obreros de Establecimientos Fabriles y Militares, encabezada por Manuel Rivera y prohijada por Morones (en ese momento director de los Establecimientos), la respuesta de algunos militares del equipo obregonista, fue solicitar la militarización de los trabajadores, y Morones respondió cara al auditorio, que no habría tal, «y que se iría a las barricadas si fuera necesario.[1]»

Estas intervenciones llenas de audacia verbal se repitieron frecuentemente, pero siempre acompañadas en lo inmediato de llamados a la conciliación y a la moderación.

La estructura nacional de la CROM en esos momentos estaba lejos de estar centralizada. Las federaciones gozaban de gran autonomía y cada una era un mundo. En Puebla, la federación cromista respondía al *lock out* de Atlixco con la declaración de que estaban dispuestos a llegar a «la revolución social» y se quejaban de la dirección cromista nacional en los siguientes términos: «Estamos faltos de recursos, sin apoyo de nadie, hasta los que nos llaman sus hermanos cuando hay luchas electorales o se trata de llevarnos al matadero, nos han olvidado.[2]»

La referencia era clara. El 1 de agosto se habían celebrado elecciones a senadores y diputados en todo el país, previas a la elección presidencial. El Grupo Acción a través del PLM había presentado candidaturas en nueve circunscripciones, y había destinado tiempo y recursos a levantarlas. El resultado no pudo ser más desfavorable, el apoliticismo seguía imperando entre los sectores sindicales. Los nueve cromistas resultaron derrotados, la debacle más molesta, fue la de Morones que se había presentado al senado por el DF[3]. La victoria favoreció al Partido Liberal Constitucionalista, y solo en un estado, Yucatán, candidatos del ala izquierda obregonista obtuvieron mayoría absoluta: los socialistas Felipe Carrillo Puerto y Edmundo G. Cantón.

Derrotada temporalmente la vía electoral, los cromistas buscaron estabilizar la fuente de su poder ante y dentro del nuevo régimen, en el control sindical, y en esta línea, el valle de México era clave.

Pero el valle de México era también el asiento del sindicalismo rojo. Y a lo largo de agosto y septiembre, se dio entre rojos y moronistas un duro enfrentamiento por la dirección del movimiento.

La Federación Comunista del Proletariado Mexicano había nacido en una reunión el 11 de agosto, de una alianza entre comunistas, anarquistas y sindicalistas revolucionarios. A pesar de su nombre, se trataba de una organización sindical cuyo objetivo era la integración de «federaciones, asociaciones gremiales e industriales» y el desarrollo de la lucha reivindicativa junto con la lucha por el «comunismo libre.»

En su documento programático[4], la FCPM se proclamaba internacionalista, apolítica («siendo su organización de propaganda económica y tendente a unificar a todos los obreros, rechaza toda solidaridad con los partidos políticos burgueses y obreros») y absolutamente federalista («los sindicatos serán libres dentro de la federación y estos libres dentro de la FCPM».)

En sus estatutos se hacen precisiones sobre muchos de los puntos de disputa de los anarquistas con el moronismo: la profesionalización de los cuadros (en la FCPM son cargos honorarios, si se les encarga una comisión por la que tengan que dejar de trabajar, se les compensará con un salario igual al que perciben como obreros), la representación directa (solo pueden serlo trabajadores del gremio representado), la no permanencia de los dirigentes (son electos por sus sindicatos y estos los renuevan cada vez que quieren), la estructura organizativa (un consejo federal con un miembro por sindicato y un comité administrativo que ejecutará los acuerdos del consejo federal) y las formas de acción («Acción directa de los trabajadores por medio de la huelga parcial, el paro parcial, la huelga intermitente, paro general de brazos cruzados, la huelga general revolucionaria, el boicot, el sabotaje y el label.»)

Los grupos que inicialmente la integraron eran el sindicato de telefonistas de la Ericsson (con jóvenes influidos por la JC), el sindicato de panaderos, grupos de obreros de Obras Públicas (donde trabajaba el hermano de Huitron), el sindicato de tráfico de la Compañía de Tranvías (donde era pieza determinante Rodolfo Aguierre, un ex dirigente de la Casa del Obrero Mundial, anarquista), la unión del Recuerdo (una fábrica de joyas de fantasía, que había organizado el anarquista español Ángel Gómez) y dos grupos muy menores: los telefonistas de la Mexicana, y el sindicato de fundidores[5].

Apoyados por los militantes de la JC, que en esos días rompieron con los igualitarios por considerarlos «políticos»[6], y por *Vida Nueva*, el periódico de la FCPM que dirruido por Díaz Ramírez salió a la calle el 16 de agosto, los rojos comenzaron rápidamente a crecer en la ciudad. El 19 de agosto se habían sumado los ceramistas[7] y comenzó la construcción del sindicato de los talleres del Palacio de Hierro y la agitación entre los textiles que se encontraban organizados en una federación al margen de la CROM.

El pequeño grupo de comunistas se encontraba particularmente activo. Manuel Díaz Ramírez regresó a Veracruz y formó hacia julio la local comunista del PCM con una parte de los miembros de Antorcha Libertaria[8] (Almanza, Úrsulo Galván, Barrios); al paso, realizó trabajos de propaganda entre los textiles de Orizaba y Santa Rosa[9]. Poco después Úrsulo Galván viajó a Tampico y fundó allí una local del PCM con miembros de la Casa del Obrero Mundial, de existencia efímera[10], y se hizo propaganda entre comunistas indígenas de Michoacán integrando una Federación Comunista de Pueblos Indígenas[11].

Si bien los militantes comunistas y los anarquistas podían contarse en números que no rebasaban la centena, sus planteamientos y los últimos años de propaganda y experiencia hacían que su trabajo organizativo sindical adquiriera un eco muy por encima de su capacidad de dirección o control. Habían sintonizado en el auge de 1920 con las aspiraciones de los sectores más combativos del movimiento, que veían el nacimiento de un poder obrero diferente al poder cromista y desligado de los caudillos, basado en la acción directa y la huelga solidaria.

El primer encuentro en el valle de México entre las dos corrientes, la anarcocomunsita y la cromista, se dio en la huelga de la fábrica de cigarros el Buen Tono[12].

El motivo para el enfrentamiento con la patronal se produjo a fines de agosto, el sindicato exigió la recontratación de su dirigente despedido, Luis Margain, y amenazó con la huelga. Ante la intransigencia de la empresa, el primero de septiembre estalló el movimiento y los mil tabaqueros de la fábrica cigarrera más importante del país paralizaron sus labores.

Respondiendo a un pacto previo, se fueron a la huelga solidaria los textiles del DF y del Estado de México y los trabajadores de la Cigarrera Mexicana, en total, veintiséis mil obreros.

Se trataba de organizaciones en cuya cúpula se encontraban dirigentes sindicales que estaban al margen de los ojos y de la CROM. La figura principal era J. Dolores Pérez, secretario general de la Federación Textil, y hombre del Partido Cooperatista (el segundo partido político nacional).

El día 2 se produjeron en la puerta del Buen Tono choques violentos entre trabajadores y esquiroles y corrió la sangre: dos obreras y un operario resultaron heridos.

La CROM intervino sumando a la huelga a zapateros y trabajadores de talleres de artes gráficas y los rojos a través de la Federación de Tráfico de Tranvías advirtieron que se sumarian al movimiento.

Un comité de huelga electo en una asamblea de masas se hizo cargo del movimiento. Formaban parte los cooperatistas Pérez y Eugenio R. Martines, junto con Gonzalo González, segundo secretario del Buen Tono; los cromistas estaban representados por Ezequiel Salcedo y Roberto Haberman[13], y los rojos por los hermanos Huitron, Leopoldo Urmachea, Leonardo Hernández y Genaro Gómez. Felipe Carrillo Puerto, que se encontraba en el DF por el debate parlamentario sobre la validez de las elecciones que lo habían llevado a la Cámara junto con Cantón, fue electo también por los asambleístas[14].

El choque entre la izquierda y la derecha en la asamblea fue violento. Mientras la derecha ofrecía buscar la mediación del movimiento utilizando los buenos oficios de Moneda como intermediario con el presidente de la República, la izquierda propugnaba la huelga general. La asamblea dictaminó que la comisión se entrevistase con De la Huerta y se hizo una pausa mientras los delegados se trasladaban del Teatro Hidalgo al Palacio Nacional. De la Huerta ofreció resolver el conflicto a más tardar en dos días y con esta promesa, los comisionados volvieron a la asamblea. Nuevos enfrentamientos. La posición combinada de cromistas y cooperatistas resultó triunfante, y ese mismo día tres se aceptó la promesa presidencial y se levantó la huelga general.

La mediación de De la Huerta obtuvo de la empresa que Margain fuera liquidado con seis meses de salario (en lugar de los tres acostumbrados), y al ex dirigente del Buen Tono el gobierno le consiguió un trabajo en Previsión Social. La empresa pagó además a los trabajadores los días que habían estado en el movimiento[15].

Para la derecha, la huelga había sido una victoria, para la izquierda, una derrota. Se habían movilizado treinta y cinco mil trabajadores para sentar la base de que las empresas no podían despedir a los dirigentes sindicales, y lo único que habían logrado era una liquidación y poner un peldaño en la carrera política de Margain. En los próximos días, se vería la lección que sacaron los diferentes grupos de sindicalistas de base del valle de México.

Lo que sin embargo parecía verse claro, era que la izquierda seguía creciendo, y la Federación Comunista del Proletariado Mexicano convocó para el 19 de septiembre un mitin en el cine Garibaldi para integrarse públicamente[16].

El acto resultó ser una reunión de la izquierda sindical. Según la prensa diría, en el cine se encontraban más de tres mil trabajadores que abarrotaban la sala y los pasillos.

Dirigía los debates Petra Ruiz de la Ericsson (por primera vez en la historia del sindicalismo mexicano, un acto era presidido por una mujer), y se sucedieron las intervenciones de los sindicalistas rojos y los comunistas (Urmachea, Allen, Araoz de León, Genaro Gómez, Leonardo Hernández, Huitron). La audiencia mostraba el incremento de las fuerzas de la FCPM; además de telefonistas, tranviarios, panaderos y obreros del Recuerdo, estaban los trabajadores de los talleres del Palacio de Hierro, ceramistas, textiles, costureras, cerilleros, cerveceros, mecánicos y harineros[17].

Entre las intervenciones, se suceden los poemas y los cánticos (*Hijos de Pueblo* cantada por un coro obrero tuvo que ser repetida tres veces a petición del público). Cuando intervenía Valadés en nombre de la JC, y atacaba duramente a la CROM, un grupo de dirigentes amarillos (Salvador Álvarez de la FSODF, Ricardo Treviño y Sandoval), trataron de interrumpir y tomar la palabra. Varios asistentes les cerraron el paso y los amarillos sacaron las pistolas. Hubo puñetazos y los rojos quedaron dueños de la situación[18].

El acto, que terminó con coral y todo, daba forma a la oposición roja en el valle de México. Aunque en el ámbito nacional su presencia en el auge sindical era tardía; se habían perdido tres meses.

No todas las valoraciones fueron positivas. Allen, en un informe a la embajada norteamericana, expresaba en privado su desconfianza en el nuevo movimiento:

> Yo, que estoy en contacto con todos ellos, estoy seguro de que ninguno triunfará en organizar exitosamente a los trabajadores que están desesperanzados y más que eso, desconfiados e inconsistentes en todo. El entusiasmo dura poco y es fácil de descorazonar, pero muy difícil, si no imposible de mantener vivo[19].

Por motivos diferentes, el gobernador Gasca, manifestaba también su desconfianza en el fermento rojo en los periódicos del día 21[20].

Pero la ola roja crecía en el Valle. El primer acto de la FCPM fue retar a los amarillos que habían irrumpido en el mitin, a un debate público en el sindicato panadero[21].

Ricardo Treviño y Salvador Álvarez aceptaron, y el día 26 se enfrentaron en un debate público a Urmachea, Genaro Gómez, Leonardo Hernández y Quintero.

El balance realizado en la prensa nacional dio el triunfo a los rojos, quienes denunciaron violentamente la corrupción de Morones y la línea de conciliación aplicada por la CROM[22].

Mientras tanto, la movilización nacional continuaba. Aunque algunos sectores eran derrotados, otros los sustituían, y los triunfadores se volvían fuerzas de reserva en el nuevo movimiento, desarrollando movilizaciones solidarias.

Haberman y Velas, en su última colaboración conjunta publicada en Estados Unidos, daban una imagen muy clara del momento: «Huelgas generales, huelgas parciales, huelgas por aumento de salario, huelgas por menos horas de trabajo, huelgas de maestros, huelgas de estudiantes, huelgas por el reconocimiento de los sindicatos, en fin, huelgas por todas partes y de todas las especies.[23]»

El gobierno de De la Huerta se prodigó, y medió por todas partes. Envió una circular pidiendo a las organizaciones obreras «den preaviso de tres días antes de hincar movimientos», ordenó la reglamentación provisional de las juntas de conciliación y arbitraje; y la figura presidencial intervino frecuentemente para impedir el desarrollo de un movimiento. De la Huerta habló con los textiles de Metepec e impidió una huelga solidaria en Puebla y Atlixco, se entrevistó con los ferrocarrileros e impidió una segunda huelga ferroviaria[24].

A partir de los primeros días de septiembre, la voz de Álvaro Obregón comienza a hacerse oír. Electo el cinco de septiembre presidente de la República (arrasando a su oponente Alfredo Robles Domínguez por un millón de votos), el día 11 emite su primera declaración respecto al movimiento huelguístico:

> [...] también hay otros que se convierten en agitadores de las masas para vivir de sus doctrinas. Pues es mi deber, cuando empuñe las

riendas del gobierno, ver que se frustren las intenciones de esos zánganos sociales que así procuran vivir del presupuesto. Y vosotros como trabajadores debéis tener cuidado que la clase obrera no obedezca a aquellos cuyo único objetivo es vivir cómodamente del sudor de vuestra frente.[25]

¿Contra quién va dirigido el discurso? ¿Contra sus aliados laboristas? ¿Contra la izquierda sindical? ¿Contra los cromistas de provincia que dirigen la huelgas? ¿O acaso es solo un movimiento pendular para clamar a las patronales?

La reacción se produjo el 26 de septiembre. La CROM convocó a una manifestación nacional contra la carestía y por la reglamentación del 123. Buscando neutralizar la creciente influencia de la izquierda por un lado y las declaraciones de Obregón por el otro, los dirigentes del Grupo Acción multiplicaron las invitaciones al acto en carteles y volantes.

Pero si la CROM puso los contingentes, en el Valle de México, sus aliados, los diputados de la izquierda obregonista, van a ser los que proporcionarían los principales oradores.

Las manifestaciones se desarrollaron en orden en Aguascalientes, Querétaro y Morelia[26]; en el DF se reunieron un par de millares de manifestantes de una docena de sindicatos cromistas y partieron hacia el cine Salón Rojo. Ahí hizo uso de la palabra el diputado Manillo Fabio Altamirano: «Hoy las clases laborantes deben frecuentar los derroteros del comunismo, hacer lo mismo que hacen en Rusia los soviets o bolcheviques [...] Las libertades no se piden. Se toman de donde las hayas». Siguió el diputado Luis León y volvió a subir el tono: «Rusia es un ejemplo magnífico: el pueblo de México debe dar un paso hacia delante, sobreponiéndose al capitalismo, aboliéndolo [...] A la iniquidad de los comerciantes debe suceder el principio comunal.»

La marcha avanzó hacia Palacio Nacional. Ahí habla Eduardo Moneda (en su carácter no de dirigente cromista, sino de representante de De la Huerta y funcionario de Previsión Social), y vuelven a oírse los discursos tronantes: el diputado Martines Rendón pidió violencia contra la prensa burguesa, Soto y Gama habló de exterminar a «gobernantes imbéciles», (se refería a los gobernantes más conservadores del obregonismo), y Carrillo Puerto en su habitual estilo incendiario, habló de dinamitar las puertas de Palacio Nacional, saquear los comercios si los comerciantes encarecían los víveres, ahorcar periodistas conservadores, volar iglesias... Todavía le sobró tiempo para denunciar como tibios y tímidos a sus compañeros de la dirección de la CROM «pusilánimes incapaces de llevar al movimiento obrero hacia sus metas.»

En medio de la euforia, sonaron las campanas de catedral, la manifestación entró en el palacio y desde uno de los balcones, el coronel Filberto Villareal, vestido de charro, hizo ondear la bandera rojinegra.

De poco sirvió una intervención conciliadora de Morones y las promesas de que De la Huerta apoyaría las dos demandas (reglamentación del 123 y control de los precios) hechas por Moneda.

El acto se le había escapado de las manos a los cromistas, que habían sido utilizados por los diputados de la izquierda obregonista, quienes pretendían presionar el programa y forzar una composición más radical en el futuro gabinete de Obregón[27].

La prensa respondió violentamente el día 27 al alarde de pirotecnia verbal: «En la manifestación de ayer se invitó al saqueo y hubo vítores a Lenin», titulaba *El Universal*, y *El Demócrata*, más liberal, no dejaba de denunciar que «La bandera rojo y negro del proletariado flotó ayer en los balcones de Palacio Nacional.[28]»

El día 28, De la Huerta tomó la palabra y señalando que se trataba de una bomba incendiaria contra el futuro gobierno de Álvaro Obregón, declaró: «Las frases incendiarias proferidas inconscientemente, desvirtúan la causa de los obreros, la desprestigian y le restan fuerza moral, creando obstáculos para su desarrollo evolutivo.[29]»

Con la excepción del gobernador del DF, el cromista Gasca, quien trató de deslindar la CROM de sus aliados, los diputados de la izquierda obregonista, los restantes funcionarios que hicieron declaraciones en los siguientes días arremetieron contra la manifestación[30].

Al Grupo Acción, el tiro le había salido por la culata. En medio del auge, había descubierto los peligros de la demagogia, y aunque cara a la provincia esta podía fortalecerlos, la manifestación del 26 les cerraba en el DF el camino de la calle si querían mantener y mejorar sus relaciones con el obregonismo, del que políticamente tendían a depender cada vez más.

Los líderes rojos denunciaron la manifestación como un acto de demagogia y prosiguieron la campaña de reorganización de sus fuerzas preparando una huelga tranviaria, dando lucha en la Francia Marítima donde crearon un sindicato de costureras, y haciendo paros en la Cigarrera Mexicana[31].

La CROM consolidó pequeños sindicatos entre trabajadores de cines, empleados de boticas y farmacias y obreros de los Talleres Gráficos de la Nación, y metió un pie en el Ayuntamiento entre los obreros de limpieza[32].

La decisión definitiva en la lucha organizativa ente los rojos y amarillos en el DF habría de darla la adhesión de la Federación Textil a unos u otros. Mientras las luchas de fábrica se seguían sucediendo entre los textiles del valle, un fuerte enfrentamiento subterráneo se producía entre la dirección de la federación, en la que los cooperatistas, eran por un lado desplazados por cromistas y por otro, militantes de base anarco-comunistas comenzaban a dirigir los conflictos fabriles.

Cuando a fines de septiembre la CROM anunció que la Federación Textil ingresaba en sus filas[33], pareció que el enfrentamiento entre rojos y amarillos por la dirección del movimiento del valle de México había culminado en una victoria parcial para los cromistas[34].

Notas al pie

1 *El Sol*, 1 de mayo de 1925 y *Volante de los comités de la JC en Fabriles*, agosto de 1921.

2 *Resurgimiento*, citado por *Aurora Social*, Nº 13, 4 septiembre de 1920.

3 Barry Carr: *El movimiento obrero y la política en México*, Sepsetentas, México, 1976, pp. 156 y 170 y Marjorie Ruth Clark: *La organización obrera en México*, ERA, México, 1979, pp. 67-68.

4 *Federación Comunista del Proletariado Mexicano: Declaración de principios, estatutos y bases constitucionales*. Impreso, 4 pp. Fondo ENAH.

5 *Vida Nueva*, Nº 2, 22 de agosto de 1920.

6 Recorte de *Juventud Mundial*, Nº 3, septiembre de 1920, Archivo JCV.

7 *El Demócrata*, 20 de agosto de 1920.

8 Sin duda, la Local de Veracruz fue la primera que fundó el PCM. Así aparece reseñado en un artículo varios meses más tarde en el que se cuenta la fundación de la Local del DF. Lino Medina la fecha en julio, lo cual es posible si se toma en cuenta que a partir de agosto y hasta fin de año, Díaz Ramírez se estableció en el DF y se hizo cargo exclusivamente de los dos periódicos impulsados por el PCM, *Vida Nueva* y *Boletín Comunista*, que salieron con regularidad. De lo que no hay duda, es que es anterior a septiembre de 1920.

9 En Orizaba dio una conferencia titulada «El sindicalismo y el comunismo», y participó en una asamblea en Santa Rosa. Bernardo García: *Acción directa y poder obrero en la federación de la* CROM *en Orizaba*, original mecanográfico.

10 Almanza/*Agrarismo*, VII, atribuye a su corta duración a que «los obreros de la región tamaulipeca eran ante todo anarcosindicalistas y enemigos de la política.»

11 En la Federación había grupos de Zacapu, Opopeo, Jesús Huiramba, Huichauqueo, San Andrés, Zirindaro, Cucuchucho y Santa María Tancicuaro. *Boletín Comunista*, Nº 2, 30 de agosto de 1920.

12 La historia de la huelga y sus consecuencias en *El Demócrata*, 2 al 5 de septiembre de 1920, *AGN, Trabajo* Haberman y Beals/ *Los trabajadores*...

13 Haberman ya trabajaba en esos momentos para el Grupo Acción, Morones le había encargado actuar como enlace CROM-AFL, y colaborar en la organización de cooperativas cromistas. Su acercamiento a Morones había provocado una grave disputa con Carleton Beals porque Haberman quiso suavizar un ataque a la CROM en un artículo que habían escrito conjuntamente para la prensa radical norteamericana. Poco después Robert Haberman aceptó un puesto en Previsión Social. *Vida Nueva*, Nº 11, 25 diciembre 1920 y Reporte Allen, *NAW RG 165*, 812.0-1250.

14 Las credenciales de Carrillo y Cantón como diputados fueron aprobadas en la Cámara con violenta oposición de los liberales yucatecos y el apoyo ferviente de los diputados de la izquierda obregonista Manrique, Soto y Gama y Manjares. *El Demócrata*, 3 de septiembre 1920.

Carrillo, a pesar de su condición de diputado y sus crecientes vínculos con el PLM y el Grupo Acción, no abandonó sus veleidades radicales. Valadés («El tipo de líder») cuenta que durante la huelga del Buen Tono ofreció a los jóvenes comunistas veinte fusiles para tomar la fábrica, y cuando estos aceptaron la oferta, se echó para atrás diciendo que «todavía no ha llegado el día» de levantarse en armas.

15 *Vida Nueva*, Nº 4-5, 26 de septiembre de 1920.

16 *El Demócrata*, 16 y 17 de septiembre de 1920.

17 *El Demócrata*, 20 de septiembre de 1920; Alberto Araoz de León: «Preliminares para la formación de la CGT», *Nuestra Palabra*, Nº 65, 22 de febrero de 1926.

18 «El Congreso Rojo a punto de acabar trágicamente», *El Universal*, 20 de septiembre de 1920. Valadés narra en *Memorias* el incidente, aunque confunde la fundación de la FCPM con la de la CGT que habría de producirse cinco meses más tarde.

19 Allen a Harley, *NAW, RG 165*, 10058-D-3.

20 Gasca en una entrevista para *El Demócrata* (21 septiembre) fue además cuestionado así:

«¿Se servirá usted decirnos por qué no fueron detenidos los amarillos que escandalizaron a más no poder (sacando las pistolas y amenazando a la concurrencia) en el mitin de los rojos celebrado en Garibaldi?»
«No sé quienes son los amarillos.»

21 *Vida Nueva*, Nº 4-5, 26 de septiembre de 1920 y *El Demócrata*, 26 de septiembre de 1920.

22 Esta es la opinión de *El Demócrata, El Universal, El Heraldo de México* y *El Monitor Republicano*. Ver *Vida Nueva*, Nº 6, 10 de octubre de 1920.

23 Haberman-Beals/ *Los trabajadores...*

24 Véase la tesis Nº 45 del citado «Informe sobre los rojos»; «Toward soviets in México», *Gale´s Magazine*, septiembre de 1920 y *El Demócrata*, 9, 10, 14, 16, 19, 20 y 23 de septiembre de 1920.

25 Carr/*El movimiento*, p. 160.

26 *El Demócrata*, 27 y 30 de septiembre de 1920.

27 La manifestación del 26 puede ser reconstruida en *Trabajadores, el mejoramiento de vuestros hogares os llama*, volante. *Convocatoria*, archivo JCV. Encargado de Negocios en EEUU al secretario de Estado, 29 de septiembre de 1920, *NAW, FA*, 812.504. *El Demócrata* y *El Universal*, 27 de septiembre de 1920. Salazar y Escobedo/*Las pugnas...*, pp. 287-288. JCV/*Carrillo Puerto...*

28 «Fue bajo el pleno sol de mediodía, entre un repique de campanas y las delirantes exclamaciones de una ruidosa manifestación, cuando, por vez primera, los ojos de centenares de almas quedaron suspendidos al ver flotar en el Palacio Nacional la bandera rojo y negro del proletariado. Allí frente a la casa que fuera de los virreyes, las masas populares se agolpaban, extendiendo los brazos en alto, agitando los sombreros y tremolando los estandartes». *El Demócrata*, 27 de septiembre de 1920.

29 *El Demócrata*, 228 de septiembre de 1920.

30 Adalberto de los Ríos, vicepresidente del Senado, comentó: «No me pregunte usted nada a propósito de esa ocurrencia. ¡Ha sido una tarugada de las gordas!», y Miguel Alesio Robles, secretario particular de De la Huerta, declaró que «lamentaba infinitamente que personas que forman parte de la administración gubernativa hayan consumado actos que redundan en desprestigio del gobierno, valiéndose para ello del elemento trabajador». *El Demócrata*, 28 de septiembre de 1920.

31 *El Demócrata*, 14, 17 y 20 de septiembre de 1920.

32 *El Universal*, 15 de septiembre y *El Demócrata*, 16 y 17 de septiembre de 1920.

33 *Acción*, 17 de octubre de 1920.

34 Que contarían así con unos veinticuatro mil afiliados en el Valle por diez mil de los rojos (FCPM).

5. LAS PENURIAS DE LOS «OTROS COMUNISTAS»

Para intervenir en el movimiento que iba en ascenso y como una opción ante la Federación Comunista del Proletariado Mexicano, el PC DE M, reconstituyó la dirección de la IWW incorporando a Cervantes López e Hipólito Flores (un policía municipal) del Partido Socialista[1].

Durante los meses de julio, agosto y septiembre, el grupo realizó algunos mítines en el DF, reclutó a un grupo comunista en Santa Rosa (Veracruz)[2], y Tabler avanzó en la organización de los mineros de Guanajuato.

Para mediados de septiembre, si bien no representaban una fuerza importante en el sindicalismo mexicano, se habían consolidado. Fue entonces, cuando para su desgracia, llegó a la ciudad una comisión norteamericana de la IWW encabezada por George K. Davis, que venía a contrarrestar la influencia de Gompers y la AFL en México[3]. Davis pidió a Gale que realizara actos contra la AFL y este contestó que se encontraba «temporalmente alejado de la agitación obrera», aunque forzado por las circunstancias, habló el 26 de septiembre en un acto callejero en la Plaza de Salto del Agua[4].

Las viejas rencillas no resueltas entre la IWW norteamericana y el partido reaparecieron, sin duda porque los sindicalistas norteamericanos se negaban a aceptar que la organización sindical fuera prohijada por los comunistas. Esta situación provocó que en una reunión de la IWW mexicana, Martín Paley, un *slacker* norteamericano activo entre los petroleros de Tampico, y José Refugio Rodríguez, impresor y/o pintor de brocha gorda, cargaran contra Gale. El pretexto fue la petición de Paley de sacar de la IWW a gendarmes, soldados y en general a los no asalariados que la integraban (el tiro iba de rebote contra miembros del PC DE M, intelectuales o artesanos), para que los obreros se hicieran cargo de la organización[5]. Los miembros del PC DE M trataron de resistir la ofensiva, pero Paley y Rodríguez apoyados por los trabajadores de Tampico, escindieron la organización, formando con la mayoría una nueva administración de la IWW fuera de control del PC DE M. Los mayoritarios además aplicaron la acción directa a los comunistas y les quitaron los libros de la organización[6].

Davis reconoció de inmediato la nueva administración[7], que el 20 de septiembre se deslindó del otro proyecto radical, la FCPM, mediante una declaración de J. Refugio Rodríguez: «No reconocemos como rojos a los señores esos, sino solo como anaranjados.[8]»

Detenido en julio, presionado por los militares por la supuesta autoría del volante «Hermano soldado», golpeado por los trabajadores industriales del mundo (IWW) que privaron al PC de M de su punto de apoyo sindical, Gale recibió en octubre la mala noticia de que el Segundo Congreso de la Internacional Comunista se había celebrado y que el PCM había sido reconocido como único partido comunista en México[9].

A todas estas decepciones y derrotas, se sumó el descubrimiento de que uno de los adeptos a las reuniones del partido durante los últimos meses, Gabriel Sánchez Celi, era espía policiaco. El susodicho había buscado la piedad de Gale y diciendo que lo iban a correr de su casa por no pagar la renta, había pedido permiso para dormir en las oficinas del partido (que eran también casa de Gale y redacción de *Gale´s Magazine* y *El Comunista de México*). Tras protagonizar una docena de escándalos por borracho, un día se apareció a cargo de un grupo de policías con una orden de cateo y se fue con todos los papeles de la organización[10].

Estas múltiples presiones hicieron que Gale moderara su lenguaje respecto a la CROM y el gobierno. De la CROM dijo: «Está haciendo un buen trabajo para mejorar los salarios y reducir las horas de trabajo, pero no está creando las bases de un gobierno industrial y comunista»[11]; a los militares obregonistas en el poder, los calificó de liberales con tintes moderados de radicalismo, y señaló que tenían «marcada parcialidad por los intereses de los trabajadores.[12]»

Estas muestras de moderación, no impidieron que en octubre el gobernador de Guanajuato, Madrazo, cargara contra el PC DE M y los núcleos mineros que Tabler había colaborado a organizar[13] o que la junta de conciliación no apoyara al partido en la huelga de noviembre contra el molino de café la Fortaleza[14].

Para finalizar 1920, Gale anunció por segunda vez la fusión de su equipo con los socialistas y la formación de un comité unificado en que se incluía a Nicolás Cano[15] (nuevamente electo en agosto diputado por Guanajuato) y que había regresado al DF para tomar el mando del PSM tras la salida de Cervantes López (para incorporarse al PC DE M y la IWW).

Poco duró la buena nueva, porque el 8 de enero de 1921 los socialistas se reunieron para reconsiderar el acuerdo y la mayoría decidió salirse del Partido Comunista y seguir en el PSM[16] lo que obligó a Gale y su grupo a rehacer el comité nacional por sexta vez en año y medio, ahora con miembros de la minoría del PSM y miembros del PCM, quedando como secretario Internacional Manuel Peña Briceño y como secretario Nacional Enrique H. Rodríguez, reservándose para Gale el Comité de Prensa[17].

Al llegar a febrero de 1921, el PC DE M había perdido más afiliados de los que había ganado en su ultimo año de vida, y estaba al borde de la extinción, de la que solo lo salvaba la tenacidad del hombre-prensa, Linn A.E. Gale, que no su nula presencia en el movimiento sindical.

Notas al pie

1 *Gale´s Magazine*, agosto de 1920.

2 Bernardo García/*Acción directa...*

3 *NAW FA* (Colmex MP 138) 812504/237).

4 *El Demócrata*, 27 de septiembre de 1920.

5 García/*manuscrito*, pp. 6 y 7. «Manifiesto del PC DE M», febrero de 1921, *NAW RG 165.*

6 *Vida Nueva*, N° 7, 24 de octubre de 1920. Un mes antes de la ruptura, Gale caracterizaba a J. Refugio Rodríguez como «una cabeza madura en un cuerpo joven» y decía que haberlo incorporado a la dirección de la IWW era una sabia decisión. El luchador viejo: «Mexican Wobbies Convene on the Roof», *Gale´s Magazine*, agosto de 1920.

7 *El Demócrata* y *El Universal*, 21 de septiembre de 1920.

8 *El Demócrata*, 21 de septiembre de 1920. El Grupo de Palley aunque no creció, se mantuvo, y a fines de diciembre de 1920 comenzó a editar su periódico *El Obrero Industrial.*

9 Linn A.E. Gale: «El II Congreso de la III Internacional», *El Comunista de México*, N° 4, octubre de 1920. En el artículo, Gale se lamenta de que por falta de fondos, ellos no habían podido enviar un delegado, y revisaba los acuerdos del ongreso enfatizando que que no debería haber más de un partido comunista por país.

10 «Towards Soviets in México», *Gale´s Magazine*, septiembre de 1920.

11 Linn A.E. Gale: «La labor de la IWW en México», *El Comunista de México*, N° 3, junio de 1920.

12 «Towars Soviets...»

13 La circulación de un panfleto de C.F. Tabler titulado *Adelante trabajadores*, en el que se proponía formar una única unión minera, alertó al gobierno, que prohibió la realización de un mitin el 10 de octubre en el teatro Juárez de Guanajuato, lo que provocó un paro minero como protesta. No he podido ir más allá en la historia, pero a partir de este momento, se desvanece el trabajo del PC DE M en Guanajuato, y en las siguientes recomposiciones del comité nacional, Tabler ya no figura. En diciembre, las empresas despidieron a miles de mineros por la baja del precio de la plata. *El Demócrata*, 13 y 18 de octubre de 1920, *NAW FA* (Colmex MP 138). F.C. Tabler/ *Starving miners... AGN, Presidentes Obregón Calles*, 407-G-7.

14 *El Comunista de México*, N° 5, noviembre de 1920.

15 Cano había sido secretario general del Partido Socialista Mexicano durante unos meses en un comité en el que participaban Peña Briceño y Alberto Galván. En esos meses, el partido había publicado un folleto titulado *Carta Bolsheviqui*, entre octubre y principios de diciembre de 1920, que reproducía la carta de Vinoniev a los IWW y el informe de Lenin al IX Congreso del Partido Comunista Ruso. En el prólogo y epílogo, Cano abría un nuevo debate con galeistas y comunistas oficiales por la ortodoxia y la fidelidad a los principios de la Revolución Rusa. El prólogo y epílogo han sido reproducidos por Rosalinda Monzón en *Historias Obreras*, N° 26, 20 de diciembre de 1982.

16 Los que continuaron como PSM fueron Cano, seguido por el voluble Cervantes López y Timoteo García. *Gale´s Magazine*, marzo de 1921.

17 El nuevo dirigente del PC DE M era dueño de una zapatería, Allen *confesión* mayo 1921, *NAX DJ* 202600-1913. En esos momentos al partido solo le quedaban tres pequeños grupos en provincia y uno en el DF (Monterrey-Nikitin, Muzquiz-Araujo y Tampico-Parker). *NAW DJ* 374726.

6. LOS ROJOS Y EL FIN DEL AUGE SINDICAL

El acierto obtenido al impulsar el FCPM, que trataba de seguirle el paso al auge sindical, permitió a los otros comunistas, los del Partido Comunista Mexicano, pasar en cuatro meses de ser un minúsculo grupo en el DF en vías de desintegración, a ser una fuerza con influencia en el movimiento de masas de la capital, con locales en Veracruz, Orizaba y Tampico; que editaba tres revistas (*Boletín Comunista* como órgano del PCM, *Vida Nueva* de la FCPM, dirigidas ambas por Díaz Ramírez y *Juventud Mundial* dirigida por José C. Valadés), y tenía grandes posibilidades de expansión.

La FCPM había celebrado sus elecciones el 29 de septiembre, y dos miembros del PCM, Díaz Ramírez y José C. Valadés habían resultado electos secretarios del exterior y del interior, mientras que la Secretaría General quedaba en manos de un sindicalista revolucionario, Alberto Araoz de León, militante telefonista[1]. Días después, el Partido fundó la local del DF que quedó a cargo del salvadoreño Luis Felipe Recinos (exiliado entonces en México) y del dirigente tranviario Diego Aguillón, a los que acompañaba el miembro de la JC Fernando Torres Vivanco como tesorero[2]. El aparato se fortaleció con la inauguración de los Talleres Gráficos Comunistas en Tacubaya, una pequeña imprenta que manejaba Allen y Díaz Ramírez donde se hicieron los primeros folletos del PCM[3].

Aunque Allen era nominalmente el secretario general del partido, cada vez eran más influyentes en el pequeño aparato Díaz Ramírez y el secretario de las Juventudes, José C. Valadés. El veracruzano porque prácticamente dirigía la prensa del partido y la federación[4] y Valadés porque con los militantes de la Juventud estaban trabajando de firme en la creación de los núcleos sindicales en el Valle de México. Posiblemente no eran ajenos a la disminución del poder de Allen dentro del partido, por los rumores que se habían corrido sobre sus relaciones con la embajada norteamericana. Aunque Allen había cubierto su espalda, la situación lo había hecho sentirse inseguro e inhibirse en su participación[5].

Políticamente el partido había desarrollado una línea de acción apoyada en una lectura de las tesis de Lenin en el II congreso de la IC, que habían sido traducidas y publicadas en *Boletín Comunista*.

En el artículo[6] se decía:

> Los sindicatos de México se forman a diario, y todos con tendencias revolucionarias. Pero *todavía* hay algo que les retarda su avance: los líderes oportunistas, que los inducen a lides democráticas con el fin de provocar divisiones entre ellos; los líderes oportunistas que asaltan el poder burocrático del Estado actual que aunque es solo semiburgués, estanca el progreso de la conciencia de los trabajadores [...] Los comunistas deben concentrar todos sus esfuerzos en destruir la influencia asesina de los oportunistas.

Con esta idea simple como pivote y percibiendo que cualquier proceso revolucionario debería pasar por una reorganización de la clase obrera en una estructura sindicalista revolucionaria, los comunistas y sus aliados anarquistas y sindicalistas presionaron en el valle de México e incluso trataron de llegar a algunos puntos de provincia[7]. En el valle formaron nuevos sindicatos entre los canteros, los hieleros, los talleres del Palacio de Hierro, los empleados de farmacias y cerilleros; reorganizaron el sindicato de la harinera del Eúskaro, que había sido tan combatido en 1919, y levantaron nuevas organizaciones entre cerveceros y trabajadores de las fábricas de loza[8]. Su influencia creció en las fábricas textiles donde comenzaron a presionar a Epifanio Yánez, el secretario general de la federación porque la había afiliado a la CROM sin el consentimiento de las asambleas[9].

Mediado octubre, la FCPM tras haber logrado un importante triunfo entre los tranviarios donde obtuvieron su aumento del cincuenta por ciento[10], lanzó una ofensiva económica: movilizaciones y amenazas de huelga entre panaderos,

Palacio de Hierro, Ericsson, Francia Marítima, la fábrica de joyas el Recuerdo y la fábrica de loza[11].

Casi por los mismos días, el movimiento huelguístico llegaba a su punto más alto en todo lo que habría de ser la ofensiva sindical durante el interinato de De la Huerta. En octubre hubo cincuenta mil obreros en huelga, y treinta y dos mil de ellos en movimientos que coincidieron entre los días 26 y 28[12].

Los estallidos se produjeron en provincia, si bien sea en zonas donde los obreros iniciaban su despegue organizativo como en la cuenca carbonífera de Coahuila (donde estalló la huelga general), o en la refinería de Minatitlán (donde la intervención del ejército en una asamblea, tratando de detener a los organizadores, provocó el paro), o entre los tranviarios de Puebla y los estibadores de toda la costa del golfo (Tampico, Veracruz, Puerto México, Progreso) enlazados en una huelga solidaria[13].

En este singular ambiente de euforia y movilización general que parecía no tener fin, y en contraposición con la línea cautelosa de los anarquistas y comunistas que lentamente estaban tratando de levantar una organización sindical autónoma y revolucionaria basada en la huelga solidaria y la acción directa, comenzaron a aparecer volantes y folletos anónimos llamando a la revolución «aquí y ahora»: reediciones del volante *Hermano soldado*. Algunas de ellas repartidas en Veracruz y numeradas (del 1 al 4) ejercieron cierta influencia entre los soldados, que si bien no siguieron las consignas de formar soviets en los cuarteles, se negaron a intervenir en contra de las huelgas y hasta colaboraron deteniendo tranvías manejados por esquiroles. En Yucatán dos folletos que traían un falso pie de imprenta («Editorial Cosmópolis de Chicago») llamaban a los trabajadores a armarse para la revolución. La prensa reinició la campaña antibolchevique de unos meses antes, y se produjo una especie de vigilancia en los cuarteles del valle de México[14]. El 23 de octubre, la policía detuvo a Jacinto Huitrón, dirigente de la FCPM acusándolo, sin aportar pruebas, de estar detrás de los volantes. La FCPM apoyada por la IWW amenazó con llamar a una huelga general, y De la Huerta ordenó su inmediata liberación[15].

Una semana después, los comunistas celebraban por primera vez en México el aniversario de la Revolución Soviética, con un mitin en el teatro Hidalgo el 7 de noviembre, al que asistieron unos cuatrocientos trabajadores. Los oradores fueron Genaro Gomes y José C. Valadés[16]. Pero la fuerza del grupo comunista y sus aliados anarquistas no se centraba en las labores de propaganda. En noviembre se dieron importantes movimientos en tres de los grupos de la federación. En el interior de los sindicatos rojos se venían perfilando las líneas de una modalidad de acción directa que iba más allá del concepto de no mediación gubernamental, que significaba presionar en las acciones, violentar el movimiento. Esta línea se expresó claramente en la huelga de cerveceros de la Moctezuma, a la que se sumaron los repartidores de hielo y los obreros de la Central.

> «La acción directa», dijeron los sindicatos y fue aplicada. ¿Quién no recuerda aquellos gestos grandes de los cerveceros, cuando bajaban a puñetazos a los repartidos que esquiroleaban, a pesar de ir resguardados por la policía? Infinidad de choques se suscitaron, era natural. La cervecería afectada se vio en la necesidad de paralizar todos sus trabajos en vista de que se accionó hasta contra los accionistas de la empresa[17].

Lo mismo sucedió en la huelga de los talleres del Palacio de Hierro, donde por primera vez los sindicalistas rojos usaron como táctica de lucha cercar la empresa para impedir que compradores, esquiroles o propietarios entraran[18]. En Teléfonos para combatir el despotismo de los supervisores, las operadoras comenzaron a sabotear las llamadas[19].

Mientras que telefonistas y trabajadores del Palacio de Hierro triunfaron en sus demandas (los del Palacio obtuvieron un aumento del setenta y cinco por ciento), los cerveceros fueron derrotados por la represión y los despidos masivos[20].

Otra variación importante en la situación del sindicalismo en el valle de México se produjo en el mismo mes de noviembre, cuando algunas de las fábricas textiles como la Linera y la Magdalena comenzaron a acercarse a la FCPM, y extendieron los métodos de acción directa hacia San Ángel y Contreras. Poco a poco la situación en el valle, el equilibrio entre cromistas y rojos, comenzó a favorecer a los segundos. Al finalizar el año, la mayoría de los sindicatos textiles hacían causa común con los rojos (a excepción de la Fama Montañesa y San Ildefonso), y además se habían sumado a sus fuerzas los loceros de Niño Perdido y los bizcocheros. Los rojos habían ganado la batalla del DF, en cambio, habían perdido las posibilidades que les daba el auge en provincia. En noviembre el movimiento huelguístico comenzó a decrecer, mostrándose tan solo la inquietud en las fábricas textiles que fueron a la huelga para reinstalar despedidos, cambiar materias primas, obtener permisos sindicales en horas hábiles y aumento salarial[21], lo mismo que sus compañeros de Puebla y Tlaxcala que protagonizaron un huelga general.

Si la izquierda había triunfado en el DF, el auge en la provincia había sido capitalizado fundamentalmente por la CROM, que con su estructura nacional y la presencia de los miembros del Grupo Acción, se había podido montar en varias federaciones regionales a cambio de permitir su radicalidad y su federalismo.

Sin embargo, aunque controlado por la CROM, el movimiento de provincia era cualquier cosa menos conciliador. Conciliadoras podían ser a ratos sus direcciones y los aparatos mediadores que CROM y gobiernos estatales implementaban, auxiliadas a veces por la Secretaría de Industria o el propio De la Huerta, pero los sindicatos luchaban violentamente, levantaban demandas que iban mas allá de la lucha salarial, buscaban y a veces encontraban la solidaridad regional, rompiendo las trabas cromistas a la huelga solidaria, aplicaban la acción directa, enfrentaban el esquirolaje y la dureza patronal[22]. Resultaba significativo que un una zona dominada por algunos de los cuadros más conciliadores de la CROM, como era Coahuila, los huelguistas de Monclava durante la huelga carbonífera habían enviado una circular a capataces y empleados, salida de sus asambleas, en la que se les informaba que a partir del 18 de noviembre, los obreros iban a tomar el control de las minas, y solo la intervención del ejército pudo evitarlo[23].

El 1 de diciembre, De la Huerta fue sustituido por Álvaro Obregón como presidente de la República y el interinato llegó a su fin. Un primer balance mostraría un movimiento obrero en auge, una creciente sindicalización, una CROM precariamente consolidada que tenía que hacer grandes concesiones a sus bases, y el nacimiento de la corriente roja consolidada como mayoritaria en el valle de México.

La línea del Grupo Acción había obtenido algunos éxitos, aunque en diferente sentido a lo que se habían propuesto originalmente. Su negociación con Obregón estaba basada en la existencia del Partido Laborista y de una CROM controlada; el segundo factor no era totalmente cierto, y el primero era un desastre. El laborismo no había logrado atraer a los obreros a las urnas. Si bien es cierto que a fines de 1920 existía una cierta presencia «socialista» en los órganos de poder del naciente nuevo Estado mexicano, esta no era laborista. Los gobiernos de Campeche e Hidalgo, la Presidencia Municipal de Ciudad Juárez o de Acapulco, las alcaldías de Morelia e Indaparapeo, los diputados federales por Yucatán (Carrillo y Cantón) y por Guanajuato (Cano), habían sido obtenidos a partir de partidos socialistas regionales o locales que aunque tenían nexos con el laborismo no formaban parte de este[24]. Con la excepción de los pocos laboristas que había en el Ayuntamiento del DF y que estaban dentro de una alcaldía mayoritariamente cooperativa, el PLM había obtenido los cargos que detentaba en el gobierno por designación y no por voto popular.

Las bases de la negociación con Obregón, por tanto, debieron apoyarse entonces en otros ejes. En principio en la ratificación del apoyo y el control de la CROM, y en segundo lugar, en que el Grupo Acción era el enlace con el movimiento obrero norteamericano amarillo, representado por Gompers y la AFL, quien era el mejor abogado del obregonismo ante el gobierno norteamericano. Para el reconocimiento de la CROM al iniciarse el cuatrienio obregonista, fue la celebración del congreso panamericano en enero de 1921[25].

El congreso se inició el 10 de enero, reunió a veinte delegados, fundamentalmente de la AFL norteamericana, encabezados por Gompers, y de la CROM, encabezados por Morones y Eulalio Martínez; asistían también representantes de Puerto Rico, Guatemala, El Salvador, Cuba, Colombia, y Santo Domingo.

La AFL usó la convención para promover la política gubernamental norteamericana y buscó el apoyo del congreso a la Liga de las Naciones, mientras que la CROM buscaba sacar de

Gompers una declaración a favor del reconocimiento de Obregón por el gobierno norteamericano, misma que obtuvo.

El radicalismo verbal de Carrillo Puerto estuvo a punto de trastornar la reunión, cuando declaró que lo que a él le interesaba era la revolución y que si no podía arribarse a ella de forma pacífica era cosa de conseguir armas y dinamita. Pero los traductores que hicieron función de censores a lo largo de todo el congreso, impidieron que la cosa pasara a mayores.

El congreso dedicó sus mejores momentos al consumo de alcohol por parte de los delegados, que se bebieron cada noche entre cien y ciento cincuenta pesos de copas en el bar del hotel Princesa.

Dos ministros del gabinete obregonista mantuvieron conversaciones con los congresistas, el ex presidente De la Huerta y el ministro de Gobernación Plutarco Elías Calles, y ambos hicieron gala de su izquierdismo. De la Huerta se disculpó por la falta de radicalismo mostrada durante se gestión: «Si en mi administración no mostré mis ideas extremistas y procedí de una manera extremadamente conservadora, solo fue porque ciertas condiciones lo hicieron necesario.»

La convención aprobó dieciséis conclusiones sin mayores roces, y se movió en un ambiente de patriotismo barato y camaradería, en el que los pocos exabruptos de algunos delegados latinoamericanos (como la petición de que los Estados Unidos abandonara Santo Domingo) fueron controlados por la Delegación Norteamericana.

El pacto de apoyo mutuo AFL-CROM quedó sellado, y la promesa de colaboración de Gompers en el reconocimiento obregonista por los Estados Unidos, se reafirmó.

Quizá la única discrepancia en las votaciones se expresó cuando la Delegación Mexicana leyó una carta del PC DE M pidiendo permiso para intervenir en la convención y la apoyó. Los delegados norteamericanos estuvieron en contra y ganaron por diez a nueve votos, dejando a Linn A.E Gale con las ganas de tomar la palabra.

A pesar del impedimento, se hacía evidente que Gale buscaba una alianza con Morones y que este, ante el crecimiento de la marea roja, estaba dispuesto a concedérsela[26].

El efecto más importante de la convención panamericana fue que apresuró la respuesta de los rojos en el valle de México. Un par de semanas después de terminadas las sesiones, la Federación Comunista del Proletariado Mexicano llamaba a un congreso rojo nacional[27].

Convocando a organizaciones sindicales y grupos culturales, y prohibiendo la participación de personas «que desempeñen algún cargo representativo, administrativo o de carácter político en la burguesía o el Estado»[28], la FCPM invitaba a reunirse en la Ciudad de México el 15 de febrero de ese año con el siguiente orden del día:

> 1. La forma de organización obrera y campesina que mejor responda a las condiciones del proletariado mexicano para su total emancipación económica y la mejor forma de hacer efectiva la educación racional entre los trabajadores.
> 2. El proletariado mexicano ante los partidos políticos democráticos y ante el Partido Comunista.
> 3. El proletariado mexicano ante el panamericanismo y ante el proletariado mundial.
> 4. El proletariado mexicano ante la Internacional Obrera de Sindicatos Rojos (la ISR organizada en Moscú).
> 5. El proletariado mexicano ante el terror blanco en el continente Americano.

Notas al pie

1 Los otros dos miembros del comité eran sindicalistas con filiación ideológica clara, Javier Yánez y Jerónimo Calvo. *Boletín Comunista*, N° 4, 3 de octubre de 1920.

2 En el artículo en que se da noticia del asunto («Se funda Partido Comunista del DF», *Boletín Comunista*, N° 4, 3 de octubre de 1920) se sugiere que el retrato para su integración se dio a causa del sistema federal que el partido había adoptado dando prioridad a la formación de locales (Veracruz, Orizaba y Tampico).

3 El primer folleto fue: *Salud a los trabajadores de la Rusia emancipada*, y se trataba de un cancionero fechado el 7 de noviembre de 1920. Archivo autor-RVA.

4 Allen (*NAW, RG 165*, 812.0-1250) cuenta: «So pretexto de mi trabajo he rehusado hacerme cargo de la prensa y los periódicos, dejando todo en manos de M.D. Ramírez, que es el editor que se hace cargo de todos los trabajos.»

5 En palabras del propio Allen (*NAW, RG 165*, 10058-D-3):

> Los últimos acontecimientos me hacen ser breve porque tengo serias preocupaciones. Habiendo sido visto acompañado en un balcón, el 16 que estaba descubierto, he sido visto sin duda por Haberman, que conoce a la persona que estaba conmigo. Creo que es el que advirtió a los camaradas de Netzahualcóyotl (*sede del sindicato panadero y punto de reunión del PCM - PIT II*) que deberían vigilarme porque salía con gentes del servicio americano. Algunos de los principales camaradas me llamaron la tarde del sábado y me dijeron que debía explicarles mi conducta porque era sospechosa, porque por un lado había sido visto con esta persona, y por el otro se sabía que Morones me había ofrecido que trabajara con él.

6 «Los sindicatos en México y el PC», *Boletín Comunista*, N° 4, 3 de octubre de 1920.

7 Se contactó con sindicalistas del norte del país, y Genaro Gómez y Urmachea realizaron una gira por Veracruz y el Istmo de Tehuantepec. *El Demócrata*, 5 de octubre de 1920.

8 Ver el directorio de asambleas de la FCPM en *Vida Nueva*, N° 8, 7 de noviembre de 1920.

9 *Vida Nueva*, N° 11, 25 de diciembre de 1920.

10 *El Demócrata*, 3 de octubre de 1920.

11 *El Demócrata*, 15 y 29 de octubre. *El Heraldo de México*, 21 de octubre de 1920.

12 Taibo/*Estadística*.

13 No hay ningún estudio contemporáneo serio sobre el movimiento huelguístico de 1920, a pesar de que representa la oleada más importante en la historia del movimiento sindical mexicano en términos relativos al número de obreros existentes. Curiosamente las fuentes informativas son muy abundantes y minuciosas. Para la gran huelga del carbón, ver: *El Demócrata*, *El Heraldo de México* y *Excelsior* de octubre de 1920, los informes del agente norteamericano Blocker en *NAW FA* (Colmex MP 138) y el expediente relativo en *AGN, Trabajo*. No hay ningún estudio contemporáneo serio sobre el movimiento huelguístico de 1920, a pesar de que representa la oleada más importante en la historia del movimiento sindical mexicano en términos relativos al número de obreros existentes. Curiosamente las fuentes informativas son muy abundantes y minuciosas. Para la gran huelga del carbón, ver: *El Demócrata*, *El Heraldo de México* y *Excelsior* de octubre de 1920, los informes del agente norteamericano Blocker en *NAW FA* (Colmex MP 138) y el expediente relativo en *AGN, Trabajo*.

14 *El Heraldo de México*, 26 al 28 de agosto de 1920. *Pueblo, estos son tus derechos, reclámalos*, Imprenta Cosmópolis, Chicago. *Trabajadores preparaos para la República Comunista*, *NAW SD* 817.00-N-6, Informe consular Veracruz, diciembre de 1920.

15 *Circular de la administración mexicana de la IWW*, 25 de octubre de 1920. Archivo JCV. *El Demócrata*, 24 y 27 de octubre de 1920.

16 Rosendo Gómez Lorenzo: «El primer aniversario de la revolución», en Mario Gill: *México y la Revolución de Octubre*, ECP, México, 1976, pp. 105 y ss.

17 Araoz/*Preliminares...*

18 *El Demócrata*, 13, 16 y 20 de noviembre de 1920.

19 *El Demócrata*, 15 de octubre de 1920.

20 *Vida Nueva*, Nº 9-10, 20 de noviembre de 1920, escondía la derrota en el siguiente párrafo: «Nos comunican los compañeros del sindicato de conductores de carros de cerveza, hieleros y similares que han decidido volver al trabajo sin condiciones de ninguna especie, con objeto de rehacer sus fuerzas y en la primera oportunidad...»

21 En noviembre hubo huelgas de corta duración en la Unión, el Progreso, la Magdalena, La Guadalupe, La Alpina, Santa Teresa y San Antonio Abad. Taibo/*Estadísticas*.

22 El agente norteamericano Hurley en Nogales, reportaba al *State Department* en enero de 1921, una circular confidencial de Plutarco Elías Calles, secretario de Gobernación en el nuevo gabinete de Obregón, dirigida a todos los gobernadores, en la que decía:

> Los últimos reportes sobre los movimientos bolcheviques hablan de que están creciendo a lo largo del país. Deben ser muy cuidados para reportar a mi oficina. Mis indicaciones, ya se habrán dado cuenta, son que los líderes sindicales están fomentando problemas contra el actual gobierno. Los salarios de todas las clases trabajadoras sin duda serán reducidos a causa del aumento del costo de la vida que se producirá y este país tendrá en sus manos la responsabilidad de mantener callados a los agitadores.

NAW FA (Colmex MP 138).

23 *Comunicación del cónsul norteamericano en Monterrey*, *NAW FA* (Colmex MP 138).

24 *Gale's Magazine* hace un balance en su número de enero-febrero de 1921 de los triunfos «socialistas» en provincia, y aunque reconoce que el socialismo de Hidalgo y el de Ciudad Juárez solo son un membrete, magnifica el creciente poderío del PS Michoacano y el Campechano.

25 Los datos sobre la convención en Salazar-Escobedo/*Las Pugnas*..., pp. 289-293. «Echoes of the Panamerican Labor Congreso», *Gale's Magazine*, marzo de 1921. «El congreso panamericano», *Vida Nueva*, Nº 12, 1 de febrero de 1921. «Trabajadores mexicanos, Gompers trata de haceros borregos de la Liga de las Naciones. Demostrad vuestra conciencia comunista», *Boletín Comunista*, extra 10 de enero de 1921.

26 Gale sostuvo poco después que la ruptura del PC DE M con la IWW forzaba a los comunistas a dirigir su trabajo hacia la CROM. «The one big Union in México», *Gale's Magazine*, enero-febrero 1921. En esos días, Gale buscaba apoyo dondequiera pudiera encontrarlo, y existen cartas suyas (*Gale a Villareal*, 29 de enero y 28 de febrero de 1921), donde le pide al ministro de Agricultura «unas máquinas de escribir para contestar su múltiple correspondencia y una foto autografiada para ponerla en lugar conspicuo de mi oficina.»

27 «La Convención de la Federación Comunista unificará al proletariado mexicano», *Vida Nueva*, Nº 12, 1 de febrero de 1921.

28 «Convocatoria», *Vida Nueva*, Nº 12, 1 de febrero de 1921.

7. LA INTERNACIONAL SE INTERESA EN MÉXICO

Los informes de Borodín y Roy en el II Congreso de la Internacional, sin tener una repercusión pública en las actas, interesaron a los dirigentes del movimiento comunista internacional. Valadés, en la versión que le dio Fraina, cuenta:

> Habían urgido al Comité Ejecutivo de la III Internacional, especialmente al camarada Gregorio Zinoviev, el envío de una competente Delegación a México con el objeto de *convertir a los vulgares generales mexicanos al comunismo*. Tales informes [...] vaticinaban el derrocamiento del presidente Carranza, previendo que en la guerra civil que se avecinaba, los comunistas pudiesen aprovechar un entendimiento con los generales de uno y otro bando y construir con los mismos un nuevo cuerpo político bajo la dirección del comunismo ofreciendo para ello los recursos pecuniarios de la Rusia soviet[1].

Al finalizar el congreso, Phillips esperó su Comisión, que tardó en llegar. Mientras tanto, entabló relaciones amorosas con la ruso-polaca Natacha Michailowa, una joven comunista que hablaba cinco idiomas y trabajaba como traductora para el Bureau Francés de la IC.

Al fin, Phillips fue llamado por Lozovski, quien le informó que la Internacional Sindical Roja[2] había decidido montar una oficina en México. Estarían a cargo del proyecto dos conocidos cuadros de la Internacional, Louis Fraina y Sen Katamaya, y él sería su ayudante. «No me preguntaron si deseaba ir, ni si estaba dispuesto; simplemente éramos tropas sujetas a disciplina.[3]»

Louis Fraina era uno de los militantes más brillantes del aparato de la Internacional Comunista. Nacido en Italia en 1894, había llegado a los Estados Unidos a la edad de dos años en una emigración familiar. Desde 1909 se había incorporado al movimiento socialista en las filas del Socialist Labor Party. Secretario del Partido Comunista de Estados Unidos en 1919, participó en la Conferencia de Ámsterdam en febrero de 1920 y en el II Congreso de la IC. Era, junto con John Reed, la gran figura del comunismo norteamericano. Sus apreciaciones sobre el imperialismo norteamericano y la necesidad de combatirlo en el ámbito continental, se adelantaron a los trabajos teóricos de mediados de los años veinte. Cuando en Moscú espera una comisión que lo devolviera a los Estados Unidos para participar en la unificación de los partidos comunistas, la dirección de la IC lo sorprendió con la decisión de que tenía que viajar a México[4].

Sen Katayama, no resultó menos sorprendido que Fraina. Nacido en Hadegi, Okoyama, Japón, en 1859, hijo de campesinos, obrero y estudiante normalista, dirigente de las primeras huelgas en el Japón, sindicalista, redactor del primer periódico obrero japonés, fundador del partido socialdemócrata en 1901 y del Partido Socialista de Japón en 1906, preso por el gobierno japonés, exiliado, se encuentra en los Estados Unidos desde 1914. Fue fundador del PC de Estados Unidos y responsable del Bureau Americano de la Komintern. En 1920 se ocultó en Atlantic City para reunir la represión contra los radicales norteamericanos, y cuando regresa a Nueva York recibe un informe sobre su comisión[5].

Si Fraina esperaba reincorporarse al movimiento norteamericano, Katayama estaba convencido de que su siguiente misión lo reintegraría al trabajo asiático de la Internacional y sin duda reunirse en Moscú con la ejecutiva (¡aún no conoce Rusia!). Sus únicas relaciones con México consisten en un intercambio epistolar con Gale, a cuya revista ha enviado artículos de divulgación socialista, proposiciones para la reunificación de los partidos rivales[6].

Decidido el destino y el equipo, Phillips es enviado a entrevistarse con Kuusinen que le entrega tres mil dólares y el itinerario. El norteamericano acompaña a Fraina a Berlín tras salir de Moscú a finales de 1920[7].

Luego se separan, mientras Phillips viaja directamente a México para preparar el terreno, Fraina regresa por Canadá a los Estados Unidos donde se unirá a Katamaya[8].

Phillips llega a México a principio del año, y tras ser recibido por Haberman y Carrillo Puerto, en una cena en casa de Diego Rivera, descubre que el minúsculo partido que dejó hace un año se ha transformado, y que la ciada de Carranza ha abierto las puertas de un movimiento sindical en el que los comunistas tienen una cierta influencia a través de la alianza con los anarquistas dentro de la Federación Comunista del Proletariado Mexicano.

La primera intervención de Phillips en el PCM se produjo en los primeros días de febrero cuando se celebró en la Ciudad de México un pleno ampliado del comité nacional del partido que decidió sustituir a su secretario general por un secretariado de tres miembros en el que Allen compartiría el poder con Manuel Díaz Ramírez y el dirigente de la Juventud Comunista, José C. Valadés[9]. El mismo pleno designo a Díaz Ramírez, delegado al futuro III Congreso de la Internacional, y eligió a Phillips para representar al partido en el congreso sindical que se celebraría el día 15 en la Ciudad de México.

Si Katayama y Fraina fueron enviados a México sin quererlo, Phillips, al que se ha unido en el DF su compañera Natacha Michailowa, llegada de Veracruz en el *Holanda*, se encuentra en casa.

NOTAS AL PIE

1 Valadés/*Memorias*, pp. 247-248.

2 Aunque la Internacional Sindical Roja no habría de nacer sino hasta 1921, en una reunión paralela al tercer congreso de la IC, en proyecto, había sido organizada en junio de 1920, por varios sindicalistas asistentes al Segundo Congreso de la IC. La ISR adhirió en sus orígenes (hasta 1922) a sindicalistas, comunistas, anarquistas y revolucionarios sin partido. Heleno Saña: *La Internacional Comunista*, ZYX, Madrid, 1972.

3 Phillips-Draper/*De México...*

4 D.G.H. Cole: *Historia general del socialismo*, FCE, México, 1964. T. VI, p. 256. Lazitch/*Biographical.*

5 Katayama envía entonces a su hija y a su esposa a Tokio y a sus sesenta y dos años se prepara para la nueva aventura. Hyman Kublin: *Asian Revolutionary, the Life of Sen Katayama*, Princeton, 1964. L. Chernov-I.V. Milovanov: *Vidas consagradas a la lucha*, editorial Nauta, Moscú, 1966.

6 *El Comunista de México*, N° 6, febrero de 1921. El Grupo Gale había enviado a Katayama un expediente enrome sobre la fundación y existencia de los dos partidos comunistas en México. Julio García/*manuscrito...*, p. 12. Por cierto que *El Comunista de México* publicó una indiscreta nota anunciando el pronto arribo de Katayama.

7 Phillips-Draper/ *De México...*

8 El italo-norteamericano reparte a lo largo de su viaje cuarenta y cinco mil dólares a comunistas ingleses y norteamericanos, y conserva diez mil para promover el proyecto del Bureau en México. Viaja encubierto como distribuidor de películas, con una copia de *The Arabian Nights*, comprada en Alemania. Theodor Draper: *The Roots of the American Communism*, Viking Press, NY, 1957.

9 Manuel Díaz Ramírez: «Hablando con Lenin», *Liberación*, N° 8, noviembre de 1957. Un texto del PC publicado siete años después habla del encuentro como «I Conferencia Nacional del Partido». «Los cinco primeros años del Partido Comunista de México», *El Machete*, N° 101, 11 de febrero de 1928. Allen (*El Movimiento*) se refiere a este secretariado como «consejo comunista» y dice que los tres miembros fueron él, Ramírez y Phillips.

CUARTA PARTE

EL BREVE MATRIMONIO ROJO

Febrero-diciembre 1921

1. NACE LA CGT

Por fin, el 15 de febrero, se reunió en la Ciudad de México el Congreso Nacional convocado por la FCPM.

El congreso era un resultado directo del auge de 1920 y de la confluencia de la militancia roja a lo largo del país[1], era el producto de la reorganización de la izquierda sindical tras dos años de dispersión, ante una CROM que se adueñaba formalmente de la dirección del movimiento obrero para ponerlo a la cola de un proyecto de conciliaciones clasistas.

El acto había sido financiado penosamente:

> Escribiendo a los amigos, reuniendo fondos de los sindicatos, organizando fiestas que dejaban rendimientos pecuniarios. En ocasiones nos situábamos a las puertas de las fábricas de hilados y tejidos en el distrito de San Ángel pidiendo ayuda a los trabajadores. La camaradería asomaba a derecha e izquierda. La espontaneidad nos conmovía y convencía.[2]

El local, el salón de actos del Museo de Arqueología, había sido prestado por Vasconcelos[3] y se decía que Calles o De la Huerta habían proporcionado veintiséis pases de ferrocarril para que pudieran asistir los delegados de provincia[4].

En el momento de la inauguración, se encontraban presentes sesenta y cinco delegados con mandatos de cincuenta organizaciones. El número de trabajadores representados puede fijarse en treinta y seis mil[5]. Estos delegados traían la voz de treinta y siete organizaciones obreras y campesinas, doce grupos culturales, locales comunistas, grupos anarquistas y agrupaciones de la JC, y una delegación fraternal de obreros de El Salvador. La composición era fundamentalmente obrera; sesenta obreros industriales y artesanos entre los sesenta y cinco delegados.

Resulta casi imposible precisar con exactitud las corrientes políticas representadas en el congreso, en la medida en que las fronteras entre anarquistas, anarco-comunistas, comunistas, sindicalistas revolucionarios y sindicalistas industriales, no están fijadas por los militantes en su lucha diaria. Puede decirse que el PCM tenía diez miembros entre los delegados (Richard Francis Phillips como local del DF, Felipe Hernández como JC, Valadés y Díaz Ramírez como miembros de la dirección de la FCPM, Urmachea y Genaro Gómez como parte de la delegación del sindicato panadero, Allen como Grupo Cultural Vida Nueva, Juan Barrio representando a los trabajadores de Veracruz, Baraquiel Márquez de la federación de Atlixco y Recinos en nombre de la fantasmagórica representación de los obreros salvadoreños). Los anarquistas contaban con al menos veinte miembros de los grupos de afinidad, entre los que destacaban Huitrón (representando a obreros de la Compañía Cigarrera), Quintero (en nombre del grupo Luz), Benito Obregón (por la Casa del Obrero Mundial de Tampico), Moisés Guerrero (por el Palacio de Hierro), Samuel Navarro (de los Hermanos Rojos de Tampico), Rodolfo Aguirre (secretario general de la Federación Tranviaria del DF), Herón Proal (representando a Antorcha Libertaria de Veracruz) y Ateo Rivolta (del Grupo Libertario Mexicano de Propaganda Comunista). Otros dos anarquistas importantes eran los españoles Rubio y San Vicente, que curiosamente traían las representaciones de las locales comunistas de Veracruz y Tampico.

Los industriales estaban representados por Palley, J. Refugio Rodríguez y Wenceslao Espinoza (Administración Mexicana de la IWW, sindicato de trabajadores del petróleo de Tampico y sindicato minero de Guanajuato).

Junto a estos grupos más o menos definidos, se encontraba una enorme mayoría de militantes del sindicalismo revolucionario de los últimos años, que se habían formado en la lectura de materiales anarquistas y comunistas, en la fascinación por la Revolución Rusa, y en las prácticas de la acción directa; que leían a Kropotkin, admiraban a Trotski y *Lenine* y llamaban al boicot, al sabotaje en la producción o a la violencia de masas.

En términos de organizaciones, el congreso mostraba la consolidación de un fuerte núcleo de sindicatos radicales en el valle de México encabezado por la federación textil, (nueve mil miembros), los tranviarios (cuatro mil), los panaderos (tres mil quinientos), los telefonistas (trescientos cincuenta), los trabajadores de los talleres del Palacio de Hierro (quinientos sesenta), cigarreros (novecientos), impresores (cuatrocientos), trabajadores municipales (mil quinientos), canteros (doscientos), ceramistas (cien) y jaboneros (ciento cincuenta).

Estaban presentes las organizaciones obreras veracruzanas más importantes del puerto (dos mil sindicalizados) representadas por miembros de Antorcha Libertaria que se encontraba escindida en varias corrientes (Proal, el Negro García, Juan Barrio, Rubio).

Del norte del país habían llegado Apolunio Castro por los sindicatos de Sonora (cuatro mil afiliados) y Mariano Castellanos por los Obreros Libertarios de Mexicali (cuatrocientos). Eran importantes las ausencias de los sindicatos mineros de Chihuahua y Coahuila, que la CROM seguía controlando, y de los grupos sindicalistas de Monterrey.

Del centro del país llegaban organizaciones de San Luis Potosí (Candelario Lucio representando a los sindicatos de agricultores), Guadalajara (Ignacio López del grupo Propaganda Roja y de los campesinos de Ahualulco), y eran de lamentarse las ausencias de la federación de Zacatecas, distanciada de la CROM y de los ferrocarrileros de Aguascalientes.

De la zona textil de Puebla y Orizaba llegaban dos fuertes representaciones, la de la federación de Atlixco representada por Baraquiel Márquez (que contaba en esos momentos con más de cuatro mil afiliados en siete fábricas) y la de los sindicatos de Obreros Progresistas de Santa Rosa[6]; estaban ausentes la importante federación sindicalista de Puebla y los hilanderos de Tlaxcala. Había además representaciones de grupos campesinos de Mérida, Puebla y Veracruz.

La mitad al menos del sindicalismo radical que se había expresado en el ascenso de 1920[7] estaba reunida el 15 de febrero en el salón del Museo de Arqueología.

Una comisión integrada por Herón Proal, Leonardo Hernández, José Allen, Leopoldo Urmachea, Genaro Gómez y Sebastián San Vicente, se hizo cargo de la revisión de credenciales[8].

La tarea fue apacible y solo se produjo un momento de conflicto, cuando la comisión sometió a la asamblea la pretensión de Ciro Esquivel de asistir al acto representando al nuevo Partido Socialista Mexicano. El congreso se negó acusando a Esquivel de «político»[9].

El PC DE M galelista, denunció acremente la reunión en un manifiesto público en el que sin ver que en el congreso confluía la mayoría de los núcleos sindicalistas revolucionarios del país, denunciaba a sus eternos rivales los miembros del PCM con frases como: «Este partido compuesto de serpientes que buscan como sus víctimas a los oprimidos y miserables».[10] En el manifiesto se denunciaba particularmente a la figura de Allen como «individuo que no ha tenido ni salarios ni trabajo conocido.»

Viendo en el congreso un acto del «otro comunismo», los galelistas se separaron totalmente de la corriente roja y signaron su acta de defunción política.

Allen, mientras tanto, que si bien no tenía «trabajo conocido», cumplía con notable rigor su trabajo «desconocido», informaba a la embajada norteamericana que las sesiones serian muy «ruidosas»[11], y en eso se equivocaba porque a pesar de las diferencias, pesaba mucho la voluntad unitaria entre los asistentes. Araoz de León como secretario de la FCPM lo hacía evidente en el discurso inaugural: «Siendo los tiempos que corremos, de lucha y de agitación revolucionaria, creemos una necesidad ingente la concentración de todas las energías obreras hacia un fin determinado [...][12].»

Esta voluntad unitaria que duró los sietes días de sesiones, tan solo se vio rota una vez, el 18 de febrero, cuando la delegación de la IWW tras un enconado debate abandonó el congreso[13]. La discrepancia central era que mientras la mayoría del congreso estaba a favor de la libertad de organización con una estructura federal, los «industriales» querían una organización basada en las ramas de industria, centralizada nacionalmente. Paley y Rodríguez argumentaban que los sindicatos de oficio eran la forma más atrasada de la organización obrera, y sus oponentes que el federalismo y la libertad de organización eran la clave de una organización sindical democrática. Tomando distancia sobre la polémica, podía verse que la mayoría de los delegados del congreso no defendían los sindicatos por oficio; prácticamente ya existían muy pocos representados en ese momento y todos eran de oficios artesanales al margen de las grandes industrias; es más, varios sindicatos estaban organizados por rama industrial en federaciones (portuarios de Veracruz, tranviarios del DF, textiles del DF y el Estado de México), pero conservaban una estructura regional, que acorde a las prácticas del sindicalismo revolucionario, garantizaba mejor la toma de decisiones en asamblea y la coordinación federal del movimiento.

Las resoluciones del congreso reflejaron este espíritu unitario solo empañado por la ruptura de los «industriales» con la mayoría, espíritu que tenía mucho que ver con el aprendizaje del movimiento en los últimos cinco años.

A la pregunta, ¿qué organización queremos?, la respuesta era:

> Para poder defendernos y educarnos, así como para conquistar la completa emancipación de las Obreros y Campesinos, asentamos como principio fundamental la LUCHA DE CLASES, reconociendo que no hay nada en común entre la clase laborante y la clase explotadora; sostenemos como aspiración suprema el COMUNISMO LIBERTARIO y como táctica de lucha, la ACCIÓN DIRECTA, exenta de toda política burguesa[14].

La nueva organización tomaría el nombre de Confederación General de Trabajadores, y sería una reunión de sindicatos y organizaciones que no «pierden ni perderán su autonomía y libertad en todo aquello que a sus asuntos interiores concierna, como son: cuotas, estatutos, bases, reglamentos, formas de organización, administración, etc., así como tendrán todas las facultades para declarar huelgas y declarar su fin». Esta autonomía solo quedaba limitada por las situaciones que afectaran al conjunto de la organización y las necesidades solidarias, punto en el que intervendrían el consejo federal, máximo órgano de la CGT. Este consejo estaría formado por uno o tres delegados de cada sindicato, responsables ante este de las opiniones que vertieran y revocables en el acto. Se establecía como máximo principio la solidaridad, a la que cualquier organización federada podría apelar, determinando el consejo federal las formas de esta solidaridad.

La estructura de la CGT se basaba en federaciones locales, de las que quedaban excluidas las agrupaciones que «tengan en su seno políticos militantes de cualquier clase.»

La coordinación de la CGT entre reuniones del consejo quedaba en manos de un comité ejecutivo confederal que residiría en la Ciudad de México, formado por trabajadores, que no recibirían ningún sueldo por realizar sus labores, y revocable por el consejo.

El segundo punto de la orden del día respondía al problema de la relación entre los trabajadores y los partidos.

Los considerados establecían que para hacer la revolución se necesitaba la «perfecta organización» de la clase obrera en agrupaciones sindicales, que los partidos políticos «no han sido hasta la fecha, sino organizaciones creadas para lograr el escalamiento del poder, los traidores a la causa del proletariado», que el «partido comunista mundial luchaba por el comunismo usando como medio la dictadura transitoria del proletariado», misma que se justificaba si no era «ejercida por un partido que se abrogue la representación de la clase trabajadora organizada, sino por el proletariado constituido en consejos obreros, campesinos y soldados.»

Las conclusiones desconocían a los partidos democráticos socialistas y reconocían al PCM «como una organización netamente revolucionaria en la lucha» dándole los mismos derechos dentro de la CGT que a otros grupos culturales (o sea, libertad de propaganda, representación en congresos con voz, posibilidad de intervención militante en labores educativas o en el interior de los sindicatos).

El tercer punto de las conclusiones desconocía a la Confederación Panamericana del Trabajo y hacía el llamado a la realización de un congreso que agrupara a anarquistas, comunistas y sindicalistas revolucionarios de todo el continente.

El cuarto punto establecía la «adhesión en principio» a la Internacional de Sindicatos Rojos (ISR), remitiendo esta decisión provisional a un referéndum posterior.

El quinto punto establecía una declaración muy formal de protesta contra el terror blanco de América Latina y recomendaba la celebración de actos el próximo primero de mayo denunciando esta situación.

No se conocen actas de las votaciones en las cuales fue elegido el comité ejecutivo provisional de la CGT, y por lo tanto es imposible saber si se hicieron bloques, pero ninguno de los dos comunistas del secretariado de la FCPM resultó electo dentro del primer comité, así como ningún miembro del PCM. Dentro del grupo predominaban los anarcosindicalistas: los tranviarios Rodolfo Aguirre, Guillermo Escobar, Genaro Castro; los telefonistas, Araoz de León y Benjamín Quesada; la dirigente textil María del Carmen Frías; los anarco-comunistas José Rubio y Sebastián San Vicente[15] que dejarían sus trabajos en Tampico y Veracruz para radicar en el DF, y el anarquista sui géneris, recién escindido de la CROM, Rafael Quintero.

Para el Partido Comunista, el congreso había logrado levantar una potente organización, que si bien quedaba fuera de la dirección del partido, le permitía tener una influencia importante en un movimiento de masas muy amplio y radical que podía dar la batalla a la CROM por la organización y dirección del sindicalismo mexicano.

Las resoluciones del congreso, fruto de la conciliación entre anarquistas y comunistas y de su coincidencia en el movimiento real de la izquierda sindical mexicana, no eran nada ortodoxas para la lógica comunista internacional, pero correspondían bien al apoliticismo del comunismo mexicano y a su visión soviética del proceso revolucionario. El estatus de grupo cultural, aunque muy limitado según los esquemas que hacían del partido la «dirección única del proceso revolucionario», les permitía mantener su influencia y su trabajo dentro de la CGT, reconocidos como una fuerza revolucionaria. Igual de exitosa debió de parecerles en ese momento la adhesión de la nueva central a la ISR con sede en Moscú, y la descalificación de la Federación Panamericana del Trabajo, así como la convocatoria a un nuevo congreso panamericano.

A un año y dos meses de su nacimiento, al acabar el congreso el 22 de febrero, el Partido Comunista, que contaba con un par de centenares de afiliados, se había vuelto una fuerza promotora e influyente, en la segunda organización sindical del país, la CGT, que contaba con treinta y seis mil miembros en el país, era la fuerza sindical dominante en la capital de la

República, y si el ascenso sindical iniciado en 1920 proseguía, tenía grandes posibilidades de organizar a la mayoría de los trabajadores de México hacia la destrucción del capitalismo.

Notas al pie

1 En el «Informe sobre los rojos», caracterizábamos así la confluencia de lo rojo:

> San Vicente saltando de Cuba (donde es perseguido por «bombero») a México; los asaltos a los carros cerveceros de los trabajadores de la FCPM, el sovietismo del empleado de la Cámara de Diputados que vende la Constitución rusa en la ventanilla; la diaria guerra a muerte contra los capataces en las factorías textiles del DF, Ferrer Aldana encerrado en una mísera imprenta editando periódico tras periódico, las huelgas generales solidarias que encadenan un gremio a otro, una ciudad con otra; el Motín de Metepec al grito de «¡Viva Rusia, mueran los gachupines!»; la vitalidad brutal del local de las calles de Netzahualcóyotl, alma máter de toda actitud revolucionaria, de toda inquietud social; la resistencia en los talleres del Palacio de Hierro, el empuje y la extraordinaria vitalidad del puñado de jóvenes comunistas; el centenar de periódicos obreros editados en tan solo tres años; la gloriosa rectificación de los pactistas del 15, como Huitrón y Aguirre, que vuelven de la conciliación de clases para sumirse de lleno en el proyecto clasista; la evasión de las alternativas corruptoras cromistas de cuadros como Leonardo Hernández, el internacionalismo único y verdadero que engrandecía a esta gente; las noches de *banca sindical por toda cama* de José Rubio.
>
> Taibo II-Vizcaíno/*Memoria Roja*, p. 102.

2 Valadés/*Memorias*, pp. 220-221.

3 *El Universal*, 16 de febrero de 1921.

4 Informe de Allen, 13 de febrero de 1921, *NAW, RG 165*, 820-1323. En otro informe Allen dice que los pases los dio finalmente el ministro de Hacienda Adolfo de la Huerta. Informe Allen, 25 de febrero 1921, *NAW, RG 165*, 10058-0-50-6.

5 Estas estadísticas se realizaron sobre la base de una lista unificada elaborada a partir de los siguientes materiales: J.C. Valadés: «Apuntes sobre el congreso constituyente de la CGT», *manuscrito*, archivo JCV. Informe de Allen en *NAW, RG 165*, 10058-0-50-81W9. *Libertario*, N° 2, Veracruz, extra del 26 de febrero de 1921. *Conclusiones sobre la convención convocada por la FCPM*, cuatro páginas, archivo autor. Los libros de Huitrón, Luis Araiza y Salazar-Escobedo tienen información complementaria. Con cifras obtenidas de estos y otros materiales, se puede establecer el número de representados en el Congreso en 35,911. Allen habla de «unos cuarenta mil.»

6 El sindicato de Santa Rosa había aceptado participar en la convención roja impulsado por el Grupo Comunista de Orizaba, Santa Rosa y Cocolapam, pero su delegado, Aurelio Hernández, era partidario de la acción múltiple. Era una de las tres organizaciones que acudían al congreso con una actitud cautelosa, más bien como observadores (las otras dos eran los sindicatos del DF de los Talleres Gráficos y del Buen Tono). Bernardo García/ *acción directa*.

7 La distancia y la ausencia de fondos hicieron tanto o más que la dirección de la CROM para evitar que muchas delegaciones asistieran.

8 *El Demócrata*, 16 de febrero de 1921.

9 *El Demócrata*, 17 de febrero de 1921. Ciro Esquivel había abandonado el PC DE M para formar un nuevo Partido Socialista Mexicano, un partido electoralista, junto con Salvador Alvarado y Camilo Arriaga, que postulaba que «no se puede abolir el Estado» y que el enemigo de los trabajadores no era el patrón sino el obrero que no producía. *Manifiesto del PSM*, 2 febrero 1921, Imprenta Naco, México, DF.

10 Julio García/*manuscrito*, p. 15.

11 Informe Allen, 13 de febrero de 1921, *NAW, RG 165*, 820-1323.

12 Araiza/*Historia*..., p. 57.

13 J.R. Rodríguez y M. Paley: «El congreso comunista». *El Obrero Industrial*, N° 7, 1 de marzo de 1921 y «Los IWW se retiran del congreso», *El Universal*, 19 de febrero 1921.

14 Esta cita y todas las siguientes están tomadas de *Conclusiones de la convención convocada por la FCPM*, también reproducidas en *Libertario*, de Veracruz, mucho más completas que el resumen que reproduce Araiza.

15 José Rubio, anarquista asturiano de unos sesenta años, había llegado a Veracruz, perseguido en los Estados Unidos donde había dirigido una escuela racionalista e intervenido en movimientos sindicales. En Veracruz trabajó en la local comunista del puerto mientras vivía de la fabricación de puros. Valadés lo retrata así: «No correspondía al marxismo, pero los revolucionarios —decía —caminaban con dos obligaciones: apoyar a la revolución del pueblo ruso y no dividir las fuerzas revolucionarias del mundo, mientras el Partido Comunista no combatiese al anarcosindicalismo», Valadés /*Memorias*, p. 223.

Sebastián San Vicente, anarquista vasco de veinticinco años, de oficio marinero y mecánico de calderas, había militado dentro de los grupos anarquistas de la costa este de los Estados Unidos y en sindicatos de la IWW. Acusado de haber intentado volar el barco en que Wilson regresaba a los Estados Unidos, huyó a Cuba donde fundó el grupo Soviets, y estuvo implicado en actos de sabotaje a barcos tripulados por esquiroles. De Cuba entró como polizón a México vía Tampico donde colaboró con la Casa del Obrero Mundial y la local comunista. Paco Ignacio Taibo II: «Sebastián San Vicente un nombre sin calle», *Memoria roja*, pp. 185 y ss.

2. EL BUREAU DE LA INTERNACIONAL SINDICAL ROJA

Tan solo tres días después de haber terminado el congreso que dio origen a la CGT, la Confederación de Sociedades Ferrocarrileras inició una huelga general en el riel para su reconocimiento, que habría de sacudir al país.

El gobierno interpretó claramente los alcances de la huelga en una declaración de su ministro de Gobernación: «El movimiento huelguístico actual es la oportunidad que buscan los obreros para definir cuál es su poder. Si en esta ocasión cede el gobierno en lo sucesivo no podrá reprimir ningún movimiento en el que tomen parte obreros sindicalizados»[1]. Y así actuó. Un día antes de que estallara la lucha fueron despedidos doce mil trabajadores y sustituidos por esquiroles. La medida no pudo impedir que la huelga se generalizara, pero impidió que paralizara totalmente el ferrocarril.

La respuesta de los ferrocarrileros fue enorme: mítines, propaganda entre los esquiroles, sabotaje, choques contra policías y soldados, manifestaciones. El Ejecutivo ocupó militarmente las instalaciones ferrocarrileras y emplazó cañones en Buenavista y Nonoalco. La presencia de los esquiroles produjo varios accidentes graves y el gobierno amenazó con ese pretexto a los huelguistas ferrocarrileros. Se produjeron huelgas solidarias en el Ferrocarril Mexicano que fueron respondidas con nuevos despidos masivos.

La Confederación de Sociedades Ferrocarrileras, independiente de la CROM y de la CGT, pidió apoyo a ambas centrales y obtuvo de la CGT un compromiso de huelga general solidaria, lo mismo que de los cromistas, pero estos, se dedicaron a buscar una mediación y el apoyo gubernamental, y ante las presiones del Ejecutivo, terminaron cambiando la oferta de huelga por una invitación a que los huelguistas se sumaran a su Confederación. Mientras las asambleas cegetistas votaban una a una la huelga solidaria, los ferrocarrileros, traicionados por la CROM se replegaban y aceptaban una oferta gubernamental para levantar el movimiento.

La debilidad de la dirección de la Confederación de Sociedades Ferrocarrileras no estuvo a la altura de las movilizaciones de sus bases, y se perdió una gran oportunidad de unificar el movimiento obrero contra una dirección cromista cada vez más desprestigiada.

Poca fue la intervención que los comunistas pudieron tener en el conflicto, pero en esta mínima intervención, destacaron los mítines que Phillips dio en algunos centros ferrocarrileros[2].

Con los ecos de la gran huelga ferrocarrilera aún en el aire, la misión de la Internacional Comunista integrada por Katayama, Louis Fraina y Carl Johnson, llegó a México en los últimos días de marzo de 1921[3].

Los tres militantes comunistas enlazaron con Phillips, y este les buscó lugares donde ocultarse.

Es muy probable que apenas si hayan podido conversar con Manuel Díaz Ramírez, que salió en los primeros días de abril para Moscú con una credencial de la CGT para representarla en el II Congreso de la Internacional Sindical Roja, y un mandato del Partido Comunista para que lo representara en el Segundo II de la Internacional Comunista que se celebraría primero[4].

Uno salía, los otros llegaban.

Valadés, cuenta:

> Poco después de la marcha de Ramírez a Moscú, Seaman (Phillips) y Natasha nos invitaron a un café de chinos en la calle de Dolores. Los comparecientes fuimos José Allen, Alfredo Stirner y yo. Nos reunimos, dijo Seaman, para hablar de un asunto delicado y peligroso, del cual estaba previamente enterado Allen.
>
> «Hallábanse en México —advirtió— dos delegados especiales de la III Internacional. Tratábase de dos de los más importantes personajes del comunismo mundial. Uno de ellos había entrado clandestinamente al país por Del Río, Texas; aunque ambos necesitaban burlar a la policía norteamericana que les seguía los pasos.
>
> «Tales individuos se llamaban Sen Katayama y Louis C. Fraina.[5]»

Lejos estaba Valadés de saber que la policía norteamericana estaba bien informada de la llegada de ambos, porque José Allen se había apresurado a transmitirlo en su informe semanal. Se planteó el problema del alojamiento. Fraina se hospedaba en el hotel Cosmos bajo nombre supuesto, pero Katayama era muy fácilmente reconocible (japonés, más de sesenta años, chaparrito, con lentes; una personalidad difícil de ocultar) y Valadés le ofreció alojamiento en su hogar. Tras una «operación» peliculesca en la que Felipe Hernández y él armados con pistolas Stara, vigilaron al pequeño japonés durante su traslado, Katayama quedó instalado en el lejano barrio de Mixcoac[6].

Pocos días después, los delegados de la IC formaban el Bureau. A pesar de que la CGT era la única organización sindical afiliada en México a la ISR, Fraina y Katayama concibieron el Bureau a una escala diferente, más bien como un centro de enlace de los sindicalistas revolucionarios y un punto de apoyo a la labor cegetista con gran poder de propaganda. El Bureau desde luego no tenía estructura latinoamericana, y sus alcances se limitaban a México. Los elegidos para formarlo, fueron Valadés por el Partido Comunista, José Rubio en representación del comité de la CGT, Paley por la administración mexicana de la IWW y un cromista disidente, el joven impresor Felipe Lejía Paz, en nombre del ala izquierda de la CROM[7]. El grupo adoptó el nombre de Bureau Mexicano de la Internacional Roja de Sindicatos y Uniones de Trabajadores, y comenzó a funcionar los primeros días de abril[8].

El dinero que manejaba Katayama y que Fraina había traído desde Moscú, sirvió en principio para profesionalizar a varios militantes: los cuatro miembros del Bureau (Rubio, Valadés, Lejía y Paley), Phillips, San Vicente y Rafael Quintero[9]. La profesionalización de Rubio, San Vicente y Quintero era contraria al espíritu de los acuerdos del I congreso, pero formalmente, dado que el dinero no provenía de la organización sindical, de nada podía acusárseles.

El equipo comenzó a reunirse en las oficinas de Paley en la calle Bolívar, y su primera labor fue montar una editorial, la Biblioteca Internacional, que inició sus funciones publicando el folleto de J.T. Murphy, *La Internacional Roja de sindicatos obreros*; más tarde se editó un texto de Fraina, *El imperialismo norteamericano*, uno de Katayama *La República Rusa de los soviets*, una biografía de Lenin de Máximo Gorka y *El programa de los comunistas*, de Bujarin[10]. De abril a diciembre de 1921, el Bureau realizaría ediciones de unos doce mil ejemplares de estos folletos[11].

Con esta misma fuente de financiamiento, se inició también por parte de Phillips la publicación de *El Trabajador*, como órgano extraoficial de la CGT y para impulsar el sindicalismo radical[12].

A pesar de que el trabajo del Bureau avanzada, estaba muy por debajo de las posibilidades que los dos cuadros de la IC habían previsto para su trabajo en México. Sus condiciones de clandestinidad y su desconocimiento del español los hacían actuar a través de Phillips y Valadés, estando prácticamente enclaustrados. Fraina trató de actuar directamente en el Bureau, pero suspicacias de los miembros se lo impidieron, con lo que tuvo que volver a su forzado encierro. Su presencia en México así era intrascendente. La IC desperdiciaba de esta manera a dos de sus mejores cuadros.

En abril de 1921, la CGT estaba viviendo un gran momento. Se habían desarrollado movimientos exitosos en el valle de México en los centros textiles y entre los tranviarios, su influencia entre los ferrocarrileros era importante y se les había acercado la Federación de Trabajadores de Zacatecas. La Internacional Sindical Roja, haciendo crecer un poco las cifras, hablaba en su boletín, de que la organización había llegado a los cien mil adherentes[13].

Los miembros del Bureau, iniciaron una serie de viajes por el país para fortalecer los nexos entre los grupos sindicales y extender la organización radical, además de trabajar entre electricistas (del DF) y ferrocarrileros (los dos grandes sindicatos independientes del país). Lejía Paz probó con los electricistas y fracasó. Valadés viajó a Aguascalientes y tras enlazar con el grupo anarquista Ni Dios ni Amo que dirigía Alfonso Guerrero, fue duramente cuestionado por este; ¿dictadura del proletariado? «Nada de dictaduras», aun así lo relacionó con un joven ferrocarrilero que destacaba en la dirección de la Unión de Caldereros, Salvador Rodríguez, que se sumó al trabajo de propaganda[14].

Con apoyo de los fondos del Bureau, San Vicente se fue a la comarca de Atlixco, donde dirigió una campaña virulenta contra las autoridades y a favor de dos obreros detenidos y acusados de robo y agitación[15]. Rubio y Palley prepararon un viaje al norte del país, en que irían a Tampico y Monterrey, y Seaman organizó su presencia en un mitin en Morelia para el 8 de mayo.

Hoy es difícil sopesar la importancia de estos fondos tan reducidos, que apenas llegaban según diversas fuentes a una cantidad entre diez y veinticinco mil dólares, o sea entre veinte y cincuenta mil pesos mexicanos[16]. Pero si se piensa que la militancia radical de la época estaba constituida en un noventa y nueve por ciento por trabajadores industriales y artesanos, con raquíticos salarios; que mantener los periódicos sindicales era una proeza, que los sindicatos, muy jóvenes, apenas si tenían fondos de resistencia y que los sistemas de cuotas voluntarias funcionaban mal, que contar con dinero para viajar era excepcional, que ir en ferrocarril a Aguascalientes costaba seis días de salario de un trabajador, que no existían los permisos sindicales con sueldo pagado por la empresas, porque los patrones no reconocían a la mayoría de los sindicatos, es fácil entender la importancia de la inyección que proporcionaron los fondos de la Internacional en el movimiento. Permitir horas libres a los militantes, pagar pasajes, contar con folletos baratos y prensa regular; es fácil entender también por qué los «dólares rusos» hicieron su mito[17].

Pero no todo lo hicieron las facilidades del oro ruso y los militantes de la CGT y el Bureau. La propia dinámica de los sindicatos radicales tras el enfrentamiento de febrero-marzo, preparaba nuevas batallas. La agitación era creciente entre tranviarios y telefonistas en la capital, entre los textiles del cinturón rojo del DF y de Atlixco; y en Veracruz el trabajo de Fernández Oca, un peruano recién llegado a México llamado Alejandro Montoya y Herón Proal, junto con Galván y Almanza, hacían avanzar el movimiento hacia la formación de una federación local potente, que pronto contaría con un semanario, *Solidaridad*[18]. Solo las precauciones de las asambleas, conscientes de que un choque en esos momentos podía significar un enfrentamiento frontal con el gobierno de Obregón, impidieron que estallaran las huelgas en la Ciudad de México, y tras ellas, la huelga solidaria que había sido anunciada y discutida en las fábricas.

Así se llegó al 1 de mayo en la capital. La CGT realizó una gran manifestación con intervenciones de Phillips, Rubio y Quintero en las que denunciaba violentamente al gobierno de Obregón, Martín Paley de las IWW intervino también, sellando una alianza entre la CGT y su grupo[19].

NOTAS AL PIE

1 *El Demócrata*, 16 de marzo de 1921, declaración de Plutarco Elías Calles. Para una versión más detallada del movimiento ferrocarrilero de 1921, ver: Rogelio Vizcaíno: «1921, el año de la CGT», *Memoria roja*, pp. 111 y ss., y Marcelo Rodea: *Historia del movimiento obrero ferrocarrilero*, edición del autor, México, 1951.

2 Como resultado de su intervención, Calles declaró en febrero que los Servicios Confidenciales de la Secretaría de Gobernación estimaban que Seaman (Phillips) era el «autor intelectual» de la huelga. *El Demócrata*, 26 de febrero de 1921.

3 H. Kublin/*Asian...*, pp. 280-281.

4 Díaz Ramírez/*Hablando con Lenin*. Araiza/ *Historia...*, T. IV, pp. 68-69 y 156-157.

5 Valadés /*Memorias*, p. 239.

6 Valadés/ *Memorias*, pp. 244-245.

7 «Leija Paz era un joven de edad no mayor de veinticuatro años, sensato, reflexivo, con influencia, debido a su honorabilidad, dentro de los sindicatos de la CROM. Creo que tenía un lugar directivo en la organización de los trabajadores de artes gráficas». Valadés /*Memorias*, pp. 255-256.

8 Prólogo del folleto de J.T. Murphy: *La Internacional Roja de Sindicatos Obreros*, Biblioteca Internacional, México, 1921.

9 Salazar-Escobedo/*Las Pugnas...*, p. 311: «Sebastián San Vicente cobraba un sueldo diario a Sen Katayama no menor de siete pesos, y Rafael Quintero administraba estas y otras cantidades...»

10 En abril editó el texto de Murphy que costaba cinco centavos, en septiembre los de Katayama (diez centavos) y Bujarin (cincuenta centavos) y el 16 de diciembre el de Fraina (10 centavos).

11 J.C. Valadés rindió cuentas de una inversión en libros de $665.80 (Salazar-Escobedo/*Las Pugnas...*, p. 274), lo que a los costos de la época equivale a la producción de los doce mil folletos citados.

12 *El Trabajador* debió haber nacido hacia marzo-abril de 1921. Era un periódico de gran tamaño con amplia información nacional sobre las luchas sindicales y buenas ilustraciones. En IIIES/Ámsterdam se encuentran los números 17 y 18, de septiembre y octubre de 1921, dirigidos por José G. Escobedo. Desconozco quién fue su director. Phillips en su entrevista con Draper menciona su papel rector en el semanario, del que fue editor en su primera etapa.

13 «México», *RILU Bulletin*, N° 7, 15 de octubre de 1921.

14 Valadés/*Memorias*, p. 261.

15 Informe Allen, 12 de mayo de 1921, *NAW, RG 165*, 2347.

16 Draper (*The roots...*) habla de diez mil dólares en manos de Fraina; Valadés (*Memorias...*) dice que Katayama le mostró veinticinco mil dólares.

17 Parece ser que fue Alejandro Montoya (Víctor Recoba), el anarquista peruano que colaboraba con la CGT en Veracruz y Tampico, quien comenzó a correr el chisme sobre el «oro ruso». Jacinto Huitrón (*Historia*, p. 307) menciona despectivamente el hecho, lo mismo Salazar y Escobedo (*Las Pugnas...*, p. 274) quienes lo mitificaron.

18 *Solidaridad*, N° 1, 10 de julio de 1921.

19 En la primera edición de *Las pugnas de la gleba*, hay una foto de esa intervención de M. Paley, que lo muestra hablando sobre una carretela, rubio, con poco pelo rizado y grandes entradas; aire de joven judío trasplantando a otra realidad (inflamado, rojizo), señalando hacia algún lugar para enfatizar sus palabras.

3. LA EXPULSIÓN DE GALE, EL NACIMIENTO DEL PCRM

Un mes antes, el 2 de abril de 1921, el agente A. Anaya se presentó en la casa de Linn A.E. Gale encubierto bajo la personalidad de un reportero. Lo acompañaban el inspector general de policía y el jefe de las comisiones de seguridad y traían una orden de expulsión para Gale, como extranjero indeseable, decretada por Álvaro Obregón.

> No soy enemigo del gobierno, sino en un diez por ciento, por lo que le falta de ideales para ser comunista. Combato la intervención a mi modo, llamando al pueblo de EEUU para que por hermandad se abstenga de atropellar en cualquier forma al pueblo de México. No veo la razón de que se me expulse por esta labor, y menos aún de que se me deporte, y no se proceda enérgicamente, por la misma causa contra los señores De la Huerta, Gasca, Salcedo y otros que me apoyan y apoyaron para hacer esta campaña. En prueba de lo cual exhibo documentos (enseñó cartas cordiales del señor De la Huerta y del gobernador del Distrito).

Por último, suplicó no ser deportado a EEUU «porque allí llevo el riesgo de ser acusado de delito de ser *slacker*.[1]»

La causa formal de la deportación era «su labor perniciosa como agitador, y escribir difamando a México»[2]. Pero tras la fórmula, se encontraba una situación que el conjunto del movimiento no supo apreciar. Obregón iniciaba una purga en los medios de la izquierda radical, y la iniciaba empezando con los extranjeros, y entre ellos, el más vulnerable, Linn A.E. Gale, cuyo aislamiento respecto al movimiento obrero era cada vez mayor.

El gobierno notificó a la embajada de México en Guatemala que Gale viajaría hacia allá deportado, porque ese era el país que había elegido, y de pasada se comunicó con la Agencia Financiera Mexicana en Nueva York (representación informal de México dado que no había relaciones diplomáticas) para notificar la expulsión[3].

El 5 de abril llegó a Veracruz para ser enviado a Guatemala y no muy confiado, «rogó para que no lo enviaran a Estados Unidos»[4]. Algo debería estar presintiendo, porque el gobierno reconsideró su actitud y el 23 de abril lo entregó a las autoridades norteamericanas en la frontera con Texas. ¿Había habido alguna presión estadounidense? ¿Habría habido alguna petición de la AFL a través de Morones para que así se hiciera?

El caso es que, inmediatamente después de su captura, las autoridades norteamericanas decidieron juzgarlo por haber evadido el servicio militar; ante lo que, el 23 de abril Gale inició una huelga de hambre, aunque a fines de mes desistió y fue enviado bajo vigilancia a San Antonio, donde se le encarceló[5].

Cinco meses más tarde Gale se pasaba al campo de los renegados y a través de su abogado informaba que había renunciado a sus anteriores creencias y convicciones políticas, que había cancelado completamente sus conexiones con le movimiento radical y consecuentemente, no necesitaba ayuda de este, que era absolutamente sincero y que en el futuro no se vería envuelto en actividades radicales. Así terminó su esperpéntica carrera como rojo[6].

En México, con la desaparición de Gale, el PC DE M se desintegró al igual que *Gale´s Magazine* y *El Comunista de México*, y sus escasos miembros se dispersaron.

Un mes más tarde, para que la realidad no se simplificara, nacía el Partido Comunista Revolucionario de México.

El 1 de mayo se hacía público el surgimiento del nuevo partido que encabezaba el diputado por Guanajuato Nicolás Cano y de cuya dirección formaban parte Diego Aguillón, Rafael Ávila y Teódulo Loman[7].

Supuestamente a partir de los restos del PSM, que había dirigido en sus últimos meses, Cano había organizado el nuevo partido. El 1 de mayo se hizo pública su Constitución, en cuyo prólogo por un lado se deslindaba de los partidos que «siguen las instrucciones del gobierno haciéndose pasar por socialistas», y por el otro de «otros grupos con igual denominación (*se refería al PCM*), cuya actuación es bochornosa; pues malvada o ignorantemente no tienen en su haber un solo acto que los acredite como comunistas.»

Establecía el derecho a la lucha parlamentaria, y la necesidad de que los sindicatos se subordinaran al partido. El documento incluía un programa y unos elaboradísimos estatutos con cerca de doscientos artículos[8].

A la desintegración del grupo de Gale, siguió el nacimiento del PCRM que no se desarrolló nacionalmente, pues nunca tuvo ninguna intervención significativa en el movimiento, fuera de algunas asesorías que Cano prestó a trabajadores metalúrgicos del DF.

A fines de 1921, Cano se refugió en Guadalajara y allí construyó un grupo, junto con W. Espinosa, minero y ex dirigente de la IWW en la zona y A.E. Méndez. En noviembre, el PCRM (que equivalía a su local de Guanajuato) editó el número uno de su periódico *Rebeldía*[9], e inició una campaña contra el gobierno estatal que habría de durar un par de años, los mismo que su aislamiento.

Notas al pie

1 Informe A. Anaya, *AGN/Obregón-Calles*, 421-G-2.

2 *Archivo* SER 17-10-221. Lino Medina («La fundación y los primeros años del PCM», *Nueva Época*, N° 4-5, abril-mayo de 1969) lo atribuye a la publicación por Gale de un artículo titulado «Antes que gobernador soy obrero», en que atacaba a Gasca. Otra versión atribuye la expulsión a un mitin donde Gale intervino con Carrillo Puerto el mismo 2 de abril en el que se atacó a Obregón. *El Demócrata*, 3 de abril de 1921.

3 AGN/*Obregón-Calles* 421-G-2.

4 *New York Times*, 6 de abril de 1921.

5 *New York Times*, 24 de abril y 30 de junio de 1921.

6 *New York Call*, 17 de septiembre de 1921, citado por Alexander/*Communism in Latin America*, nota p. 320.

7 Este es el grupo marxista rojo con que estaban relacionados Mauro Tobón y Cervantes López y que se proclamaba «comunista parlamentario». Salazar- Escobedo/ *Las Pugnas...*, pp. 268-269. Más datos sobre el PCRM en Rosendo Salazar, *La carta del trabajo de la Revolución Mexicana*, Libromex, México, 1960, p. 123.

8 *Constitución del Partido Comunista Revolucionario de México*, México DF, 1921.

9 *Rebeldía*, N° 1, 6 de noviembre de 1921.

4. CACERÍA DE ROJOS

Tras la manifestación del 1 de mayo de 1921 en el DF, los cuadros de la CGT y el Bureau, salieron a la provincia a continuar el trabajo organizativo. Rubio y Palley[1] fueron a Monterrey de donde pensaban continuar hacia Tampico. Para Morelia salieron Phillips con su compañera Natasha, San Vicente y José Allen. Allí celebraron el Día del Trabajo con una manifestación (atrasada) el día 8.

Tras el mitin, grupos de manifestantes, encabezados por miembros del Partido Socialista Michoacano, siguiendo las mejoras tradiciones anticleriales, avanzaron sobre la catedral donde izaron una bandera rojinegra[2].

El acontecimiento no pareció resultar trascendente, y el grupo de militantes rojos regresó al DF.

Cuatro días más tarde, el 12 de mayo, los católicos de Morelia se concentraron para realizar una manifestación de desagravio. Después de ir a la catedral, los grupos se desbordaron por la ciudad. Se multiplicaron los choques. La policía colaboró con los manifestantes y en un tiroteo fue asesinado Isaac Arriaga, dirigente del Partido Socialista, fundador de la Casa del Obrero Mundial en Michoacán, y que había fungido como director de la Comisión Local Agraria estando muy activo en el reparto de tierras durante el gobierno de Múgica. Arriaga en el momento del asesinato además de pertenecer al PSM, era miembro de la CROM[3].

El acto repercutió en la Ciudad de México, y la CROM realizó el 13 de mayo una manifestación que ingresó en la Cámara de Diputados con una bandera rojinegra. Violentas intervenciones de Carrillo y Soto y Gama pusieron el ambiente al rojo. La policía intervino y hubo detenidos[4].

Obregón pasó a la ofensiva, y desencadenó la cacería de rojos que había estado preparando desde la huelga ferrocarrilera y cuyo primer ensayo había sido la deportación de Linn A.E. Gale.

El 23 de mayo, el gobierno dictó órdenes de expulsión contra diez militantes radicales extranjeros. Dos días después, el partido mayoritario obregonista, el PLC, pedía el desafuero de los parlamentarios que habían intervenido en los acontecimientos del día 13. Por un lado golpeaba a los radicales, por otro Obregón amenazaba a su propia ala izquierda devolviendo la ofensa de septiembre de 1920[5].

Según Robert Haberman, la dirección de la CROM había presionado fuertemente a Obregón para que realizara las deportaciones. Él mismo había hablado a petición de Morones con Samuel Gompers para que interviniera cerca de Obregón apoyando la petición de los cromistas[6]; esta información hacía aparecer la manifestación cromista del 13 de mayo en la Cámara de Diputados como una provocación del Grupo Acción.

Pero Obregón pocas presiones necesitaba de sus aliados; desde enero de 1921 venía intentando quitarle bríos al sindicalismo revolucionario[7] y con el pretexto del 13 de mayo ordenó la deportación de Palley (del que se pensaba era ciudadano ruso) y José Rubio (español) a los que detuvieron en Monterrey; de Phillips (conocido como Seaman), Sebastián San Vicente (español), Natasha Michailowa (polaca), Allen (que a pesar de reclamar su carácter de mexicano fue detenido como estadounidense, cumpliendo por primera vez en su vida su secreta voluntad), el colombiano Jorge Sánchez, Karl Limón (alemán, anarquista, que llevaba quince años en México, los últimos trabajando en Veracruz en los medios obreros, y últimamente en el periódico *Solidaridad*) y de los norteamericanos de segunda línea en el movimiento, los IWW Walter Foertmeyer y A. Sortmary.

Los oficios que el presidente cursó a las secretarías de Relaciones Exteriores y Gobernación, señalaban que los «extranjeros indeseables», «han participado en política, violando los principios de la hospitalidad y violando la Constitución», eran «agitadores y se les encontraron documentos comprometedores en ese sentido», «intervinieron en los hechos sangrientos de Morelia y en los incidentes de la Cámara de Diputados, lo anterior justifica les apliquen el 33»[8]. Los periódicos pusieron el énfasis en acusarlos de los sucesos del 13 de mayo en la Cámara de Diputados, a pesar de que ninguno de los detenidos había intervenido en ellos, siendo la autoría estrictamente cromista[9].

Phillips y San Vicente fueron detenidos en la Ciudad de México y luego llevados a la prisión de Carretero; iban a ser expulsados a los Estados Unidos, pero las presiones de diferentes grupos sindicales invitaron a Obregón a no repetir la experiencia de Gale, y los enviaron a Manzanillo, donde se les unió la Michailowa, para de ahí en vapor deportarlos a Guatemala[10].

La captura de Allen en la Ciudad de México causó conmoción en la Embajada Norteamericana. El coronel Millar telegrafió a Milstaff, agente del Departamento de Estado:

> El agente secreto de esta oficina, José Allen, arrestado como rojo pernicioso. Tenía en su persona en ese momento, desafortunadamente, el reporte semanal de esta oficina. El reporte estaba sin firmar y mecanografiado. No tenía indicaciones de destinatarios. Los papeles me los mostró el secretario privado del presidente. Si hay sospecha del gobierno en el asunto, no estoy informado. Su carácter militar se muestra en el reporte de Allen en español. Se pide que esto se repita al Departamento de Estado[11].

A pesar de sus protestas, Allen, junto con Foertmeyer, fue llevado a Nuevo Laredo, Tamaulipas, a donde llegó el 21 de mayo y los deportados fueron entregados al Departamento de Justicia en Laredo, Texas[12].

Allí fueron interrogados. Un sorprendido agente, después de escuchar una seca respuesta de parte de Foertmeyer que reconoció que era IWW, que había evadido el servicio militar y que lo había hecho porque estaba en contra de una guerra que no era la suya, escuchó como Allen confesaba su pertenecia al servicio de espionaje militar norteamericano en México, y para que no quedaran dudas, informó durante varias horas (nueve apretadas páginas de texto) sobre los radicales mexicanos[13].

Mientras que Foertmeyer fue a la cárcel, el 28 de mayo, Allen había sido liberado por la inteligencia militar y se encontraba en Galveston[14].

Limón fue deportado por vía marítima en los primeros días de agosto. Poco después, corría igual suerte el español Ángel Gómez Estrada, ex dirigente de la huelga del recuerdo, detenido en Michoacán[15].

Rubio corrió con menos suerte, Obregón le dio a escoger a donde quería ser deportado, y no pudiendo ir a Estados Unidos o a Cuba por tener deudas con la justicia, eligió España, el 16 de junio fue embarcado en Veracruz[16]. La siguiente y última noticia que el movimiento obrero mexicano tuvo de él, se recibió desde la cárcel de Oviedo, donde la monarquía española lo había encerrado[17].

Paley fue expulsado el 26 de mayo también por Laredo y encarcelado por el gobierno norteamericano[18].

Sobre la mesa de Torreblanca, el secretario particular de Obregón, se apilaron los telegramas de protesta de organizaciones sindicales o grupos políticos, incluso se dieron algunos movimientos huelguísticos y se realizaron mítines, pero la operación Artículo 33 había tomado por sorpresa al movimiento[19].

Allen regresó a México en agosto, y nuevamente el gobierno trató de deportarlo, pero ya estaba prevenido y mostró su acta de nacimiento y las de sus padres[20]. Sin embargo, no recuperó su lugar en el aparato del partido, y encontró una cierta frialdad aunque no un desenmascaramiento de su actividad como agente. Probablemente a esto contribuyera una filtración a partir de Foertmeyer, o la propia paranoia de Allen que lo condujo a retraerse. Su labor dentro del PCM ya no sería la misma aunque continúo ligado a él.

Phillips y San Vicente no perdieron el tiempo. El norteamericano cuenta: «Estuvimos en Guatemala alrededor de un mes, durante el cual gracias a los esfuerzos de San Vicente, que realmente era muy capaz en ese sentido, hicimos contacto con algo parecido a un movimiento guatemalteco; fue allí en Guatemala donde recibí el nombre de Manuel Gómez»[21]. Phillips y San Vicente colaboraron en la formación de algunos sindicatos en la ciudad de Guatemala[22] y luego cruzaron la frontera clandestinamente regresando a México. Ninguno de los dos podría volver a actuar abiertamente.

El gobierno no había detenido a ninguno de los dos delegados de la Internacional Comunista cuya presencia en México ni remotamente había olido (ni Fraina ni Katayama fueron molestados) pero había sacado de la línea de fuego a cinco de los mejores organizadores con los que había contado el radicalismo en México. El hueco que en el PCM dejó la deportación de Richard Francis Phillips, hablaría de su enorme valor como militante.

Notas al pie

1 Informe Allen, 12 de mayo de 1921, *NAW RG 165*, 2347. Phillips había convencido a Paley de la necesidad de unificar el movimiento rojo en la CGT y probablemente lo había reclutado para el PCM.

2 J. Ortiz Petricioli: «Isaac Arriaga», *Revista CROM*, 1 de mayo de 1923. Apolinar Martínez Múgica: *Isaac Arriaga*, Universidad Michoacana, Morelia, 1982, p. 166. La manifestación se realizó atrasada porque el 1 de mayo se habían elegido jueces en Morelia.

3 Arnulfo Embriz: *El movimiento campesino y la cuestión agraria ante la sección mexicana de la III Internacional*, tesis ENAH, 1982, p. 133. Martínez/*Isaac Arriaga*, p. 170. Arriaga trataba de calmar a la multitud y fue impulsado por el jefe de policía para que hablara sobre una banca, momento que aprovechó Heladio García para dispar sobre él.

4 *El Demócrata*, 14 de mayo de 1921. Carr/*El movimiento...*, pp. 188-189.

5 Aunque las peticiones de desafuero de Carrillo y Soto y Gama no prosperaron, funcionaron como una llamada de atención de Obregón a su indisciplinada izquierda parlamentaria.

6 Hoover a Hurley, reporte del informe de Haberman, *NAW, DJ* 820-1144. Esta información fue dada por Haberman a Edgar Hoover en Washington el 2 de agosto de 1921, en una entrevista concertada por el dirigente de la AFL Davison, en la que el tránsfuga R. Haberman ofreció sus servicios como informador al Departamento de Estado, a más de su archivo y sus conocimientos. Haberman además denunció la presencia en México de Phillips y Katayama, acusó a los comunistas de haber querido asesinar a los dirigentes de la confederación panamericana, y señaló que el partido tenía varios pasaportes falsos para uso de los cuadros de la IC.

7 En el momento de la expulsión había fuertes movimientos cegetistas en teléfonos Ericsson y la Compañía Mexicana de Teléfonos apoyados por una amenaza de huelga general de toda la confederación.

8 *Archivo SRE* 9-4-172 Y 17-14-128.

9 *El Demócrata*, 18 de mayo de 1921.

10 Phillips Draper/*De México...*, y *SRE* 17-14-128. La deportación le costó a la policía ciento diez pesos.

11 *NAW, RG 165*, 8.120-1353.

12 Informe del policía Luis G. Ontiveros, *SRE* 9-4-172.

13 *NAW DJ*, 202600-1913. Allen un año más tarde ofreció la siguiente información para cubrirse: «Allen tuvo que luchar contra la astucia de ellos y la imbecilidad de Foertmayer, quien de plano declaraba a Allen como el jefe de los que habían de derrocar en México a los gobiernos burgueses. Mirando Allen el peligro que esas imbecilidades entrañaban, no solo para su personalidad sino para otras más, pidió al agente hablar a solas con él y ya una vez así, pudo evadir con más facilidad la falsa situación en que encontraba». *El movimiento comunista...*

14 Hoover a Hicks, 28 de mayo de 1921, *NAW RG 165*, 10058-0-55.

15 *Solidaridad*, N° 7, Veracruz, 21 de agosto de 1921. *El Demócrata*, 19 y 25 de agosto de 1921.

16 *AGN/Obregón-Calles* 421-R-7 y *SRE* 9-4-172.

17 «Desde España. Carta del compañero Rubio», *Solidaridad*, N° 7, 21 de agosto de 1921.

18 Informe Gobernación a SRE, *SRE* 9-4-172.

19 *Juventud Mundial*, N° 9, junio de 1921. *AGN/Obregón-Calles*, 421-S-11 y 811-F-13.

20 El 10 de septiembre de 1921 Obregón ordenó que Allen fuera nuevamente expulsado, *SER* 9-4-172. Allen más tarde le pidió a Obregón que le pagara ciertos bonos gubernamentales porque se encontraba en la miseria debido a «su deportación errónea». *AGN/Obregón-Calles* 813-A-81.

21 Phillips-Draper/*De México...*

22 *El Demócrata*, 28 de de agosto de 1921. Ya organizando grupos de propaganda ideológica, ya dando mítines y conferencias en los teatros Guatemala y la Libertad (*El Trabajador*, N° 17, 4 de septiembre de 1921), Phillips y San Vicente colaboraron a la consolidación del proyecto de Unificación Obrera Socialista, un núcleo militante clave en el desarrollo del movimiento obrero guatemalteco.

5. EL RELEVO JC Y EL VIEJO JAPONÉS

Las deportaciones de mayo y la estancia prolongada de Díaz Ramírez en Rusia, dejaron al partido sin los cuadros clave de su «vieja» guardia, a la CGT sin sus militantes más activos, y al Bureau reducido a José C. Valadés, limitado a su labor editorial.

El aislamiento de Fraina y Katayama aumentó y la crisis de inactividad de los dos cuadros de la Internacional los hubiera consumido, de no ser porque fueron convocados a un congreso de los comunistas norteamericanos en Woodstock, Nueva York, en el que tenían que intervenir como mediadores[1].

Valadés les organizó el viaje con la ayuda del Negro García y de los cegetistas veracruzanos, y ambos embarcaron en el puerto, trabajando en un barco de la Ward Line, el norteamericano como marinero y el japonés como pinche de cocina[2].

En esos meses, la estructura del partido desapareció. No había un órgano periodístico y solo quedaba *Juventud Mundial* de la JC. La coordinación de los militantes dispersos en provincia se suspendió. Con la desaparición del Bureau se acabó la influencia sobre la CGT y *El Trabajador* suspendió su publicación (para reaparecer en septiembre dirigido por José G. Escobedo y con una línea anarcosindicalista.)

La Federación de Jóvenes Comunistas dejaba así libre iniciativa se desarrollo vertiginosamente en aquellos meses. Era su actividad una mezcla de trabajo educativo, organizativo y de propaganda a través de la palabra y la prensa. Ninguna influencia tuvo en la dirección de los movimientos sindicales que se dieron entre mayo y agosto de 1921, pero comenzó a enraizar cada vez más profundamente entre obreros jóvenes de las fábricas.

Respondieron a las deportaciones con mítines y protestas, y aprovecharon para hacer proselitismo en los barrios[3].

> Nos sentíamos gladiadores. Discurseábamos en la plaza del Salto del Agua, en la sala de Netzahualcóyotl, en las reuniones sindicales. Poco a poco saltaban nuevos oradores; trasquilando palabras unos; remendando ideas otros; inventando designios los terceros; todo envuelto en el manto de la generosidad y probidad[4].

En su local de las calles de San Miguel se instaló una escuela atendida por los militantes más viejos («los jóvenes tenían quince años, los mayores veintidós»). Se estudiaba «historia social, organización, economía marxista, economía rural, literatura revolucionaria, agitación, filosofía racional, historia de México e inglés[5]».

Era esta mezcla curiosa de marxismo y anarquismo la que hacía que en los mítines se hiciera la alabanza de la Revolución Rusa, se cantara *Bandera negra* y se terminara con el grito «¡Viva el comunismo libertario![6]»

Se habían constituido comités de la JC en Guadalajara, con Teodoro Michel y José de Alba Valenzuela a la cabeza; en Atlixco con José Rodríguez y Baraquiel Márquez; en Orizaba, con Teodoro Sánchez y Enrique Mata, y José F. Díaz había viajado a Mérida para fundar allí la JC[7].

El periódico *Juventud Mundial* tenía una circulación mensual grande, y un equipo de redacción estable formado por Rafael Carrillo Azpeitia (zapatero), María del Carmen Frías (obrera textil), Fernando Ávalos y el estudiante Aurelio Senda.

Además, se habían creado grupos en las zonas industriales del valle de México: en Puente Sierra, Tizapan y Tlanepantla[8], entre los trabajadores de los Establecimientos Fabriles y Militares donde se combatía a muerte la política conciliadora de Morones[9] y entre los telefonistas.

La labor de los jóvenes comenzaba a inquietar a la CROM, que además de sufrir los embates por la izquierda de la CGT, era penetrada por los jóvenes comunistas en sus reductos. En Puebla, grupos de jóvenes habían pasado de las fábricas de Atlixco a las de la capital del Estado haciendo labor de proselitismo, lo que había provocado una dura respuesta de la Confederación Sindicalista de Puebla, prohibiendo la organización de los jóvenes obreros dentro de la Federación de Juventudes Comunistas, pretextando que trataba de dividir a los trabajadores y que era la «avanzada de la CGT». *Juventud Mundial* respondió a nombre de su organización que la «Juventud Comunista simpatiza con la CGT porque es afín con sus principios y sus tácticas, pero no es avanzada de ningún grupo o de ninguna organización, solo está afiliada a la Internacional Juvenil Comunista». En el texto denunciaba la falsa oposición sindicalismo-comunismo y decía haber «aterrorizado a los que hablan de la acción múltiple.»[10]

A principios de julio, apoyándose en el crecimiento que habían tenido en esos meses, los jóvenes comunistas convocaron a un congreso en el DF, que se inició el 30 de julio.

A las seis de la mañana se constituyó la asamblea con delegaciones presentes de Atlixco, Puebla, Toluca, Puente Sierra, Guadalajara, Orizaba, México, Santa Rosa (uno de cuyos delegados era Mauro Tobón, que había abandonado Atlixco para trabajar como obrero textil en esa zona), Tampico, Tacubaya, Sinaloa, Chihuahua, Santa María, San Luis Potosí y Campeche. En los días siguientes llegaron delegaciones de Oaxaca, Zacatecas, Aguascalientes, Guanajuato, Tampico y Coahuila.

En la mesa del congreso se encontraban José C. Valadés, el sastre Juan Culveaux, administrador de *Juventud Mundial*, y el carpintero de los talleres del Palacio de Hierro J. Jesús Bernal.

En total treinta y siete delegados que representaban a medio millar de jóvenes comunistas de todo el país[11].

En medio de discursos tonantes y a lo largo de tres días, se ratificó la adhesión a la Internacional Comunista de los Jóvenes y se delegó a Stirner como representante para el próximo congreso de la ICJ; se ratificó la línea antiparlamentaria («absolutamente antiparlamentaria»), se ratificó la adhesión a la CGT y la relación «fraternal» con el PCM, se tomaron acuerdos contra el servicio militar, se decidió enviar propagandistas a las zonas agrarias y promover la organización comunista entre los aprendices, un proyecto que estaba dando resultados, puesto que los trabajadores mas jóvenes tenían poca vida sindical[12].

En el congreso se encontraba una generación nueva de militantes. A Gómez Lorenzo, Valadés, Carrillo, Bernal, Felipe Hernández, se sumaban los cuatro hermanos González, Antonio Calderón, el recién llegado Luis Vargas Rea trabajador de El Palacio de Hierro, la costurera María Alonso, el impresor Enrique Arana, el ferrocarrilero José C. Díaz.

El congreso terminó el día 2 de agosto con la elección de un comité nacional en el que Stirner, Gómez Lorenzo y Valadés cedían sus puestos y eran sustituidos por Carrillo Azpeitia, Juan González (ferrocarrilero) y su hermana María González[13]. El secretario general en el DF, sería José C. Díaz.

Fuera de consolidar a este grupo de jóvenes militantes, poco había avanzado el congreso para definir los problemas centrales del partido (entre otros su reconstrucción). No se habían hecho análisis de la coyuntura, no se había estudiado la creciente interacción CROM-gobierno, ni las posibilidades de desarrollo de la CGT.

Estas omisiones no parecieron importarle a la policía, que siete días después de terminado el congreso, asaltó los locales de la FLC, se llevó su archivo y desalojó a los jóvenes comunistas, obligándolos a refugiarse en locales sindicales[14].

El regreso de Katayama de los Estados Unidos a mediados de julio no alteró la situación. Fraina ya no venía con él. Cuando Valadés le preguntó, Katayama se limitó a indicar que Fraina «tenía compromisos extrapartido.[15]»

El japonés se hundió nuevamente en el aislamiento y mantuvo sólo relaciones con Valadés.

> Hacía vida de estudio y trabajo. Leía en la mañana las revistas y libros que me pedía le comprase en la American Book [...] Desde el mediodía hasta la noche escribía una tras otra cartas epistolares y artículos para los periódicos socialistas de Estados Unidos y folletos que más tarde publicó.
>
> Los informes que sobre México escribía a Rusia generalmente me los leía, pues la geografía mexicana le revoloteaba en la cabeza y los apellidos de mis paisanos se los tenía que deletrear cuatro y cinco veces; los informes los remitía a un fulano en Nueva York y a otro en San Francisco.

Probablemente a causa de la represión, Katayama decidió abandonar la casa de Valadés, y este le encontró un nuevo departamento en donde lo puso al cuidado de las hermanas González, miembros de la JC. «Allí, en su nuevo domicilio, escribió un pequeña historia del socialismo en Japón; también un extenso trabajo sobre la política leninista y la organización soviética[16]. De este estudio hice un extracto que publicamos en México.[17]»

Así corrieron los días hasta mediados de agosto 1921.

NOTAS AL PIE

1 H. Kublin/*Asian...*, p. 284.

2 Valadés/*Memorias*, p. 254.

3 *Juventud Mundial*, N° 9, junio de 1921.

4 Valadés/*Memorias*, p. 261.

5 *Juventud Mundial*, N° 9, junio de 1921.

6 *Juventud Mundial*, N° 9, junio de 1921.

7 «Interiores», *Juventud Mundial*, N° 9, junio de 1921 y *El Machete*, N° 47, 3 de junio de 1926.

8 *El Demócrata*, 20 de agosto de 1921.

9 *Manifiesto de la JC dirigido a los trabajadores del sindicato de los Establecimientos Fabriles y Militares*, 14 de agosto de 1921, fondo ENAH.

10 «La Juventud Comunista de Puebla», *Juventud Mundial*, N° 10, julio de 1921.

11 *El Demócrata*, 31 de julio de 1921.

12 *El Demócrata*, 2 y 3 de agosto de 1921.

13 *El Heraldo de México*, 13 de agosto de 1921.

14 *El Demócrata*, 10 de agosto de 1921.

15 Valadés/*Memorias*, pp. 266-267. Draper/ *The roots*, atribuye la deserción de Louis Fraina a su incapacidad para ligarse al movimiento mexicano:

> Su labor organizadora en México era rudamente descorazonada. Había sido bruscamente apartado del trabajo y [*de*] la gente que conocía mejor [...] comenzó a sentirse desilusionado y traicionado. Algunos de sus mejores amigos se le habían volteado en su ausencia. Las cartas lo hicieron despertar al fraccionalismo

enfermizo del partido americano. La existencia nómada de un representante de la Comintern, no convenció a su joven esposa, con la que se había casado en Moscú. México era una clase de exilio que hubiera sido difícil de soportar en las mejores circunstancias. Tras meses de frustración se convirtió en intolerable.

(pp. 294-295)

Tras su viaje a los EEUU, Fraina abandonó su misión en México (aunque siguió escribiendo algunos artículos para la prensa comunista internacional) y viajó a Alemania. En el otoño de 1922 rompió con la IC y pasó a la vida privada y silenciosa de un maestro universitario de Economía.

16 Sen Katayama: *La República Rusa de los soviets*, Biblioteca Internacional, México 1921. El folleto aparece fechado (quizá por motivos de clandestinaje) en Nueva York, julio de 1921. Katayama en México firmaba con el seudónimo Yavki, y bajo ese nombre hay en el archivo de JCV dos originales mecanográficos en inglés, uno de ellos titulado «The Dictatorship of the Proletariat.»

17 Valadés/*Memorias*..., pp. 266-268.

6. DÍAZ RAMÍREZ HABLA CON LENIN

Tras su salida de México en abril de 1921, Manuel Díaz Ramírez se dirigió a Nueva York, donde con la colaboración de comunistas norteamericanos preparó el viaje a Rusia. MDR cuenta:

> Fui detenido varias veces en la costa del Báltico, en el puerto de Danzing y en otros lugares, ya que las autoridades consideraban sospechosa la presencia de un mexicano en las cercanías de la frontera rusa, tanto más que llevaba visado mi pasaporte desde Nueva York para desembarcar en Riga. Aparte del hecho de viajar (y esto era lo peor) en un barco que transportaba a una gran cantidad de rusos emigrados que regresaban jubilosos a su país de origen desde los Estados Unidos.
>
> Al fin, después de algunos incidentes, desagradables unos, otros risibles, logré, después de una odisea por varios países bálticos durante varios días, llegar a Riga; allí permanecí más de una semana eludiendo el espionaje que hervía en el mismo hotel donde viví durante casi ocho días antes de poder salir en un tren, en forma ilegal, atravesando así la frontera, al fin de un viaje fantástico que duró como ocho o diez días desde Riga; viaje que se hace normalmente en unas cuantas horas, pero que en esos días tenía que hacerse muy lentamente debido a la falta de combustible adecuado: las locomotoras quemaban leña verde, no había otra cosa[1].

En Moscú, Díaz Ramírez fue identificado por Hill Hay wood, el dirigente de la IWW a quien había conocido en Estados Unidos; y sus credenciales revisadas y aprobadas por Borodín y Manabendra Nath Roy, y de inmediato comenzó a preparar un informe sobre la situación de México y América Latina, destinado al comité ejecutivo de la IC.

El 22 de junio dio comienzo el congreso de la Internacional. Díaz Ramírez escuchó a los oradores referirse a la última oleada de derrotas de la revolución europea, y cómo eran minimizadas por parte de los dirigentes comunistas internacionales: «La lucha revolucionaria del proletariado por el poder evidencia la actualidad [...] un cierto debilitamiento, una cierta lentitud, pero [...] la curva de la revolución es ascendente con algunos repliegues». El capitalismo se encontraba «en agonía» y si acaso los acontecimientos se desarrollaban más lentamente, esto no podía interpretarse como el advenimiento para los comunistas de una etapa de «organización». Era la hora de la revolución mundial y había que ponerse al frente de las masas[2].

Si bien estas ideas difícilmente deberían encajar en su cabeza con el movimiento que había dejado atrás apenas un par de meses antes, la tesis sobre la conquista de la mayoría de la clase trabajadora contra sus direcciones, que era el centro del «Informe sobre la táctica»[3] se aplicaba bien a la situación mexicana, aunque la traducción «reformista» resultaba muy blanda para los dirigentes del Grupo Acción.

Es muy probable que cuando MDR se sintió más comprometido fue cuando dio lectura a las tesis sobre la estructuración de los partidos comunistas, y se enfatizó una y otra vez sobre la pureza ideológica del grupo de vanguardia, la necesidad del programa, la construcción del núcleo de dirección y centralizador de la actividad partidaria. Estas proposiciones deberían resultarle angustiosas si tenía en mente la debilidad y las carencias del PCM, respecto al modelo que ante sus ojos se exaltaba.

Por otro lado, no hubo para él y para su partido directrices más específicas, el congreso ignoró la existencia del subcontinente latinoamericano, aproximándose minimamente a la problemática de los países ni industrializados por la ruta de Asia[4]. Ni siquiera se reflejaba el interés puesto cuando unos meses antes se creóo el Bureau de la ISR con Katayama y Fraina al frente. Si alguna vez la operación América Latina había parecido prometedora, ahora no lo era más, se había olvidado. Esto explica por qué Díaz Ramírez se mantuvo ante el congreso en una actitud pasiva, que dejaba un gran espacio para la admiración: «Fue un gran privilegio para muchos de nosotros, representantes de países coloniales [...] conocer, oír y apreciar [...] al gran conjunto de hombres que habían realizado la enorme tarea de hacer la primera revolución proletaria en el mundo e instaurar el primer gobierno de obreros y campesinos.[5]»

No había terminado el Congreso de la Internacional Comunista, cuando el 3 de julio dio comienzo el I Congreso de la Internacional Sindical Roja, para el que Díaz Ramírez estaba acreditado como enviado de la CGT.

Doscientos veinte delegados de treinta y siete países se reunieron para constituir el proyecto sindical alternativo al del sindicalismo socialdemócrata. Un proyecto así, implicaba una alianza en igualdad de condiciones entre comunistas, sindicalistas industriales, anarcosindicalistas y sindicalistas revolucionarios basado en objetivos comunes y en una estrecha unidad de acción. No era esta la tesis de la IC, que entendía a la ISR como apéndice del aparato comunista internacional.

Se dieron fuertes debates en torno a los problemas de la autonomía sindical respecto a la Internacional Comunista; donde chocó el autonomismo contra las tesis de la estrecha coordinación de ambas intercambiando tres miembros de sus direcciones (que finalmente fue la que prevaleció). Nuevamente el debate brotó cuando se discutía si el objetivo central era la penetración de centrales socialdemócratas o reaccionarias o como alternativa la construcción de sindicatos revolucionarios, punto en el que se adoptó una resolución conciliadora que permitía optar de acuerdo a las condiciones nacionales, aunque recomendando desarrollar el trabajo en las centrales amarillas. Tras los debates flotaba el fantasma del manifiesto de la IC sobre el problema sindical, que insistía en que los comunistas deberían dirigir todo y que el lugar del partido era la dirección y el del sindicato su instrumento[6].

Mediado el congreso, un grupo de delegados solicitó una entrevista con el Partido Comunista Soviético para discutir el problema de la represión contra los anarquistas en Rusia[7].

Las entrevistas con la dirección bolchevique culminaron con una cita para discutir el problema con el mismo Lenin, a la que asistieron miembros de siete delegaciones, entre ellos el propio Díaz Ramírez.

Este señala el objetivo de la entrevista así:

> En México [...] sosteníamos una lucha muy enconada contra los sedicentes anarquistas o anarquizantes, que obstruían nuestra labor de

> educación marxista y de lucha comunista entre los obreros [...] sentimos la necesidad de analizar la cuestión y, en consecuencia, participamos en algunas reuniones donde se discutió [...] y se decidió plantear el problema ante Lenin mismo, para solicitarle su intervención a fin de que se pusiera término a este asunto de los presos, juzgando y condenando a los que fueran culpables y liberando a los que no estuvieran en ese caso, al objeto de que no se les utilizara como bandera de ataque contra nuestros partidos y movimientos revolucionarios por los anarquistas y anarcosindicalistas[8].

Curiosos argumentos los del representante de una central sindical unitaria en la que militaban conjunta y hermanadamente comunistas y anarcosindicalistas, como lo era la CGT en julio de 1921.

Lenin los recibió a las dos de la mañana[9], y escuchó al portavoz de los treinta delegados (franceses, españoles, italianos, mexicanos, norteamericanos, ingleses y canadienses).

Lenin, según Díaz Ramírez, contestó:

> Coincido con todos en buena parte de sus opiniones. Nos piden que solucionemos este problema cuyas repercusiones son perjudiciales para el movimiento revolucionario en sus países, lo mismo que para la Revolución de Octubre, por el uso indebido e inexacto que hacen de esta cuestión los anarquistas y, naturalmente los elementos burgueses o pagados por la burguesía contra nosotros.
>
> Los anarquistas presos, tanto los de tipo intelectual como Volin[10], así como otros que habían sido hechos prisioneros con las armas en la mano, serán examinados sus casos nuevamente como ustedes lo desean y libertados, siempre que esto no constituya un peligro para la revolución y su régimen.

La entrevista prosiguió particularizando nuevos temas, y Lenin se dirigió directamente al mexicano para intercambiar opiniones sobre el problema de la utilización de los parlamentos por los comunistas. MDR, tras señalar el dominio de las tradiciones anarquistas en el movimiento obrero de México, y la ausencia de hábitos parlamentarios entre los trabajadores durante la dictadura porfirista y la etapa revolucionaria, le expuso que el partido tenía una línea temporalmente antiparlamentaria, aunque «la mayoría de la dirección pensaba que esto era solo temporal»[11], táctico, «mientras que el partido se robustecía, nutriendo sus filas con obreros ya emancipados de la ideología anarcosindicalista». Este hecho era aceptado tácticamente aunque el partido no había hecho profesión de fe del antiparlamentarismo[12].

Lenin, según Díaz Ramírez, le hizo varias preguntas y luego afirmó:

> No sé mucho acerca de México, pero teniendo presente su condición de país dependiente, poco desarrollado industrialmente y con un proletariado exiguo, tal vez pudiera aceptarse aunque solamente como medida táctica temporal, esa posición antiparlamentaria, pasajera; lo que sería inaceptable, inadmisible, en países como Alemania, Canadá, y otros. [*En esos países, esto*] es un crimen contra la revolución, el cual no podemos menos que censurar acremente en los camaradas, grupos o partidos que sostienen esa actitud, lo que esperamos rectifiquen a la menor brevedad posible[13].

Díaz Ramírez respondió que «creyendo interpretar la opinión de la mayoría de la dirección de nuestro partido [...] esa posición táctica y pasajera sería modificada en breve.»

Este fue el contenido de la breve conversación del «único mexicano que habló con Lenin.[14]»

En el congreso, el debate sobre la situación de los anarquistas provocó nuevos y enconados enfrentamientos cuando no se permitió a la comisión informar y Bujarin calificó a los anarquistas en un discurso, de «bandidos[15].»

Por fin, el 20 de julio terminaron las sesiones. Antes de regresar a México, Díaz Ramírez hizo varias giras por Rusia, entró en escuelas, cooperativas agrícolas, fábricas, museos y cuarteles. Palpó la desolación en que se encontraba el país tras la guerra, la revolución y la guerra civil, las dificultades de abastecimiento, las carencias. Sus cuadernos de notas se fueron llenando de anécdotas y retratos, porque se había comprometido no solo ante el partido a regresar con un informe, sino que era consciente de que a través de sus recuerdos y notas, los comunistas mexicanos podían satisfacer su ansia de saber sobre el Octubre Rojo, y además estaba comprometido a realizar una serie de crónicas para el periódico *El Demócrata*, con las que obtendría algunos fondos.

Desde el punto de vista de los dos congresos, poco podía llevar de regreso a México, que no operara como un *boomerang* contra su partido en el interior de la CGT; en cambio, podía volver con las imágenes de la primera revolución, y con abundancia de material para alimentar el mito.

Notas al pie

1 Díaz Ramírez/ *Hablando con Lenin.*

2 «Tesis sobre la situación mundial y la tarea de la Internacional Comunista», *Los cuatro primeros congresos de la IC*, T. II, *Cuadernos de Pasado y Presente*, Nº 47, Buenos Aires, 1973.

Resulta difícil precisar los contenidos del III congreso, donde la inercia triunfalista desplegada en el II Congreso, aunque se prolonga, se matiza; donde la ofensiva leninista contra el «izquierdismo» y la política de consolidar a toda costa la Revolución Rusa (NEP, monolitismo bolchevique), se ajustan a la idea de que en lo internacional había que pasar de «la revolución ahora» a «la revolución pronto». De estas contradicciones que la retórica del III congreso trataba de nublar, surgían multitud de proposiciones en las que no se quería decir lo que se decía, y que eran significativas solo por comparación con proposiciones de un año atrás. A los ojos del delegado mexicano, deberían resultar más atractivos los llamados formales que los matices, cuyos alcances no eran fáciles de entender; es por eso por lo que los destaco.

3 *Ibíd.*

4 Ricardo Melgar Bao (*El marxismo en América Latina 1920-1934*, manuscrito) precisa esta tesis: América Latina es igual a países dependientes y coloniales, por lo tanto, para referirse a ella, se la sitúa en un plano de igualdad con los países asiáticos que la IC conocía mejor: India, China, Turquía, Japón. De manera que para ir ideológicamente de Moscú a México, se recorría un tortuoso camino de paralelismos que pasaba por Tokio o Nueva Delhi.

5 Díaz Ramírez / *Hablando con Lenin.*

6 Este espíritu, muy lejano al reconocimiento de que existían otras fuerzas revolucionarias no comunistas en el movimiento, con las que había que tratar en pie de igualdad, produjo en 1922 que abandonaran la ISR federaciones nacionales importantes como la CNT española, la CGT francesa o los IWW norteamericanos. Ver Robert Wohl: *French Communism in the Making*, Stanford University Press, 1966, pp. 237 y ss; Melvin Dubofsky: *We shall Be All, a History of the IWW*, Quadrangle, NY, 1969, pp. 463-464 y Antonio Bar: *La CNT en los años rojos*, Akal, Madrid, 1981, pp. 573 y ss.

7 Hay que recordar que el III congreso se celebraba a pocos meses de la represión bolchevique a la comuna de Krondstadt, a la ofensiva final contra el ejército de Makhno en Ucrania (iniciada en diciembre de 1920 y que culminó en agosto de 1921) y al proceso de subordinación de los sindicatos al Estado (diciembre de 1920).

La represión contra los anarquistas iniciada en 1919 se recrudeció en 1921; y en julio de ese año, trece anarquistas sin causa en la cárcel de Taganka, Moscú, se declararon en huelga de hambre exigiendo su procesamiento o su libertad. Emma Goldman y Alexander Berkman se pusieron en contacto con sindicalistas norteamericanos y franceses que asistían al congreso de la ISR quienes hicieron suyo el problema. Volin: *La revolución desconocida*, Campo Abierto, Madrid, 1977 (hay otra edición de Editores Mexicanos Unidos), T. I. / pp. 215-216. Richard Drinnon: *Rebelde en el paraíso yanqui*, Editorial Proyección, Buenos Aires, 1965, p. 327.

8 Díaz Ramírez/*Hablando con Lenin*, p. 49.

9 «[...] en Moscú, en aquel tiempo y hoy mismo no es una cosa extraordinaria trabajar toda la noche. Lenin y todos los hombres que dirigen los destinos soviéticos trabajan así». Díaz Ramírez/*Hablando con Lenin*, p. 50.

10 Díaz Ramírez influido por la parafernalia bolchevique definía a Volin así: «Se decía que este era el guía teórico de Makhno, el jefe de las bandas terroristas que volaban trenes, asaltaban poblados, robaban y violaban mujeres en Ucrania». Díaz Ramírez/*Hablando con Lenin*, p. 51.

11 La dirección del PCM se componía en ese momento de Díaz Ramírez, Valadés y Allen, y los dos últimos se habían pronunciado públicamente con posiciones antiparlamentarias, de manera que Díaz Ramírez no era muy fiel a la verdad en su conversación con Lenin.

12 De nuevo Díaz Ramírez ocultaba la verdad. El partido se había declarado antiparlamentario en varias ocasiones. Desde su primera declaración en noviembre de 1919 (ver *El Soviet*, N° 6), pasando por los documentos programáticos de la FCPM elaborados por comunistas, los comentarios a las tesis del comité ejecutivo de la IC (ver *Boletín Comunista*, N° 4) y los acuerdos del I congreso de las JC, aunque esta última declaración, quizá la más enfática, Díaz Ramírez la ignoraba, pues se había producido en su ausencia.

13 Díaz Ramírez/*Hablando con Lenin*, pp. 52-53.

14 Ciertamente fue el único, dado que otros delegados que representaron a México en diversos congresos en Moscú y que conocieron y hablaron con Lenin eran extranjeros, como M.N. Roy, Evelyn Trent Roy, R. F. Phillips y A. Stirner y que Carrillo Azpeitia y Úrsulo Galván, que irían a Rusia dos años después, tan solo lo vieron de lejos. En esta calidad, fue conocido Manuel Díaz Ramírez en la prensa comunista durante muchos años: «El único mexicano que habló con lenin», lo que virtualmente lo convertía en el Juan Diego Comunista para efectos de propaganda.

15 Salazar-Escobedo/*Las Pugnas...*, p. 409.

7. LUCHA DE FÁBRICA Y TENSIONES ROJAS

Las expulsiones afectaron al aparato militante de la CGT, pero no impidieron que en el interior de las fábricas siguiera la agitación y las movilizaciones.

En los últimos días de mayo de 1921 los tranviarios paralizaron sus actividades en la Ciudad de México pidiendo aumento salarial. La empresa trató de mover los tranvías con esquiroles pero los trabajadores se armaron de palos, fierros y piedras y lo impidieron. Las instalaciones de tranvías quedaron bajo custodia policiaca, y bajo amenaza de intervención militar[1].

El mismo día, fueron los trabajadores de la Hormiga los que estallaron la huelga. El gobierno ordenó al jefe de la gendarmería montada de Coyoacán que patrullara la zona. La Federación Textil, solidarizándose con las huelgas de la Hormiga y las anteriores de Santa Rosa y Santa Rita (dos pequeñas fábricas), convocó a un paro general de hilanderos si no se resolvía la reglamentación de horas de trabajo y la inmediata reposición de despedidos[2].

Los primeros días de junio mostraron el progresivo endurecimiento de las relaciones entre el gobierno y el radicalismo sindical. Obregón declaró: «Todos los atentados que sean de carácter bolchevique o provocados por el socialismo anárquico, serán sofocados enérgicamente por el gobierno en toda la República.[3]»

En Tampico se reprimió militarmente un mitin sindical y en Veracruz se realizó una huelga general de dos horas contra las deportaciones. La represión fue seguida en Tampico por una huelga general protestando contra las detenciones. Las persecuciones se extendieron a Mexicali y Puebla, y se combinaron con cierres de fábricas y minas, y reducciones de salario y jornada. El capital contraatacaba. En Santa Rita fueron detenidos dos dirigentes sindicales por hacer mítines en la puerta de la empresa en huelga, en Puebla fueron encarcelados los dirigentes de la huelga panadera[4].

En Tampico la situación evolucionó hacia una crisis mucho más profunda. Combinada con la movilización obrera y la represión, las compañías presionaban al gobierno de Obregón para que no aplicara un impuesto a la exportación petrolera. Y presionaron cerrando pozos, despidieron a veinte mil trabajadores y pidieron la intervención de la marina de guerra norteamericana[5].

En este contexto, la CROM celebró el 1 de julio su convención en Orizaba y la CGT el día 9 su I congreso nacional para septiembre[6].

El acto cromista (que tan solo reunió sesenta y siete delegados) se caracterizó por el endurecimiento de la actitud de la cúpula de la CROM respecto a la disidencia roja, y la vinculación mas profunda al gobierno a pesar de la represión que este llevó a cabo contra algunos movimientos de organizaciones miembros de la central. El nuevo comité se ajustó a la experiencia anterior y dejó los dos cargos más importantes en manos de miembros del Grupo Acción (secretario general José F. Gutiérrez y secretario del Interior José Marcos Tristan) con Felipe Carrillo Puerto como tesorero de la Central Amarilla[7].

La CGT mientras tanto, creció. Se recibieron adhesiones de la Cámara del Trabajo de Zacatecas. Se incorporaron los trabajadores organizados de Sinaloa. Y de Jalisco se le unieron la Unión de Carpinteros, la Unión de Trabajadores del Hierro, los campesinos de Santa Inés y el Centro Libertario de Obreros y Campesinos de Ahululco[8].

Su crecimiento no estaba desvinculado de la crisis de la dirección cromista, que en medio de la creciente movilización y la represión patronal y obregonista, tenía muy poco margen para maniobrar. En el DF, la CROM pierde el 16 de julio al Consejo Feminista Mexicano[9] y el 21 de julio se produce una escisión en la FSODF al abandonar las filas de la CROM un grupo encabezado por Rosendo Salazar, el secretario general de la FSODF José Guadalupe Escobedo, Luis Araiza de los sindicatos metalúrgicos, Diego Sandoval y Felipe Lejía Paz[10].

Medianas y pequeñas fábricas se van a la huelga en esos meses, pero el movimiento no toma una forma global, ni siquiera regionalmente. La CGT, se ve incapacitada para dirigir el estallido, y se limita a protagonizar una guerra de guerrillas, en muchos casos defensiva y en el ámbito de empresas.

Por esos animados días de julio, regresan a la Ciudad de México clandestinamente Phillips y San Vicente, tras su experiencia guatemalteca. Phillips no localiza a Katayama ni a Fraina. «Mi actividad abierta cesó. Yo no podía actuar porque se suponía que no estaba en México»[11]. Cambia nuevamente de nombre y ahora bajo el seudónimo José Rocha[12] y enlazando con los jóvenes comunistas, concentra su trabajo en la organización de un semanario del partido. Así, nace *El Obrero comunista* el 18 de agosto. Su declaración de principios está muy en la línea que Phillips ha propugnado: construir el partido, que no es diferente al movimiento, solo su vanguardia; un diario que sea expresión de las luchas de trabajadores. Implícitamente, ofrecer un diario que señale la línea a una CGT sin dirección real, y que permita la reconstrucción del partido comunista. Sin embargo, el número 1 del periódico contiene muy poco material sobre las luchas fabriles que están agitando a la República, y es incapaz de ofrecer una alternativa táctica al conjunto del movimiento. Apoya iniciativas como la de la Organización Roja de los Obreros del Petróleo en un solo sindicato lanzada por la CGT, pero no aporta una visión más amplia. El periódico muestra la debilidad de la Juventud Comunista, que si bien ha crecido y aumentado su influencia, se encuentra al margen de las luchas fabriles y de los problemas tácticos generales que afectan al movimiento. El periódico en cambio ofrece abundante material ideológico: declaraciones de la IC sobre el imperialismo, un manual del trabajo clandestino tomado de la prensa comunista norteamericana, y dos colaboraciones de Fraina y Katayama que llegan a través de Valadés: un articulo titulado «La República Rusa de los soviets» del japonés, y un artículo de Luis Carlos Fernández (Louis C. Fraina) titulado «Construid el partido comunista», escrito sin duda meses antes. En él, Fraina tras aceptar que el partido no existe en México, señala que la clase obrera es revolucionaria, pero que necesita del partido, su vanguardia, para la conquista del poder[13].

No piensan lo mismo sin duda los anarquistas miembros de la CGT, que eligen esta etapa de confusión para desencadenar una ofensiva ideológica contra la Revolución Rusa. Los argumentos pueden sintetizarse en un artículo de Tomás Martines publicado en *Solidaridad* donde se caracteriza el «socialismo de Estado» como el «último puntal que le queda a la burguesía llena de terror», y tras señalar que se reprimía en Rusia a los anarquistas, denuncia a los que «no ven mas allá de sus narices» por creer que en Rusia se está instituyendo el comunismo libertario[14].

Estos argumentos, novedosos en México, correspondían a la llegada a nuestro país de denuncias de los anarquistas europeos; materiales como la carta de Kropotkin «A los obreros de Europa occidental» o las denuncias de Alexander Berkman y Emma Goldman. Con argumentos tomados de estos textos y de materiales que se recibían de algunos grupos anarquistas españoles, Huitrón y Quintero abrieron el debate en el eterno foro de los radicales mexicanos, el local de los panaderos, sobre la validez de la «dictadura del proletariado». En tres sesiones, se polemizó públicamente sobre el tema, teniendo los comunistas tan solo la voz de Vargas Rea para oponerse a los argumentos ácratas[15].

Ni Katayama, ni Phillips, en sus mutuas y separadas reclusiones, pudieron hacer oír su voz en el encuentro que rompía la fraternidad anarco-comunista en México, a causa de acontecimientos sucedidos a millares de kilómetros.

Notas al pie

1 *El Demócrata*, 29 de mayo de 1921.

2 *El Demócrata*, 29 y 30 de mayo de 1921.

3 *Excelsior*, 2 de junio de 1921.

4 Vizcaíno/*CGT año I* y *NAW FA* (Colmex MP 138) 812.0-1384.

5 Ibíd.

6 *El Trabajador*, N° 17, 4 de septiembre de 1921 y Araiza/*Historia* T. IV, pp. 70-72. La convocatoria resultaba francamente apresurada y no había en la orden del día puntos que la justificaran. Tras esta premura se encontraba indudablemente la necesidad de fortalecer la coordinación nacional muy golpeada por las expulsiones, y tratar de captar a las federaciones que estaban rompiendo con la CROM.

7 «Un congreso obrero resultó político», *Solidaridad*, N° 1, Veracruz, 10 de julio de 1921. *El Demócrata*, 2, 3 y 15 de julio. La convención se caracterizó por la dureza de las intervenciones de los miembros del Grupo Acción, muchos de ellos funcionarios públicos, contra los rojos.

8 *El Trabajador*, N° 8, 2 de octubre de 1919. *El Demócrata*, 12 de julio y 9 de agosto de 1921. Numéricamente, estas incorporaciones significaban el aumento de los contingentes de la CGT en unos nueve mil obreros y campesinos.

9 *Volante* firmado por la secretaria general Elena Torres, archivo autor. El argumento formal fue que el Congreso de Orizaba discriminó a la mujer trabajadora y se negó a permitir que mujeres tuvieran puestos de dirección en la central.

10 La ruptura se produjo en un consejo de la Federación de Sindicatos Obreros del DF cuando Salazar denunció que se había negado a entregar el dieciséis por ciento de su salario como director de los Talleres Gráficos de la Nación a Morones (supuestamente para gastos del PLM), por lo que fue despedido diez días después. Ezequiel Salcedo amenazó a Salazar con una pistola y se produjo un forcejeo. Los choques se repitieron en los pasillos, Araiza se vio precisado a tumbar de un puñetazo a uno de los pistoleros de Gasca. Araiza/ *Historia*, T. IV pp. 72-73.

11 Phillips-Draper/*De México...* Al regreso del norteamericano, Katayama se encontraba todavía en Estados Unidos.

12 Phillips había adoptado en Guatemala el seudónimo de Manuel Gómez (mismo que volvería a usar años más tarde en Estados Unidos), y en México además de usar el de Rocha, firmó artículos en *El Obrero Comunista* como Manuel Díaz de la Peña.

13 *El obrero Comunista*, N° 1, 18 de agosto de 1921. El número 2 incluía artículos de Trotski, Katayama (como Yavki) y Díaz de la Peña.

14 Tomás Martínez: «Deslindando el campo», *Solidaridad*, N° 7, 21 de agosto de 1921. Otros órganos anarquistas como *El Pequeño Grande* se sumaron a la crítica hasta después del congreso de la CGT, no fue el caso de *Luz* y *Vida Nueva* de Huitrón que en agosto atacó duramente, a la Revolución Rusa.

15 *El Demócrata*, 10, 15 y 28 de agosto de 1921. Salazar y Escobedo/*Las Pugnas...*, p. 400.

8. CONGRESO DE SEPTIEMBRE

Los Jóvenes Comunistas y Phillips no dieron importancia a las tensiones que se estaban desarrollando entre ellos y los anarquistas dentro de la CGT. Tres días antes de que se iniciara el congreso, *El Obrero Comunista* saludaba su próxima apertura con un par de artículos muy formales[1]. En un balance sobre lo sucedido desde el congreso de febrero, se encontraban tres males a criticar: la falta de fondos producto de que las cuotas nunca se fijaron y las federaciones no las pagaron, la debilidad del comité ejecutivo nacional que «no obró con energía y por largos intervalos casi dejó de funcionar» y la falta de participación en la huelgas, porque algunos militantes abusaban de la propaganda ideológica y no hacían trabajo en el movimiento.

En el segundo punto señalaba que los tres secretarios que actuaron correctamente fueron Rubio, Quintero y San Vicente y con la deportación de los dos españoles, Quintero se quedó solo. La deducción que sacaban era un llamado a que se eligiera «compañeros activos» y que estuvieran «en condiciones de cumplir.»

El tercer punto lo abordaban de una manera muy particular: «La confederación no debe convertirse en una organización de propaganda ideológica, en un pequeño sector [*sic*]. La propaganda ideológica es más bien trabajo de un partido comunista [...] Hay que haber división del trabajo [*sic*].»

Las críticas eran moderadas: «Esperamos que se comprenderá que hemos ofrecido nuestros criticismos, no con el fin de pugnar, sino en el más alto espíritu del compañerismo.»

El artículo terminaba depositando sus esperanzas en que la CGT reafirmaría su adhesión a la ISR y a la tesis de la dictadura del proletariado.

Desde luego, la convocatoria tampoco parecía anticipar un debate interno entre anarquistas y comunistas. El punto de la ratificación de la permanencia a la ISR no estaba en la orden del día; lógicamente, dado que el delegado de la confederación, Manuel Díaz Ramírez, no había regresado a México; y el temario no incluía ningún debate sobre las diferencias tácticas o estratégicas. De hecho, la convocatoria no invitaba a dar más que dos discusiones centrales: la actitud de la confederación ante la represión gubernamental y la preparación de una convención panamericana. El punto siete, en cambio, dejaba abierta la presentación de proyectos por los asistentes y su debate[2].

El domingo 4 de septiembre en el local de la confederación se iniciaron las sesiones. Asistían cuatro federaciones locales, las del DF, Zacatecas, Mérida y Atlixco; dos federaciones industriales: la de tranvías y la de hilanderos del valle de México. Por primera vez estaban presentes la mencionada Federación de Zacatecas, sindicatos de Guadalajara y grupos de la zona de Puebla. Acudieron también la escisión cromista (Salazar, Araiza y Escobedo) y los restos de la administración mexicana de la IWW que venían a sumarse a la confederación.

No faltaban los núcleos radicales del DF (panaderos, tranviarios, telefonistas, Palacio de Hierro) a los que ahora se había sumado el sindicato de carpinteros, dirigido por el anarquista Pioquinto Roldán.

Se notaba la ruptura del equipo rojo de febrero que estaba produciéndose en el puerto de Veracruz al aproximarse el Negro García a las posiciones de la CROM, porque solo habían acudido tres sindicatos veracruzanos: el de los campesinos de Ojital (que representaba Úrsulo Galván), el de carretilleros y el de tabaqueros.

Se habían perdido para los rojos los textiles de Orizaba, y por motivos de distancia no asistían los sindicatos rojos de Sonora, Sinaloa y Mexicali.

Era también de notarse la desorganización en que había quedado el movimiento radical de Tampico tras la huelga petrolera, pues en el congreso solo estaba representado por un pequeño grupo de afinidad, el grupo Solidaridad.

El Partido Comunista no tenía más que dos representantes indirectos, ninguno a nombre del PC, en cambio la Juventud reunía directa o indirectamente once (Valadés por la redacción de *El Obrero Comunista*, Vargas Rea por el grupo Cultura y Acción, Juan González por la JC de Toluca, Leovigildo Ávila por la fábrica de Metepec, Jesús Bernal por el Palacio de Hierro, Felipe Hernández, panadero, Rafael Carrillo, María Alonso y Antonio Calderón, por la Federación; Daniel González por la JC de Guadalajara y Teodoro Sánchez por el Grupo Libertario Conflagración de Orizaba[3].)

Mucho se ha informado sobre la composición del congreso de septiembre. El boletín de la ISR comentaba que de los setenta y tres delegados del congreso «solo veinticinco eran comunistas»; el propio Louis Fraina repetía en otro artículo cifras similares[4]. La verdad, es que entre los cincuenta y nueve delegados (varios de ellos reunían más de un mandato), trece pertenecían al partido y la Juventud (los once citados miembros de la JC, Úrsulo Galván de la Local del PCM de Veracruz y el panadero Genaro Gómez). Pero así como los comunistas estaban en minoría, también lo estaban los anarquistas. Entre sus delegados podía señalarse a Huitrón (del grupo Luz), a Quintero y Rodolfo Aguirre (con la representación del comité confederal saliente), a Fructuoso Aguirre de Tampico, a Manuel Flores de Zacatecas, a los telefonistas Araoz de León y Antonio Pacheco, al yucateco Doporto, al viejo Roldán y al peruano Alejandro Montoya que representaba grupos anarquistas de Orizaba y Santa Rosa.

Una capa de sindicalistas moderados tenía por vez primera un lugar importante en el congreso (por ellos hablaban la Federación Sindical de Zacatecas y el grupo recién escindido de la CROM del DF), y a la enorme mayoría, no podía ponérsele un membrete que identificara su ideología, aunque formaban parte de la «corriente roja» del sindicalismo revolucionario.

Lo que es cierto, es que de los trece comunistas, solo cinco tenían voto y los demás eran tan solo delegados con voz de acuerdo a los estatutos. Lo mismo podía decirse de los anarquistas, quienes de sus diez delegados, solo seis tenían voto, puesto que los otros estaban dentro de la categoría de representantes de grupos culturales o miembros del comité saliente.

Los debates se originaron desde el momento en que se aprobaban las credenciales de los asistentes. La de Valadés fue cuestionada señalando que los jóvenes comunistas tenían varias formas de hacerse presentes en el congreso, la de Mercado (de los carretilleros de Veracruz) fue rechazada porque llegó un comunicado de sus representados donde lo acusaban de haber tenido intervención en «política»; incluso las de los ferrocarrileros Arzamendi y Rodríguez fueron cuestionadas por sus supuestos nexos con el Partido Socialista Yucateco. Nuevo conflicto al rechazarse la credencial de Leonardo Hernández, puesto que sin ser molinero venía representando a ese sindicato, cosa que prohibía la convocatoria. Por último, tras acalorado debate, se aceptó la credencial del sindicato campesino de Jerez, Zacatecas[5]. Ni siquiera el prestigiado dirigente panadero Genaro Gómez se salvó de algunas duras críticas[6].

Los primeros puntos del orden del día se recorrieron rápidamente, condenando la represión gubernamental, pronunciándose el congreso por los sindicatos únicos y acordando realizar un congreso panamericano. Los debates más enconados se pospusieron hasta los días finales.

El punto siete registró animadas discusiones. Se presentaron proposiciones de Phillips (supuestamente enviadas desde Guatemala, porque aunque se encontraba en el DF tenía que mantenerse clandestino) sobre las condiciones que se deben exigir para pertenecer a la CGT, un punto de solidaridad internacional con las «hambrunas» en Rusia y un proyecto para enfrentar el desempleo. Los trabajadores de Atlixco presentaron un proyecto contra el trabajo infantil; Rosendo Salazar dos, uno sobre educación racional y otro sobre reglamentación salarial; los delegados de la IWW insistieron sobre las virtudes del sindicalismo industrial, y los veracruzanos un proyecto para que la CGT apoyara la Ley de Reparto de Utilidades que se había decretado en su estado[7]; José Valadés, hablando en nombre de los comunistas presentó varios proyectos: uno sobre contabilidad industrial, otro sobre el tipo de movilización que debería realizar la CGT en cada conflicto y un tercero sobre las relaciones entre la CGT y el Partido Comunista y la Internacional[8].

Sobre los primeros puntos se fueron dando resoluciones de poca trascendencia para el curso de la historia que aquí se narra, pero ante la última intervención de Valadés, que criticaba la labor de los grupos culturales y pretendía que la organización se concentrara en la movilización económica, cediendo a los comunistas la labor de los anarquistas, quienes además pretendían que el acuerdo de adhesión a la ISR se sometiera a referéndum. En el debate se mezclaban las discrepancias (no muy claras) entre las diferentes concepciones sobre la relación que debería guardar el grupo militante con la organización sindical[9], con ataques a la Revolución Rusa, y al concepto de dictadura del proletariado. Se unía a esto la demanda de que la organización tuviera control sobre los fondos que Valadés manejaba en nombre del difunto Bureau de la ISR.

La ofensiva no encontró una respuesta en los jóvenes comunistas desbordados por la oratoria de los viejos ácratas, y Valadés cuenta que tuvo que soportar sobre sus espaldas el peso de la respuesta[10].

El congreso se cerró con la retirada de los Jóvenes Comunistas, a los que no acompañó ninguna organización sindical[11]. Se aprobó una resolución en la que se sometía a referéndum la permanencia en la ISR y se nombro un comité de seis miembros en el que dominaban los sindicalistas (Escobedo, Salazar, Balleza y Sandoval) con la presencia de dos anarquistas (Escobar y Doporto)[12].

Sin que formalmente se hubiera dado, la escisión entre los comunistas y los anarquistas, se había producido. Los jóvenes comunistas habían cedido a los anarquistas la influencia en el interior de la única oposición de masas al sindicalismo amarillo de la CROM.

Los anarquistas habían escindido la oposición roja, el breve matrimonio había terminado.

Notas al pie

1 «El domingo se inaugurará elcCongreso de la CGT» y «El I Congreso de la Confederación General de Trabajadores», *El Obrero Comunista*, Nº 3, 1 de septiembre de 1921. El segundo artículo había sido probablemente redactado por Phillips.

2 Convocatoria en *El Trabajador*, Nº 17, 4 septiembre 1921.

3 *El Trabajador*, Nº 18, 2 de octubre de 1921, y lista manuscrita de JCV encontrada en su archivo.

4 *RILU Bulletin*, Nº 10, 15 de diciembre de 1921 y Louis C. Fraina: «The Red Internacional in México», *RILU Bulletin*, 12 de febrero de 1922.

5 Recortes de varios diarios del DF, archivo JVC.

6 *El Demócrata*, 7 septiembre 1921.

7 La respuesta cegetista al movimiento que se estaba dando en Veracruz en torno a la Ley del Hambre, muestra el eclecticismo del congreso para mantener los «principios» y no aislarse de los movimientos reales:

> Ni el seguro obrero, ni la Ley de Participación de Utilidades resuelve el problema del salario, pero está dispuesta [*la CGT*] a solidarizarse con los obreros de Veracruz en caso de que el conflicto que se está sosteniendo en aquel estado, tenga como resultado alguna medida criminal de los industriales que agrave la situación económica de los trabajadores.
>
> (Punto 8 de las resoluciones del I congreso).

8 Los proyectos en *El Demócrata*, 9 de septiembre de 1921.

9 Para los anarquistas, el papel del partido como «reunión de lo mejor de la clase» era inaceptable, así como la reducción de la central a un núcleo de lucha económica, despojado de las tareas de la lucha social revolucionaria y de la labor de divulgación ideológica. Proponían al partido que se mantuviera con el estatus de grupo cultural y abandonara la pretensión de dirigir a la organización sindical. Las diferencias ante la Revolución Rusa eran el otro punto envenenado de las relaciones y se sintetizaban en el ataque anarquista al concepto de «dictadura del proletariado.»

10 «Tanto fue el asedio que sufrí en el II Congreso de la CGT, que me hicieron subir a la tribuna más de veinte veces, como si hubiese cometido delito alguno», Valadés/*Memorias*, p. 264.

11 Difícilmente podría así suceder, porque la escisión de los Jóvenes Comunistas no se presentó como un proyecto alternativo, ni en lo sindical ni en lo político; y porque formalmente no hubo expulsión, ni abandono; por último, porque los comunistas que tenían influencia en algunos sindicatos (Palacio de Hierro, panaderos, Metepec) difícilmente podrían aclarar su posición frente a sus sindicatos.

No conozco prensa del PCM del mes de octubre de 1921 (las colecciones de *El Obrero Comunista* y *Juventud Mundial* son incompletas) que permita recoger una explicación oficial de la salida de la CGT por parte de los comunistas. Explicaciones posteriores señalaban que las deportaciones permitieron que los anarquistas tomaran el control de la organización (Stirner: «El movimiento obrero en México» en *Inprecor*, 1927 y Fraina en el artículo citado), o autocráticamente se decía: «En este congreso los comunistas bajo la dirección de Valadés demostraron una incapacidad muy grande para el trabajo entre las masas. Casi sin lucha fueron colocados al margen de la organización económica» (*El Machete*, N° 41, 13 de agosto de 1925). Versiones contemporáneas sin embargo, hablan de la «expulsión». Para deshacer estas versiones basta revisar las resoluciones del congreso citadas.

12 «Importante circular a las organizaciones confederadas», *El Trabajador*, N° 18, 2 de octubre de 1921 y Araiza/*Historia...*, p. 84. Balleza y Escobar eran tranviarios; Escobedo, ex secretario del Exterior de la CROM era ebanista. R. Salazar, hombre sin oficio, había renunciado a la dirección de los Talleres Gráficos de la Nación, y sostenía un proyecto editorial independiente; Doporto, anarquista yucateco; sobre Diego Sandoval no poseo información.

El secretariado, de acuerdo a los estatutos, debería residir en el DF y «sostenerse con su trabajo personal, pues la confederación no tiene asegurado sueldo alguno para sus representantes.»

9. DESMORALIZACIÓN, ARRIBOS Y DESPEDIDAS

Tras el fracaso en el congreso de septiembre, la desmoralización cundió entre los Jóvenes Comunistas. Muchos sindicalistas que se habían acercado a la Juventud, en una situación de fidelidad entre su organización y el sindicato, permanecieron fieles a este último y abandonaron las filas de la FLC. Refiriéndose a esta deserción, un militante de la JC unos meses más tarde la caracterizaba como: «Una de las más graves que se haya podido registrar.[1]»

No estaba en mejores condiciones Richard Francis Phillips:

> En realidad, sólo salía de noche, y caminaba apenas para hacer algún ejercicio. Aun así, a través de gente que venía a verme, el gobierno llegó lo bastante cerca de mí para obligarme a una mudanza urgente. Y por un tiempo estuve mudándome todas las semanas. Hasta que finalmente se hizo evidente que no podía hacer ningún trabajo efectivo [...] De manera que salí de México, me comuniqué con la Profintern, y se me hizo saber que mi misión podía considerarse terminada[2].

Al fin, a mediados de octubre, Manuel Díaz Ramírez llegó a Veracruz. Sin saberlo, había logrado evitar la detención en los Estados Unidos donde la policía política alertada por Allen lo estaba esperando[3]. El 22 de octubre, arribó a la Ciudad de México. Una pequeña comisión lo recibe, entre otros, Rosendo Salazar, que cuenta:

> A preguntas, queremos saber lo que hay en la mente del recién llegado. ¿Quién es Lenin? ¿Quiénes son los bolcheviques? ¿Qué hace Gorka, el ilustre vagabundo? Díganos, cuéntenos, vamos a su alojamiento para que nos enseñe lo que trae en su maletín procedente de Rusia.

> Ramírez no es egoísta con nosotros; alquila un cuarto en la misma casa donde tomamos nuestra asistencia [...] nos enseña algunas curiosidades que trae en su petaca: un encendedor automático; una cartera de fina y perfumada piel; algunos ejemplares de rublos impresos cuyos gráficos detalles admiramos; infinidad de fotografías de Lenin, de Trotsky, de Tchicherin, de Zinoviev; de muchedumbres de personas y asuntos; luego nos dice sus impresiones de viaje, haciéndonos saber también, cuando le dijimos que se habían desligado de la general el Partido Comunista y la Federación de Jóvenes Comunistas, que esperaba que todo volviera a su natural estado, puesto que la CGT era para realizar la justicia entre las colectividades y los individuos[4].

Dos días más tarde, Díaz Ramírez inició una campaña, casi personal, para mantener a la CGT en la ISR. En su primer mitin declaró: «Las revoluciones sociales no se hacen con palabras, hay que educar a las masas y crear la conciencia de clase»[5], y convocó a un acto para el día 30, en que rendiría su informe a la CGT sobre su estancia en la URSS. La nueva dirección cegetista asumió la convocatoria al acto ese mismo día.

El día 30, un centenar de trabajadores se reunieron en el local de la CGT para oír el informe. La posición de los anarquistas, mientras tanto, se había fortalecido. *El Pequeño Grande*, al fin había tomado posición contra la Revolución Rusa en un artículo de Benjamín Villa: «No se puede luchar por el comunismo libertario y simpatizar con la dictadura [...] La dictadura no traerá el comunismo como no lo ha traído en Rusia.[6]»

Díaz Ramírez inició su intervención[7] recordando cómo se le extendió credencial por parte de la CGT, las dificultades que tuvo para arribar al país de los soviets y los antecedentes de la constitución de la ISR, sobre todo centrándose en la denuncia de los sindicatos socialdemócratas y su actitud ante la guerra. «Los revolucionarios sinceros de todos los países cerraron filas; comunistas, sindicalistas y anarquistas comprendieron la necesidad suprema de agrupar a las masas obreras bajo una organización que no estuviera dominada por esos traidores a su clase». Luego dio un detallado reporte de sus visitas en la Rusia bolchevique y de las actividades del congreso.

Un especial silencio se hizo en la sala cuando narró la intervención de Bujarin en el Congreso, sobre las detenciones de anarquistas en Rusia por el gobierno bolchevique, Ramírez dijo:

> Como este era un asunto que había sido tratado directamente con los funcionarios de la administración, por algunos miembros del Congreso (solo siete delegaciones, entre las cuales se contaba la de México) y los demás miembros del Congreso no sabían nada sobre el particular, era natural que se produjera cierta excitación la cual se tradujo en protesta por parte de varios delegados anarquistas al calificar Bujarin en el mismo plano a los anarquistas presos y a las bandas que seguían al bandido Makhno.

En el local de la CGT se reproduce el caos que reinó meses atrás en Moscú. Las preguntas y los gritos se mezclan con la defensa de Makhno.

Díaz Ramírez sale del paso remitiéndose a la explicación de los procedimientos formales que el congreso tomó, sin hablar de su contenido.

Tras varias horas de exposición y debate, los concurrentes, sin llegar a acuerdos, son convocados para proseguir una semana más tarde. El 6 de noviembre[8], la discusión se reinició. Un nuevo elemento surgió en la crítica anarquista: la ISR es calificada como un apéndice de la Internacional Comunista.

Díaz Ramírez no mencionó el contenido de su conversación con Lenin y si enfatizó la necesidad de la unidad de la izquierda sindical. Pero no hubo una reacción en sus oyentes. Finalmente se recordó el acuerdo del congreso de la CGT de llevar a referéndum en los sindicatos la permanencia o no en la ISR.

El hecho real es que la ruptura se había profundizado.

Un día después, el 7 de noviembre, los Jóvenes Comunistas organizaron un festival en el Tívoli del Eliseo para conmemorar el aniversario de la Revolución de Octubre. La pieza fuerte es la intervención de Díaz Ramírez, que viene de allá, que lo ha visto[9]. Para la ocasión, se edita un número extra de *El Obrero Comunista* que trae artículos de Fraina, Díaz Ramírez, Bujarin, Lenin, Trotski, Radek y Valadés[10].

Varios actos más se celebran en otras ciudades del país donde los Jóvenes Comunistas tienen núcleos activos, en particular en Atlixco, Orizaba, Guadalajara, Progreso y Tampico[11].

Esta fue la despedida de Katayama, que sin haber podido oír la Internacional tocada por la banda de la SEP y cantada por los Jóvenes Comunistas, abandonaba México el 12 de noviembre, por fin con destino a Rusia[12].

Tras un viaje de un mes, el revolucionario japonés llego a Moscú el 14 de diciembre. Al fin había logrado su objetivo; la estancia mexicana ha sido un breve espacio de espera entre su trabajo en los Estados Unidos y su arribo a la Meca de la revolución mundial. Una foto anónima lo muestra enfundado en un gran gabán, con un gorro de orejeras, pequeño ante una puerta que luce un indescifrable letrero; las manos en los bolsillos, un gran portafolio bajo su brazo izquierdo, la nieve bajo los pies, con una cara jubilosa que surge de una sonrisa a labios apretados. Un año más tarde era elegido miembro del comité ejecutivo de la IC[13].

Con su viaje se acaba la experiencia del Bureau de la ISR en México. Años más tarde, Roy resumiría la breve existencia del Bureau en una carta desde Moscú: «La historia de ese maldito Bureau Latinoamericano ya se ha acabado. Se conoce aquí que esa gente, que fue encargada, cometió muchas faltas, pero no seas enojos para con el viejo. Es un viejo luchador, verdadero, no de palabra.[14]»

El balance de la propia ISR era más benévolo, Louis Fraina en un artículo publicado poco después, señalaba: «La ISR es un poder ideológico en el movimiento obrero mexicano, pero no es definitivamente un poder organizado, a pesar de que una de las dos federaciones nacionales, la CGT, está afiliada a la ISR.»

Tras hacer un balance de la derrota en el congreso de septiembre, señalaba: «Estoy convencido que, con la agitación y la acción de los comunistas mexicanos, la actual dirección será derrocada»[15]. Terminaba dando la cifra de veinte mil afiliados para la central roja y setenta mil para la CROM[16], y señalando que la adhesión a la ISR se discutía entre ferrocarrileros y obreros de Orizaba.

Si la línea era mantenerse dentro de la CGT para «buscar el derrocamiento de la actual dirección», nadie se la comunicó a los comunistas mexicanos, que dedicaron sus pocas energías a otros proyectos de muy variada índole, todos ellos fallidos en lo inmediato, y a una serie de giras de propaganda que Díaz Ramírez y Valadés protagonizaron.

Se habló de organizar a los inquilinos, pero no se avanzó en ese sentido; se hicieron campañas para recabar fondos para Rusia e incluso se discutió la organización de un «congreso de los sin trabajo». «Algunos trabajadores recibieron la idea con una sonrisa, otros con un "muy bueno" pero también hubo muchos que hicieron suyo el llamado»[17]. Se anunció la futura celebración de un Congreso Panamericano Rojo, y finalmente, Díaz Ramírez declaró que se buscaba mostrar «la conveniencia de actuar colectivamente en otros planos que no sean el sindicalismo»[18]. Definitivamente, se había perdido la brújula.

En materia de propaganda, Díaz Ramírez abrió fuego con una serie de artículos en *El Demócrata* titulados «Impresiones de una viaje a Rusia», que se publicaron durante todo noviembre de 1921, haciendo trabajar horas extras a los traductores de la embajada norteamericana[19]. Se hicieron giras a Aguascalientes y Jalisco; en esta última los obreros asistentes a la conferencia se enfrentaron a los Caballeros de Colón que trataban de impedirla[20]. Valadés y Díaz Ramírez hablaron en el sindicato panadero, en la Liga de Maestros, e incluso se fueron a organizar las Locales de Durango y Saltillo[21].

La dirección de la CGT editó en noviembre un manifiesto, uno de cuyos puntos hacía referencia al movimiento de la Juventud. Sintéticamente, establecía la simpatía de la CGT por el pueblo ruso, su admiración por Lenin y Trotski; caracterizaba a la JC como «una organización integrada por entusiastas revolucionarios amigos nuestros [...] lástima que estén dirigidos por un señoriíto poco recomendable», y señalaba que el congreso no expulsó a los Jóvenes Comunistas, que decidió que podían actuar dentro de la CGT «si no aceptaban los postulados de un partido». El manifiesto, obra del ala conciliadora de la dirección, representada por los ex cromistas Escobedo, Salazar y Sandoval, dejaba abierta las puertas, aunque criticaba los ataques que habían venido recibiendo de parte de *Juventud Mundial*; y tras puntualizar que en el movimiento había lugar para todos, que cada cual podía marchar «autónomo» por su lado, advertía: «Si [*JC*] persiste en su labor torpe y muy poco saludable, será otra nuestra actitud.[22]»

Pero los ataques eran mutuos. Los anarquistas habían realizado varios mítines profundizando la denuncia de la Revolución Rusa, y atacando a los comunistas como sus representantes[23].

Curiosamente, el centro de la ofensiva estaba dirigido contra un partido que prácticamente no existía, mientras que el antagonismo era menor contra la Juventud Comunista, que había sido la que había sostenido todo el peso del enfrentamiento.

Formalmente, Díaz Ramírez con los Jóvenes Comunistas trató de remediar el problema, y en diciembre se constituyó un comité reorganizador del Partido Comunista, en el que se integraron veinte miembros de la Federación de Jóvenes[24] junto con Díaz Ramírez y Genaro Gómez. En el grupo destacaban Valadés, Carrillo Azpeitia, Rosendo Gómez Lorenzo, Felipe Hernández, Juan González, Jesús Bernal y María Luisa González. El comité reorganizador nombró secretario provisional del partido al joven Jesús Bernal, quien sustituyó al desaparecido José Allen, y convocó a un congreso para reagrupar fuerzas[25].

Y se pensaba en un congreso en forma, que no solo permitiría reorganizar el maltrecho aparato del partido, sino también dotase de una línea política que aclarara las múltiples lagunas teóricas existentes en sus filas y definiera a los comunistas claramente frente al Estado y frente a la doble oposición en el movimiento obrero, la amarilla cromista y la anarquista dentro de la CGT.

Notas al pie

1 J.J. Bertrand: «La Juventud Comunista», *El Obrero Comunista*, Nº 12, 17 de diciembre de 1921.

2 Phillips-Draper/*De México*... Phillips abandonó México y se reincorporó al movimiento comunista norteamericano. Siguió usando un seudónimo en español, Manuel Gómez (o Manuel Ramírez Gómez), continuó escribiendo sobre México, formó parte de la Liga Antiimperialista, representó a América Latina en el IV Congreso de la IC, donde fue nombrado miembro del comité ejecutivo, y permaneció fiel a su pasado, incluso cuando fue expulsado del PC norteamericano en 1929 (más datos en los citados Draper, Phillips-Draper y Lazitch).

3 Agentes del Departamento de Justicia revisaron en su búsqueda a los pasajeros de varios barcos llegados de Europa a Nueva York del 15 al 30 de septiembre. *NAW DJ* 812.0-1144.

4 Salazar-Escobedo/*Las Pugnas*..., p. 401.

5 *El Demócrata*, 25 de octubre de 1921.

6 Benjamín Villa: «Dictadura ¡No!», *El Pequeño Grande*, Nº 18, octubre de 1921.

7 La intervención completa en Salazar-Escobedo: *Las Pugnas*..., pp. 402-411. Otra versión en *El Demócrata*, 31 de octubre de 1921, y una tercera en *NAW DJ* 812.0-1144.

8 *El Demócrata*, 7 de noviembre de 1921 y *NAW SD* 812.0-1340.

9 *Invitación y Programa* archivo JCV. Gómez Lorenzo («El primer aniversario de la revolución», en Mario Gill: *México y la Revolución de Octubre*) cuenta:

> Tuvo lugar en el parque de diversiones llamado Tívoli del Eliseo, sito en la avenida de San Cosme y lo que hoy es Calles de Ejido. Consistía El Tívoli en una serie de jardines arbolados y varios comedores y salones de baile de gran amplitud. En el mayor de ellos, con sillas alquiladas, se efectuó el mitin por la noche [...] Tocó una orquesta de la SEP facilitada por Vasconcelos.

10 Fraina, ya en el extranjero, colaboraba con dos artículos, uno firmado como Luis Carlos Fernández, acerca del ejército rojo. El texto de Trotski «Los soviets y los sindicatos» puede haber resultado particularmente ingrato a los anarquistas, pues en él desarrollaba la teoría de los sindicatos «como correas de transmisión del poder soviético.»

11 Hubo además pequeños mítines en sindicatos de Durango, San Luis Potosí y Atlixco. Un efímero grupo llamado Jóvenes Anarquistas Rojos, escindido de la JC tras el congreso de septiembre, realizó un mitin conmemorativo en el cine Palatina. *El Demócrata*, 7 y 8 de noviembre de 1921.

12 H. Kublin/*Asian*..., p. 286. Su nuevo destino le fue probablemente comunicado por Díaz Ramírez a su regreso de Moscú. Las autoridades mexicanas debieron tener alguna vaga noticia sobre la salida de Katayama de México, aunque sin conocer su

destino, porque enviaron información sobre el viaje de bolcheviques de México a Japón al Ministerio nipón de Relaciones Exteriores. SRE 21-5-8.

13 Chernov y Milovanov/ *Vidas consagradas*, pp. 483-484.

14 Roberto [*M.N. Roy*] a J.C Valadés, 28 de enero de 1923.

15 Louis C. Fraina: «The International in México». El artículo probablemente había sido escrito en Estados Unidos con noticias que le habían enviado desde México. Me queda la duda de si Fraina volvió a entrar en el país entre los meses de julio y octubre de 1921, antes de salir definitivamente.

16 Con estas cifras se inaugura la tradición de la IC de jugar con los números con objetivos propagandísticos. Tres meses antes, cuando aún no se había producido la ruptura, la CGT según el boletín de la ISR, contaba con cien mil afiliados.

17 *El Obrero Comunista*, N° 14, 31 de diciembre de 1921.

18 *El Demócrata*, 8 y 20 de noviembre y 7 de diciembre de 1921.

19 *NAW DJ* 812.0-1144.

20 *El Demócrata*, 7 de diciembre de 1921. En Jalisco, donde los comunistas estuvieron muy activos a fines de 1921, menudearon los choques violentos. El 1 de diciembre, tras una manifestación pidiendo la libertad de Sacco y Vanzetti realizada conjuntamente con el PSR y la IWW, y en la que habló E. de Alba Valenzuela, hubo un choque a puñetazos con los católicos; y días más tarde una turba animada por el cura y apoyada por el ejército atacó el Centro Comunista Libertario de Ahualulco. *El Obrero Comunista*, N° 13, 24 de diciembre de 1921.

21*El Demócrata*, 9, 10 y 20 de diciembre de 1921.

22 *CGT: Manifiesto. Al pueblo productor de la República Mexicana*, noviembre de 1921, archivo del autor.

23 *El Demócrata*, 12 de noviembre 1921.

24 Gómez Lorenzo/*El primer aniversario...* y «Alerta compañeros», *El Obrero Comunista*, N° 11, 10 diciembre 1921.

25 *NAW DJ* 812.0-1340. Como una anécdota lateral había que contar que el Departamento de Justicia norteamericano, privado de información por la ausencia de Allen, para conocer la situación de los comunistas y del futuro congreso, recurrió a pedirla por correo bajo el seudónimo de Adolfo de la Mora, quien simulaba ser un obrero interesado. El partido contestó a la carta y envió amplia información sobre el congreso.

10. EL PRIMER CONGRESO DEL PARTIDO

Ante su incapacidad para intervenir en el movimiento del que habían sido desplazados, los animosos miembros del comité organizador impulsados por Valadés y Díaz Ramírez, concentraron sus esfuerzos en preparar un congreso digno de tal nombre. Tras dos años de vida, el partido iba a ser dotado de un análisis «científico» de la sociedad, de un programa, de unos estatutos, iba a hacerse de un proyecto ideológico que sustentara su futura práctica.

Así, se dedicaron horas y días a la preparación de documentos, entre los que destacaron *Revolución social o mitin político*, de José C. Valadés[1] y el *Informe del comité de organización*. El orden del día para el I Congreso del Partido Comunista Mexicano incluía siete puntos, uno de ellos, el del programa, dividido en once incisos[2].

El día 25, se reunieron en un salón de actos de la avenida de los Hombres Ilustres un centenar de delegados, que representarían escasamente quinientos miembros. La mayoría de los delegados de provincia eran militantes recién reclutados en las giras preparatorias de la comisión reorganizadora, o miembros de la JC que habían ascendido de categoría. La comisión de información, pasó un reporte a la prensa afirmando que había representados comunistas de Yucatán, Campeche, Tabasco, Veracruz, Oaxaca, Puebla, Tlaxcala, DF, Estado de México, Michoacán, Guanajuato, Jalisco, San Luis Potosí, Coahuila, Durango, Tamaulipas y Nuevo León[3]. Además añadía que «el PC cuenta con varios centenares de miembros en la metrópoli.[4]»

Muy lejos estaba la realidad de la imagen que se estaba mostrando. Si bien el partido contaba con núcleos de fieles militantes o de Jóvenes Comunistas en cinco estados (Puebla, Sonora[5], Veracruz, Jalisco, DF), lo demás eran militantes sueltos con presencia en algunos casos en el movimiento obrero, pero que no contaban con organización comunista en sus zonas. Era el caso de Soria en Morelia, el de José Díaz en Mérida[6] y el del Partido Socialista Rojo de Toluca[7]. Tampoco tenían mayor relevancia las delegaciones de Guanajuato, constituidas por delegados fraternales del grupo de Cano que permanecieron fuera del partido; o la local de Tampico que prácticamente había desaparecido con el regreso a Veracruz de Manuel Almanza y Úrsulo Galván en 1920; o la delegación de Monterrey formada por obreros de la fábrica el Porvenir, quienes pensaban estarse sumando a un grupo sindical.

Después de la inauguración formal y de un informe del Comité Reorganizador que hizo referencia a los estragos que habían causado en el partido las expulsiones de los militantes extranjeros en mayo, y la salida de la CGT, así como del proceso de reconstrucción que había tomado a su cargo la Juventud Comunista, se pasó a iniciar los cinco días de debate.

En la caracterización de las organizaciones obreras se describía la CROM como un grupo absolutamente subordinado al gobierno[8], a la CGT como una organización surgida de los obreros revolucionarios que tras las enormes expectativas que había despertado en sus orígenes no se había desarrollado, aunque se esperaba que «corrigiera en su próximo congreso». No había mayores menciones respecto a la presencia de anarcosindicalistas en su dirección o al choque que había motivado la salida de las organizaciones ferrocarrileras y a los sindicatos autónomos (como la Federación Obrera de Progreso, la Liga Marítima de Veracruz, los sindicatos Laboristas de Sonora o la Unión de Alijadores de Tampico). Se perfilaba vagamente una línea táctica basada en que el partido levantaría la bandera de la unificación por la base con el grito de «fuera los líderes oportunistas y traidores», como complemento: «Hacer todos los esfuerzos para obtener la formación de un frente único de la clase trabajadora en la región mexicana.»

Si en lo sindical dominaba la ambigüedad, en lo político se era tajante, tras caracterizar a los partidos existentes como burgueses o «social reformistas» y señalar que los trabajadores «no creen en ninguno de ellos», el congreso resolvía: «El PCM declara que fuera de sus filas no hay un verdadero partido político de la clase trabajadora en México. Que los llamados partidos laborista, agrarista y otros social reformistas, no son sino traidores a los intereses de la clase proletaria.[9]»

En la primera fase de caracterizaciones arremetía contra los grupos culturales (forma enmascarada de hablar de los anarquistas) a los que pedía que «dejaran libre el camino a las masas». Sin llamar por su nombre a sus contendientes en el movimiento obrero radical, se decía que «la misión de los grupos culturales toca a su fin en lo que respecta a servir de guía a las organizaciones obreras.»

De nuevo la ambigüedad privaba. La salida de la CGT estaba muy próxima y el congreso no sabía si romper amarras respecto a ella o dejar una puerta abierta para el regreso.

El punto quinto de la orden del día, dividido en once incisos, fue el debate sobre el programa del partido.

El inciso b, establecía que el partido era «la vanguardia del proletariado», y que las relaciones entre el partido y los sindicatos deberían ser similares a la que se establece entre «el centro y su periferia». Lejos se estaba de la definición del partido como un grupo de militantes que colaboraba en el proceso revolucionario. Se ponía en el papel la autodesignación de vanguardia y en el papel se teorizaba la subordinación de los sindicatos al partido.

El inciso c, donde se discutía la política parlamentaria, la posición electoralista de Díaz Ramírez, surgida de los comentarios recibidos de Lenin en Moscú, se veía enfrentada por las proposiciones de los jóvenes comunistas y teorizaba en *Motín político* de Valadés. La resolución conciliaba ambas aunque con ventaja para los «apolíticos»: El partido «conceptúa un desgaste de fuerzas la participación en las lides parlamentarias; máxime cuando al hacerlo, tendría que sustraer energías a su primordial tarea, que es la construcción de un partido de los trabajadores.»

Aunque la resolución clausuraba temporalmente a los comunistas el acceso a la lucha electoral, su negación era táctica y temporal, tenía que ver con prioridades; ya no se trataba de la negación de principios que había acompañado los primeros años de vida del partido.

La resolución sobre el trabajo agrario, estaba bastante acorde con la ortodoxia comunista de aquellos años, y señalaba la negativa del partido a apoyar la parcelación de la tierra hablando de la lucha por la colectivización, así como la conveniencia de «sumar el esfuerzo del campesino al del obrero.»

Había además resoluciones sobre la dictadura del proletariado, el controvertido eje del debate con los anarcosindicalistas, que era calificada como «etapa indispensable» para la conservación y supervivencia de la clase «después de la revolución.»

Se daba particular importancia (por el tiempo que consumió en los debates y la longitud del texto resolutorio) a la futura relación entre el partido y la JC. Tras señalar que el partido y la Juventud se separaron durante la etapa anterior, y que luego la Juventud fue definitiva en la reconstrucción del partido, se señalaba que en la Juventud existía una perniciosa influencia anarquista, que había que ir limando, y en la resolución se sujetaba la organización de la JC, disciplinándola al partido e intercambiando miembros del comité central entre ambas.

Resoluciones muy formalistas y declarativas sobre el movimiento femenino, sobre la vinculación con los partidos comunistas de Estados Unidos y Canadá, eran previas al inciso, con el que se culminaba el programa original. En este se resolvía «reconocer la Revolución Rusa como la vanguardia de la revolución proletaria, como la única expresión verdadera de la táctica que debe seguir el proletariado mundial», y se reafirmaba la condición del PCM como «sección disciplinada de la Internacional Comunista.»

Organizativamente el partido mantenía su estructura de Locales por zonas subordinadas a un comité nacional electo en congreso.

El punto octavo de los debates, no incluido en la orden del día original, fue una discusión sobre las asonadas militares en México caracterizadas (siguiendo el texto de Valadés) como «motines políticos». La resolución advertía la posibilidad del derrocamiento de Obregón por otras facciones de la burguesía y advertía contra el hecho de que el partido se involucrara en los movimientos generados por los caudillos, por no tener estos nada que ver con la revolución social.

Otro nuevo punto se anexó a última hora a la agenda y se le dio especial importancia, se trataba de una resolución sobre los «sin trabajo» y la necesidad de que el partido pusiera particular esfuerzo en su organización. Se hacía énfasis en desarrollar una campaña para crear comités de obreros desocupados.

El congreso, desbordando la convocatoria original, volvió a tratar en dos puntos más la crisis en que se encontraban sus relaciones con la CGT.

En la resolución X se atacó a los «líderes obsesionados por teorías revolucionarias, que tratan de atar al carro de sus concepciones personales la actuación de las agrupaciones.»

No había en el arsenal ideológico de los comunistas en diciembre de 1921 material para enfrentarse al mucho más elaborado (al fin y al cabo con diez años de vida en México) pensamiento anarquista, y se reducía el enfrentamiento dentro de la CGT a un conflicto contra líderes obtusos que pretendían imponer su proyecto al movimiento, frases que podían adjudicarse buenamente a las propias proposiciones del partido aprobadas en el congreso. Al pedir que los grupos culturales dieran libertad al movimiento y dejasen de guiarlo, bien podían pedirse lo mismo, en lugar de autocaracterizarse como vanguardia. Era al fin y al cabo, disuelta la palabrería, un problema de quien estaba en la dirección.

La resolución X establecía sin embargo que era la CGT el «campo más apropiado» para gestar una reunión de todo el movimiento obrero organizado.

Volvieron sobre el tema en el punto XIII con una resolución sobre «el PCM y el control de las organizaciones obreras por sus miembros», donde abogaban descaradamente por el «control de las organizaciones por sus miembros» en flagrante contradicción con sus planteamientos de un sindicalismo subordinado al partido de vanguardia establecido en el inciso b del punto V.

Tras reafirmar su fidelidad a la Internacional Sindical Roja y su voluntad de lucha para que se adhirieran todas las organizaciones sindicales mexicanas, el congreso definió su línea maestra sindical en el punto XVIII volviendo sobre el tema de la unidad y hablando del necesario Frente Único por la Base, sin precisar la consigna.

Comentando el congreso quince días después, el órgano del partido, *El Obrero Comunista*, señalaba que el centro del congreso había sido dotar al partido de un programa y haber establecido la línea de «Frente Único por la Base.[10]»

En una situación profundizada a lo largo de 1921 de enfrentamiento entre la central amarilla CROM y la roja CGT, el partido se pronunciaba por la unificación y por la lucha contra la dirección de ambas.

Así como la marginación de los comunistas en septiembre iba a debilitar a la CGT, la línea de Frente Único de los comunistas iba a debilitar la dolarización que en el movimiento se estaba produciendo y que en este primer año había favorecido francamente a la CGT ante los titubeos y las conciliaciones de la dirección cromista.

El nuevo comité ejecutivo nacional electo en el último punto del congreso y que sustituiría al comité reorganizador formado por Bernal y Gómez Lorenzo, quedó formado por Manuel Díaz Ramírez como secretario general, Rosendo Gómez Lorenzo, Juan González (ex dirigente de la JC, ferrocarrilero), Juan Barrios (dirigente tabaquero de Veracruz) y Cruz[11].

Del viejo secretariado de febrero, tan solo permanecía Díaz Ramírez. Si bien se explicaba la exclusión de Allen, que en esos momentos estaba de vuelta en la Ciudad de México, pero que se había alejado del partido, resultaba inexplicable la de Valadés, que había asumido las tareas de la reorganización después de las expulsiones de mayo, y que era el indiscutible dirigente de las Juventudes. La única explicación posible podía encontrarse en un choque de personalidades entre Díaz Ramírez y él, y el primero regresaba de Moscú santificado por el encuentro con Lenin[12].

Con el fin del año culminó el congreso. El día 31 los delegados se retiraron. Si bien el partido no se había fortalecido, había sobrevivido a la tercera crisis desde su nacimiento.

La línea, si podía extraerse de las conclusiones del congreso una línea táctica, desempolvando la esencia, de toda la palabrería declarativa parecía señalar un proyecto de reinserción en el movimiento obrero por la puerta de atrás, que se expresaba en el énfasis puesto en la organización de las luchas de los desempleados; mientras basados en la línea del Frente Único se trataba de reincorporarse al movimiento obrero organizado, poniendo especial atención en las organizaciones autónomas (ferrocarrileros, electricistas, liga naval, Federación Obrera de Progreso, sindicatos de Sonora). Sin tener demasiada fe y a la espera de la evolución de los acontecimientos, se mantenía un ojo sobre la CGT para ver si las condiciones de septiembre cambiaban. Pero esta pasividad, aunada a las resoluciones del congreso abría definitivamente una brecha entre anarcosindicalistas y comunistas. Tres años después, el partido se hizo una autocrítica sobre esta etapa, y señaló como los dos errores más graves la «falta de dirección de la actividad sindical y el boicot a la CGT»[13], pero sin mencionar que eran los propios acuerdos del congreso, al establecer el concepto del sindicalismo subordinado al partido, los que impedían el reencuentro.

Por último, el I congreso cambió el nombre del partido adaptándolo a los requerimientos de la IC. Paradójicamente, a tan solo unos meses de la desaparición del PC de M de Gale, el PCM tomó su nombre, apropiándose del «de México» y añadiendo: «Sección de la Internacional Comunista.[14]»

Notas al pie

1 La primera edición en la Biblioteca del Partido Comunista, México, 1922. Hay una segunda en Acere, México 1980, donde se reproduce un original mutilado.

2 *El Demócrata*, 20 de diciembre de 1921. *El Obrero Comunista*, N° 12, 17 de diciembre de 1921.

3 *El Demócrata*, 25 de diciembre de 1921.

4 *El Demócrata*, 26 de diciembre de 1921.

5 La local de Nogales se había formado días antes de iniciarse el congreso y contaba con fuerte presencia en la Federación Sindical de la ciudad. *El Obrero Comunista*, N° 18, 16 de febrero de 1922 y *El Demócrata*, 17 de enero de 1922.

6 La representatividad de Díaz en el congreso como portavoz de los electricistas de Mérida fue desautorizada por estos. *El Pequeño Grande*, N° 21, 22 de enero de 1922.

7 El PSR de Toluca se había convertido en local del PCM desde fines de agosto de 1921, pero no sobrevivió mucho tiempo como una fuerza radical, pues pronto volvió al

socialismo electorero del que había surgido. *El Obrero Comunista*, N° 3, 1 de septiembre de 1921.

8 A partir de aquí, todos los entrecomillados están tomados del extenso documento mecanográfico de las resoluciones del *I Congreso del PCM* que se encuentra en el archivo Valadés. El punto tres ha sido parcialmente reproducido como apéndice de *Motín político* en la edición de Acere. Un resumen de las conclusiones muy conciso fue publicado en *El Obrero Comunista*, N° 15, 11 de enero de 1922.

9 Resultaba particularmente radical la caracterización del Partido Socialista del Sureste, sobre todo tomando en cuenta la reiterada relación de Carrillo Puerto con el PCM en sus dos primeros años de historia. En el inciso V se decía: «Por su actitud contra la Liga Ferrocarrilera de Yucatán ha dado prueba de lo que son esas agrupaciones con líderes oportunistas, de la diferencia entre su actitud al encaramarse al poder y los pujos revolucionarios que gastan en sus discursos antes de llegar a ese poder: son reformistas.»

10 *El Obrero Comunista*, N° 15, 11 de enero de 1922. La formulación del concepto de Frente Único por la Internacional Comunista se elaboró en pleno del comité ejecutivo realizado en el mismo mes de diciembre, y que debió conocerse en México en los mismos días del congreso (¿gracias a qué magia?). En el pleno del CEIC se establecía la táctica del Frente Único como la búsqueda de situaciones unitarias en el movimiento que permitieran el desenmascaramiento de las direcciones reformistas. La variedad de ejemplos con que fue presentada la tesis incluía desde la incorporación del Partido Comunista a un gran Partido Laborista (Inglaterra), la oferta de unidad de acción a anarquistas y sindicalistas (Italia), la formación de frentes únicos en torno a objetivos particulares como blanco (Alemania), unidad electoral (Suecia), etc. Todo ello con libertad de propaganda e independencia. («Tesis sobre la unidad del frente proletario», *Los cuatro primeros congresos de la Internacional Comunista*, p. 191-200). La forma ambigua con que se manejó en México obedecía a la incapacidad de digerir fácilmente el planteo recién llegado y a la confusa situación en que quedaba el partido tras su salida de la CGT. ¿Frente Único con quién y para qué? Hasta ese momento, el PCM había practicado la línea de Frente Único del radicalismo obrero contra el amarillismo que había dado sorprendentes resultados con la integración de la CGT. ¿Ahora?

11 *El Obrero Comunista*, N° 15, 11 de enero de 1922. Los miembros del comité nacional aparecen con sus apellidos y aunque no es difícil identificar y confirmar a los cuatro primeros, quedan dudas sobre el quinto, porque su presencia en la dirección del partido pasó públicamente inadvertida en los siguientes meses, y que puede ser Benjamín Cruz, miembro de a Unión de Mecánicos de Tampico, Arnulfo Cruz o José María Cruz de los carretilleros de Veracruz.

12 Valadés en sus *Memorias*, p. 271, dice:

> Manuel Díaz Ramírez tosía gordo y estaba apoderado de la dirección del Partido Comunista, y para ello había formado un grupo que pronto me puso al margen, con el beneplácito de Stirner, Carrillo y demás compañeros que mucho creían en Ramírez, de quien decían que sería el Lenin de México, no obstante lo incomparable del genial ruso y la flaqueza mental de Manuel, quien desde su regreso de Rusia adoptaba posturas de cuadillo y modulaba su voz a la manera de los engolondrinados.

13 «Bolchevicemos el Partido Mexicano», *El Machete*, N° 41, 13 de agosto de 1925.

14 «Estatutos del PC DE M», *La Plebe*, N° 4, 9 de junio de 1922. A pesar de su publicación posterior, los estatutos fueron aprobados en el I congreso, como punto VII del orden del día.

QUINTA PARTE

LOS INQUILINOS

Enero 1922 - marzo 1923

1. ANTE LA MOVILIZACIÓN, EL DESCONCIERTO

Si el año 1921 terminó con los «soviets poblanos», donde los trabajadores textiles de la CGT asaltaban las haciendas al grito de «¡Mueran los gachupines, viva Lenine!», para constituir consejos obreros[1], 1922 se inició bajo el signo del desempleo y la ofensiva capitalista contra los trabajadores organizados. La prensa informaba de siete mil cesados en Tampico, más de cinco mil en la Región Lagunera y más de dos mil textiles en Orizaba. La derrota de los ferrocarrileros radicales en Yucatán culminó con el cese de quinientos treinta de ellos y rebajas en el salario. En Pachuca se fueron a la calle tres de los cinco mil mineros, y hubo despidos masivos en Sonora y otras zonas mineras del norte del país[2].

Fraina, desde el extranjero, narraba así el crecimiento de la crisis:

> Por todos lados hay hombres caminando por las calles y buscando empleo sin encontrarlo. Mientras los salarios han bajado, los hombres, mujeres y niños mendigan por las calles, buscando en la basura latas con restos de comida, durmiendo las noches frías cubiertos por mantas hechas con restos de periódicos [...] Mientras esto escribo, llega el reporte de que cuatro mil obreros textiles en Puebla han sido descartados por sobreproducción [...][3]

La CGT en el valle de México respondió a las agresiones patronales con la huelga, el paro, los bloqueos a las fábricas, y en algunos casos opuso a la violencia de la gendarmería la contraviolencia. En las tres primeras semanas de enero, se fueron a la huelga los molineros de la empresa harinera más grande del país, el Eúskaro (y ahí los trabajadores apalearon al cochero y guardaespaldas del propietario). La huelga estalló en los talleres del Palacio de Hierro para protestar por los malos tratos de un capataz, y la ganaron (y allí enfrentaron a pedradas los tiros de la policía); estallaron la huelga general los panaderos exigiendo médicos y medicinas y jornada nocturna de siete horas, y amenazaron con unir las huelgas en una gran huelga solidaria en la que participarían tranviarios y textiles. Se enfrentaron al intento de crear un sindicato blanco en Teléfonos Ericsson y lo impidieron, y en la fábrica el Surtidor detuvieron con la huelga el despido de un trabajador[4].

El partido, fuera de la CGT, no pudo sino contemplar con desconsuelo este despliegue de combatividad. Con el rumbo extraviado, dedicó sus fuerzas a una variedad de acciones: un mitin en memoria de Rosa Luxemburgo[5], una gira a Sinaloa donde Valadés organizó algunos sindicatos en Mazatlán y Mocosito[6], una velada-baile para recaudar fondos[7], y trató de no romper absolutamente con las organizaciones sindicales donde tenía militantes.

Dentro del sindicato panadero, su presencia chocó con los anarquistas que iniciaron una campaña para excluirlos totalmente del movimiento sindical, originada en una declaración en la que se decía que la CGT:

> No tiene compromisos, pactos y relaciones de ninguna especie con el llamado Partido Comunista ni con ningún otro; que ninguno de los sindicatos rojos y uniones a ella adheridos han enviado delegación o representante al congreso del referido partido y que finalmente de acuerdo a las bases de la confederación será considerado traidor a su clase cualquier compañero que sea miembro o militante de un partido[8].

La declaración era impulsada mas que por el comité confederal, en lo habitual bastante menos agresivo con los comunistas en el tono y en los principios, por los anarquistas que encabezaba San Vicente (oculto en la Ciudad de México y actuando bajo la personalidad de Sánchez, un obrero de Tampico), el yucateco Doporto, el peruano Alejandro Montoya y Jacinto Huitrón.

El partido contraatacó denunciando a los instigadores del manifiesto y abriendo una confusa polémica contra Doporto que provocó el distanciamiento en Mérida entre anarquistas y comunistas.

Como si la ruptura con la CGT no fuera suficiente, y obligados por la situación, los comunistas también se enfrentaron violentamente con su viejo camarada Felipe Carrillo Puerto, que a partir del 1 de febrero era gobernador de Yucatán. Su apoyo a una organización amarilla en ferrocarriles, la Liga Torres y Acosta, contra los sindicatos rojos en los que influían anarquistas y comunitas, hizo que el PC lo caracterizara como el Zar Amarillo de Yucatán, y le dedicara varios artículos en su prensa[9].

Internamente, el partido realizó algunos ajustes formando un comité pro órgano del PC, que tenía la misión de crear una sociedad anónima y obtener fondos para levantar un diario[10] y dotó de un reglamento a la local del DF, acorde a los estatutos aprobados en diciembre, cuyos puntos centrales eran el establecimiento de «una estricta disciplina», y la posibilidad de que los miembros de la JC lo fueran del partido[11].

Mientras los anarcosindicalistas en febrero lanzaban nuevas huelgas: en Río Hondo (donde los obreros se enfrentaron a grupos de esquiroles armados por la empresa y ganaron una huelga de siete días), paros en tranvías... La movilización llegaba hasta sectores tradicionalmente apáticos como los chóferes de taxis, que se enfrentaron en el Zócalo a la policía en un tremendo zafarrancho; el partido se veía obligado a una intervención declarativa en la lucha obrera. Opinaba a través de su periódico, pero su opinión, estaba fuera del movimiento[12].

Y la movilización proseguía: huelga electricista, tensiones en tranvías, decisión de huelga general solidaria de la CGT en el DF que no se lleva a cabo porque las empresas ceden, huelga en la Alpina para sacar a capataces, huelga en la Industria Nacional...[13]

Mientras tanto, la iniciativa de la Juventud Comunista se dirigía a intentar formar la Casa del Papelero, y a organizar algunas escuelas para obreros donde se impartía «inglés y mecanografía, agitación social y aritmética.[14]»

NOTAS AL PIE

1 Vizcaíno/CGT *año I* y «Se intentó proclamar en Puebla una República soviet», *El Demócrata*, 20 de diciembre de 1921.

2 *El Demócrata*, 2 al 5 de enero de 1922.

3 Louis C. Fraina: «Unemployment in México», *RILU Bulletin*, N° 12, febrero de 1922.

4 *Nuestros Ideales*, 19 de enero de 1922. *El Obrero Comunista*, N° 16 (18 de enero de 1922) y N° 17 (28 de enero de 1922). *El Demócrata*, 12, 24 al 28 y 31 de enero de 1922.

5 *El Demócrata*, 9 de enero de 1922.

6 *El Obrero Comunista*, N° 13, 24 de diciembre de 1921 y Valadés/*Memorias*, pp. 271-273.

7 *El Demócrata*, 5 de febrero de 1922.

8 *El Obrero Comunista*, N° 17, 28 de enero de 1922. La desesperación de Leopoldo Urmachea, secuestrado por la policía y probablemente deportado a Guatemala en los primeros meses de 1922 (Marcela Neymet: *Cronología del Partido Comunista Mexicano*, ECP, México, 1981), eliminó una personalidad importante dentro del sindicato panadero que podría por su posición política haber suavizado los enfrentamientos entre anarquistas y comunistas.

9 La decisión del Partido Socialista del Sureste de no afiliarse a la Internacional Comunista, tomada en el Congreso de Izamal en septiembre de 1921, el acercamiento cada vez más profundo de Felipe Carrillo Puerto al Grupo Acción (era en esos momentos tesorero de la CROM) y la entrega del PSSE a la lucha electoral (que llevó a Carrillo a la gubernatura) condenada por el PCM en diciembre de 1921, habían dado suficientes motivos para el distanciamiento absoluto entre Carrillo y los comunistas. *El Obrero Comunista*, N° 16 (18 de enero de 1922) y 18 (16 de febrero de 1922). *El Grito de la Plebe*, N° 4, septiembre de 1921 y *II Congreso Obrero de Izamal*, CEHSMO, México, 1977.

10 *Reglamento y Estatutos del comité pro órgano del Partido Comunista*, 8 de marzo de 1922; archivo del autor.

11 *Reglamento interior de la Local del PC DE M*, 6 de marzo de 1922, archivo Valadés.

12 El PC llamó a crear una Federación de Tráfico con chóferes y tranviarios, y a que la CROM y la CGT se unificaran. *El Obrero Comunista*, N° 19, 4 de marzo de 1922.

13 Las movilizaciones de la primera mitad de 1922 están recogidas en un artículo inédito del autor, «Los primeros meses del año 1922. Una cronología.»

14 *El Demócrata*, 16 y 17 de enero de 1922.

2. LA CROM Y LA INTERNACIONAL DE SINDICATOS ROJOS

Durante 1921 y buena parte de 1922, las relaciones internacionales de la CROM se habían caracterizado por su ambigüedad. Mientras estrechaba con Gompers y la AFL[1], y se relacionaba con la Internacional de Ámsterdam, que agrupaba al sindicalismo socialista europeo, coqueteaba con la ISR.

A mediados de 1921, dos delegados del Grupo Acción, Eulalio Martínez, dirigente textil de Orizaba, y Fernando Rodarte (profesional de la CROM desde 1919) viajaron a Rusia para establecer «conexiones» con la Internacional Sindical Roja. Aunque al principio las negociaciones fueron mantenidas en secreto, el Bureau de la ISR hizo público un informe bajo la forma de carta abierta a los obreros mexicanos. En él, Lozovski informaba a los miembros de la CROM que Martínez «ha estado recientemente en Moscú, donde llevó a cabo negociaciones [...] para el ingreso de la CROM a la ISR. El Bureau estableció que su unión podía ser admitida bajo la aceptación de las siguientes tres condiciones»; y enumeraban: 1) Debe suscribir y ejecutar los acuerdos de la ISR, 2) Debe fusionarse con la CGT, 3) Debe romper con Gompers.

Según la carta de Lozovski, Martínez respondió lo siguiente: 1) La CROM es una organización revolucionaria, y por lo tanto se adhiere a los acuerdos de la ISR, 2) La división en el movimiento obrero no se debe a diferencias de principios, sino a «ambiciones personales de ciertos individuos», y la unión es imposible, 3) La relación con Gompers es «puramente fraternal» y por lo tanto desechable.

Ante la respuesta[2], la ISR esperó una comunicación de México, que nunca se produjo, y el CE llamó de inmediato a realizar un congreso de fusión entre la CGT y la CROM «derrotando a los reformistas que la dirigen.[3]»

Los coqueteos cromistas, que Díaz Ramírez sin duda había conocido, no alteraron la posición del PCM en 1921, que los calificó de intentos de la CROM por «tener un pie en Moscú y otro en Ámsterdam»[4], ni modifico la denuncia constante y virulenta de las acciones del grupo moronista. Fraina mismo, escribiendo en el boletín de la ISR, calificaba a la CROM de organización dirigida por «una burocracia corrupta y reaccionaria»[5], sin embargo, la carta de Lozovski no fue hecha pública sino hasta marzo de 1922[6], cuando el partido, rotas sus relaciones con la CGT, buscaba un espacio para moverse en el terreno sindical, por mínimo que este fuera.

El 30 de abril de 1922, en el III Congreso del PLM, Manuel Díaz Ramírez se presentó con una credencial del PCM, pero fue expulsado de la convención. El propio Eulalio Martínez que había estado en la Unión Soviética, declaró: «Aquí no queremos dictadura del proletariado, aquí se pasará de lo que tenemos ahora a la anarquía.[7]»

Nuevamente la ISR tendió un puente en septiembre de 1922 invitando a la CROM a su congreso en una comunicación firmada por Andrés Nin y Earl Browder[8] y aunque poco después en el IV Congreso de la CROM se tomaron resoluciones para asistir al congreso de la IC y para buscar el acercamiento de los rojos, estas solo eran una maniobra táctica cara a los sindicatos mas militantes del aparato cromista, porque días mas tarde Morones viajaba a Europa a ultimar alianzas con la Internacional de Brena. En esa gira, a Morones se le negó la visa para entrar en Rusia[9].

Ninguno de estos movimientos de palabra y papel afectó las relaciones tradicionalmente hostiles entre el Grupo Acción y el Partido Comunista, aunque sin duda, permitió que se arraigaran algunas ideas en la cabeza de los miembros de la dirección del partido sobre la posibilidad de introducirse en los sindicatos de la CROM, quizá con el apoyo de la ISR. El surgimiento de un sector no obrero en que apoyarse, hizo que los comunistas dejaran de lado estas inoportunas ideas en 1922.

Notas al pie

1 Harvey A. Levenstein: *Las organizaciones obreras de Estados Unidos y México*, Universidad de Guadalajara, 1980.

2 «Close Conections» y «México», *RILU Bulletin*, N° 7, 15 de octubre de 1921. En este mismo número se denunciaba la traición de la dirección cromista durante la pasada huelga ferrocarrilera.

3 «Letter to the Mexican Workers», *RILU Bulletin*, N° 8, 15 de noviembre de 1921.

4 *El Demócrata*, 31 de octubre de 1921.

5 L.C. Fraina /*The Red International.*

6 *El Obrero Comunista*, N° 19, 4 de marzo de 1922 y *El Demócrata*, 16 de marzo de 1922.

7 *El Obrero Comunista*, N° 20 1 de mayo de 1922.

8 *El Demócrata*, 12 de septiembre de 1922.

9 *El Demócrata*, 29 de septiembre y *Excelsior*, 1 y 2 de octubre de 1922. J.H. Retinger: *Morones de México*, Biblioteca del Grupo Acción, México, 1927, p. 73.

3. LA CHISPA EN VERACRUZ

Los movimientos inquilinarios en México no nacieron de un acuerdo comunista[1], aunque los comunistas fueron protagonistas de los dos más importantes, el de Veracruz y el del DF. Más bien la movilización inquilinaria se apareció como una alternativa a su marginación del movimiento sindical, y a ella se asieron como náufragos a salvavidas. Desde 1920 abundaron los intentos de organización para defenderse de la voracidad de los casatenientes, pero estos intentos no tuvieron eco de masas[2]. La chispa del gran auge inquilinario que había de recorrer el país en 1922 se produjo accidentalmente en Veracruz. La intercomunicación que se mantuvo a lo largo de los primeros años de la década de los veintes en el Golfo de México, llevó hasta Veracruz los ecos de la Ley Inquilinaria yucateca, que fijaba la renta en el seis por ciento anual del valor de la casa.

La situación habitacional del puerto era explosiva[3]: escasez, malas condiciones higiénicas, rentas muy elevadas. Un factor novedoso hacía más aguda la situación del puerto: las enormes rentas que los dueños de los patios hacían pagar a las prostitutas.

El nacimiento del movimiento en Veracruz puede resumirse así:

El 29 de enero de 1922 las prostitutas protestaron por la voracidad de los caseros. Dos días más tarde el Ayuntamiento aprueba un impuesto adicional a las contribuciones. Los propietarios deciden trasladar el impuesto a los inquilinos. El Ayuntamiento, presidido por el cromista Rafael García,[4] tránsfuga del grupo Antorcha Libertaria, apoya indirectamente una convocatoria para una reunión en la Biblioteca del Pueblo.

La asamblea del 2 de febrero está dirigida por el doctor Reyes Barreiro, que es el hombre del Ayuntamiento para hacerse cargo de la dirección del movimiento inquilinario. Hay cerca de tres mil asistentes. Interviene el alcalde azuzando los espíritus contra los propietarios de los patios, interviene un marino que narra a los asistentes las leyes inquilinarias de Campeche y Yucatán. La presencia accidental de Herón Proal que andaba vendiendo *El Obrero Comunista*, hace que algunos asistentes lo inviten a tomar la palabra. Se le niega el derecho. El acto se escinde. Proal habla en la calle contra los promotores del acto a los que acusa de querer utilizar el naciente movimiento inquilinario para sus fines políticos. Con Proal, los miembros de la local comunista de Veracruz, en particular Olmos y Sosa. Los radicales invitan a una reunión masiva en el parque Juárez. La asamblea se deshace. A la noche siguiente el parque Juárez se llena con los inquilinos pobres de Veracruz convocados por Proal y volantes de la Local. Aparecen las prostitutas que habían estado ausentes de la asamblea de la Biblioteca. Surge el discurso radical de Proal y los comunistas[5].

El 4 de febrero, en asamblea masiva, se funda el sindicato, se levanta la demanda de volver a las rentas de 1910 y comienza a sugerirse como forma de lucha la huelga de pagos.

La dirección la integran Óscar Robert como secretario general y Herón Proal como secretario del interior, y los comunistas Mateo Luna, tesorero, Porfirio Sosa, actas y José Olmos, secretario del exterior.

Durante todo el mes de febrero Proal y los comunistas, así como algunos militantes anarquistas de origen español que han llegado a Veracruz desde La Habana, se prodigan en mítines callejeros, manifestaciones minúsculas, agitación callejera.

Ante negativas individuales de pagar la renta, se producen desalojos. La primera reacción colectiva ocurre en un barrio de prostitutas. Para el 5 de marzo se generaliza. Proal toma en su manos la conducción del movimiento, convierte su sastrería, en las calles Landeros y Coss cinco y medio, en cuartel general del Sindicato Revolucionario de Inquilinos (SRI), edita volantes con el eslogan: «Estoy en huelga, no pago renta», que comienzan a aparecer en las puertas de las vecindades, y cuelga una enorme bandera roja, símbolo del sindicato, en la puerta de su casa. Se van sumando patios al movimiento; para el 12 de marzo hay sesenta y un patios en huelga.

Se inician las manifestaciones masivas bandera por delante. Al grito de: «¡Abajo los burgueses, mueran los explotadores del pueblo!» Se sacude el puerto. Varios miles de inquilinos se organizan en una población que no llega a los sesenta mil habitantes.

Proal rinde testimonio de admiración a las prostitutas, «verdaderas heroínas por haber puesto la primera piedra de este edificio gigantesco que hemos levantado.»

Los sindicatos del puerto forman un segundo sindicato inquilinario, pero las presiones desde la base fuerzan a que el 20 de marzo se unifique con el SRI[6]. Ya no hay obstáculos para que la huelga se desarrolle hasta lograr la unanimidad en los sectores populares.

El sindicato amplía sus armas y además de la huelga utiliza los contra-lanzamientos. Multitudes de inquilinos organizados toman la casa de la que ha sido lanzado uno por los policías, y vuelven a meter los muebles.

El Negro García se encuentra desbordado. Por su izquierda el movimiento inquilinario, del que ha perdido totalmente el control, por su derecha los dueños de los patios, que presionan fuertemente.

El 22 de marzo ordena la detención de Proal acusándolo de haber injuriado al gobierno municipal y al federal. El día antes había turnado una orden a la policía para que impidiera manifestaciones en los barrios (donde pequeños grupos de inquilinos organizados recorrían las vecindades sumando a otros a la huelga) y el jefe de la policía montada, Zamudio, había disuelto un mitin del SRI en el parque Juárez.

Proal es detenido a las nueve de la mañana por un par de policías. Corre la voz. Cuando llega al juzgado, tras él viene un millar de airados inquilinos, en su mayoría mujeres. El Negro García se entrevista con Proal. En la multitud que sigue creciendo se discute si asaltar el cuartel; quince gendarmes a caballo toman posiciones. El alcalde llama en su auxilio a la infantería de marina. Los inquilinos van a pasar a la acción, el alcalde negocia: soltará a Proal si se disuelve la manifestación. Proal sale al balcón y dice que si en veinte minutos no llega al local del sindicato, quedan libres para hacer lo que quieran, pero la manifestación no se disuelve. Un inspector trata de llevarse al dirigente inquilinario, pero la multitud lo rescata. El ejército y la marina no han intervenido. La manifestación inquilinaria llega en triunfo al parque Juárez[7].

Al día siguiente corre la primera sangre cuando una mujer arroja una maceta a un inquilino que pretendía colgar una bandera roja y la multitud responde con un disparo que la mata.

Proal es nuevamente detenido a fines de marzo acusado de «homicidio imprudencial»[8], pero desde la cárcel donde está recluido, sigue dirigiendo el movimiento. La iniciativa ahora es comenzar a autoadministrar los patios, con el dinero de las rentas no pagadas comenzar a hacer mejoras, introducir agua y luz, poner inodoros, fogones.

El movimiento inquilinario goza de un amplio espacio de maniobra. Las pugnas entre varios estratos de la sociedad veracruzana, vinculados al poder económico y político, les ceden este espacio. El alcalde laborista del puerto tiene enfrente a los propietarios de los patios, a los industriales, al diario *El Dictamen*, al jefe de la zona militar el general Guadalupe Sánchez, acérrimo enemigo del movimiento popular, quien está enfrentando a su vez al gobernador Tejeda, quien a su vez apoya a García pero sin el lastre de los compromisos cromistas de este; el gobierno federal soporta a los militares, etc.

En este espacio político, durante los meses de abril y mayo, prealistas y comunistas siguen impulsando el movimiento: manifestaciones de un millar de mujeres con banderas rojas que reinstalan e impiden el lanzamiento de un inquilino huelguista, mítines, movilizaciones contra las tarifas de la compañía de luz, intento de crear una colonia comunista en Pocitos y Rivera.

A mediados de mayo, los militares comienzan a intervenir tímidamente. Dirigidos por el jefe de la guarnición, el coronel Aarón López Manzano, actúan en algunos desahucios e impiden algún mitin. Su participación contra el movimiento no es frontal, pero muestra la decisión del general Sánchez de tomar cartas en el asunto.

La Unión de Propietarios que ha manejado desde el principio la política de los grandes casatenientes en el conflicto, se mantiene irreducible. Pero en junio, cerca de un centenar de pequeños propietarios aceptan las condiciones del SRI respecto al pago del dos por ciento anual del valor de la casa.

Moviéndose a la sombra del omnipotente Lenin Mexicano, Herón Proal, sus aliados, los comunistas de la local del Puerto, han crecido. El 1 de junio en una prensa propiedad del sindicato sale a la luz *El Frente Único*[9], órgano de la local dirigido por Manuel Almanza que durante un año saldrá a la calle diariamente, compitiendo con la gran prensa del puerto y con los periodicuchos financiados por los casatenientes.

El *Frente Único* acompaña la abundante información inquilinaria con cuentos, narraciones, canciones y denuncias, así como pequeñas secciones permanentes, de las que la titulada «Lo que los trabajadores han aprendido con la huelga de inquilinos», es la más significativa.

> 1. Que la derrota es imposible cuando el proletariado se organiza, sabe lo que quiere y sabe adónde va.
> 2. Que los vividores del obrerismo en el poder son sus peores enemigos.
> 3. Que los legisladores no sirven para nada.
> 4. Que la burguesía no es tan dura de pelos como dicen. Cuando el pueblo en masa se proponen arrancarle una concesión.
> 5. Que el sistema burgués capitalista será barrido fácilmente por la acción conjunta del proletariado.
> 6. Que en tres meses que no han pagado renta han tenido más pan en sus hogares[10].

Paralelamente al nacimiento de *El Frente Único*, nace la Juventud Comunista de Veracruz. Sus miembros son todos jóvenes que han intervenido activamente en el movimiento inquilinario: Arturo Bolio, Celestino Dehesa, Guillermo Cabal, Sostenes Blanco, Lucio Marín, Guillermo Lira, Gabriel Domínguez, Rodolfo Mercado[11]. Su actividad, además de las usuales entre la militancia inquilinaria, se extiende a la promoción de la cultura popular con obras de teatro político, al estudio del marxismo y a la distribución del periódico.

La local de Veracruz vive el momento más brillante desde su nacimiento. Comparte la dirección del movimiento inquilinario, tiene un diario, acaba de ganar para su causa a los mejores militantes jóvenes del puerto. El movimiento inquilinario jarocho tiene tres meses de vida.

Notas al pie

1 Prácticamente todos los que hemos tocado el tema de los movimientos inquilinarios en los últimos años (Heather Fowler, García Mundo, el autor) hemos atribuido el origen de los movimientos de 1922 al I Congreso del PCM de diciembre de 1921. Mario Gill es el culpable de esta tesis cuando afirma («Revolución y extremismo en Veracruz», *México en la hoguera*, p. 168):

> Después de escuchar los informes que presentaron los delegados de las locales comunistas fundadas en algunos estados, y de comprobar que era el inquilinario el problema más agudo en casi todas las regiones, se convino en organizar a los inquilinos y encabezar sus luchas. Proal, anarquista, se había negado a ingresar al PC, pero en atención al ascendiente que tenía en el pueblo jarocho, se le reconoció como dirigente del movimiento; el PC lo apoyaría.

Una revisión minuciosa de las actas del Primer Congreso, muestra que el tema inquilinario no se mencionó ni siquiera lateralmente en los informes o en los largos considerándoos que daban pie a los acuerdos. Revisando los papeles del archivo de Mario Gill tampoco he encontrado ninguna referencia al tema. He de suponer que se trata de una más de las desafortunadas extrapolaciones que abundan en la obra de M.G.

2 Hay referencias a la existencia de un sindicato inquilinario en el DF que no tuvo pena ni gloria, así como acuerdos de sindicatos fabriles que no pasaron a la acción, incluso un debate y un acuerdo en el Primer Congreso de la CGT de septiembre de 1921, que tampoco salió del papel.

3 Octavio García Mundo: *El movimiento inquilinario en Veracruz, 1922*, Sepsetentas, México, 1976, capítulo III. En informes publicados por *El Dictamen* de Veracruz en los meses de enero a mayo de 1922 se relatan historias dantescas sobre condiciones de vivienda infrahumanas. Existe una antología del movimiento inquilinario en *El Dictamen*, publicada por la UNAM en 1984: *Nuestro México*, Nº 11, *El movimiento inquilinario en Veracruz*.

4 Rafael García había sido electo alcalde de Veracruz en diciembre de 1921. Tras haber participado en la fundación de la CGT, se había pasado a la CROM con las organizaciones portuarias, y desde ahí se había proyectado a la alcaldía. *El Demócrata*, 3 diciembre de 1921.

5 Si algo caracteriza al proalismo, es la combinación de la lucha por reinvidicaciones inmediatas con un lenguaje insurreccional: «¡Qué otra cosa son los burgueses, perros cochinos, unas víboras, unos alacranes, rabos pelones!» (H.P., 3 de febrero). «Aquí hay que acabar con todo, y si el alcalde municipal se negó a hacerles justicia,

no hagan caso; tómenla ustedes, echen muchas bombas, muchísimas bombas; que estalle la revolución social, que tiemble el mundo, que se desplomen los cielos, que se estremezca la humanidad». (H.P. 27 de febrero).

6 En el puerto, durante el movimiento inquilinario existían dos federaciones sindicales, la cromista (dirigida por el alcalde) y la Cámara del Trabajo (CGT), encabezada por José Fernández Oca. Ambas en conflicto con el proalismo, la primera desde el inicio del movimiento y la segunda a partir de mayo cuando Proal asaltó el local de la Cámara del Trabajo y trató de linchar a Fernández Oca, quien lo expulsó acusándolo de ser un títere de los comunistas. (*Nuestros Ideales*, N° 4, 2 de junio de 1922).

7 *El Dictamen*, 23 de marzo de 1922.

8 Las versiones sobre la muerte de Emiliano Herrera son múltiples, desde que a Proal se le cayó una pistola cuando hablaba con él y murió a causa de un disparo accidental, hasta que H.P. le disparó a sangre fría durante una discusión sobre los fondos sindicales.

9 *La Plebe*, N° 4, 9 de junio de 1922.

11 *El Frente Único*, N° 5, 6 de junio de 1922.

12 *El Frente Único*, N°. 6, 7 de junio de 1922, Almanza/*Agrarismo* III-27.

4. LA LUCHA INQUILINARIA EN LA CAPITAL[1]

El movimiento inquilinario en el Distrito Federal es el resultado de la iniciativa veracruzana, y del desplazamiento de los comunistas del movimiento sindical en ascenso en esos primeros meses de 1922.

A los comunistas del DF, la perspectiva de la lucha inquilinaria se les presenta como una excelente oportunidad de salir del marasmo en que se encuentran, y a ella se acojen.

Las condiciones inquilinarias en el DF son quizá peores que las que existen en la mayoría de las ciudades industriales de la República. A causa de emigraciones masivas a las ciudades, las limitaciones a la construcción en la etapa revolucionaria y el acaparamiento de predios urbanos ocioso por los capitalistas, se produce una tremenda escasez de viviendas para trabajadores. Simultáneamente, los patios de vecindad han quedado en manos de unos pocos propietarios. Se da el caso de grandes casatenientes que acaparaban quinientos cuartos habitación en vecindades. Las rentas se han triplicado desde 1914 mientras los aumentos salariales se han estancando[2], se vive en el desastre: la viga que se cae, las goteras, los pisos de duela en los que aparecen los agujeros, los retretes fuera de la pieza y al aire libre; el hacinamiento más inconcebible, el frío, las grietas en las paredes, la falta de ventilación[3]. Es esta situación que afecta a un centenar de miles de personas en la Ciudad de México la que va a motivar la lucha inquilinaria.

Diez días después del estallido de la huelga en Veracruz, el 15 de marzo, «el secretario político del Partido Comunista, local del DF, giró comunicaciones a varios miembros de dicho partido a fin de que se presentaran con el siguiente tema: la cuestión inquilinaria.[4]»

A las seis y media de la tarde se inició el acto con intervenciones de los miembros de la Juventud Comunista Gomes Lorenzo, Valadés, Vargas Rea y Bernal, pero a la media hora apareció la gendarmería. Los comunistas decidieron suspender el acto para no chocar con los policías y se fueron en manifestación, pero la llegada de nuevas fuerzas de la gendarmería provocó roces que acabaron en un tiroteo.

> El escándalo se inició de esta forma. Los manifestantes se disolvieron violentamente, no sin que los gendarmes, envalentonados casi, dispararan sus rifles sobre aquella multitud pacífica. El señor Miguel López, que se encontraba frente a un gendarme, fue amagado por este, y tuvo tiempo tan solo para que de un fuerte golpe, hacer que el policía bajara el arma cuyo cañón le apuntaba al pecho, produciéndose sin embargo un disparo, cuyo proyectil atravesó de parte a parte la pierna del mencionado obrero.

Como era natural, todos los vecinos de las calles de San Miguel fueron presa del temor. Los transeúntes, según impresiones que recogimos en el lugar de los hechos instantes después de que estos se desarrollasen, manifestaron que los obreros no hicieron uso de ninguna arma en contra de los gendarmes, y que, por lo tanto, los disparos que se escucharon y que pusieron en alarma a todo el vecindario partieron de los camiones tripulados por la policía y de los gendarmes que marchaban entre los mismos obreros.

> Como les fue posible a los manifestantes, se pusieron fuera de la zona peligrosa dominada por la policía. El señor Gomes Lorenzo fue herido en la cabeza por uno de los policías y otros particulares resultaron también gravemente lesionados. Fueron aprehendidas numerosas personas, entre otros los jóvenes comunistas Valadés, Gomes Lorenzo, Vargas Rea, Bernal, Carrillo, quienes fueron conducidos a las oficinas policiacas a viva fuerza y haciéndose víctima de toda clase de atropellos[5].

Reportes posteriores hacían ascender la cifra de heridos a unos veinte, la mayoría de los cuales decidieron irse a curar a sus casas por temor a represalias. Los detenidos fueron liberados cerca de las nueve de la noche, mientras que Celestino Gasca, el gobernador cromista del Distrito Federal, se desentendía de la situación ante una comisión enviada por los sindicatos de la CGT.

Si Gasca pensaba que para evitar un movimiento inquilinario en el DF similar al de Veracruz era suficiente con esta represión, se equivocaba. La información de esta primera agresión abierta a los comunistas en su corta vida, saltó a las primeras planas de todos los periódicos y propagandizó indirectamente el problema inquilinario.

Las protestas se mantuvieron dentro de los canales habituales, sin que pareciera que las organizaciones obreras anarcosindicalistas fueran a hacer más por sus marginados camaradas comunistas que emitir comunicados de prensa. Pero el joven Partido Comunista anunció al día siguiente que repetiría la manifestación del día 20, y en el mismo lugar.

Lo que pudo ser la muerte del movimiento inquilinario del DF, al ser asumido por los Jóvenes Comunistas como un reto del Estado, se convirtió en su nacimiento.

Pareciera que la represión hubiera dado alas al pequeño grupo de militantes que en el curso de la semana celebraron el mitin del día 20 y repitieron el día 23 con dos nuevos actos en los barrios[6].

Aunque los mítines no fueron mas allá de los quinientos asistentes del primer acto, la demanda del descenso de las rentas hizo mella en dos sectores: los ferrocarrileros (donde el Partido mantenía una pequeña influencia entre los militantes a partir de la huelga de 1921, y que se encontraban al margen de la CGT) y los empleados públicos (sector que sin haber dado movilizaciones radicales se mantenía al margen del cromismo), que hicieron declaraciones públicas de solidaridad.

El 25 de marzo se produjo un nuevo mitin en el sindicato panadero y el día 28 una más en el Salto de Agua[7].

El Sindicato Inquilinario del DF se levantaba sobre las gargantas de los militantes de la JC. Las demandas en el inicio no se habían precisado, como si tácticamente el grupo promotor quisiera primero desarrollar una base de masas en torno a la agitación, denunciando las condiciones existentes en las viviendas de vecindad, antes de precisar el programa reivindicativo. En el mitin del día 28 de marzo se advertía que «pronto se constituirá el comité central del sindicato y la plataforma organizativa.»

El 29 de marzo, novecientos afiliados al sindicato inquilinario votan sus estatutos, y se establecen las demandas centrales:

a)Reducción de las rentas a un veinticinco por ciento de las actuales.

b)Reparaciones a cargo de los dueños o descuento de las reparaciones en las rentas.

c)Comisiones de higiene a cargo de los inquilinos.

Se dice que la huelga se lanzará hasta contar con un veinticinco por ciento de los habitantes de las vecindades[8].

La lucha pasa ahora por una etapa de agitación en los barrios. Dos docenas de militantes de la JC se prodigan para hacer mítines en las esquinas y en el interior de los patios de vecindad de la Ciudad de México.

Luego, grandes mítines en San Lucas el día 1 de abril, en la Estrella, Santo Domingo, Salto de Agua; nuevamente en San Lucas el 6 de abril, y un acto en el Hemiciclo a Juárez el día 9.

La afiliación del sindicato salta de un par de millares de trabajadores a cerca de ocho mil (a doce mil según datos de los militantes de la Juventud Comunista, que tenían el mal hábito de inflar los números, a pesar de que se encontraban ante un movimiento que crecía demasiado rápido y apenas si contaba con una pequeña infraestructura militante), y se hace necesario crear un centro de afiliación permanente y un aparato burocrático en Netzahualcóyotl 162.

A partir del 30 de abril, según informes del propio núcleo organizador, se celebra al menos un mitin en el DF.

El cronista de *El Demócrata* reseña:

«Los Jóvenes Comunistas en actos públicos, plazas, calles, etc., llevando la buena nueva de la constitución del sindicato de inquilinos a los sindicatos obreros, a los talleres y a todos los lugares en que han entendido que había elementos dispuestos a prestar sus contingentes.[9]»

A mediados de abril, *El Obrero Comunista*, órgano del PC, da una idea de la magnitud organizativa que ha alcanzado el movimiento, al publicar la lista de los comités de vecindad donde se pueden afiliar los nuevos adherentes y señalar la nueva estructuración del movimiento en comités de vecindad, de manzanas y de distrito.

Simultáneamente establece las cuatro condiciones que los dueños de las vecindades deben aceptar para evitar la huelga, que habiendo sido fijada para el 16 de abril se pospone hasta el simbólico 1 de mayo:

a)Quedarán abolidas todas las fianzas bastando únicamente el pago de la renta mensual como se acostumbra en otros países.

b)Reparación y acondicionamiento higiénico de las habitaciones, excusados, servicio de agua, etc. Si esto no lo hiciera el propietario en términos de tres días lo hará el comité llevándose a cabo la reparación y deduciendo el costo de la misma del monto de la renta.

c)El sindicato nombrará inspectores de salubridad quienes vigilarán junto con el gobierno la situación higiénica de las viviendas.

d)Reducción de las rentas a un veinticinco por ciento de la cifra actual[10].

El gran ascenso de la lucha inquilinaria en el DF se consolida en un acto de masas el día 16 de abril en el Hemiciclo a Juárez, en el que las gargantas de los jóvenes comunistas vuelven a tronar contra la inmundicia de las viviendas y las rentas elevadas: Carrillo Azpeitia, Vargas Rea, Valadés, Felipe Hernández, Gomes Lorenzo, Jesús Bernal, Díaz, Simeón Morán, intervinieron desde tres tribunas, «para que todos oigan bien», junto con el secretario general del partido, Manuel Díaz Ramírez y el dirigente panadero Genaro Gomes[11].

El mismo día, una declaración del comité federal de la CGT, rompe el aislamiento en que se había desarrollado la lucha respecto a las organizaciones obreras:

> La CGT con todas sus fuerzas obreras y considerando que el movimiento que van a empezar los inquilinos del DF será incuestionablemente muy beneficioso para los trabajadores en general que son los que más sufren en la carestía de la vivienda, ha resuelto apoyar al sindicato inquilinario patrocinado por el PC y hacerse solidario de la actuación de los miles de obreros que van a ejercer la acción directa para que les sean rebajados los precios exorbitantes de las habitaciones.[12]

En las dos últimas semanas de abril los acontecimientos se suceden a toda velocidad:

18 de abril: mítines en toda la ciudad, el comité organizador se encuentra en sesión permanente para recibir adhesiones.

19 de abril: mítines en toda la ciudad. Crecen las incorporaciones

20 de abril: «Las adhesiones al sindicato de inquilinos se cuentan diariamente por millares.»

23 de abril: Una manifestación de cinco mil inquilinos organizada en horas «ayudó a posesionarse de su vivienda a una mujer que había sido lanzada por su casero.[13]»

27 de abril: «Un líder de dieciséis años, Enrique Torres, ha sindicado a quinientos diez inquilinos y fundado siete comités de vecindad». Batió récord el sindicato inquilinario al afiliar en un día tres mil cuatrocientos ocho inquilinos[14].

28 de abril: «[...] han quedado establecidos sesenta y siete comités de vecindad en el sexto distrito.»

Cien inquilinos de Celaya invitan al sindicato inquilinario del DF a que envíe una comisión para ayudarlos a organizarse.

Volantes lanzados por casatenientes: «Si usted, inquilino, es una persona sensata no debe sindicalizarse.[15]»

Tres días antes del 1 de mayo, una asamblea del SI formada por delegados de los comités de zona, elige (al fin) al comité central de la organización:

Secretario General: Manuel Díaz Ramírez.

Secretario del interior: José F. Díaz.

Tesorera: Enedina Guerrero.

Organización y conflictos: José C. Valadés, Luis Vargas Rea y Simeón Morán.

Propaganda y prensa: Jesús Bernal, Rafael Carrillo Azpeitia, Rosendo Gomes Lorenzo[16].

De los nueve cargos, los nueve son ocupados por miembros del Partido Comunista, siete de ellos, dirigentes de la Juventud Comunista.

En el curso de tan solo un mes y medio, el Partido Comunista ha levantado un movimiento de masas apelando únicamente la capacidad y entrega de un grupo de no más de veinte organizadores que se han tenido que prodigar en el mitin callejero. La Unión de Propietarios ha reaccionado con gran lentitud y su voz apenas empieza a escucharse en los desplegados públicos con que presiona la intervención del gobierno. Celestino Gasca, el cromista gobernador del Distrito Federal, hace declaraciones la víspera de la gran movilización del 1 de mayo donde se declarará la huelga inquilinaria, señalando que el gobierno mantendrá la imparcialidad ante el conflicto.

Mientras tanto, el comité del sindicato inquilinario, en un alarde de triunfalismo, declara que ya tiene listas las veinticinco mil banderas rojinegras con que se señalarán las vecindades en huelga y los carteles.

> *SINDICATO DE INQUILINOS DEL DISTRITO FEDERAL*
> *ESTAMOS EN HUELGA, NO PAGAMOS RENTA*
> *PROLETARIADO DE TODOS LOS PAÍSES JUNTOS*[17]

El 1° de mayo, el observador, que ha seguido la lectura de los periódicos con una atención no exenta de cautela, ante un movimiento que parece inflado, y que a pesar de los números que circulan en la declaraciones de los Jóvenes Comunistas no ha dado aún medida de su fuerza, se une a la sorpresa que las fuerzas obreras del DF, la patronal inquilinaria y el gobierno obregonista deben haber sufrido.

La cifra de manifestantes que iniciaron el acto entre diez y quince mil (en la mayoría de las fuentes, más cercanas a este segundo número). Muchos más que los que reunían las dos manifestaciones obreras que se celebran en la Ciudad de México en esa misma fecha, la cromista que moviliza a cinco mil trabajadores y la cegetista que rebasa los seis mil.

Cada grupo de inquilinos lleva el estandarte de su vecindad o su demarcación, y salen de los barrios hasta llegar al Monumento a Juárez, donde a las diez y media se concentran. Además del Partido Comunista que encabeza la marcha, la única otra fuerza organizada que acompaña a los inquilinos es el contingente del Sindicato Panadero.

De ahí en adelante la manifestación, que sigue creciendo en número, rebasando los quince mil hombres y mujeres que la inician, al incorporarse grupos de los barrios del norte de la ciudad, recorre el centro realizando mítines. Primero enfrente de la Cámara de Propietarios en la avenida Madero, donde se declara la huelga; luego en el Ayuntamiento; más tarde en el Gobierno del Distrito Federal, donde tras una intervención del coro femenil del sindicato de panaderos, que canta himnos revolucionarios, se entrega a Celestino Gasca un memorial con el pliego petitorio de la huelga. Gasca declara que no tomará medidas y «estará a la espera de la evolución de los acontecimientos». Luego mítines enfrente de *El Demócrata*, donde se agradece al diario la forma como ha venido cubriendo la información sobre los hechos[18] y más tarde frente al periódico *El Mundo*.

El último mitin programado se celebra frente a la legación norteamericana, donde se protesta por el mal trato dado a los trabajadores migratorios mexicanos y se reivindica a los mártires de Chicago. Ahí hay un pequeño choque con la gendarmería cuando un camión de la policía que trata de pasar, al indicársele que diera la vuelta, fue arrojado contra los manifestantes. Un grupo de inquilinos cargó contra el camión y el chofer y dos gendarmes sacaron las pistolas, deteniendo a un grupo de trabajadores y huyendo.

La manifestación avanzó sobre la Delegación de Policía donde se habían refugiado los agresores y la ocupó hasta que fueron liberados los detenidos y el inspector castigó a los gendarmes que habían sacado las pistolas[19].

A partir de este momento la huelga estalla y el sindicato inquilinario, además de señalar que se buscaría la redacción de un contrato único, llama a los sindicalizados a realizar «guardias rojas para impedir desahucios.[20]»

Notas al pie

1 Los textos de este capítulo y del siguiente han sido tomados casi literalmente de mi trabajo anterior: «Inquilinos del DF, a colgar la rojinegra», *Historias*, Nº. 3 y Capítulo V de *Memoria roja*.

2 *El Obrero Comunista*, Nº 20, 1 de mayo de 1922.

3 Informe del Inspector J. Beraza, AGN/*Ramo Laboral*, 1920.

4 *Memoria que rinde José C. Valadés sobre la actuación del sindicato de inquilinos del DF*, original manuscrito, archivo JCV.

5 *El Demócrata*, 18 de marzo de 1922.

6 *El Demócrata*, 21y 24 de marzo de 1922.

7 *El Demócrata*, 26 y 29 de marzo de 1922.

8 *El Demócrata*, 30 de marzo de 1922.

9 *El Demócrata*, 16 de abril de 1922.

10 *El Obrero Comunista*, Nº 20, 1 de mayo de 1922.

11 *El Demócrata*, 17 de abril de 1922.

12 *El Demócrata*, 16 de abril de 1922.

13 *El Demócrata*, 19, 21 y 24 de abril de 1922.

14 *El Obrero Comunista*, Nº 20, 1 de mayo de 1922.

15 *El Demócrata*, 29 de abril de 1922.

16 *El Obrero Comunista*, Nº 20, 1 de mayo de 1922 y Valadés/*Memoria inquilinos*. No hay datos sobre la militancia anterior de Enedina Guerrero. Simeón Moran era un joven carpintero del Ferrocarril Nacional. Los otros siete han aparecido frecuentemente mencionados en esta historia.

17 *El Mundo*, 30 de abril de 1922.

18 *El Demócrata*, propiedad de los hermanos Alessio Robles mantenía una línea de denuncia contra el Grupo Acción, al que estaba enfrentando por el control del bloque obregonista; por eso informaba con una cierta imparcialidad sobre los movimientos radicales comunistas y cegetistas.

19 *El Demócrata*, 2 de mayo de 1922.

20 *El Obrero Comunista*, Nº 20, 1 de mayo de 1922.

5. EL ASCENSO EN EL DF

Cálculos de muy diversas fuentes, permiten establecer que se fueron a la huelga en el valle de México cerca de treinta y cinco mil inquilinos. Ante ese movimiento de enormes alcances, el gobierno capitalino representado por Gasca, no acertó mas que a proponer la construcción de casas baratas, con una inversión de cinco millones de pesos (de los cuales tres aportaría el Estado y dos los casatenientes) a las afueras de la ciudad. La iniciativa, que pasó desapercibida ante la presión por una solución inmediata exigida por la gran huelga, estaba basada en un estudio según el cual se lograría no solo resolver el problema de la renta, sino «descongestionar la ciudad.[1]»

El sindicato descartó la proposición de Gasca. En estos momentos, solo se siente su fuerza, su poder. Sin embargo, esta fuerza esta prendida con alfileres.

Valadés cuenta:

> [...] a pesar de las diversas instancias hechas a los inquilinos ya por medio de la prensa, como de la palabra en el Distrito Federal solamente existían trescientas vecindades totalmente organizadas, de las cuales, casi tengo la certidumbre que solamente la mitad existió comité de vecindad. Respecto a los comités de manzana, solamente tuve conocimiento del funcionamiento de seis o diez, dos de los cuales organizó magníficamente el compañero R. de la Fuente en una de las calles de Bartolomé de las Casas.
>
> Según las bases del sindicato debieron existir ocho comités de distrito; pero solamente se formaron siete de los cuales en su mayoría tuvieron un funcionamiento irregular, y digo irregular porque el del III distrito no se vino a establecer hasta fines de mayo; el del VII distrito constantemente fue desatendido, tanto por la intromisión de un tal Montiel, como porque estos compañeros siempre estuvieron

> atenidos al comité del quinto distrito; el del cuarto, no funcionó de hecho hasta tanto no estuvieron las oficinas del CC en Nezahualcóyotl 162; el octavo (colonias Roma y Juárez) no se llegó a organizar; los que funcionaron con toda regularidad fueron el segundo, quinto y sexto, principalmente el quinto[2].

Esta situación era inevitable. El sindicato se había levantado en mes y medio, y contaba con una infraestructura militante muy precaria (fundamentalmente la que proporcionaban los escasos veinte miembros de las Juventudes Comunistas del DF).

Una base de treinta y cinco mil inquilinos, la mayoría de ellos en huelga, y un pequeño aparato militante desbordado por la lucha producirán la inevitable centralización del sindicato inquilinario en manos del comité central formado por los dirigentes del PC y la JC.

Pero lo que trascendía hacia el exterior no era la desorganización, sino la impotente movilización. Por eso un gran número de pequeños propietarios de vecindades intentó pactar a solo cinco días de haberse iniciado el conflicto, acercándose al local del sindicato. Este hecho, sumado al descubrimiento por parte de los dirigentes del SI, referido a que la Cámara de Propietarios no representaba más que el cuatro por ciento de los casatenientes (cuatrocientos socios), incitó a que el día 6 de mayo el SI hiciera una convocatoria publica a los dueños de vecindades para reunirse el día 8 en convención con los huelguistas. Junto a esta maniobra que dividía a sus opositores entre pequeños y grandes propietarios y forzaba al sector más intransigente (los dueños de la mayoría de las vecindades) a reunirse en territorio enemigo y con los pequeños propietarios, el SI promovió una primera acción tendiente a comprometer al obregonismo, visitando el Departamento de Salubridad para presionar a los funcionarios a que no clausuraran viviendas, sino que forzaran a los propietarios a la realización de reparaciones.

Con la seguridad de la fuerza que la huelga imprimía, el día 7 de mayo el comité central se negó a aceptar la oferta de varios propietarios (entre ellos el dueño de cien viviendas en la colonia Hidalgo) de rebajar las rentas en un cincuenta por ciento, acordando no realizar acuerdos por separado para así forzar a que los propietarios más débiles hicieran pesar su voz en la convención[3].

Pero las reuniones conciliadoras con la patronal fracasaron. Los propietarios dispersos prefirieron ceder la indicativa a los grandes casatenientes, y el bloque de propietarios reunidos en la cámara se puso a la defensiva formulando denuncias, pagando a la prensa para que circulara información contra el movimiento y presionando con cartas y escritos al gobierno obregonista. Una reunión entre los propietarios y el gobierno del DF se realizó, y Gasca no encontró puntos para desarrollar una línea de conciliación entre los casatenientes y el movimiento.

El destino de la lucha se encuentra en la calle.

El día 13 de mayo un acontecimiento exterior al movimiento inquilino va a provocar cambios importantes en la correlación de fuerzas. En una reunión de la federación local del DF, los militantes anarquistas de la CGT destituyen al Comité Nacional. Con una ofensiva que dura varias horas, Huitrón, Alejandro Montoya, Sebastián San Vicente, Antonio Pacheco, Moisés Guerrero, Rafael Quintero y otros militantes destacados del ala izquierda de la confederación, provocan la destitución de Rosendo Salazar, José G. Escobedo y Carlos Balleza, acusándolos de mantener nexos con Adolfo de la Huerta, complacencia con la actitud política del Partido Comunista, corrupción y falta de radicalismo en los casos de huelga de Atlixco, la Abeja, los presos de Guadalajara y el choque contra los miembros de la ACJM en el DF el 1 de mayo.

La ofensiva de la izquierda contra el grupo conciliador se prolonga hasta el sindicato panadero del DF, cuyo dirigente Genaro Gomes es acusado de pertenecer al Partido Comunista, afiliación estatutariamente incompatible con su cargo.

El día 18 de mayo el consejo confederal confirma la decisión de la Local del DF, ratifica la expulsión de Salazar, Escobedo y Balleza y confirma la decisión de formar un nuevo sindicato inquilinario ya que el existente «no está hecho más que con el exclusivo fin de darle personalidad a un partido.»

En la preafirmación radical de la CGT (expresada en la ruptura con las posiciones conciliadoras y sindicalistas tradicionales mantenidas por el grupo expulsado) también hay una preafirmación doctrinaria que excluye sectariamente la alianza con la única otra fuerza de izquierda en el movimiento obrero nacional, que expresa en esos días un gran movimiento de masas, el movimiento inquilinario. Los apuntes sectarios de la redefinición de la CGT, fuerzan por un lado el aislamiento de las luchas inquilinarias del movimiento obrero radical que sería su única fuerza de reserva, y la marginación del combativo sindicato de panderos del DF que sigue a su dirigente Genaro Gomes al forzar exilio de las filas del obrerismo izquierdista[4].

Paradójicamente en los momentos en los que se produce la ruptura, el partido, a la cabeza del movimiento inquilinario, apela a la táctica que le es conocida y que comparte con los anarcosindicalistas: la acción directa. Se convocan manifestaciones contra los propietarios hostiles y jueces que decreten lanzamientos de inquilinos huelguistas, se llama al boicot contra los diarios que ataquen al movimiento y se impiden por la fuerza los desahucios. El 18 de mayo la prensa reporta que hasta la fecha se han detenido lanzamientos de cincuenta y ocho inquilinos oponiendo a los policías y funcionarios judiciales las manifestaciones.

El sindicato había creado desde el 7 de mayo un sindicato de construcción que se encargaría de hacer mejoras en las vecindades con las rentas no pagadas y a cuenta de estas. Fue dotado de una comisión técnica para decidir qué reparaciones habían de hacerse.

Con treinta y dos mil afiliados y un semanario al servicio del movimiento, *La Plebe*, órgano del partido, que nacido en los primeros días de mayo había venido a sustituir a *El Obrero Comunista*[5], el movimiento avanza.

El Demócrata del 18 de mayo describe el ambiente que reina en el sindicato en los siguientes términos:

> Las adhesiones al sindicato continúan con la misma profusión que el primer día y ya no sorprende el número de personas que a diario concurren a inscribir sus nombres en las listas de inquilinos declarados en huelga. Ya nos hemos acostumbrado a ver la aglomeración y hasta ha dejado de llamarnos la atención, por su crecido número, la cantidad de personas que por sus simpatías con la huelga, van a pedir su ingreso al sindicato.

Entre el 19 de mayo y el 26, el sindicato inquilinario se ve forzado a mantener un encuentro diario promedio con la gendarmería, que actúa sin excesivo vigor, probablemente a la espera de la decisión del gobernador del DF, que a su vez espera que se produzca una definición política más clara. Así se siguen impidiendo lanzamientos. Durante estos días se consolida la otra iniciativa del SI, el trabajo del sindicato único de construcción que agrupa a novecientos trabajadores que laboran en las reparaciones de veintiuna casas (de varias viviendas cada una) a cuenta de rentas no pagadas por los inquilinos en huelga. El día 24, las casas de Degollado 60 y Pesado 8 quedan habitables[6].

El sindicato inquilinario produjo el primer balance de su lucha bajo la curiosa forma de una estadística que fue entregada para su publicación a los diarios. Allí se reseñan minuciosamente los siguientes elementos:

Mítines al aire libre	274
En salones y teatros	9
Asistentes	80 000
Manifestaciones de barrio	17
En el centro de la capital	4
Número de manifestantes	24 000
Incidentes personales	
Heridos por arma blanca	3
Por arma de fuego	3
Otros	6
Detenidos en comisaría	13

Discursos: Vargas Rea 211, Rafael Carrillo 179, Díaz 142, J.C. Valadés 140, Manuel Díaz Ramírez 129, Jesús Bernal 108, Genaro Gomes 85, Simeón Morán 82, Pedro Ruiz Ramírez 80, Felipe Hernández 24.

En los barrios los líderes han pronunciado sesenta y cinco discursos (Fosas Encino, Ernesto Vargas, A. Calderón, J. Vargas, A.M. Domínguez y Ernesto Torres).

Delgados del sindicato	2 343
Vecindades sindicalizadas	2 428
Inquilinos lanzados	88
Inquilinos reinstalados	88
Inquilinos inscritos	37 483
Inquilinos que no han pagado renta	36 851
Inquilinos que no han pagado y que van a ser expulsados	632
Lugares fijos de inscripción en los ocho distritos	112

Promedio de casas en huelga:

De 10 a 20 pesos	--	60%
De 4 a 10 pesos	--	20%
De 20 a 50 pesos	--	15%
De 50 en adelante	--	5%

Hojas de propaganda, rótulos, etc.	220 000
Casas reparadas por el sindicato	32
Obreros empleados en las reparaciones	1 008
Casas ocupadas por el sindicato	15
Propietarios que han acudido al sindicato sin acuerdo	48
Adhesiones de otros grupos de inquilinos en la República	9

Porcentaje de inquilinos sindicalizados según su ocupación:

Obreros	70%
Empleados	25%
Comerciantes	5%

Comunicaciones recibidas	573
Contestadas	511[7]

La estadística, relativamente fiel (quizá pueda cuestionarse según los informes citados de J.C. Valadés, la cantidad de delegados sindicales que debe ser más bien formal y el número de vecindades sindicalizadas, que más bien debe entenderse como el número de vecindades en huelga y con inquilinos inscritos, que no organizados), muestra cómo el sindicato se levantó sobre las gargantas de un núcleo militante relativamente reducido. Entre el 17 de marzo, día en que se inicia el movimiento inquilinario en el DF y el 26 de mayo, cuando se elabora la estadística, han transcurrido tan solo setenta días. En ese breve lapso, el número de intervenciones de Luis Vargas Rea es de un promedio de tres diarias, sostenido, día a día; Rafael Carrillo Azpeitia rebasa ampliamente el promedio de dos diarias y José Díaz y José C. Valadés lo alcanzan.

Las imágenes de un pequeño grupo de militantes interviniendo incansablemente en mítines de barrio, en las esquinas, los sindicatos, los mercados, las plazas públicas..., entrando en las vecindades y lanzando su mensaje organizativo a millares de trabajadores, saltan a la vista.

El sindicato inquilinario se levanta sobre las voces rasposas, agrietadas, de un grupo de jóvenes de la Juventud Comunista. Esa es su clave y su debilidad.

De la estadística surge un nuevo hecho que no había dado señales de existencia en la prensa diaria y la prensa obrera de la época: las tomas de vecindades y casas abandonadas que ascienden a quince. Otro nuevo elemento de acción directa que además de forzar la solución del conflicto permite a los sindicalizados tomar en sus manos y mostrar una solución alternativa a la lucha, que no pasa por la legalidad obregonista.

El movimiento continúa su ascenso, pero en los últimos días de mayo y los primeros días de junio dos acontecimientos exteriores al sindicato toman forma: la CROM funda un sindicato inquilinario fantasma en el DF. Utilizando como fachada la Casa del Obrero Mundial, organiza la Unión de Inquilinos del DF[8]. La Unión resulta necesaria para dar una salida reformista a un movimiento que empieza a recibir las primeras represalias serias con el arresto sistemático del grupo de organizadores comunistas. El gobierno del DF parece decidido a iniciar su ofensiva contra la lucha inquilinaria. Sin cerrar las puertas a la posible conciliación, la represión comienza a jugar un papel más importante en las relaciones entre el Estado y el SI.

El 29 de mayo, cincuenta grandes propietarios, alentados por este cambio en la política gubernamental, se organizan y declaran que combatirán sin cuartel al sindicato inquilinario[9].

Esta búsqueda de los propietarios de apoyo en el gobierno, el que sintieron que en una primera etapa del movimiento los había dejado desamparados, no está exenta de cautela. El propietario Ramón Hoyos escribía al presidente de la República:

«Suplico ordene al jefe de policía ponga a disposición Juzgado Segundo Menor escolta, gendarmes montados para darme garantías al proceder lanzamientos inquilinos morosos. *Policía de a pie no me merece seguridad*, toda vez que prensa ha manifestado que están sindicalizados.[10]»

Pero la paranoia de los casatenientes, no estaba justificada. La represión contra el movimiento inquilinario inició desde fines de mayo e iba creciendo. Un telegrama del comité central del sindicato dirigido a Obregón y fechado el 10 de junio, establecía:

> [...] en estos últimos días han sido aprehendidos numeroso compañeros de este sindicato, de los cuales once aún permanecen presos, ignorándose hasta ahora paradero de tres de ellos, conducidos a la Inspección General de Policía desde tarde sábado [...] es de nuestro conocimiento el hecho de que existen órdenes de aprehensión contra varios camaradas [...][11]

A cuarenta días de haber estallado la huelga, a causa de la represión y la necesidad de mantener al sector más militante del movimiento en actividad para evitar los lanzamientos, los mítines de masas comienzan a ser menos concurridos[12]. Quizá por esto, la dirección del SI promueve el 12 de junio una espectacular acción tomando el ex convento de los Ángeles. Tras la operación, que sorprende a la policía, los activistas del SI instalan las oficinas y montan un salón de actos en la capilla. La ocupación da lugar a una peregrinación popular de gran magnitud, puesto que corre el rumor de que se han encontrado momias en los sótanos[13].

Tratando de aprovechar el vuelco que toma la situación, los propietarios piden a Obregón la disolución del SI acusándolo de:

> No pagar rentas, impedir con amenazas que los inquilinos que estén dispuestos a pagar lo hagan, deshacer mediante amenazas convenios privados, romper sellos judiciales, asaltar casas vacías, ordenar modificaciones en las casa sin consentimiento, impedir el acceso a las vecindades a cobradores y propietarios y reinstalar violentamente a los lanzados.

La petición está firmada por los trescientos mayores casatenientes del Distrito Federal.

Un día después, el 23 de junio, cinco mil inquilinos se reúnen en el ex convento de los Ángeles y piden a Obregón la liberación de los detenidos[14].

Mientras tanto, Gasca, en una posición más beligerante que la de Obregón sostiene una represión limitada, para dar tiempo a que la CROM cree un sindicato inquilinario amarillo que podría, utilizando la agitación, ofrecer como una tercera fuerza mediadora, con el apoyo del gobierno. El día 25 de junio, la Casa del Obrero Mundial del DF (CROM) hace público su reglamento inquilinario[15].

El Partido Comunista frena las movilizaciones durante los últimos días de junio y los primeros de julio para no verse inmiscuido en la campaña electoral que se celebra en la capital para nombrar el nuevo Ayuntamiento, y reinicia los mítines en la colonia Guerrero que desembocan en una nueva movilización[16].

La huelga rebasa los sesenta días, se dice que han llegado a cincuenta y tres mil los inquilinos huelguistas (la cifra no podrá ser comprobada y es probable que sea menor, y que se estén produciendo arreglos privados entre inquilinos y pequeños propietarios). El SI apelado en todas las formas de acción directa que le pueden permitir desplegar sus fuerzas y aumentar la presión: tomas, reinstalaciones violentas, arreglos a las casas sin consentimiento de los propietarios. Pero su debilidad se hace patente en dos niveles: en la incapacidad para consolidar organizativamente a la gran fuerza que ha puesto en pie, viéndose obligado, por esta razón y por motivos ideológicos (el concepto de centralización que se imponía en sus filas ante la concepción federalista del anarcosindicalismo), a centralizar el movimiento en un aparato profesional. Esta medida tendía a consolidar el movimiento en lo inmediato, pero lo debilitaba a mediano plazo al impedir la estructuración de un sector medio militante que diera a la huelga una estructura organizativa más sólida.

José C. Valadés dice:

> El sindicato estaba basado en una organización centralista. Tan es así, que a pesar de existir comités en distrito, siempre o casi siempre re-

> currieron al comité central para cuestiones de organización, propaganda y conflictos [...] El compañero Antonio Domínguez en diversas ocasiones recurrió al comité central a quejarse de que este comité absorbía toda la organización de los miembros del comité central, y los acuerdos de este CC eran «órdenes» para todos los comités y miembros del sindicato[17].

Esta centralización en manos de los miembros del PC produjo fricciones graves en el SI, la más importante cuando el CC propuso que el periódico *La Plebe*, órgano del partido, lo fuera también del SI; la moción fue aprobada por la mayoría, expulsando a los que estaban en contra.

El segundo nivel que expresaba la debilidad del SI, se encontraba en el aislamiento en que había quedado respecto al movimiento obrero. La oposición frontal de la CROM por un lado, y la ruptura de la CGT con los comunistas habían condenado la huelga inquilinaria a sostenerse con sus propias fuerzas. No podían esperarse movilizaciones obreras en su apoyo.

Notas al pie

1 *El Demócrata*, 6 de mayo de 1922.

2 Valadés/*Memoria inquilinos*.

3 *El Demócrata*, 8 de mayo de 1922.

4 El «golpe de Estado» en el interior de la CGT puede verse en *Nuestros Ideales*, N° 4, 2 de junio de 1922 y N° 6, 9 de agosto; *Vía Libre*, N° 1, 23 de agosto de 1922; *El Demócrata*, 14 de mayo de 1922 y Huitrón/*Orígenes...*, p. 308. El nuevo comité cegestista radicalizó su actitud respecto al gobierno y trató a los comunistas como una fuerza enemiga. Ver *Manifiesto* de agosto de 1922 particularmente virulento.

5 El cambio de nombre del órgano partidario sin duda obedece a una consideración táctica. *La Plebe* nació con un tiraje de tres mil ejemplares y para el número 4 había alcanzado los once mil. Aparecía como órgano del PC DE M y bajo el lema «Proletarios de todos los países unidos». El primer número que conozco es el 4, del 9 de junio de 1922 (que está erróneamente marcado como número 24, aunque un texto en la primera plana permite darse cuenta de la errata).

6 *El Demócrata*, 20 y 24 de mayo de 1922.

7 *El Demócrata*, 27 de mayo de 1922.

8 *El Demócrata*, 22 de mayo de 1922.

9 *El Demócrata*, 20 de mayo de 1922.

10 *AGN/Obregón-Calles*, 407-I-2.

11 Ibíd.

12 *El Demócrata* del 12 de junio de 1922 señalaba que el mitin del día anterior «había sido el menos concurrido a la fecha.»

13 *El Demócrata*, 17 de junio de 1922.

14 *AGN/Obregón-Calles* 407-I-2.

15 *El Demócrata*, 26 de junio de 1922.

16 *El Demócrata*, 4 de julio de 1922.

17 Valadés/*Memoria inquilinos*.

6. EL MOVIMIENTO INQUILINARIO SE HACE NACIONAL. REPRESIÓN EN VERACRUZ

Aunque la chispa inquilinaria se produjo en el puerto de Veracruz, y las acciones mas brillantes se dieron en el DF, el movimiento inquilinario no se vio restringido a esas dos ciudades. Entre marzo y junio de 1922, surgieron multitud de sindicatos inquilinarios en todo el país, que utilizaron la huelga de pagos como arma de lucha.

En Guadalajara, el movimiento fue brutalmente golpeado a los pocos días de nacido al ser detenida la dirección del sindicato inquilinario tras un choque con obreros católicos el día 26 de marzo, en el que murieron seis personas. Uno de los detenidos era Ignacio López, anarco-comunista dirigente del grupo Propaganda Roja y corresponsal de *El Obrero Comunista*. El sindicato sobrevivió al descabezamiento, y lanzó una huelga que se prolongó durante todo el año, y aunque mantuvo nexos con la CGT, los cortó con el PC DE M[1].

En el Estado de Veracruz proliferaron los sindicatos inquilinarios, los más importantes, los de Jalapa, Córdoba y Orizaba, este último fundado el 2 de abril y dirigido por el anarco-comunista Aurelio Medrano. En Jalapa, el partido tenía una relativa influencia a través de Moisés Lira; en Córdoba el movimiento seguía las directrices de la CROM.

La CGT influyó en el sindicato de Tampico (fundado el 24 de mayo), en el de Aguascalientes (fundado el 9 de octubre), y en el de Monterrey (donde se editó *La Chispa*, periódico anarco-comunista).

En cambio la CROM manejó los de Puebla, San Luis Potosí y Ciudad Juárez.

Hay vagas noticias sobre la existencia de sindicatos inquilinarios en Durango y Torreón[2].

A pesar de la existencia de estos núcleos prácticamente en todas las ciudades industriales de cierta importancia del país, los movimientos inquilinarios permanecieron aislados entre sí, probablemente por las diferencias entre las tendencias dirigentes. EL PC DE M no vinculó ni siquiera de movimiento a movimiento las luchas del DF y Veracruz, aunque a través de la prensa transmitió sus experiencias.

Sin embargo la nacionalización, aunque no la cohesión del movimiento, dio motivos a las autoridades federales para intervenir más activamente en el asunto. En el caso veracruzano, esta intervención apareció bajo la forma represiva, de mano de los militares, tal como se había venido insinuando desde mayo de 1922.

Otro elemento que invitó a los militares a encontrar una salida represiva contra el movimiento inquilinario jarocho fue la intervención solidaria del sindicato en la huelga general de junio en el puerto. Las dos centrales, CROM y CGT secundaron el movimiento de los trabajadores de Progreso en Yucatán, pero la CGT radicalizó la lucha e impulsó demandas propias, propiciando un acercamiento con el SRI del que se había aislado en mayo tras el choque de Proal con Fernández Oca[3].

Sintomáticamente, el pretexto para el enfrentamiento entre inquilinarios y militares se va a producir el 30 de junio, el mismo día en que el gobernador Tejeda envía al congreso veracruzano una Ley Inquilinaria para su debate.

Ese día, Olmos, miembro de la local comunista, apoyado por un manifiesto que firman treinta miembros del SRI, rompe con Herón Proal, al que acusa de malversación de los fondos sindicales. Olmos y los treinta disidentes apelan al comunismo para hacer su denuncia: «El comunismo, he ahí el ideal noble y sublime a que aspira el proletariado mundial, y precisamente por la nobleza del ideal debemos ser celosos vigilantes de los hombres que predican a las multitudes la buena nueva de esa aspiración.[4]»

La local comunista del puerto, en una nota firmada por su secretario general Miguel Salinas, el secretario del exterior y director de *El Frente Único* Manuel Almanza, el secretario del interior Mateo Luna, el de actas Porfirio Sosa, y el de finanzas J. Ruiz, desautorizó a Olmos y mantuvo su apoyo a Herón Proal[5].

Mientras tanto dos batallones con quinientos veinte hombres llegaron de Chiapas a Veracruz enviados por la Secretaría de Guerra[6].

La reacción de la base inquilinaria fue violenta. Desde el día primero se habían producido choques con la policía, cuando trató de desalojar a los guardaespaldas apostados frente a la casa de Proal, que dormían en la banqueta, y el día 5 de julio, la calle de Landero y Coss estaba llena de inquilinos que a gritos pedían aclaraciones sobre la traición de Olmos. La dirección del SIR acusó a Olmos junto con Aubry (otro ex miembro de Antorcha Libertaria), Consuegra y José F. Ortiz de haberse vendido al oro de los propietarios[7]. Se celebró un mitin en el parque Juárez; grupos de manifestantes vieron a Olmos cuando se estaba refugiando en casa de una hermana y trataron de detenerlo. Chocaron con un grupo de gendarmes que trataron de proteger al tránsfuga, quien pistola en mano trataba de defenderse. Solo la intervención de los militares salvó a Olmos del linchamiento.

Con el pretexto de este incidente el ejército avanzó sobre el mitin y fue recibido a gritos. La tropa comandada por el siniestro coronel López Manzano se desplegó a media cuadra del parque[8]. Muchos inquilinos se enfrentaron con los soldados, y se produjeron forcejeos. Las banderas rojas ondeaban ante la cara de los militares que comenzaron a repartir culatazos.

El primer disparo partió de los soldados y fue a herir a un ambulante de la Cruz Roja que se encontraba recogiendo a un herido. El coronel López Manzano se introdujo entre los participantes del mitin seguido por una columna de soldados «a paso de carga y levantando los rifles con cartucho cortado». Los inquilinos resistieron la primera presión. Nuevos culatazos. Surgen algunos cuchillos en manos de los manifestantes, y el teniente Valtierra es apuñalado.

Los dirigentes del sindicato organizan la retirada, una manifestación por la parte sur de la calle Madero. Frente al local del sindicato, Proal interviene dando orden de que la manifestación se disuelva para evitar nuevos choques con los militares y que cada cual se retire a su casa. En la calle Landero y Coss queda un nutrido grupo de mujeres, en el interior de la sastrería un pequeño grupo de militantes.

El saldo del primer enfrentamiento es de varios heridos de bala y golpes y el militar apuñalado que muere horas más tarde.

Pero no habían de terminar ahí las cosas. Sobre el puerto de Veracruz se desata un tremendo aguacero, la guardia prealista trata de meterse al local del sindicato. Imposible, solo caben apretujadas unas sesenta personas. Los que no pueden entrar se cobijan bajo balcones en la calle de Landero y Coss.

A la una de la madrugada, y armados con una orden de detención contra Herón Proal dictada por el juez Macgregor, los militares salen del cuartel Morelos. También la gendarmería municipal dirigida por Zamudio y Plata toma las calles, la muerte del teniente Valtierra ha excitado los ánimos.

Los soldados llegan disparando por la calle de Vicario, sobre las personas que se encontraban guarecidas en un zaguán. Caen los primeros muertos del sindicato inquilinario. La mayoría son mujeres, algunas adolescentes. La soldadesca enloquece. Se atraviesa con la bayoneta a mujeres y hombres desarmados, se dispara a boca de jarro contra los que huyen.

Las oficinas del sindicato son cercadas, los máuseres disparan hacia el interior del pequeño local de dos piezas.

«En la primera, Herón Proal se tiró pecho tierra, y en su derredor hicieron lo mismo las mujeres y los niños que lo protegían». Se producen los primeros heridos. Los soldados golpean violentamente las puertas y ventanas. Ni un solo disparo ha surgido del interior. Porfirio Sosa, miembro de la local comunista trata de pactar con el mayor Eulogio Hernández, para garantizar la vida de Proal. No se llega a nada, los soldados irrumpen en la sastrería. Golpes y detenciones.

Hay cerca de ciento cincuenta hombres y mujeres detenidos, que son conducidos al cuartel Morelos, muchos de ellos heridos. Allí han de ser golpeados nuevamente, por las fuerzas del coronel Manzano.

Entre los detenidos, los comunistas Sosa, Mercado y Luna, además de Proal y el anarquista Palacios.

El ejército recorre las calles en la noche arrancando las banderas rojas. La prensa del puerto al día siguiente no habla de los sindicalistas muertos, tan solo del teniente y de cinco gendarmes que han sido heridos[9].

En una intervención que se inicia pocos días después, comienzan a citarse los nombres de decenas de muertos, en su mayor parte mujeres, con heridas de bayoneta en el cuerpo o con tiros de máuser. En días posteriores aparecían en Veracruz «ahogados», «atropellados por el tren» y «muertos por congestión alcohólica», en cuyos cuerpos estaban las perforaciones de las bayonetas y de las balas.

Al amanecer del 6 de julio, pareciera que el sindicalismo inquilinario de Veracruz había sido barrido por las balas de los doscientos soldados y gendarmes del coronel Manzano y del jefe de policía Zamudio.

Notas al pie

1 Laura Romero de Tamayo: *Inquilinos rojos* vs. *sindicalismo católico*, ponencia mecanografiada. Salazar-Escobedo/*Las Pugnas...*, pp. 337-340. *Nuestros Ideales*, Nº 2, 30 de marzo de 1922 y *El Demócrata*, 27 de marzo de 1922.

2 *Nuestros Ideales*, Nº 6, 9 de agosto de 1922. *El Demócrata*, 3 de abril, 7 y 24 de mayo de 1922. *El Dictamen*, 2 de abril de 1922. *Iskra*, 17 de noviembre de 1922.

3 Proal, como Antorcha Libertaria, firmó un manifiesto junto con los sindicatos anarcosindicalistas apoyando la huelga general. García Mundo/*El movimiento inquilinario*, pp. 146-147.

4 *El Demócrata*, 8 de julio de 1922.

5 *El Dictamen*, 5 de julio de 1922. Nuevamente una información de Mario Gill («El grupo encabezado por Olmos y secundados por la local comunista continuaba su campaña contra Proal exigiéndole cuentas», *México en la hoguera*, p. 177) ha inducido a error para explicar por qué, si la local rompió con Proal en julio, «reanudó» sus relaciones casi inmediatamente y las conservó hasta 1923. la Local, como puede verse y como atestigua su periódico y prueban acontecimientos posteriores, rompió con el columnista Olmos, no con el anarquista Proal (como intuitivamente señala en su trabajo *Notas sobre la vanguardia roja y el movimiento popular en Veracruz* de Roberto Sandoval).

6 García Mundo/ *El movimiento inquilinario*, p. 156.

7 «Haciendo historia», *El Frente Único*, 22 de julio de 1922.

8 La reconstrucción de los acontecimientos del día 5 y la madrugada del 6 se ha realizado a partir de: la narración de Porfirio Sosa a Arturo Bolio (*Rebelión de mujeres*), *Reconstrucción de hechos*, manifiesto del SRI, julio de 1923, archivo del autor. «Declaraciones de sobrevivientes de la masacre del 6 de julio», *Guillotina*, Nº 1, 6 de julio de 1923. Mario Gill/*México en la hoguera*, pp. 178 y ss. *El Dictamen*, 6 y 8 de julio de 1922.

9 El problema de si los inquilinos abrieron fuego sobre los soldados y gendarmes, y de cuántos fueron los muertos de la matanza del 5 de julio, fue el centro de un enconado debate entre la prensa obrera y la prensa reaccionaria veracruzana durante 1922 y 1923. Los hechos comprobables son que los dos soldados muertos y los cuatro policías heridos, lo fueron por puñaladas y contusiones y que en el registro del local sindical solo aparecieron dos cartuchos de pistola sin usar. El testimonio de Sosa dice que el anarquista Elías Palacios estaba armado, pero que le impidieron que disparara para evitar una masacre. Respecto a los muertos, la prensa en días posteriores habló de 20, y el sindicato inquilinario de ciento cincuenta. La investigación del SRI avalada por testimonios firmados recoge más de setenta casos de asesinato, la mayoría de ellos de mujeres.

7. DESMORONAMIENTO DEL MOVIMIENTO INQUILINARIO EN EL DF

Los mismos días en que se produce la represión militar en Veracruz, son testigos de una ofensiva represiva contra el movimiento inquilinario del DF.

El día 5 de julio tras el lanzamiento de la anciana Luz García en las calles de Santa María la Redonda, los inquilinos, banderas al frente, atacan la casa del propietario metiéndose por los tragaluces y tratando de lapidar a su esposa. La policía interviene disparando, al igual que el propietario, Florentino Cermeño, y muere el miembro del SI, Jesús Martínez, obrero ferrocarrilero de dieciséis años. A pesar de la represión los miembros del sindicato introducen a la casa los muebles de la anciana y la dejan reinstalada[1].

Al día siguiente tres mil inquilinos participan en el velorio-manifestación del joven ferrocarrilero, y desfilan frente a Palacio Presidencial con el féretro del asesinado a hombros[2].

Pero los lanzamientos se suceden y el día 7 se produce un zafarrancho en la calle Magnolia cuando miembros del SI tratan de evitar que fuera puesto en la calle el inquilino Francisco Mares. La intervención policiaca fue secundada por dos piquetes de soldados y no pudo impedirse el lanzamiento decretado por el juez del cuarto distrito[3].

El SI colocado a la defensiva, a pesar de una heroica resistencia es incapaz de impedir la mayoría de las decenas de lanzamientos simultáneos que se están practicando en la Ciudad de México.

El día 8 una asamblea general en el ex convento de los Ángeles acuerda depositar las rentas en los juzgados para impedir los lanzamientos. Por primera vez, la lucha inquilinaria retrocede y se apoya en la legalidad[4].

Como un claro indicador del viraje que han dado los acontecimientos, el 10 de julio la Liga de Defensa de Propietarios telegrafía a Obregón felicitándolo por el «tratamiento del problema inquilinario.[5]»

Los periódicos de la segunda y tercera semana de julio reportan que los lanzamientos siguen y con éxito. El SI en repliegue tiene que suspender dos manifestaciones acordadas para el 16 de julio y transformarlas en un mitin.

La prensa registra:

Día 20: El SI llama a las organizaciones obreras para que lo apoyen en su lucha. Se vuelven a organizar bailes para recabar fondos (claro indicador del descenso de las cotizaciones que habían permitido al sindicato, desde principios de mayo, ser económicamente autosuficiente). Lanzamientos en masa en Tacubaya, la propietaria de varias vecindades falsifica firmas en los contratos.

Día 21: Lanzamiento de cinco inquilinos sindicalizados. El sindicato convoca mítines en varias colonias. Un capitán del ejército está actuando como pistolero de los propietarios y efectúa lanzamientos violentamente.

Día 23: La manifestación del sindicato inquilinario es prohibida por el gobierno del DF, solo se autoriza un mitin en el Hemiciclo a Juárez que es vigilado por la gendarmería montada[6].

Aprovechando el cambio de la situación, la cámara patronal suavizaba sus posiciones y ofrecía al gobierno una salida conciliadora muy ambigua, pero suficientemente explícita para ponerse una máscara de mesura. El día 24 de julio declaraban que no se ampararían en caso de que se promulgara una Ley Inquilinaria, y que bajarían las rentas (evidentemente no decían cuál sería el monto del descenso[7].)

En agosto se produce el desmoronamiento del sindicato inquilinario, el repliegue a la legalidad, la desaparición de las movilizaciones, la crisis interna, la quiebra de la huelga.

La represión ha sido muy fuerte. Dos meses más tarde, el CC del sindicato denunciará los casos de:

> Los camaradas García y Sánchez [*heridos*], más de un centenar de presos, hombres y mujeres, de los que aún quedan algunos detenidos, del co. Ruiz Madrid cuyo paradero no sabemos todavía [...]. Jesús Martínez, asesinado por un español [...] dueño de una tienda y propietario de casas [...]. El camarada Escobar, muerto a resultas de los golpes que le propinara un dueño o administrador de casas [...].[8]

La mayoría de los huelguistas comienza a desertar, o bien por la vía de la derrota (a lo largo de agosto se producen un promedio de veinte lanzamientos diarios que el movimiento es ya incapaz de detener), o por la conciliación con los casatenientes que aceptan arreglos privados.

La crisis llega al interior del sindicato. Valadés reseña: «Organizaronse tres bandos: uno neutral, el otro comunista y el tercero eminentemente sindicalista, y con esto las vociferaciones y los chismes iban de un lado para el otro.[9]»

El choque principal se produce en este primer momento entre Díaz Ramírez y Valadés. El partido acusa a este de «indisciplina»[10] y lo expulsa junto con otros seis miembros de la JC (entre los que están Senda, Ávalos y Calderón). Tras la expulsión se encuentra un debate sobre la centralización del movimiento, las rencillas personales entre las dos figuras dirigentes del partido, y sobre todo el peso del desmoronamiento de la huelga.

El cuartel del SI se va convirtiendo en un refugio de desperados y dejando de ser el centro de un potente movimiento de masas; los carteles de «Estoy en huelga» y las banderas, desaparecen de las vecindades.

Notas al pie

1 *AGN/Obregón-Calles* 407-I-2.

2 *El Mundo*, 7 de julio de 1922.

3 *El Demócrata*, 8 de julio de 1922.

4 *El Demócrata*, 9 de julio de 1922.

5 *AGN/Obregón-Calles* 407-I-2.

6 En el mitin intervino un nuevo miembro del PC, el anarquista Ruiz Madrid, que llamó a «destripar a cuatro o cinco mujeres burguesas para dar ejemplo». Ruiz Madrid, de treinta y tres años, sin más hogar que un espacio en el convento de los Ángeles y sin más oficio, según declaraba, que «la revolución social», fue detenido por la gendarmería y deportado. *AGN/Obregón-Calles*, 407-I-2.

7 *El Demócrata*, 24 de julio de 1922.

8 *AGN/Obregón-Calles*, 407-I-2.

9 Valadés/*Memorias*, p. 277.

10 Sobre el cargo, ver el debate posterior en el II Congreso de la JC. En 1923, el partido acusaría a Valadés de cobardía, de ser «amigo de dueños de fincas» y malversador de fondos (*Manifiesto a los inquilinos del DF y la República*, cartel, archivo del autor) y este contestaría minuciosamente desbaratando los cargos en la *Memoria* ya citada.

8. LA LOCAL DE VERACRUZ TOMA DIRECCIÓN

Donde la historia debía terminar, recomenzó en Veracruz:

«El comité ejecutivo del sindicato, lejos de perder el tiempo en lamentaciones [*sic*] inútiles, trabajaba sin tregua ni descanso: el día 6 de julio se instalaba en su oficina provisional y el día 7 celebraba un mitin en la casa de Carlos Palacios, con la asistencia de no menos de cuatro mil personas.[1]»

La reacción a la matanza y a la oleada de detenciones, había sido organizada por la dirección de relevo del movimiento inquilinario del puerto, integrada prácticamente por la local comunista de Veracruz quien no había sufrido muchas bajas en la represión. De los noventa detenidos que se encontraban en la cárcel de Allende, no había más que media docena de comunistas (Sosa y Mercado entre ellos).

Los miembros de la local (Almanza, director del *Frente Único*, Úrsulo Galván, Barrios, Salinas y los jóvenes Lira, Blanco, Bolio, Dehesa y Marín) compartieron la dirección con el grupo de mujeres dirigido por María Luisa Marín, la compañera de Herón Proal, y con el diputado local Carlos Palacio que llegó de Jalapa dispuesto a darle cobertura al movimiento[2].

Pero a pesar de la rápida reacción, la situación era delicada. *El Dictamen* y la prensa financiada por los casatenientes atacó duramente al movimiento y en particular a Palacios. El ataque se combinó con un intento de los cromistas, apoyados por el alcalde, para hacerse con la dirección de la lucha. Gracias a la intervención de la federación local de la CGT esto pudo impedirse[3].

Al día siguiente, la policía y los militares recorrieron los patios quitando las banderas rojinegras que quedaban. La ciudad era patrullada por el ejército y se prohibieron las manifestaciones.

Proal en la cárcel fue acusado junto con sus compañeros de los delitos de «sedición, tumultos, homicidio, agresión al ejército e insultos al gobierno federal.»

Una cuarta tendencia trató de hacerse también con la dirección, la dirigida por el tránsfuga del PC José Olmos, quien hizo público un manifiesto acusando a Herón Proal de fraude.

La local atacó a Olmos en *El Frente Único* y defendió a los presos. Esto la consagró como dirección real del movimiento. El día 8, a pesar de la prohibición de manifestaciones, con Palacios a la cabeza y con sus banderas rojas, los inquilinos llegaron frente a la cárcel de Veracruz a realizar un nuevo mitin donde se insultó al ejército[4].

La posibilidad de una segunda represión más violenta aún, utilizando al ejército y con un amparo que los cromistas y Olmos le daban, estaba en pie, pero el gobierno estatal envió una comisión mediadora que se entrevistó con los dirigentes inquilinarios rojos, y esto dio cierto respiro a la lucha.

Por la ciudad corría el rumor de que un tribunal secreto del SRI había condenado a muerte al coronel Manzano y a todos los oficiales que habían participado en la matanza, incluso se decía que la comisión secreta había sido bautizada como comisión de supresión.

Para mediados del mes, la situación tendía a estabilizarse, y la dirección del SRI invitó a que se reorganizaran los comités de patio y vecindad y que se enviaran representaciones al comité central. La huelga de pagos se mantenía.

El día 15 de julio el PC trató de ampliar el movimiento inquilinario y *El Frente Único* abrió una extraña lista. Los comunistas volvían sobre una de las obsesiones del viejo grupo Antorcha Libertaria: la organización de las sirvientas. La lista era para que las trabajadoras domésticas del puerto se inscribieran:

«Los criados y criadas de las casas burguesas y semiburguesas dan servicio por un jornal que es una burla y no conformes con eso cada día los patrones rebajan los sueldos.[5]»

Tampoco Proal permanecía inactivo en la cárcel. A más de mandar mensaje de ánimo a sus huestes, el día 1 de agosto fundó en la galería Número 1 de la cárcel de Allende el Sindicato Revolucionario de Presos de Veracruz. Los reclusos organizados, pintaron una bandera rojinegra y su primera asamblea fue disuelta a tiros al aire por los soldados de la guarnición[6]. La ciudad seguía conmovida, durante los primeros días de agosto corrieron rumores de que Herón Proal había sido asesinado en el interior de la prisión, que se disiparon a fines de la semana.

La dirección sindical comunista, mientras tanto, había reanudado la vieja práctica de realizar tres mítines por semana. Para el 13 de agosto el movimiento se había reanimado lo suficiente, y la manifestación que partió del parque Juárez avanzó sin permiso del Ayuntamiento hacia la cárcel de Allende. No estaba muy claro si solo iban a hacer un mitin enfrente o si pretendían asaltarla para liberar a los presos. El caso es que los soldados cortaron cartucho en las azoteas y dispararon al aire. Durante toda la tarde y parte de la noche grupos de inquilinos recorrieron el puerto haciendo mítines y pequeñas hogueras en las esquinas[7].

Con su doble cabeza, en la cárcel y en las oficinas de *El Frente Único*, que conservaba su periodicidad diaria, el movimiento tendió a estabilizarse aunque sin la pujanza de los primeros meses.

En septiembre de 1922 se celebró una convención de sindicatos inquilinarios de Veracruz, Jalapa, Orizaba y Córdoba, unidos al proalismo fue que los sindicatos de inquilinos deberían ser autónomos respecto a las organizaciones obreras, que los sindicatos obreros deberían promover la vindicación de sus miembros en las organizaciones inquilinarias y que los sindicatos inquilinarios deberían promover que los obreros en sus filas se organizaran dentro de los sindicatos.

Esta especie de pacto de no intromisión pretendía consolidar el baluarte comunista en el movimiento inquilinario en todo el estado[8].

En la cárcel, mientras tanto, después de un fuerte movimiento para mejorar la calidad de la alimentación de los detenidos protagonizado por el sindicato revolucionario de presos[9], este organizó el 18 de septiembre el primer Baile Rojo en una institución carcelaria mexicana:

Autorizados por el regidor del Ayuntamiento y la policía, inquilinos e inquilinas detenidos quitaron en una galería las banderas nacionales y colgaron rojinegras. Entre vivas a Rusia,

Lenin, Trotski y los soviets y al sindicato rojo, con orquesta y bebidas, el baile tuvo feliz fin, aunque fue violentamente criticado por la prensa del puerto[10].

En octubre, a ritmo de tres mítines diarios, el movimiento se sostenía.

Menos de dos semanas después del zafarrancho, la legislatura veracruzana había aprobado una Ley Inquilinaria que fijaba las rentas en el seis por ciento del valor catastral, y si no lo hubiese, en la renta de 1910 más el diez por ciento. Se concedía una moratoria de cuatro meses a los inquilinos para pagar los adeudos y se fijaba la fianza de dos meses de renta a depositarse en la receptoría de rentas, con un plazo de dos años para conservar las rentas en ese nivel.

A pesar de su inicial aprobación (incluso fue publicada por el diario oficial del Estado), la ley, expedida por el suplente de Tejeda, Casarín, fue objeto de nuevos debates en el Congreso que se prolongaron durante todo 1922, y su ejecución bloqueada en Veracruz por los amparos de los propietarios y por la huelga de inquilinos rojos. A fin de año el tema seguiría debatiéndose, ahora con un proyecto presentado por el propio Tejeda[11].

Para animar el debate, *El Frente Único* anunció el estreno de un nuevo danzón, *El Inquilino*, cuya letra y particular se vendía en la Imprenta Mercantil[12].

La represión no había destruido la lucha inquilinaria jarocha. A diferencia de lo sucedido en el DF, el movimiento inquilinario del puerto, aunque con un ritmo más bajo que el de la etapa de arranque, se sostenía y permitía un punto de partida a los comunistas para nuevas acciones.

NOTAS AL PIE

1 «A cada uno lo suyo», *El Frente Único*, N° 50, 22 de julio de 1922.

2 Carlos Palacios era diputado local por el Partido Veracruzano del Trabajo. No se sabe cuándo se incorporó al Partido Comunista (fue miembro del CNE a partir de abril de 1923), pero su intervención fue aceptada por la local comunista y le dio protección al movimiento.

3 La Liga Marítima (CROM, punto de apoyo del alcalde García) dio«una limosna de paro» y trató de meterse a la dirección. En cambio la federación local de la CGT apoyó económicamente el movimiento, declaró que respetaba su autonomía y se sumó solidariamente a las movilizaciones. *Frente Único*, N° 50, 22 de julio de 1922. Según *El Dictamen* (8 de julio de 1922) Proal «entregó» desde la cárcel la dirección del movimiento a Manuel Almanza.

4 *El Demócrata*, 9 de julio de 1922.

5 *El Frente Único*, N° 50, 22 de julio de 1922.

6 *El Heraldo de México*, 2 de agosto de 1922.

7 *El heraldo de México*, 14 de agosto de 1922.

8 *El Frente Único*, N° 94, 15 de septiembre de 1922.

9 Ibídem. El informe decía que a los quinientos cincuenta y siete presos de la cárcel de Allende les tocaba cada tres días cincuenta y cuatro gramos de carne, veinte gramos de arroz, cincuenta gramos de frijol, siete gramos de café y veintiséis gramos de pan.

10 *El Demócrata*, 19 de septiembre de 1922.

11 *El Debate*, 14 de julio, 18, 26, 27 y 31 de diciembre de 1922.

12 *El Frente Único*, N° 130, 21 de octubre de 1922.

9. DE NUEVO LA JC

Para enfrentar la crisis en el movimiento inquilinario del DF que ellos habían sostenido sobre sus espaldas, fueron nuevamente los Jóvenes Comunistas los que tomaron la iniciativa y convocaron un congreso para los días 12-15 de agosto de 1922. No solo se trataba de evitar la desbandada, también de tomar posición en la violenta polémica que se había producido por la expulsión de J.C. Valadés del Sindicato Inquilinario y el PC DE M.

El II congreso de la JC reunía nuevamente a los jóvenes[1] que durante seis meses habían vivido en la intensidad de la lucha callejera inquilinaria en la Ciudad de México y Veracruz y algunas otras delegaciones del interior del país. La derrota de la lucha inquilinaria que se había producido en el ámbito nacional y en la que el PC había puesto todas sus esperanzas, estaba patente en la debilidad orgánica de la Juventud, quizá menos dañada que el partido, que había quedado reducido a ciento noventa y un miembros en todo el país[2], pero el abandono del trabajo sindical y la concentración en el trabajo inquilinario que había fracasado, también habían debilitado a la FJC que numéricamente era muy inferior a lo que había sido en su I congreso un año antes.

Además de la sección del DF en la que destacaban Valadés, Serret, Aurelio Senda, Antonio Calderón, Carrillo Azpeitia, Juan González y sus hermanos y F. Ávalos; había otros seis grupos de importancia: el de Veracruz representado por Celestino Dehesa, Guillermo Lira y otros que hablaba en nombre de una fuerte sección de trescientos miembros, los de Córdoba y Jalapa, el de Puebla que sobrevivía en el movimiento sindical de Atlixco y la capital del estado, el de Melchor Ocampo en el Estado de México, promotor de trabajo campesino, y el de Morelia formado por jóvenes obreros y campesinos. Había además representaciones delegadas de Sonora, Mérida y Oaxaca[3].

En total, cincuenta y seis delegados se reunieron en el local del sindicato inquilinario de la calle Arteaga el día 12. El orden del día era el siguiente: Informe del comité central ejecutivo, Informe del delegado al congreso de la Internacional Juvenil Comunista, Informe sobre la situación general. El Partido Comunista y la Federación de Jóvenes Comunistas de México, Programa de la JC, Elección del CC, *El Frente Único*, Asuntos Generales[4].

El tema central del Congreso que se encontraba registrado en el orden del día (el PC y la FJC) tenía que ver con la revisión de los acuerdos del I congreso del partido respecto a la dependencia de la JC, tenía que ver con su autonomía. Y dentro de este debate, se encontraba la discusión sobre federalismo o centralismo en la experiencia de la lucha inquilinaria.

El partido estaba representado en el congreso por el secretario general, Manuel Díaz Ramírez, y el *presidium* lo ocupaban Rafael Carrillo Azpeitia, Juan González y María Luisa González, dirigentes de la Federación de Jóvenes Comunistas electos en el I congreso de un año antes[5].

El primer día de sesiones fue cubierto por la revisión de credenciales, el informe sobre la situación económica presentado por Valadés y la intervención de aperturas de Manuel Díaz Ramírez.

En el segundo día los debates fueron de una singular violencia. El informe de Carrillo Azpeitia fue contestado por Valadés y por Serret impugnándolo, y por Díaz Ramírez y José Díaz también contradiciéndolo desde posiciones diferentes. Uno de los elementos que produjeron el choque fue la evaluación de la responsabilidad de la Juventud Comunista en la ruptura con la CGT.

En el mismo segundo día de sesiones, la intervención de Stirner como representante en el Congreso de la Internacional Juvenil Comunista que se había realizado en Moscú, apaciguó los ánimos. Stirner, que había estado en Rusia hacía unos meses, definió el papel de las Juventudes como «preparatorio, educador, organizador de las fuerzas que deberían entre en el combate», y desde luego, subordinado al partido[6].

Siguieron luego los informes regionales, que mostraban la debilidad de la organización con la excepción de Veracruz, y las dificultades para influir en el movimiento sindical.

Un periodista bastante ajeno a la polémica interna señalaba la existencia de tensiones entre el partido y la Juventud de la siguiente manera:

«Asociaciones que aunque persiguen los mismos fines, no están completamente de acuerdo en algunos puntos de detalle [...] A pesar de que la junta anterior duró hasta muy avanzada hora de la madrugada, no se llegó a ningún acuerdo.[7]»

El congreso avanzó hacia su tercer día sin lograr acuerdo en el problema de la autonomía de la Juventud respecto al partido, y sin que hubiera una definición mayoritaria hacia ninguna de las dos posiciones.

El tercer día se trataron los puntos complementarios del orden del día respecto al programa de reivindicaciones económicas de la Juventud que la JC pretendía enarbolar, entre ellos el recorte de la jornada de los aprendices, la protección de los que trabajan en condiciones insalubres y el pago por la patronal del tiempo de educación para los niños[8].

El congreso no ratificó la expulsión de Valadés, Arana, Calderón, Ávalos, Senda y otros tres miembros de la local del DF que el partido había decretado acusándolos de indisciplina y «obstruccionismo.»

Sin haber definido la relación entre JC y PC, en la práctica se había desarrollado una situación de autonomía de la Juventud hacia el partido que sería particularmente fuerte en el DF.

La expulsión de Valadés y del grupo del DF no pareció ser tomada con demasiada importancia por la Juventud. El propio Stirner, que tras el congreso salió de nueva cuenta para Rusia, ahora para asistir al IV Congreso de la Internacional Comunista como delegado del PCM, le escribió a Valadés diciéndole que no había por qué preocuparse, que podía apelar ante el congreso futuro del partido y se le reincorporaría[9].

Rafael Carrillo fue reelecto secretario general y la Federación de Jóvenes Comunistas se encontró «independizada» del partido[10] y envuelta en una lucha interna que se definiría en los próximos meses.

NOTAS AL PIE

1 Parece ser que existía una gran flexibilidad en tanto a la pertenencia a la JC o al partido. Muchos de los jóvenes que en octubre y noviembre de 1921 habían formado parte del comité de reconstrucción del PC seguían actuando dentro de la JC. Valadés mismo que había sido miembro del secretariado del PC y al que acababan de expulsar del partido, era miembro de la Juventud.

2 Barry Carr: «Temas del comunismo mexicano», *Nexos*, N° 54, junio de 1982.

3 *El Demócrata*, 12 de agosto de 1922. Rodolfo Mercado (a JCV, cárcel de Allende, Veracruz, agosto de 1922) decía: «[...] con bastante pena me he informado por los compañeros que fueron como delegados al congreso de la Juventud en esa [...] de lo poco concurrido que estuvo el congreso.»

4 *El Heraldo de México*, 14 de agosto de 1922.

5 *El Heraldo de México*, 13 de agosto de 1922.

6 *El Heraldo de México*, 14 de agosto de 1922. Al no tener acceso a algún periódico comunista de esos días, he tenido que reconstruir el congreso a partir de documentación muy exigua aparecida en la prensa nacional.

7 *Ibídem.*

8 *El Heraldo de México*, 15 de agosto de 1922.

9 Valadés/*Memoria inquilinos*. El secretario de correspondencia de la Juventud Comunista de Veracruz, escribiéndole a Valadés un mes más tarde (19 de septiembre de 1922), decía:

> Tu expulsión y la de los ocho compañeros más [...] no es más que una tempestad en un vaso de agua en el seno del partido. ¿Qué importa que los expulsen del partido cuando ustedes seguirán luchando por un camino recto, teniendo al mismo tiempo la mayoría de vuestro lado [...] pues ya que resultan falsas las noticias de que hay división entre la Juventud de esa, no deseamos más que sigan adelante sin hacer caso de chismes.

10 B.D. Wolfe: «Mexican Rent Strike led by Communists», *The Worker*, 12 de mayo de 1923.

10. ABANDONOS, DEFUNCIONES, INCORPORACIONES

A principios de septiembre de 1922, Alfredo Stirner partió para Moscú como delegado del Partido Comunista Mexicano al IV Congreso de la Internacional Comunista. No habría de regresar a militar en el PCM[1].

Entre los papeles que llevaba había una carta del comité nacional ejecutivo del PCM al comité ejecutivo de la Internacional, firmada por Gómez Lorenzo y Díaz Ramírez. En ella se analizaban los acontecimientos de 1921 y 1922, y en particular la labor de la Agencia Panamericana de Katayama y Fraina. La conclusión era: «Este comité se permite llamar la atención del CE de la IC sobre el hecho de que establecer agencias sin previa preparación y contactos con los comités nacionales respectivos, no conduce a los resultados que son de desearse»[2]. La misiva culminaba sugiriendo que la experiencia no se repitiera. Si por otros conductos el partido pidió algún tipo de ayuda a la Internacional Comunista, no hay forma de saberlo. El caso es que desde la salida de Phillips y Katayama de México el año anterior, y con el viaje de Stirner, que no había de regresar a reanudar el contacto, los nexos con la Internacional quedaban cortados temporalmente.

Días mas tarde, la CGT hizo pública la convocatoria para su II congreso que habría de realizarse en los primeros días de noviembre de 1922. Un punto en el orden del día recordaba que aún quedaba algo por liquidar en sus relaciones con el Partido Comunista, el resultado de referéndum respecto a la adhesión de 1921 a la ISR. La formulación del punto dejaba muy claro cuál sería la decisión del congreso: «ISR persecución de anarquistas en Rusia»[3]. Díaz Ramírez envió una intervención por escrito al congreso que no fue leída[4]. En cambio el congreso aprobó una moción censurando a los comunistas por la escisión del sindicato panadero producida en mayo. Las posibilidades de que el partido pudiera volver a tener alguna ingerencia dentro del ala del sindicalismo mexicano, se habían alejado aún más.

En estas condiciones de aislamiento y derrota, el PC celebró por tercera vez el aniversario de la Revolución Rusa, el 7 de noviembre, esta vez en el local ocupado por el sindicato inquilinario en Arteaga 33. En el destruido convento, con las ruinas de lo que había sido el potente sindicato de inquilinos del DF, los comunistas volvieron a hacer fe de bolchevismo. Curiosamente, el comité organizador invitó a José C. Valadés a participar en el acto[5]. Este fue el último nexo de Valadés con el Partido Comunista. Días más tarde se separaba de la Juventud Comunista con una parte de los expulsados del partido. La lucha interna en la dirección de la Federación de Jóvenes Comunistas del DF se había definido a favor de la mayoría representada por Carrillo Azpeitia. La minoría dirigida por Valadés no había apelado a su poder en la provincia y se había limitado a retirarse.

Junto con Valadés abandonaron la JC Enrique Arana, Antonio Calderón, Aurelio Senda y Fernando Ávalos. Pocos días más tarde los siguió el grupo de Melchor Ocampo dirigido por Felipe P. Cervantes quien se constituyó en Juventud Comunista Anárquica y propuso reorganizar a la JC con bases libertarias. La primera iniciativa de los de Melchor Ocampo, a los que siguieron los grupos de Cuautitlán, Guadalajara y México, fue desconocer a la mayoría del comité de la FJC, romper con el Partido Comunista y nombrar a Valadés miembro de un comité reorganizador de la Juventud[6]. Este contestó en enero de 1923 no aceptando el cargo porque «los trabajadores siguen teniendo una natural desconfianza hacia nosotros los que directamente tomamos participación en la fundación del PC». Los de Melchor Ocampo insistieron y construyeron la Juventud Comunista Anárquica en febrero de 1921, saliendo a la luz con un manifiesto en que señalaban que el PC era un partido común y corriente y que regresaban a la anarquía de la que nunca debían haber salido. Su manifiesto señalaba que se declaraban «comunistas en lo económico y anarquistas en lo político.[7]»

Valadés y su grupo no se disgregaron, y el 15 de diciembre de 1922 nació *La Humanidad*, pequeña revista surgida de un taller colectivo[8]. Con mil pesos que le prestó su madre y una prensa de pedal que le vendió a plazos Ferrer Aldana, Valadés impulsó la pequeña publicación mensual que pronto pasó de la propaganda ideológica a la información sindical[9].

La venta de la imprenta había de ser también el último acto político de otro de los fundadores del comunismo mexicano, Vicente Ferrer Aldana, quien falleció repentinamente. A principios de 1922 había pedido su reingreso al partido y este se lo había negado. «Más de cincuenta obreros acompañaron silenciosamente el cadáver del hombre que había pasado sus últimos años llevado del entusiasmo que le había provocado la Revolución Rusa, hasta un pequeño cementerio en la árida falda del Cerro del Pelón.[10]»

Tanto el grupo de *La Humanidad*, como la Juventud Comunista Anárquica poco a poco se fueron acercando a la CGT, hasta que a mediados de 1923 se habían incorporado a ella.

El partido respondió a la salida definitiva de Valadés con una serie de acusaciones[11] que este respondió en un amplio memorial y en las páginas de *La Humanidad*.

Las salidas de este sector iban a ser ligeramente compensadas por dos ingresos. A fines de noviembre de 1922, el pintor Diego Rivera se incorporó al Partido Comunista Mexicano. Con la credencial 992[12] pasó a engrosar las mermadas filas del PCM. Su incorporación era el resultado de una evolución personal hacia el comunismo a la que pronto atrajo al resto de los pintores que lo acompañaban en la experiencia muralista en los patios de la Escuela Nacional Preparatoria. Al margen de esta particular y apasionante historia, que pronto se contará con más detalle, otra incorporación personal que habría de ser de gran importancia en el comunismo mexicano de aquellos años, se produjo entre diciembre de 1922 y enero de 1923. Se trataba de un profesor de literatura neoyorquino de veintiséis años, Bertram. D. Wolfe, que había sido miembro del aparato comunista en Estados Unidos[13]. Su viaje a México se produce por motivos personales («No me detuve a pedir permiso del comité eentral para abandonar el país o para ser transferido a otro partido»[14]). Llega a México vía Nueva York-Veracruz en un vapor de la Ward Line invitado por el siniestro Robert Haberman, que tras la salida de México de Carleton Beals andaba buscando a alguien que le sirviera de «negro» para la coautoría de artículos que mantuvieran su prestigio en los medios radicales norteamericanos. El gancho de Haberman era un trabajo como profesor de inglés para Wolfe y su mujer en la preparatoria. Wolfe cobró su primer sueldo en febrero de 1923 y al negarse a servirle a Haberman como redactor, fue despedido por este. Afortunadamente, una gestión cerca del ministro José Vasconcelos permitió que se reincorporara a su puesto. Mientras aprendía a hablar español, Wolfe se adhirió al Partido Comunista de México.

En el lapso de noviembre de 1922 a enero de 1923, cuando se producen estas incorporaciones y retiradas, el partido se aferra desesperadamente a los restos del movimiento inquilinario. Tras el vacío de su salida de la CGT y, por tanto, de la posibilidad de intervención en los sindicatos, tras el fracaso del proyecto de organizar a los desempleados surgido del I congreso, se adhiere a la debacle del movimiento inquilinario, del que tras la derrota de la lucha, solo va quedando el membrete. Sin un movimiento detrás, el partido había promovido en septiembre una Ley Inquilinaria por medio de un contacto en la Cámara de Diputados. La ley proponía que la renta fuera fijada en el cinco por ciento anual del valor catastral de la casa habitación, la desaparición de los depósitos, tiempo de arrendamiento indefinido; que en caso de que las rentas fueran cubiertas, los casatenientes no pudieran pedir la desocupación; la creación de un departamento para los inquilinos en caso de lanzamientos y control sanitario de las viviendas[15].

Si la ley no prosperó en el auge, menos en el reflujo, y el propio Obregón fue el que la bloqueó diciendo en una ambigua y cantinflesca respuesta: «Este asunto reúne tantos aspectos y es tan complejo, que considero muy difícil poderlo abarcar bajo todos sus aspectos.[16]»

El repliegue a la legalidad no fue el viraje táctico de un movimiento en ascenso, fue el triste recurso de un movimiento derrotado.

En los últimos días de 1922 y los primeros de 1923 el sindicato abandonó cualquier forma de lucha y se limitó a tratar de impedir que los desalojaran del convento de los Ángeles. Poco tiempo después Díaz Ramírez sería expulsado de la dirección del sindicato y este quedaría en manos de un grupo de oportunistas que trataban de conseguir con el favor del gobierno lo que no se obtuvo con la movilización.

El PC DE M tendrá que buscar en otra parcela de la sociedad mexicana un espacio político para sobrevivir. La etapa inquilinaria se ha cerrado en todo el país excepto en el puerto de Veracruz.

Notas al pie

1 Alfredo Stirner (Edgar Woog) es electo en Moscú miembro del comité ejecutivo de la Internacional. Participa en el III Pleno del ejecutivo de la IC en junio de 1923 y forma parte de la comisión del programa que se le presenta al V congreso (1924). Profesionalizado dentro del aparato de la Comintern forma parte de la Comisión Internacional de Control hasta 1927. A partir de ese momento comienza a realizar misiones en el extranjero. Detenido en España en 1931 es deportado a México de donde viaja hacia Moscú. Lazitch/*Biographical*. R. Paris, notas biográficas sobre *Alfredo Stirner*, manuscrito.

2 *CNE del PC DE M al CE de la III Internacional*, 7 de septiembre de 1922. Archivo del PCM.

3 «Convocatoria al II Congreso de la CGT», *Horizonte Libertario*, N° 3, 13 de octubre de 1922.

4 «The Trade Union Movement in México», *Inprecor*, N° 31, 5 de abril de 1923.

5 Valadés/*Memoria inquilinos*.

6 *La Humanidad*, N° 2, febrero de 1923.

7 *Manifiesto de la Juventud Comunista Anárquica y estatutos de la JCA*, 4 de febrero de 1923, archivo del autor.

8 *La Humanidad*, N° 1, 15 de septiembre de 1922, «Revista del proletariado rebelde», dirigida por José C. Valadés, administrador Enrique Arana.

9 Valadés cuenta:

> Vicente Ferrer Aldana me vendió una prensa de pedal. En la National Paper compré algunas fuentes de tipos de dos familias, una pequeña guillotina y peinazos [...] Me instalé en la calle de Medina a pocos metros de la Plaza de Santo Domingo [...] Trabajaban conmigo Enrique Arana (formación y prensa), yo era el único cajista. Antonio Calderón, su novia y dos de sus cuñadas, cosían y encuadernaban. Toño a la vez era el repartidor del periódico.
>
> Valadés/ *Memorias* pp. 279-280.

10 Valadés/ *Ferrer Aldana*.

11 *Manifiesto del* CC *del sindicato de inquilinos*, marzo de 1923, archivo del autor:

José C. Valadés que cobardemente huyó de la lucha en los momentos en que no debía, pero en que pudo más el ponerse a salvo porque él veía órdenes en su contra por todas partes y que después hemos aclarado que además de cobarde, malversó fondos de la organización, por cuyas acciones fue expulsado del partido y más tarde de la Juventud Comunista [...] quizás tenga algo que ver en tal cambio su amistad con algunos propietarios de fincas.

12 Bertram D. Wolfe: *Diego Rivera*, Editorial Ercilla, Santiago de Chile, 1941, p. 172.

13 Fue miembro del ala izquierda del Partido Socialista, militó en el PC en Nueva York y pasó a California clandestinamente a causa de la persecución política. Allí se reincorporó al Partido Comunista hasta 1922 cuando viajó a México.

14 B.D. Wolfe: *A Life in two Centuries*, Stein and Day, Nueva York, 1981, p. 277.

15 *Proyecto de Ley*, presentada por el PC DE M para su discusión en la Cámara de Diputados, 1923, copia en el archivo del autor.

16 *AGN/Obregón-Calles*, 731-I-5.

11. PRIMO TAPIA Y LA LIGA MICHOACANA

Tras la muerte de Isaac Arriaga en Morelia, en mayo de 1921, se había formado en la ciudad un pequeño grupo de jóvenes comunistas integrado por obreros, estudiantes de la Universidad nicolaíta y dirigentes campesinos. El grupo actuaba dentro del Partido Socialista Michoacano (colaboró a reorganizarlo), y dentro de la Federación de Sindicatos Obreros (cromista). Sus principales figuras eran los trabajadores Alfonso F. Soria, Nicolás Ballesteros y Fidencio Resendiz, y el dirigente agrario Primo Tapia[1].

Probablemente no fueron ajenas a la integración del grupo las relaciones que el PSM había tenido en el PCM en su etapa fundacional, y la presencia en Michoacán de María del Refugio García apoyando al gobernador Múgica, la que además de hacer labor entre los maestros realizó trabajo agrario en la zona de Zitácuaro.

El grupo, sin nexos firmes con la dirección del partido concentrada en la capital de la República, se zarandeó en los vaivenes de la agitada política del Estado de Michoacán, donde el enfrentamiento entre Múgica y los gobiernos impuestos por los militares y el centro se mantuvieron desde 1917 con abundantes cambios de suerte para las partes. Múgica en su breve etapa gubernamental (septiembre de 1920 - marzo de 1922) favoreció la organización campesina contra la agresión del ejército y de las guardias blancas de los latifundios, apoyó al Partido Socialista Michoacano y promulgó en septiembre de 1921 una Ley Estatal del Trabajo[2].

En este ambiente de constante conmoción política, del que no estaba exenta la violencia contra los dirigentes del PSM o las comunidades campesinas, surge el trabajo del Primo Tapia.

Tapia, nacido en la comunidad de Naranja el 8 de junio de 1885, se había formado, como tantos otros de los militares de la época, en Estados Unidos en relación con el magonismo[3]. Desde

1907 hasta 1919 había actuado en los medios radicales norteamericanos como miembro de la IWW, destacando su labor como organizador minero en Arizona, y la creación con algunos compañeros michoacanos de un sindicato azucarero en Nebraska, motivo por que tuvo que huir en 1919 tras una huelga derrotada.

A fines de 1920 regresó a su comunidad. No era un hombre común, venía dotado del bagaje ideológico más radical que se había producido en los Estados Unidos, traía tras de sí varias experiencias sindicales muy ricas en contenido. Tapia en 1920 podía decir de sí mismo: «[...] había nacido en este mundo con el presente, tan insignificante, de que la gente me oiga, que mi ruda y dura frase puede dominar no solo a los hombres, sino también a los camaradas.[4]»

Desde fines de 1920, cuando se incorpora a su comunidad, promueve reuniones. Los campesinos de Naranja y de toda la Ciénaga de Zacapu se encontraban bajo la tremenda presión de los latifundistas gachupines, ladrones de tierras comunitarias, en particular de los dueños de la hacienda la Cantabria. En 1921, la mitad de los campesinos de Naranja eran asalariados[5]. En pocos meses Primo organizó una liga femenil, participó en las elecciones para representante de la comunidad y fue electo secretario del pueblo. Luego extiende su trabajo organizativo a Tiríndaro, Tarajero, y hasta Chéran y los cuatro pueblos[6].

En octubre de 1921, un centenar de soldados provenientes de la hacienda Cantabria cayeron sobre Naranja y atacaron la casa donde Primo Tapia estaba reunido con un grupo de compañeros. Los agraristas se vieron obligados a salir corriendo por el monte.

El 21 de octubre se repitió la agresión, ahora sobre la comunidad de Tiríndaro y de nuevo contra Naranja. Los soldados irrumpieron en las casas, golpearon a campesinos e incluso colgaron a dos agraristas para amedrentar a la población. Tapia y otros compañeros fueron detenidos[7], aunque por pocos días.

Primo se fue a Morelia, fortaleció sus relaciones con la Casa del Obrero Mundial y con el grupo de la Juventud (probablemente en octubre de 1921 es cuando se incorpora a la JC). En los meses intermedios de 1921 se habían producido varios eventos importantes en la capital del estado, la COM había convocado a un Congreso Obrero-Campesino, había nacido el Partido Agrarista Michoacano como una escisión del PSM y este se había reorganizado con Ascencio, Soto Reyas y Ballesteros a la cabeza[8].

En medio de la ofensiva patronal en el campo, Primo regresó a su zona y formó el sindicato de comunidades agrarias con campesinos de Naranja, Tiríndaro y Tarajero el 7 de noviembre de 1921[9].

Iniciándose 1922, Primo Tapia recibió un mensaje de los gachupines de la hacienda Cantabria ofreciéndole dinero o plomo. Primo aceptó el dinero, y en lugar de huir, lo usó para ir a Morelia a tramitar un juicio agrario contra los dueños de los latifundios.

Pero el régimen de Múgica llegaba a su fin. El clero, los hacendados, los militares, los políticos rivales ponían cerco a su gobierno. En marzo de 1922 se levantó en armas Melchor Ortega. El director del periódico sindical *El 123*, Jesús Corral, fue secuestrado. La federación respondió con una gran manifestación el 3 de marzo. Las presiones de Obregón se acentuaron contra Múgica que se vio obligado a pedir una licencia[10]. El congreso nombró a Sánchez Pineda gobernador de Michoacán y se profundizó la ofensiva contra sindicalistas y agraristas. Si durante el régimen de Múgica los latifundistas se habían amparado contra el noventa por ciento de las decisiones del gobierno en materia agraria, durante el régimen de Sánchez Pineda se ampararon contra el uno por ciento de sus resoluciones[11].

Primo Tapia se estableció en Morelia en julio de 1922. Lo acompañó Apolinar Martínez, al que los gachupines habían expulsado de Zacapu con un boicot económico, haciendo quebrar su pequeña fábrica de gaseosas[12]. Primo combina sus tareas como agrarista con el trabajo dentro de la Federación de Sindicatos donde colabora con Soria y Ballesteros.

El impulso para organizar un Congreso Agrario se lanzó desde la Federación de Sindicatos donde la influencia de Primo Tapia combinada con la de Apolinar Martínez, que en ese momento dirigía el periódico de la Federación, *Humanidad Nueva*, hicieron triunfar la idea.

La proposición contó también con el apoyo del PNA y de la Comisión Nacional Agraria. Así, el 15 de diciembre de 1922 en el local de la Casa del Obrero Mundial de Morelia, rodeados de banderas rojinegras, con el auditorio atestado y bajo la presidencia de Soria, Luna y Resendiz, se inauguró el Congreso Agrario con ciento ochenta asistentes.

Los delegados de la Federación de Sindicatos eran los cuatro miembros de la Juventud Comunista: Primo Tapia, Apolinar Martínez, Nicolás Ballesteros y Alfonso Soria. Primo llevaba también la representación de los sindicatos campesinos de la Ciénaga de Zacapu.

En el debate por la aprobación de credenciales, se separaron los campos de los Jóvenes Comunistas y el Partido Socialista Michoacano, las credenciales de Juan Ascencio, Luis Mora y Tovar y Emilio Moreno, diputados al congreso local, solo fueron aceptadas como de delegados fraternales[13].

Una de las más sorprendentes resoluciones fue la autonomía respecto a cualquier central sindical de la Liga de Comunidades y Sindicatos Agraristas de Michoacán, que nació del congreso. Con esto se liberaba a la nueva organización de la tutela de la CROM, e incluso se sustraían los sindicatos campesinos de la organización cromista.

El 17 de diciembre se nombró a la nueva mesa directiva que había de desarrollar un programa basado en la lucha contra el latifundio.

La secretaria general quedó en manos de Primo Tapia, quien había llevado la batuta durante el congreso con intervenciones en tarasco y en español, y la secretaria del interior la ocupó Apolinar Martínez; el secretario del exterior fue Justino Chávez y el tesorero J. Jesús Gutiérrez[14].

Sorpresivamente, el Partido Comunista llegaba a la dirección de una de las primeras Ligas de Comunidades Agrarias que existían en el país. La trascendencia del hecho paso desapercibida al CNE del PC DE M y no había de valorarla sino hasta tres meses más tarde, cuando la repetición del fenómeno, ahora en Veracruz, puso al partido ante el hecho consumado de tener que revisar sus proposiciones respecto a cuál era el sector social donde debían concentrar sus esfuerzos.

Notas al pie

1 Se sabe que además formaban parte del grupo Apolinar Martines Múgica, Othón Sosa, el profesor Arroyo, Gabino Alcaraz y Juan Chávez. Las fronteras entre el grupo y los militantes del PSM o la Federación Sindical, eran muy tenues. Hasta 1923 el grupo difícilmente podía distinguirse del ala izquierda del PSM.

2 Armando María y Campos: *Múgica, crónica biográfica*, CEPSA, México, 1939, pp. 147-151.

3 Paul Friedrich. (*Agrarian Revolt in a mexican Village*, University of Chicago Press, Chicago, 1977) informa sobre la relación de Tapia con los magonistas en Los Ángeles (1907) donde lo ayudan a inscribirse en una escuela nocturna y a estudiar inglés. Tapia actúa como guardaespaldas de los dirigentes magonistas en esos años. Para la reconstrucción de la historia política previa de Primo Tapia, además de los datos de Friedrich, puede consultarse la biografía de Apolinar Martines: *Primo Tapia. Semblanza de un revolucionario michoacano*, El Libro Perfecto, México, 1946 y el trabajo mecanográfico de Arnulfo Embriz: *La lucha de Primo Tapia*.

4 Apolinar Martines/*Primo Tapia*, p. 195.

5 Primo Tapia a la Comisión Agraria Local, citado por Friedrich/*Agrarian...*, p. 90.

6 Friedrich/ *Agrarian...*, p. 92.

7 Artículo de Primo Tapia en *El 123*, 2 de diciembre de 1921.

8 Gerardo Sánchez: «El movimiento socialista y la lucha agraria en Michoacán», dentro del libro *La cuestión agraria: revolución y contrarrevolución en Michoacán*, Universidad Michoacana, Morelia, 1984, p. 57.

9 Arnulfo Embriz y Ricardo León: *Documentos para la historia del agrarismo en Michoacán*, CEHAM, México, 1982, p. 23.

10 Sánchez/*Movimiento socialista*, p. 60.

11 Luis Monroy Durán: *El ultimo caudillo*, edición de José S. Rodríguez, México, 1924, p. 302.

12 Arnulfo Embriz: *La Liga de Comunidades Agrarias de Michoacán y el PCM*, mecanográfico, p. 4.

13 Apolinar Martínez/ *Primo Tapia*, pp. 93-99.

14 Sánchez/ *Movimiento socialista*, p. 62.

12. LA LIGA JAROCHA: UN PROYECTO AGRARIO PRESTADO

Así como en Veracruz había nacido el movimiento inquilinario, así como en Veracruz se había producido una aproximación efímera a la posibilidad del Frente Único, así en Veracruz debía gestarse la experiencia más consistente de trabajo campesino que iban a desarrollar los comunistas en estos años.

A principios de 1923, la dirección del sindicato revolucionario de inquilinos (la parte que se encontraba fuera de la cárcel) y que estaba dominada por la local comunista de Veracruz, discutió una propuesta de Manuel Almanza para iniciar un trabajo de organización agraria en el centro del estado. La idea era vieja en las cabezas de los dirigentes de la local. Tanto Almanza como Úrsulo Galván habían discutido el potencial revolucionario de los campesinos, y habían tenido varias experiencias en organización de grupos agrarios[1]; además, cercanos al sindicato se encontraban militantes de origen campesino que habían promovido sindicatos rojos en el centro del estado en los últimos años.

La local decidió iniciar giras de agitación y organización con fondos del SI y Úrsulo Galván se ofreció como voluntario. El plan establecía una escalada: entablar relaciones con comités ya existentes, crear nuevos, celebrar reuniones públicas, incorporar campesinos a la comisión[2].

No hay huellas en *El Frente Único* que permitan suponer que los comunistas del puerto de Veracruz conocían la experiencia de la Juventud Comunista y el trabajo de Primo Tapia en la construcción de la Liga de Sindicatos y Comunidades Agrarias de Michoacán. Sí conocían, en cambio, todo el trabajo que había realizado la CGT veracruzana dirigida por Fernández Oca, formando sindicatos rojos de campesinos pobres, o las acciones de la CROM en las cercanías de Orizaba y Jalapa creando sindicatos campesinos afiliados a las organizaciones obreras.

Con estos antecedentes, tras algunas giras breves realizadas a lo largo del mes de enero de 1923 por las inmediaciones del puerto[3], la comisión dirigida por Úrsulo Galván y formada por Sóstenes Blanco, vendedor de verduras en los mercados de Veracruz, el santanderino tipógrafo de *El Frente Único* Guillermo Cabal (el Duende) y tres mujeres miembros del sindicato, Aurelia y las cantantes Luisa y Carmen, dejó la ciudad el día 3 de febrero de 1923[4]. Si hemos de hacer caso a un posterior testimonio de Almanza, llevaban consigo el estilo del movimiento inquilinario: banderas rojas, canciones revolucionarias y mítines esquineros. Pero Galván llevaba algo más, un profundo conocimiento del terreno y una buena red de relaciones.

La primera parada se produjo en Salmoral donde se encuentran con José Cardel, que había estado haciendo trabajo de organización agraria en la región[5] y Fernández Oca.

Las fuentes disponibles no aclaran si la reunión había sido prefijada o fue una iniciativa de los presentes, pero el caso es que cobró la forma de un pequeño congreso de grupos agraristas, en el que dominaban los sindicatos que había organizado la CGT[6].

En la villa de Soledad se celebró el encuentro al que asistieron «un considerable número de campesinos»; ahí chocaron dos posiciones, la anarcosindicalista, partidaria de la acción directa, la propaganda revolucionaria y la creación de sindicatos; y la de Galván, que es calificada por Almanza como «agrariolegalista», que estaba por la organización de comités agrarios, el uso de la legalidad (amparándose en el artículo 27 de la Constitución) y la lucha por la dotación de tierras y parcelas repartiendo los latifundios.

Según Almanza, la mayoría abrumadora de los reunidos se hizo eco de las proposiciones de Galván, y desertó de los grupos anarcosindicalistas. Investigaciones posteriores establecen que los sindicatos rojos no rompieron con la CGT y persistieron en la mayoría de congregaciones alejadas de la cabecera municipal[7]. Lo que es indudable, es que Galván ganó para su posición a varios agraristas destacados como Marcos Licona, Antonio Carlón, José Cardel, y Arturo Hernández, que habían hecho sus primeras armas en el anarquismo.

También resulta evidente que la ruptura con los anarcosindicalistas no se produjo, puesto que siguieron colaborando en el campo, y en esa misma gira, Antonio Ballezo, uno de los hombres fuertes de la CGT de Veracruz, lo acompañó hasta el final. Para esto, Marcos Licona se había unido al grupo y lo guiaba. Encontrando a otros organizadores agrarios como Antonio Carlón, que los recibió con la Internacional cantada por un coro campesino, o Cardel que había llegado con anticipación para preparar una recepción, la comisión recorrió Rinconada, Carrizal, Plan del Río, Chicoasén, Matilla, Palo Gacho, el Aguaje, Santa Maria Tetetla, Mata de Loba, La Ternera, Amazónica, Chichicaste y Tlacontepec de Mejía.

En ese punto, los comisionados fueron detenidos por soldados del Batallón. Sólo Blanco pudo escapar[8].

Encerrados en el pueblo natal de Galván, los comisionados siguieron cantando *Hijo del pueblo*, ahora a los soldados, mientras esperaban que las autoridades superiores definieran su destino. La gira había encontrado eco en los campesinos del centro del estado, pero a los organizadores del sindicato inquilinario, les parecía evidente que solo estaban comenzando, hacía falta un arduo trabajo para llegar a construir una organización amplia; eso, o una coyuntura excepcional.

El inicio de esa coyuntura se produjo cuando bajo presión del gobernador Adalberto Tejada, las autoridades militares soltaron a los detenidos[9].

Galván regresó a Veracruz a informar a la local comunista. Sus acciones no habían sido muy ortodoxas, los acuerdos sobre el problema agrario en el I Congreso del PC (diciembre de 1921) eran mucho más cercanos a la línea propuesta por los anarcosindicalistas que a las proposiciones de Úrsulo Galván. El partido formalmente se había declarado en contra del reparto agrario al que calificaba de «castrador del espíritu rebelde de la gente del campo» y se pronunciaba por la educación de los campesinos para refrescar las tendencias a favor de «la toma de la tierra y su labor en común». En terreno organizativo estaba por la formación de «sindicatos de resistencia» que prefiguraban los futuros soviets[10].

Sin embargo, la local de Veracruz, que se encontraba frenada en el movimiento inquilinario, no desautorizó a su representante. Y cuando un telegrama del gobernador Adalberto Tejeda llegó, convocándolo a una reunión en Jalapa, lo autorizó a seguir adelante.

Tejeda, en combate contra el Partido Cooperatista que se apoyaba en los latifundistas, valoró la importancia del trabajo de Galván[11]. Para esos momentos existían en el país ligas de comunidades agrarias en Puebla, Michoacán y el Estado de México, la mayoría de ellas manejadas por los gobernadores estatales, o también eran importantes instrumentos de una política progresista del caudillo local al estilo de la que Múgica había desarrollado el año anterior en Michoacán. Tejeda, que para ejercer el poder en el ámbito del estado se apoyaba en una alianza múltiple, que incluía a los sindicatos de la CROM, el Partido Veracruzano del Trabajo y el PLC, invitó a Galván a seguir adelante y le ofreció el apoyo gubernamental para realizar un congreso a mediados de marzo en la capital del estado donde se constituyera la Liga de Comunidades Agrarias. Tejeda buscaría la solidaridad con el proyecto de los sindicatos campesinos cromistas y de los representantes estatales de la Comisión Nacional Agraria. Galván trataría de incorporar al proyecto a las comunidades que acababa de visitar en la gira relámpago.

De la reunión surgía mucho más que un acuerdo pasajero. Tejeda estaba dispuesto a aliarse con los comunistas si fortalecía su base social contra las fuerzas reaccionarias de Veracruz, a las que veía como su enemigo principal. Es indudable que el Comité Nacional del Partido en el DF permaneció al margen de estas acciones de la local de Veracruz[12].

El congreso fue fijado para el 18 de marzo en Jalapa, y Galván se lanzó nuevamente al campo para reunir a sus contactos y proponerles la realización del Congreso Unitario.

Entre la reunión con Tejeda y el congreso, se produjo el tiroteo de Puente Nacional[13].

Allí las guardias blancas de los latifundistas apoyadas por el general Guadalupe Sánchez que las había armado, tirotearon a agraristas y a fuerzas de la guardia civil estatal, causando siete muertos y trece heridos. El choque que enfrentaba bajo cuerda al gobernador con las fuerzas militares de la región, puso en estado de alarma a todo el Estado de Veracruz y forzó la intervención de Álvaro Obregón, quien tomó el partido de los militares, decidiendo que se desarmase a la guardia civil estatal. La presión de los militares apoyados por el centro, obligó a Tejeda a retroceder a pesar de haber recibido el apoyo del Congreso Local y de la Federación Estatal de Sindicatos (CROM).

En este marco, cuando se inauguró el Congreso de las Comunidades Agrarias en Jalapa, Tejeda lo veía como una nueva baza a jugar en su enfrentamiento contra los latifundistas y los militares, a los que apoyaba el poder central.

El gobierno estatal proporcionó tres pesos diarios por delegado como una subvención económica[14] y el sindicato de inquilinos de la ciudad, donde tenía influencia la local comunista a través de Polanco y el miembro de la JC Moisés Lira (quien asistió al congreso), aportó alojamiento a los ciento veintiocho delegados que respondieron a la convocatoria (representando unos cien comités agrarios.)

Estaban presentes solo los grupos clave del estado: algunos de los sindicatos anarquistas (la minoría), sindicatos de la zona de la Huasteca, los comités agrarios del centro del estado; comités del Norte, originalmente formados por la CROM y más tarde abandonados a su suerte, y miembros de la Federación de Sindicatos de Obreros y Campesinos de Córdoba (también cromistas). A su lado, la Comisión Agraria Local y el Procurador de Pueblos, en representación del gobierno.

Los candidatos a la dirección de la Liga de Comunidades Agrarias del Estado de Veracruz (LCAEV) fueron, además del propio Galván (sorprendente si se toma en cuenta que su labor de agrarista tenía a lo más tres meses de antigüedad), José Cardel, quien parecía tener un apoyo ligeramente mayoritario, Trinidad Valdés, cromista de la fábrica del Dique de Jalapa, y Lauro González Arete de Misantla[15].

Parece ser que la influencia de Tejeda volcó la votación hacia Galván, quien así resultó electo presidente, con José Cardel como secretario, Antonio Carlón como segundo secretario e Isauro Acosta de tesorero[16]. El congreso aprobó un acta constitutiva muy moderada y dentro del más estrecho espíritu de legalidad: «mejoría y defensa de los centros de población», «acción solidaria contra atropellos», el reparto de tierras de los latifundios, cooperativismo, racionalización de la agricultura[17].

El programa podría ser moderado, pero el equipo dirigente de la liga formado por Galván-Cardel-Carlón, no lo era. Tres militantes combativos y buenos organizadores agrarios, que no se tocarían el corazón para sacar las pistolas en defensa de los campesinos. Junto a ellos, se contaba con un pequeño grupo de militantes del PC y de la Juventud Comunista del puerto, encabezados por Almanza, ideólogo tras bastidores de toda la operación, y con algunos cuadros campesinos de origen anarquista como Áureo Hernández. La duda se establecía en términos de quién había usado a quién: Tejeda a Galván o Galván a Tejeda. ¿O ambos habían usado a los campesinos veracruzanos?

Al final del congreso, Úrsulo Galván regresó a Veracruz y mantuvo una larga discusión con su eterno consejero, Manuel Almanza. Este le dijo: «La Liga de Comunidades Agrarias nació estrechamente vinculada al poder público y por lo tanto será lo que ese poder quiera que sea»[18]. Mucho había que hacer para rescatar de manos del poder la recién nacida estructura.

Cardel mientras tanto se había hecho cargo de montar las oficinas centrales de la LCAEV en Jalapa. En el número cuatro de la calle de Allende hacía de secretario, mecanógrafo, mandadero, limpiaba, cortaba leña y atendía a los solicitantes. En plena miseria, cuando lo invitaban a un trago, pedía que le dieran mejor el dinero para darle de comer a sus hijos[19]. La subvención se había terminado con el congreso. El movimiento estaba librado a sus fuerzas.

NOTAS AL PIE

1 Ambos habían colaborado en 1918 en la formación del sindicato El Despertar del Campesino, en Ojital, Huasteca veracruzana, que Úrsulo representó en el I congreso de la CGT. También formaron una cooperativa agraria en Antón Lizardo y, durante sus viajes a la zona petrolera, habían discutido ampliamente las posibilidades revolucionarias del campesinado. Fowler/ *Orígenes laborales*, pp. 262-263. Rafael

Ortega reproduce la siguiente intervención de Almanza en una conversación con Galván sucedida en 1919: «No lo dudes, hermano, si la revolución ha de triunfar alguna vez en este país, no será sino mediante el empuje arrollador de los trabajadores del campo. Organizar a los campesinos y dotarles de armas significa garantizar las conquistas que hasta el presente ha logrado nuestra clase.»

2 Almanza/*Agrarismo*, IX-53. La decisión fue tomada por Almanza, Ruiz, Sosa, Blanco, Dehesa, Lira y Galván, miembros de la local comunista y del SI.

3 Úrsulo Galván hizo algunas salidas preparatorias, a veces lo acompañaban Celestino Dehesa y Guillermo Lira de la JC. Entre los puntos que tocó estaba Soledad de Doblado. Olivia Domínguez: *El anarcosindicalismo en el agro veracruzano*, trabajo mecanografiado, p. 19.

4 Cabal narró la experiencia en *El Frente Único*, que reproduce Almanza/ *Agrarismo*, IX-56 y ss.

5 Hijo de campesinos ricos que habían sido despojados por los terratenientes, con estudios de bachillerato, ex mayor del ejército constitucionalista, desde 1922 había iniciado un trabajo de organización agrarista en Salmoral.

6 Tanto en el texto de Olivia Domínguez, como en el fragmento de la obra de Almanza titulado «El anarcosindicalismo en el campo», se registra un intenso trabajo agrario en Veracruz protagonizado por los anarcosindicalistas Epigmenio Ocampo, Antonio Ballezo y el secretario general de la Federación José Fernández Oca. Desde 1923 recorrieron las comunidades de la zona central de Veracruz formando sindicatos rojos. Para 1923 existía una docena de estas organizaciones.

7 Olivia Domínguez recupera el registro de siete de ellos. A fines de 1923 se celebraron reuniones en la zona para enviar delegados al Congreso Nacional de la CGT.

8 *El agrarismo en México*, folleto de la LCAEV, s/f p. 20.

9 Heather Fowler: *Movilización campesina en Veracruz*, Siglo XXI, México, 1979, p. 53.

10 «El PC y la cuestión agraria», Inciso d del punto V, *Conclusiones del I Congreso del PCM*, diciembre de 1921.

11 Fowler/*Orígenes laborales*, p. 255.

12 Dos años después el partido confesaba que la actitud de Galván ante el gobierno laborista, le «causó meditaciones», *III Congreso*, informe CNE, México, 1925. Sin embargo estas «meditaciones» deben haberse producido a posteriori, porque el CNE estaba muy ocupado en marzo de 1923 preparando el II congreso nacional.

13 Amplia información sobre los sucesos de Puente Nacional y su eco en Heather Fowler: «Los orígenes de las organizaciones campesinas en Veracruz: raíces políticas y sociales», *Historia Mexicana*, Nº 85, México julio-septiembre de 1972. Heriberto Jara: «Veracruz está prácticamente bajo el imperio de la Ley Marcial», *El Demócrata*, 5 de abril de 1923 y «Los sucesos de Puente Nacional», *El Demócrata*, 4 de abril de 1923.

14 Fowler/*Organizaciones campesinas*, pp. 70-71.

15 Ibídem, pp. 71-72.

16 Almanza/*Agrarismo*, IX-62.

17 Fowler/*Organizaciones campesinas*, p. 72.

18 Almanza/*Agrarismo*, IX-66.

19 Almanza/*Agrarismo*, III-32.

SEXTA PARTE

FRENTE ÚNICO Y MOTÍN POLÍTICO

Abril 1923 - febrero1924

1. EL SINDICATO DE PINTORES

En los primeros meses de 1922, Vasconcelos, ministro de Educación, contrató un pintor de treinta y seis años para que realizara un mural en uno de los anfiteatros de la Escuela Nacional Preparatoria. El hombre se llama Diego Rivera y acaba de regresar a México. Va formando en su cabeza no solo un proyecto nacional pictórico que pasa por el muralismo, enfrentando a la pintura de caballete, también repasa la influencia del radicalismo europeo, en particular la admiración por la Revolución Rusa que ha recogido en Europa. En torno a Diego y a su trabajo en el ENP, se reúne un grupo de jóvenes que pronto tendrán sus propias paredes, Fermín Revueltas, Jean Charlot, Ramón Alba de la Canal, Xavier Guerrero. En los muros surgen imágenes de la mitología griega pero con rostros mexicanos; vírgenes de Guadalupe con mantos lilas y amarillos, Caballeros Águila y jinetes españoles robotizados. Es un apasionante proceso en el que el descubrimiento de las posibilidades técnicas de la pintura mural se mezcla con el debate nacionalista; y el trabajo de catorce horas en el andamio, con las agresiones de los preparatorianos a los que no les gusta el muralismo.

En septiembre se une al grupo David Siqueiros, otro joven pintor de veintiséis años al que se le había agotado una beca europea, y que había tenido contacto en Francia y España con anarquistas y comunistas; su ayudante será Roberto Reyes Pérez.

Rivera, mientras termina *La creación*, su primer mural, recibe el encargo de pintar los muros del flamante edificio de la Secretaría de Educación Pública. El muralismo se expande y va más allá de la Preparatoria.

En septiembre, Rivera se aproxima a la política mexicana en los ratos que le deja su trabajo como pintor. Primero se incorpora al Grupo Solidario del Movimiento Obrero[1], una organización de captación de intelectuales hacia la CROM que ha promovido el director de la Preparatoria, Vicente Lombardo Toledano[2]. Más tarde, se acerca al PCM al que ingresa a fines de año[3]. Un texto suyo de esos meses expresa su visión del comunismo de una manera un tanto candorosa:

«Pero ahora empieza a nacer una esperanza porque los ojos de los niños y los muy jóvenes han descubierto en la pizarra negra del cielo de México una estrella grande que luce roja con cinco picos en ella, como en las facciones de la cara de la luna puede adivinarse un martillo y una hoz.[4]»

Es posible que en la decisión de romper con la CROM e ingresar al PCM influyera el motín del agua de fines de 1922, cuando la CROM enfrentó a los trabajadores del DF contra el Ayuntamiento por motivos políticos, bajo la apariencia de organizar una queja por la carestía de agua en la ciudad, y que culminó con varios muertos en el choque entre gendarmes y trabajadores.

Rivera, junto con Siqueiros y Fermín Revueltas, fue testigo del tiroteo que se produjo en el Zócalo, a un par de calles de donde trabajaban pintando[5].

La relación de Rivera con el partido, la experiencia del motín del agua, la presencia de Siqueiros y las condiciones laborales de los muralistas, fueron elementos que impulsaron el nacimiento del Sindicato de Obreros Técnicos, Pintores y Escultores entre noviembre y diciembre de 1922[6].

«La unión nació entre conversaciones en el andamio y en la casa de Diego, no lejos de la Preparatoria, donde la mayoría de ellos se reunían ahora a pintar.[7]»

Siqueiros recuerda:

> En la reunión constitutiva, Diego María Rivera afirmó que nosotros no podíamos ser considerados como intelectuales; sostuvo que éramos «obreros manuales simple y sencillamente. En última instancia —dijo— somos obreros técnicos y nada más. Tenemos que defender nuestros jornales en particular y los intereses de nuestro gremio en general.[8]

El sindicato nunca produjo una declaración formal al ser fundado. Los acuerdos que se tomaron en la primera reunión y que permanecieron bajo forma de apuntes, sin hacerse públicos, fueron los siguientes[9]:

1) Adhesión del sindicato a la III Internacional[10].

2) Desarrollo de una línea estética antiimperialista, anticapitalista, popular y nacionalista.

3) «Definición a favor del trabajo colectivo». «Se desea destruir todo egocentrismo, remplazándolo por el trabajo disciplinado de grupo.»

4) Fundación de una Cooperativa (Francisco Tresguerras) para dar trabajo a todos los miembros.

5) Vinculación de los artistas a la sociedad.

El comité del sindicato quedó integrado por David Alfaro Siqueiros como secretario general, Diego Rivera (primer vocal), Xavier Guerrero (segundo vocal), Fermín Revueltas, José Clemente Orozco (quien se sumó a las filas del sindicato aunque no asistió a las reuniones, porque no tenía ninguna fe en el asunto), Ramón Alba Guadarrama, Carlos Mérida y Germán Cuerto. También formaban parte de la organización el escultor Ignacio Asunsolo, Máximo Pacheco (el más joven del grupo), el francés Jean Charlot y el pintor jalisciense Amado de la Cueva, así como Ramón Alba de la Canal, Fernando Leal, Jorge Juan Crespo y Roberto Reyes Pérez[11].

La primera intervención del sindicato fue gestionar ante Vasconcelos que le diera un muro a Orozco. El ministro se negó en principio, lo que motivó que Orozco declarara: «Ya les había dicho que el sindicato era una pendejada.[12]»

Más tarde Vasconcelos reconsideró su decisión inicial a pesar de que pensaba que «los murales de Orozco serían monstruosos, como lo eran sus dibujos». No fue este el único conflicto laboral:

> Una vez más Vasconcelos llegó en una gira de revisión de los murales, sólo para encontrar que Revueltas se había ido y que el muchacho de dieciséis años, Pacheco, estaba pintando en su lugar. Bramó Vasconcelos: «De manera que los maestros no hacen nada y los ayudantes hacen el trabajo de los maestros. ¿Cuál es tu nombre, mucha-

> cho?» El pequeño Pacheco contestó humilde e indígena menoscabo: «No se lo puedo decir, señor, porque si lo hago mi señor Revueltas me regaña». «Muy bien, entonces le preguntaré al prefecto». Don Trini le dio dócilmente la información. «De ahora en adelante, Pacheco, recibirás el salario de Revueltas.[13]»

Revueltas, que regresó al poco rato, despotricó contra Vasconcelos, pero Pacheco lo convenció de que nada pasaba y él le entregaría el salario a su maestro (maestro de diecinueve años, tres más tan solo que su ayudante). Vasconcelos se enteró y cortó el salario de los dos. Revueltas pasó a la ofensiva:

> ¿Quién había ordenado que se colocara aquella bandera roja en lo alto del edificio? Ni los alumnos de derecha ni los de izquierda [...] sabían una palabra al respecto [...] Al penetrar en la gran sala que le servía de oficina particular, me lo encontré en un estado de indignación inenarrable. Avanzando agresivamente hacia mí, a la vez que con grandes gritos, me dijo: «Lo que ustedes, ese famoso sindicato de pintores, están haciendo, es verdaderamente increíble y yo ya no voy a seguirlo tolerando». Al ver mi cara de honrada sorpresa [...] me dijo: «Ese loco de Revueltas, por sus propias pistolas y en perfecto estado de ebriedad, llegó esta mañana muy temprano a la escuela y a punta de pistola sacó al prefecto y a todos los mozos y se ha encerrado dentro alegando que no abre hasta que le paguen lo que le deben.»
>
> Entonces, tomándome del brazo, me condujo hasta la ventana, desde donde podía ver lo que estaba aconteciendo. Mi sorpresa fue enorme. Fermín Revueltas, con un enorme pistolón en la mano, se estaba paseando por el pretil de la escuela[14].

Siqueiros, autor de esta remembranza, convenció a Vasconcelos que le pagara y a Revueltas que levantara la huelga.

En marzo de 1923, una parte del equipo encabezada por Revueltas pasó a trabajar en los patios de la SEP. Ahí, Rivera se hizo amigo de un joven profesor de inglés, miembro como él del PC. Bertram D. Wolfe.

El norteamericano dejó el siguiente retrato de su nuevo camarada:

La primera vez que logré conocerlo bien fue en el andamio: un hombre de rostro de rana, de inmenso volumen, genial, de movimientos lentos, vestido con un overol gastado por el uso, un inmenso sombrero *stetson*, bien provisto cinturón de cartucheras, gran pistola al cinto, amplios zapatos manchados con pintura y yeso. Todo lo suyo parecía pesado, lento, tosco, excepto la vívida y brillante inteligencia.[15]»

Rivera no era el único de los pintores que en 1923 estaba armado. Este era un hábito de los sindicalistas, obligados por las constantes agresiones de los estudiantes de la preparatoria, a los que más de una vez se vieron obligados a repeler a balazos.

Por los mismos días de la huelga de un solo hombre, se produce un nuevo choque, ahora entre Diego y Vasconcelos. Cada vez más radicalizado, tras la experiencia del sindicato y su trabajo dentro del partido, en las pocas horas que le dedica después de pasarse el día en el andamio[16], Diego comienza a politizar el contenido de su obra. En uno de los paneles del «patio del trabajo» que está pintando en la SEP, inscribe un fragmento de un poema de Carlos Gutiérrez Cruz[17] ante el fondo de la salida de una mina:

Compañero minero
doblado por el peso de la tierra
tu mano yerra
cuando saca metal para el dinero
haz puñales
con todos los metales
y así
verás que los metales
después son para ti.

La prensa, el otro gran enemigo de los muralistas, atacó duramente a Rivera. Vasconcelos, muy presionado, le pidió al pintor que eliminara el texto. Una asamblea del sindicato de pintores decidió borrar el poema, negociando a cambio que no hubiera ningún tipo de censura en las imágenes. «Uno de los ayudantes de Diego borró los versos de la muralla, guardó solemnemente una copia del texto en una pequeña botella, enterrándola en el yeso fresco para preservar los versos para la posteridad.[18]»

El conflicto colaboró a radicalizar la temática de otros miembros del sindicato, en particular de Siqueiros y Orozco, que se encontraban trabajando en nuevos muros dentro de la preparatoria. El sindicato en su conjunto se consolidó. Si bien abundaron en este primer año los choques internos y las fricciones, también abundó la solidaridad en una aventura artística y política francamente apasionante.

Notas al pie

1 Para una versión mas detallada de la historia del sindicato, PIT II: «La brocha y el machete», en *Información Obrera*, N° 55 y 56, abril y mayo de 1985.

2 Como delegado del Grupo Solidario, Rivera participó en la IV Convención de la CROM, *El Demócrata*, 21 de septiembre de 1922. Más información sobre el grupo Solidario en Martínez Verdugo/*Historia...*, pp. 57-58.

3 Wolfe/*Rivera*, p. 172 y Diego Rivera: *Mi arte, mi vida*, Editorial del Herrero, México ,1963, pp. 103-104.

4 Wolfe/*Rivera*, citando un manuscrito inédito de DR, p. 171.

5 David Alfaro Siqueiros: *Me llamaban el coronelazo*, Grijalbo, México, 1977, p. 211 y F.W. Leighton: «Pro-proletarian Art in México», *Liberator*, diciembre de 1923. En el tiroteo Rivera resultó lesionado al ser golpeado por una esquirla de piedra que se desprendió de un balazo.

6 Jean Charlot: *Mexican Mural Renaissance*, Yale University Press, 1963, p. 242. La primera referencia en la prensa se encuentra en *El Universal Ilustrado*, 28 de diciembre de 1923. Esto desmiente las múltiples versiones (algunas basadas en la mala memoria de los propios personajes) que fechan el nacimiento del sindicato en 1923.

7 Wolfe/*Rivera*, p. 176.

8 Siqueiros/*Coronelazo*, p. 213. Los conceptos de Rivera no eran fraseología barata, los muralistas trabajaban doce y catorce horas en el andamio, no solo brocha en mano, también con pulverizadores y espátula; cobraban una miseria por metro cuadrado, sus compañeros eran los albañiles que preparaban la pared; si su trabajo estaba en la tradición del arte, su vida cotidiana se encontraba dentro de la experiencia del artesano proletarizado.

9 Charlot/*Mexican*, pp. 242-244, cita un manuscrito autobiográfico de D.A. Siqueiros, según el cual, este tenía las notas mecanográficas de los acuerdos de la reunión constitutiva con anotaciones manuscritas suyas, de Rivera, Xavier Guerrero y otros no identificados. Se puede comparar con otras versiones coincidentes como las de J.C Orozco: *Autobiografía*, FCE, México, 1970, p. 66 y F.W. Leighton.

10 La adhesión de la IC es comentada por Leighton, Wolfe y Siqueiros. Curiosamente, la casi totalidad de los miembros del sindicato de pintores no pertenecía al PC en ese momento.

11 *El Machete*, Nº 7, segunda quincena de junio de 1924. La lista de miembros del sindicato se complementa con información de Leighton/*Pro-proletarian*, Wolfe/*Rivera*, p. 178 y ss., y Siqueiros/*Coronelazo*, p. 222.

12 Loló de la Torriente: *Memoria y razón de Diego Rivera*, Editorial Renacimiento, México, 1959, T. II, p. 189. Vasconcelos en *El Desastre* (Editorial Jus, México, 1979, pp. 204-205) da otra versión de su primer encuentro con el sindicato de pintores más adaptada a su egolatría. En ella cuenta que cuando acudieron a pedirle un aumento lo rechazó y aceptó su renuncia, con lo que los pintores se achicaron.

13 Testimonio de Roberto Reyes Pérez, en Charlot/*Mexican*, p. 162.

14 Siqueiros/*Coronelazo*, p. 202-203. El acontecimiento puede fecharse entre abril y mayo de 1923.

15 Wolfe/*Rivera*, p. 201.

16 «Mientras que Manuel Lourdes, un pintor burgués, cobra ocho mil pesos por un retrato de Horacio Casasús, Diego gana doce pesos diarios trabajando de doce a catorce horas». B.D. Wolfe: «Art and Revolution», *The Nation*, 27 de agosto de 1924.

17 Paralelamente al sindicato de pintores Carlos Gutiérrez Cruz (Guadalajara, 1897) había organizado la Liga de Escritores Revolucionarios, que era otro punto de apoyo del radicalismo en el mundo de la cultura. Gutiérrez Cruz no era miembro del PC DE M, pero varios miembros de la LER como Concha Michel sí lo eran.

18 Wolfe/*Rivera*, pp. 193.196.

2. EL II CONGRESO DEL PC

A mediados de marzo de 1923, el partido convocó su II congreso nacional. Reaccionaba a la crisis de sus nexos con el movimiento inquilinario derrotado, y a los sorpresivos avances que se habían producido en el campo en Michoacán y Veracruz. No había pasado un mes desde el final del congreso de la Liga de Comunidades Agrarias de Veracruz, cuando en la convocatoria del congreso del PC podía leerse un primer punto que decía: «El problema del campesino». El orden del día se completaba con los siguientes temas a debate: 2) El problema de los trabajadores organizados, 3) La ofensiva política y económica del capitalismo en México, 4) Tácticas, 5) El Frente Único, 6) Asunto de la Juventud Comunista (la autonomía surgida del II Congreso de la JC), 7) Organización y 8) Asuntos Generales[1].

El 28 de marzo, pocos días antes de iniciarse el congreso, se celebró una conferencia de la Juventud Comunista para determinar la actitud a seguir al partido. Ahí, la JC ya purgaba de su sector autonomista, se manifestó por la autocrítica y por su subordinación al PCM.

El congreso que se inició el 1 de abril y duró hasta el día 5, se celebró en la Casa del Pueblo (el local inquilinario de Arteaga), y su cronista fue Bertram D. Wolfe, quien ya formalmente dentro de la organización comunista mexicana escribió crónicas para *The Worker* en Estados Unidos.

En la primera sesión, durante el informe del comité ejecutivo, se escucharon nuevos términos. La palabra fascismo apareció en el lenguaje de los comunistas mexicanos[2], como un argumento mas para buscar el Frente Único. En un balance de la experiencia del año anterior respecto a la política de Frente Único, se señalaba que tanto las uniones amarillas cromistas como los sindicatos rojos de la CGT habían bloqueado la posibilidad de la unión. En el caso de la CGT se señalaba que en buena parte la culpa la tenían los errores de los comunistas frente a la dirección de la central durante 1921(Valadés aparecía en el informe de Díaz Ramírez como el chivo expiatorio). «Nuestra respuesta fue ir directamente a las masas obreras» y en el movimiento inquilinario se logró que quedaran «unidos por la base rojos y amarillos y sus mujeres a pesar de sus direcciones y gobernadores que le temían a una dirección comunista». No se hacía un balance de la derrota inquilinaria, sino que se veía como un movimiento que había «asegurado el contacto con las masas trabajadoras», y culminaba diciendo que el Frente Único se produciría «inevitablemente.[3]»

El balance organizativo era también bastante optimista. Si bien se informaba del crecimiento del partido gracias a los movimientos inquilinarios, no se hablaba de su desmoronamiento posterior. Se usaba el ejemplo de Veracruz, donde a pesar de existir noventa detenidos, algunos de ellos miembros del partido, se tenía suficiente fuerza para mantener un diario. La adhesión del sindicato de pintores era vista como el ingreso de los intelectuales en las filas comunistas, y se informaba de la petición de ingreso del Partido Comunista Revolucionario de Guanajuato dirigido por Nicolás Cano.

La intervención de Rafael Carrillo Azpeitia en nombre de la Federación de Jóvenes Comunistas colaboraba a dar la impresión del fortalecimiento de la organización partidaria:

«Venimos a reconocer los errores del año pasado, a retractarnos de nuestra decisión de independencia del partido, a reafiliarnos al PC DE M y a reportar que hemos expulsado a los elementos que nos dirigieron a nuestras acciones no comunistas del año pasado.[4]»

El congreso dedicó especial interés al problema de su prensa. Ante la incapacidad de sacar un diario en la Ciudad de México, la esperanza del partido se encontraba en el sostenimiento de *El Frente Único* en manos de la local de Veracruz. En el tercer día de sesiones[5], fue leída una carta de Herón Proal desde la cárcel de Allende, en la que se comprometía a venderle a crédito al partido la imprenta que estaba usando el periódico. La experiencia de *El Frente Único* era muy notable, apoyándose tan solo en el movimiento inquilinario, había sacado cerca de trescientos números desde el 1 de junio de 1922, manteniendo su regularidad con Manuel Almanza a la cabeza y un grupo de jóvenes de la JC como redactores, impresores y vendedores. Pero la situación era irregular, porque se imprimía en una imprenta propiedad del sindicato inquilinario, y aunque formalmente aparecía como órgano de la local Veracruzana del PC, informalmente lo era del sindicato inquilinario, quien en parte lo financiaba.

La resolución propuesta por Díaz Ramírez, y que finalmente se aceptó, fue que se hiciera de *El Frente Único* el diario nacional del Partido Comunista, editándolo en Veracruz pero con distribución nacional. *La Plebe*, cuya publicación se encontraba suspendida, sería el órgano del comité nacional ejecutivo y volvería a salir. La resolución fue adoptada por unanimidad, junto con el compromiso de pagar al SI los mil quinientos pesos que se debían de la imprenta.

El problema campesino a pesar que había suscitado, fue tratado de una manera muy superficial. No se confrontó la experiencia de Galván y Primo Tapia con los acuerdos del I congreso, no se cuestionó su táctica ni se abolieron los planteamientos contenidos en el programa supuestamente vigente del partido. No se discutió tampoco en público la reciente intervención que habían tenido pocos días antes, tanto Primo como Galván, representando a sus Ligas de Comunidades Agrarias, en el I Congreso del Partido Nacional Agrarista[6].

Las resoluciones se limitaron a protestar contra el desarme de los campesinos, a proponer que se buscara la unidad de las Ligas Agrarias en una organización nacional y a buscar su vinculación con la Internacional Sindical Roja (todavía no existía el Consejo Internacional Campesino, la Kresintern que habría de formarse meses más tarde ese mismo año). No solo nacía la doble política (en lo declarativo y en lo práctico) del partido, también se santificaba la experiencia del «entrismo» en otras organizaciones nacionales, en este caso en el PNA[7].

A pesar de que el acuerdo público pareció restarle importancia, el acuerdo privado se la dio abundantemente. El tema agrario estaba en la cabeza de toda la dirección del partido. La elección de Úrsulo Galván en el Comité Nacional del PC en la última sesión del congreso y la existencia de una circular secreta del CNE firmada por Díaz Ramírez, en la que se informaba que se tenían contactos en el Departamento de Cooperativas de la Secretaría de Agricultura, y que se podía usar esa cobertura para realizar trabajo en el campo con sueldo gubernamental[8], fueron dos elementos, entre muchos otros, que señalaban el viraje del trabajo en los difuntos o débiles movimientos inquilinários al trabajo agrarista.

La cuarta sesión[9] comenzó con una intervención de Manuel Díaz Ramírez leyendo las tesis de la Internacional Comunista sobre la intervención en las elecciones[10]. Wolfe reseña en su crónica que tras la lectura se produjo «un silencio doloroso, hostil» que fue seguido por lo que él calificó como el discurso más brillante de la convención a cargo del secretario general. Díaz Ramírez propuso diez medidas para vigilar que la conducta de la fracción parlamentaria fuera revolucionaria y no burguesa, que resumidas, decían: Inspección por el comité nacional de los candidatos a elecciones locales con capacidad del CNE para retirar las candidaturas; elección de «no profesionales» del parlamentarismo que tienden a constituirse en una burocracia en el movimiento obrero; elegir obreros sin experiencia parlamentaria pero que puedan ser confiables políticamente; limitar los salarios de los parlamentarios a los de un obrero calificado; control de la fracción parlamentaria por el comité nacional; cada candidato debería firmar su renuncia al iniciar la campaña electoral y ponerla a disposición del partido; subordinar la acción parlamentaria al trabajo de masas y a los temas ajenos al parlamento; entender que se trata de servidores del movimiento en una institución enemiga; buscar una fracción parlamentaria pequeña y disciplinada y no ampliamente voluble.

Parecería que las proposiciones partían del supuesto de que si el partido decidía iniciarse en el parlamentarismo, pronto tendría una amplia representación en el sistema mexicano. Aun así, la intervención de Ramírez fue seguida por un elocuente silencio. Un dirigente del partido no identificado por la crónica combatió la posición siguiendo la ortodoxia imperante en el movimiento radical mexicano, y tras él intervino Rafael Carrillo, que apoyó las palabras de Díaz Ramírez: «Si nuestros camaradas pensaban que con la abstención obtendríamos el apoyo de las masas, se equivocaron, se ha tratado y se ha fracasado. Abandonemos una táctica inútil.»

El debate se prolongó durante todo el resto de la cuarta sesión y parte de la quinta. B.D. Wolfe, sin señalar su posición personal (era uno de los promotores de la intervención del PC en la lucha parlamentaria) reseña que el voto a favor de la posición del comité ejecutivo fue unánime[11].

Al final de la quinta sesión se eligió al nuevo comité nacional. Díaz Ramírez continuaba como secretario general, y en el CNE lo volvía a acompañar Rosendo Gómez Lorenzo, pero ingresaban tres nuevos miembros: Diego Rivera que representaba al recién nacido sindicato de pintores, el triunfante Úrsulo Galván y el diputado veracruzano Carlos Palacios[12].

No existe una evaluación orgánica de la fuerza del partido, así como se desconoce el número de delegados presentes en el Congreso, pero en esos momentos solo había locales en Veracruz, Córdoba, DF, Campeche, y existían comunistas sueltos en Orizaba, Ciudad Victoria, Morelia, Mérida y Jalapa[13]. Se habían perdido las locales de Tampico y probablemente San Luis Potosí. Se había perdido el trabajo organizado en Puebla, Toluca, Estado de México, Sinaloa, Sonora y Guadalajara. Es muy posible que los militantes del partido y la Juventud Comunista juntos no alcanzaran los quinientos miembros.

Sin embargo, había salido de la crisis nuevamente y apoyándose en el trabajo campesino y la local de Veracruz, el PC se sostenía.

Las organizaciones rivales, la CGT y la CROM, respondieron al Congreso con declaraciones muy fuertes. La CROM dijo: «El grupo comunista no tiene significación social ni proletaria, pues está formado por unos cuantos hombres cuyo prestigio entre la clase obrera es poco menos que nulo», y la CGT declaró: «Este grupo es de por sí insignificante, pues está compuesto por unos cuantos despechados.[14]»

Curiosamente, el mismo día en que se inauguró el congreso, Álvaro Obregón respondiendo al periodista norteamericano L.E. Rowley, afirmó: «No existe bolchevismo en México.[15]»

Notas al pie

1 F.W. Leighton: «Communists of México in Second Congress», *The Worker*, 7 de abril de 1923.

2 Desde 1922 habían surgido organizaciones fascistas en México, y se comenzaba a hablar de fascismo en el movimiento obrero mexicano, bien respecto a estos grupos o bien respecto a las Juventudes Católicas o los Caballeros de Colón (con los que los rojos tuvieron un violento choque el 1 de mayo de 1922). Hay que recordar que la prensa mexicana informó ampliamente de la marcha en Roma de los fascistas italianos sucedida en octubre de 1922.

En diciembre de 1922, en uno de los poquísimos actos conjuntos de la CROM/CGT/PCM, se celebró una conferencia de Belén de Sarraga sobre el tema, auspiciada por las tres organizaciones (*El Mundo*, 22 de diciembre de 1922).

Dos días antes del congreso, Wolfe reportó («*Fascisti* in México Force Labor Unity», *The Worker*, 14 de abril de 1923) los choques habidos durante una huelga en Tacubaya entre obreros y fascistas, y la violenta reacción verbal de la CROM que ofrecía una alianza con la CGT para acabar con el fascismo. Aunque B.D. Wolfe reconocía la mínima importancia del movimiento fascista, lo convertía en un motivo que «forzaría» la formación del Frente Único. El día en que el congreso se clausuró, la policía obregonista detuvo a varios fascistas en Tacuba y los acusó de organización ilegal (*El Demócrata*, 6 de abril de 1923).

3 B.D Wolfe: «Communists in México in Second Congreso", *The Worker*, 5 de mayo de 1923.

4 B.D. Wolfe: «Mexican red Strike led by Communists», *The Worker*, 12 de mayo de 1923.

5 B.D. Wolfe: «Communists of México have daily», *The Worker*, 19 de mayo de 1923.

6 Sánchez/*Movimiento socialista*, p. 62. Primo Tapia presentó en el congreso un proyecto de ley para que no se fragmentaran las empresas agrarias capitalistas y se buscara la explotación colectiva.

7 Militantes del PCM habían formado parte de partidos socialistas regionales. En el momento de celebrarse el congreso, un pequeño grupo de comunistas militaba dentro del Partido Socialista del Sureste en Yucatán; F. Soria y varios miembros de la JC de Morelia eran miembros del Partido Socialista Michoacano; Carlos Palacios se había incorporado al PC siendo miembro del Partido Veracruzano del Trabajo y continuó siéndolo, etc. Hasta el momento que no se había trabajado en el interior del PNA, y la política de la doble militancia era producto más del aislamiento que de una táctica.

8 *Circular del 10 de marzo de 1923*, Reproducción por Embriz y León/*Documentos*.

9 B.D. Wolfe: «Pro-politic action wins in México», *The Worker*, 26 de mayo de 1923.

10 Se trataba de «El Partido Comunista y el Parlamentario», tesis aprobadas por la IC en el II congreso (julio 1920) y que ya habían sido difundidas parcialmente en México en 1920 sin producir ninguna adhesión (*Boletín Comunista*, N° 3 y 4, septiembre-octubre 1920).

11 La unanimidad no debió ser muy sincera. En el puerto de Veracruz, donde se había hecho una propaganda antielectoral muy violenta en 1922, los militantes del PC no se debieron convencer fácilmente. Dehesa había escrito unos meses atrás:

> La juventud de esta no apoyará candidaturas de ninguna especie boicoteando las elecciones hasta donde nos sea posible, sabiendo que en esta región no nos encontramos fuertes los comunistas como en otros países para ir a los puestos públicos, además de que nuestros comunistas actuales se corromperán en el parlamento al tin tin del vil metal, eso como si ya lo estuviese viendo.
>
> *Dehesa a JCV*, 19 de septiembre de 1922.

El Frente Único (N° 50, 22 de julio de 1922) publicó una inserción permanente en un pequeño recuadro donde se leía: «¿En que se distingue el Partido Comunista de los demás partidos políticos burgueses? En que el Partido Comunista no lanza candidatos, ni apoya, ni vota.»

12 Neymet/*Cronología*, p. 30.

13 La local de Campeche nació el 4 de febrero de 1923 con ocho miembros, convocados por J. Mª Amaro, que eligieron a Manuel Moreno presidente de la local. En el acto decidieron sacar nueve mil volantes para difundir el hecho. *El Frente Único* N° 217, 28 de marzo de 1923. La local de Córdoba de reciente fundación estaba dirigida por el Negro Valverde. Aunque se decidió aceptar al PCRM de Guanajuato, no se tomaría contacto con él sino hasta un año después. En Orizaba, E. Marín y Mauro Tobón habían formado el grupo Marxista Rojo (dentro del PCM) que se dedicaba a labores de difusión y propaganda, sobre todo a la venta de literatura del PC en la zona industrial.

14 Las dos declaraciones en *El Heraldo de México*, 3 de abril de 1923.

15 *El Demócrata*, 1 de abril de 1923.

3. NACE LA LOCAL DE MORELIA, SE REESTRUCTURA EL COMITÉ NACIONAL

En Michoacán, en febrero de 1923, la Liga de Comunidades y Sindicatos Agrarios concentró a ocho mil campesinos en Morelia exigiendo el regreso de Múgica. Pero el presidente Obregón presionó al Congreso Local para que fuera desaforado, y lo obtuvo. Esa fue la señal para nuevas persecuciones contra los socialistas y nuevos embates de los caciques contra los agraristas rojos[1].

Al mes siguiente se inició un proceso para constituir la local comunista en Morelia. Catorce miembros de la JC fueron propuestos para su incorporación, aunque quedó pendiente el ingreso de Martínez Múgica y de Primo Tapia. En junio, la local quedó fundada[2]. Formaban parte: Alfonso Soria, Fidencio Reséndiz (secretario del Interior), Nicolás Ballesteros, Gabino Alcaraz, Juan Chávez (tesorero), Primo Tapia (secretario de propaganda), Othón Sosa, Enrique Soria y el profesor Arroyo[3].

El primer acto de la local fue editar un manifiesto *A los trabajadores del campo y la ciudad*. En él se llamaba a los obreros y campesinos a ingresar en la local, y se repetían algunos elementos del programa del PCM de 1921: revolución armada, consejos obreros, necesidad del partido para prepararla y dirigirla, construcción de núcleos comunistas en fábricas, campos y cuarteles. En tanto al programa agrario, denunciaban a los políticos burgueses que buscaban el reparto de tierras («que puede crear una pequeña burguesía como elemento contrarrevolucionario») y proponían: luchar por la colectivización y realizar amplia propaganda a las comunidades que habían recibido la tierra para que vieran cómo, mientras los capitalistas tuvieran el poder político y económico, los controlarían a través de la compra de las cosechas y el coyotaje.

El manifiesto dejaba de lado los problemas sindicales y no había ninguna mención a la táctica del Frente Único[4].

El nacimiento de la local de Michoacán y su primer manifiesto ponían en evidencia la inconsistencia y fragmentación política del PC DE M; en estos momentos, el partido manejaba tres líneas agrarias: la de la local de Michoacán, que era una versión bastante elemental de la línea del I Congreso del PC (1921), la del comité nacional que se reflejaba en los acuerdos del II congreso (abril de 1923) y la de la dirección de la Liga de Comunidades Agrarias en Veracruz, que estaba por el reparto y la legalidad.

Un mes después de que surgiera la nueva local, se produjeron en el comité nacional surgido del congreso de abril, cambios inexplicables para el observador exterior. A solo cuatro meses de su nombramiento dejaban sus cargos Úrsulo Galván y Carlos Palacios, y Díaz Ramírez era removido de la secretaría general a la secretaría internacional. Los lugares de Galván y Palacios eran ocupados por dos «viejos» militantes del partido que reaparecían dentro de la dirección: Rafael Mallén (el hombre que había acompañado a Borodín a México y sobre el que había recaído la sospecha injustificada de haberse robado las joyas de la zarina) y José Allen, el agente norteamericano primer secretario del PCM. Rosendo Gómez Lorenzo pasaba a ocupar la secretaría general[5].

La salida de Galván Palacios podía explicarse fácilmente por la ausencia de estos a las reuniones por motivos de distancia, y porque Galván había sido comisionado por el partido para asistir a una reunión en Moscú donde se intentaría formar una organización internacional campesina. Lo que no era tan fácilmente explicable era el regreso de Mallén y Allen a la dirección (como secretarios de organización y propaganda y finanzas respectivamente). Allen en particular había permanecido en segunda línea dentro del PCM tras su deportación en mayo de 1921 y en esos momentos trabajaba para la Secretaría de Guerra en un proyecto de estación radiofónica militar, y sin duda continuaba colaborando con el servicio de inteligencia norteamericano[6].

Si bien este retorno era difícilmente explicable, menos lo era la remoción de Díaz Ramírez de la secretaría general[7].

Notas al pie

1 Sánchez/*Movimiento socialista*, pp. 63-64.

2 Embriz/*La Liga y el* PC, p. 6.

3 La composición de la local se hace en base a datos de Friedrich, Martínez y Soria.

4 Embriz y León/*Documentos*, pp. 129-133.

5 La única referencia que tengo a este cambio del CNE es indirecta (Neymet/*Cronología*, p. 31), pero puede ser confirmada por correspondencia oficial del PC DE M que aparece firmada por Gómez Lorenzo como secretario nacional.

6 Federico Campbell: «El enigmático José Allen, posible espía estadounidense, pionero de la radiodifusión mexicana». *Proceso*, Nº 373, 26 de diciembre de 1983.

7 He intentado vincular este fenómeno a la reacción del partido por los contactos de MDR con De la Huerta, de los que se hablará en capítulos posteriores. Pero en julio de 1923 ni el partido había recibido la consigna del CEIC de apoyar a Calles críticamente, ni De la Huerta había iniciado contactos con las organizaciones obreras. Mientras no aparezcan nuevos documentos internos del PC en los archivos, permanecerá como inexplicable el hecho.

4. PROBLEMAS EN VERACRUZ

Al iniciarse 1923, la Cámara de Diputados de Veracruz desbloqueó la iniciativa de Tejeda para ofrecer a los jarochos una nueva Ley Inquilinaria. La ley, que se promulgó el 2 de mayo de 1923, representaba un notable avance respecto a la anterior. Se fijaba el seis por ciento anual sobre el valor catastral como renta; en caso de que no estuviera fijado tal valor se regresaba a las rentas de 1910, se abolía la fianza, se impedía el desalojo en caso de enfermedad o desempleo del inquilino y se obligaba a los casatenientes a mantener las viviendas higiénicas[1].

El sindicato inquilinario condicionó su respuesta a la nueva ley, a la liberación de los presos y a la entrega de su local sindical, a más de la restitución de las garantías suspendidas[2].

Tejeda respondió con una amnistía que permitió que los inquilinos detenidos, encabezados por Herón Proal, abandonaran la cárcel el 11 de mayo de 1923. Proal, tocado con un gorro rojo, recorrió las calles del puerto seguido por millares de correligionarios[3].

Comenzaron entonces los arreglos entre inquilinos y propietarios y la huelga de pagos lentamente comenzó a levantarse. Proal declaró: «El sindicato quiere tratar de potencia a potencia con los propietarios, lo que significa arreglos directos entre el capital y los explotados.[4]»

La salida de Proal de la cárcel y su regreso a la dirección del sindicato inquilinario cambiaron las relaciones entre el dirigente anarcocomunista y la local comunista. Mientras Proal estuvo en la cárcel ambos se necesitaron, ahora, podían brotar libremente las discrepancias.

Uno de los primeros elementos que provocaron el choque fue el desacuerdo de Proal con las giras agraristas realizadas el año anterior por Galván con fondos del SI, y sobre todo con su resultado, la muy «legalista» Liga de Comunidades Agrarias.

El segundo elemento que hizo que los comunistas se enfrentaran con Proal, fue el control de *El Frente Único*. El diario, aunque aparecía como órgano de la local comunista de Veracruz, se realizaba en la imprenta y con fondos del sindicato revolucionario de inquilinos.

La prensa registró de esta manera el choque:

> Herón Proal intenta separar a los jóvenes comunistas de la redacción del diario *El Frente Único*, por su parte los jóvenes comunistas han distribuido un manifiesto protestando contra la actitud de Proal llamándolo dictador. Dicen que manejó el sindicato de inquilinos y el dinero de dicha organización sin rendir cuentas ni aceptar instrucciones y que trata de volver a hacer lo mismo.
>
> Los comunistas se han dirigido al sindicato [...] pidiendo que sean ellos quienes designen la nueva comisión ejecutiva del sindicato de inquilinos y los miembros de la redacción de *El Frente Único*[5].

Era tarde para recordar las mismas acusaciones que Olmos había hecho un año antes y que la local había desechado, apoyando a Proal. Mientras la situación se definía, los comunistas perdieron el control de la imprenta y *El Frente Único* dejó de salir a fines de mayo de 1923.

Algunos miembros de la local trataron de conversar con Proal, y pareció que la situación tendría una salida negociada. A mediados de junio se anuncio que *El Frente Único* volvería a salir como órgano común de los Jóvenes Comunistas y el SI[6].

Pero el 6 de julio apareció *Guillotina*, órgano del sindicato revolucionario de inquilinos, el diario que había de sustituir a *El Frente Único*. Los comunistas quedaban desplazados de la gestión del nuevo periódico que dirigía Mario Duval[7]. Sin embargo las puertas de la colaboración no estaban totalmente cerradas, los proalistas le ofrecían a la local un espacio dentro del diario: «Este periódico sustituye al anterior que publicábamos y ponemos sus columnas a disposición de *todas* las filosofías libertarias.[8]»

De tener un diario propio, la Local pasaba a compartir un espacio con proalistas y anarquistas, que tímidamente comenzaron a colaborar en el periódico inquilinario. Pronto los miembros de la local se desasociaron del proyecto, y a partir del N° 29, cuando comenzó a salir un serial libertario y antisoviético en la primera página, rompieron totalmente con él, aunque permanecieron formalmente dentro del SI.

El sindicato inquilinario se mantuvo organizado, y en agosto lanzó una fuerte ofensiva contra los propietarios más reacios. Durante una semana se sucedieron las ocupaciones de casas vacías para habitarlas, los choques con la montada, las manifestaciones con la bandera roja al frente y los enfrentamientos a tiros[9].

Pero los problemas de los comunistas veracruzanos a mediados de 1923 no se limitaron al puerto. También se enfrentaron con los sindicatos anarquistas en el campo. Varios sindicatos rojos se lanzaron a la toma de tierras y a sembrar en terrenos de latifundistas. Tejeda trató de frenar las invasiones y de reconducir el movimiento por la vía legal, y apeló a Úrsulo Galván, quien intentó persuadir a los invasores, dirigidos por los hermanos Caracas y por la CGT, de que esperaran sus dotaciones de tierras. Durante todo el mes de junio Úrsulo Galván intentó convencer a los rojos en el municipio de Soledad, para que volvieran a los cauces legales de la lucha, y trató de mediar entre los invasores y terratenientes sin lograrlo. Los rojos mantuvieron las tomas en todo el municipio, menoscabando así el poder de la LCAEV[10].

Notas al pie

1 Ley Inquilinaria del Estado de Veracruz, *El movimiento inquilinario en Veracruz*, Nuestro México, p. IV.

2 Mario Gill/ *México en la hoguera*, pp. 181-183.

3 Rosendo Salazar: *Historia de las luchas proletarias en México*, Editorial Avante, México, 1938, p. 70.

4 Ibídem, p. 71.

5 *Prensa Federada*, N° 3, 31 mayo 1923.

6 *Prensa Federada*, N° 6, 21 de junio de 1923.

7 *Guillotina*, N° 1, 6 de julio de 1923.

8 *Guillotina*, N° 4, 9 de julio de 1923.

9 Informe del cónsul norteamericano en Veracruz, *NAW FA* (Colmex MP 138) 812.00 B/72.

10 Olivia Domínguez/ *El anarcosindicalismo*, pp. 22-23.

5. EL FRENTE ÚNICO

Durante un año, el PC DE M manejó la consigna de Frente Único dándole cada vez que la usaba un contenido diferente. A veces se hablaba de unificar las organizaciones sindicales existentes, en una sola gran central; otras veces se trataba de unificar a los trabajadores al margen de su signo ideológico en proyectos comunes; otras veces se proponía llegar a acuerdos intersindicales unitarios. Todo ello acompañado de violentas diatribas contra los cromistas y los «traidores anarcoburgueses.»

Curiosamente, la línea del Frente Único nunca abordó la tarea aparentemente más simple que se le ponía enfrente: la unidad de los trabajadores en torno a la solidaridad.

La destrucción del sindicato de los tranviarios del DF en febrero de 1923, puso a prueba la profunda debilidad de la consiga del Frente Único. Los comunistas se hicieron a un lado, a pesar de que significaba la agresión más importante del estado obregonista y sus aliados del Grupo Acción contra el movimiento obrero radical desde la represión a la huelga ferrocarrilera de 1921.

Al margen de los acuerdos de la IC[1], el partido tenía en sus manos para precisar el concepto de Frente Único tan solo la interpretación de sus experiencias en el movimiento inquilinario, en particular la veracruzana, donde la alianza con el proalismo les había permitido acceder a la dirección del movimiento.

En mayo de 1923, *El Frente Único* de Veracruz definía el Frente Único en los siguientes términos: «No se trata de armonizar criterios ideológicos, sino intereses de clase», y llamaba a «desliderizarse» y a formar en cada sindicato «comités pro unidad obrera.[2]»

El partido explicaba el Frente Único como la creación de movimientos en torno a consignas particulares en los que las organizaciones existentes hicieran una unidad de acción, dejando espacio a los comunistas para actuar en ella. Sin embargo, no habían cedido un milímetro de espacio en la dirección del movimiento inquilinario del DF a los anarcosindicalistas (antes de la ruptura violenta de mayo) y cuando habían podido monopolizar la dirección del movimiento inquilinario de Veracruz lo habían hecho olvidándose temporalmente de los del Frente Único.

Consigna por demás propagandística, tocaba sin embargo la eterna vocación unitaria del movimiento de masas. En ese sentido, no fueron los únicos en tomar la consigna y utilizarla con fines partidistas.

En marzo de 1923, Enrique Flores Magón fue expulsado de los Estados Unidos e inició una rápida y extensa gira propagandística por todo el país reviviendo relaciones con magonistas que se encontraban entre los sectores del movimiento sindical, entre «autónomos» y cromistas que se decían herederos del magonismo y entre los anarcosindicalistas de la CGT. Tratando de ponerse por encima del enfrentamiento histórico entre ambos proyectos sindicales, Enrique y su esposa Teresa comenzaron a darle forma a una posición que se caracterizaba por su planteamiento unitario (bastante abstracto por cierto). Haciendo uso del gran prestigio del magonismo en el movimiento obrero, donde los viejos dirigentes se habían amamantado en la lectura de *Regeneración*, y los jóvenes eran consumidores de los folletos de Ricardo, principal material de formación ideológica con el que contó el movimiento obrero mexicano entre 1916 y 1920, Enrique recorrió en triunfo el país. Los primeros adeptos al planteamiento de E. Flores Magón, salieron de los espacios intermedios que existían en México entre las tres posiciones: cromistas-anarcosindicalistas-comunistas. Primero fue el grupo de la *Humanidad*, dirigido por Valadés, el que se hizo eco de la campaña unitaria de Flores Magón[3], luego el sindicato panadero del DF, más tarde el propio Herón Proal, recién salido de la cárcel[4].

Magón llego a Veracruz, donde Proal le entregó la dirección de *Guillotina*, el nuevo periódico inquilinario[5] que dirigió desde el numero 14 al 42. *Guillotina* combinaba los viejos textos de Ricardo con lemas de Marx a la cabeza. Publicaba los artículos de Proal bajo el seudónimo Arnolphe, junto con textos anarquistas contra la Unión Soviética[6]. Pero el proyecto magonista renacido no duró mucho, y Enrique terminó afiliándose a la CGT al igual que el grupo de *Humanidad*.

El partido no se hizo eco de la proposición magonista de Frente Único, y negó que tuviera relaciones con Enrique. No le gustaba un «frente único magonista.»

La CROM jugó también la carta del Frente Único en 1922 y 1923 para ganar puntos en un movimiento de masas radicalizado y en ascenso. En su IV congreso (septiembre de 1922) llamó a la unidad a los «sindicatos rojos» y en la convocatoria a su V congreso, hecha pública el 8 de julio de 1923, incluía un punto con la siguiente formulación: «Adoptar como táctica de lucha contra el enemigo común, el principio que establece la formación del Frente Único del proletariado.[7]»

Pero en el V congreso, celebrado en Guadalajara, la CROM se olvidó del Frente Único, cerró filas y reforzó su nacionalismo; puso la bandera mexicana junto a la bandera rojinegra, y emitió una declaración anticomunista: «Es incompatible con el sentimiento nacionalista de los trabajadores la propaganda que elementos interesados vienen desarrollando a favor del Partido Comunista subordinado al gobierno ruso; por lo tanto, las agrupaciones obreras deberán proceder a la expulsión de su seno de todos los elementos de filiación comunista.[8]»

En agosto, el PC encontró un punto de apoyo en el sindicato de zapateros del DF que había sido expulsado de la CROM. Este citó para principios de septiembre una «asamblea nacional de comités pro convención nacional, pro Frente Único»[9]. Apoyaban el proyecto algunos de los expulsados del CGT en mayo de 1922, como Diego M. Sandoval y el dirigente textil Ciro Mendoza, que fue desautorizado por la CGT y tuvo que retirarse. La asamblea no prosperó y el partido permaneció al margen del movimiento sindical.

Un movimiento sindical que a lo largo de 1923 se mantuvo muy activo, lo mismo que durante los tres años anteriores, con huelgas múltiples y movimientos de una extraordinaria violencia y gran duración. Con una CROM desbordada por sus federaciones regionales en Orizaba, Puebla y Coahuila; una CGT que mantenía su guerra de guerrillas contra el capital, y que a pesar de ver frenado su desarrollo en el valle de México por la represión y destrucción de dos de sus sindicatos (tranviarios y bañeros) había crecido en el país; y frente a ellos, un gobierno obregonista que iba cada vez afinando y mejorando sus relaciones con los capitalistas extranjeros, dueños de la industria mexicana.

Notas al pie

1 Los bamboleos semánticos en torno a la consigna del Frente Único no eran propiedad exclusiva del PC. La IC tenía los mismos problemas de ambigüedad. Formulada como una política para impedir el aislamiento y la sectorización de los comunistas y para reforzar la línea de «ir a las masas», en una Europa en reflujo donde la socialdemocracia, contra lo esperado, no se había derrumbado, la línea del Frente Único fue objeto de continuo debate en el seno de la IC. Después de su formulación en diciembre de 1921, se discutió en una reunión del CEIC, ampliado en febrero de 1922, donde algunas delegaciones se declararon discrepantes (italianos, franceses, españoles). Ahí se proponía un frente con los socialdemócratas y un frente con los sindicalistas revolucionarios o anarcosindicalistas, esto consideraban que era incompatible. El tema volvió a ser discutido en el IV congreso (noviembre 1922) sin nuevas aportaciones que definieran más claramente cuál era el objetivo de la política del frente amplio, fuera de sacar a los partidos del aislamiento. Para una explicación más afinada de los elementos contenidos en esta polémica, ver Milós Hajek: *Historia de la III Internacional*, Grijalbo, Barcelona, 1984, Capítulo 1.

2 *El Frente Único*, N° 265, 10 de mayo de 1923.

3 «Lo que opina Ricardo Flores Magón», *La Humanidad*, N° 4, mayo de 1923. En los siguientes números el periódico siguió minuciosamente la gira de Enrique con un corresponsal.

4 El 5 de julio de 1923 en el Sindicato Panadero del DF se celebró un mitin conjunto en el que intervinieron Enrique, Teresa, Genaro Gómez y Heron Proal, *Volante*, archivo JCV.

5 *Guillotina*, N° 14, 19 de julio 1923.

6 A partir del N° 29 comienza a publicarse el serial «Revelaciones de un comunista» de William C. Owen.

7 Salazar/*Historia luchas*, p. 81 y *El Demócrata* y *Excelsior* del 23 de septiembre al 2 de octubre de 1922.

8 *AGN/Obregón-Calles* 407-G-12, y Fabio Barbosa: La *CROM, de Luis N. Morones a Antonio J. Hernández*, UAP, Puebla, 1980, pp. 375-376.

9 Salazar/*Historia luchas*, p. 96.

6. INSTRUCCIONES DE LA INTERNACIONAL COMUNISTA, RESPUESTA DEL PCM: VIRAJE A LA DERECHA

Fechada el 21 de agosto de 1923, el comité ejecutivo de la III Internacional envió una larga carta al Partido Comunista Mexicano[1]. El texto era una respuesta al informe sobre el II congreso del partido celebrado en abril de 1923 y al informe verbal que había hecho el delegado a las sesiones de la Internacional Juvenil Comunista (Carrillo Azpeitia). Con la carta, la Internacional reanudaba las relaciones directas, parcialmente interrumpidas con la salida de Stirner de México en septiembre de 1922[2].

La carta mostraba un sorprendente conocimiento de la sociedad mexicana y es posible que además de estar basada en la prensa obrera de México, que seguramente el partido enviaba con regularidad, había sido elaborada por algunos de los cuadros de la IC que trabajaban en el aparato del comité ejecutivo y que conocían bien México: Borodín, Katayama, Roy, con la colaboración de Stirner, que se había quedado en Moscú tras el IV congreso.

Estaba dividida en cuatro capítulos: la cuestión del parlamentarismo, la futura elección presidencial, la táctica del Frente Único y las relaciones con América Central.

En el primer apartado, tras felicitar al partido por haber decidido participar en las elecciones, le sugería que preparara y estudiara con cuidado su intervención. En un tono bastante autoritario («Queremos recordarles las decisiones del II congreso de la Internacional Comunista sobre el tema del parlamentarismo y esperamos que se apeguen a ellas estrictamente») repasaba los tópicos de la Internacional sobre el tema, los mismos que Díaz Ramírez había leído durante el congreso.

El texto ordenaba al PC DE M violar otros tabúes del radicalismo sindical mexicano, la intervención en las elecciones de los representantes obreros en las juntas de conciliación y arbitraje, y la elaboración de propuestas concretas para la regulación del artículo 123.

Lateralmente, al hablar de la necesidad de intervenir en las elecciones que se celebraban en el campo, sobre todo en los municipios, la carta recordaba a los comunistas mexicanos que vivían en un país con un setenta y cinco por ciento de campesinos pobres, y que la revolución tenía que pasar por la alianza obrero-campesina; que la demanda fundamental de los comunistas en el campo era hoy luchar contra el desarme de los campesinos y sugería el eslogan para la campaña: «La única garantía que los campesinos tienen para la seguridad de sus tierras, son las armas que sostienen en sus manos.»

El segundo apartado se iniciaba así:

> México se aproxima a otra elección presidencial. Toda la vida política nacional de los próximos siguientes meses estará centrada en esta cuestión. Los resultados de la elección mostrarán claramente la fuerza proporcional de los sectores burgueses en México hoy. Pero sería un error inferir que el Partido Comunista debe limitarse a una política de observante espera. Por el contrario, el partido debe asumirse una inequívoca posición de manera que el más simple obrero y campesino pueda ver lo que es el Partido Comunista y por lo que lucha.

Luego, tras disculparse por el impreciso de la información (se conocía tan solo —según la carta— el asesinato de Villa y la decisión del sindicato de propietarios de intervenir con un partido político propio, además de información dispersa obtenida en periódicos mexicanos y norteamericanos), los autores de la carta querían decir «algunas palabras» sobre el tema.

Caracterizaban el obregonismo como una «joven burguesía nacional» que se «encontraba dispuesta a establecer compromisos con los terratenientes y con el capital industrial y comercial extranjero», y señalaban que el desarrollo capitalista de México solo se podía producir con la intervención del capital extranjero, particularmente del norteamericano (que gracias a sus fronteras con México siempre estaría en la posibilidad de defender militarmente sus intereses), en la medida en que los terratenientes no invertían sus ganancias en la creación de una industria nacional.

En estas condiciones los gobernantes mexicanos, sin desestimar la posibilidad de crear una industria nacional a futuro, no podían arriesgarse a enfrentar a Estados Unidos, sin una sola posibilidad de éxito. Ni siquiera a jugar en el espacio que creaban las contradicciones entre el cada vez más débil capital europeo y el norteamericano.

Tras fijar entonces el enemigo principal como el imperialismo norteamericano, los autores de la carta señalaban que al capital estadounidense el gobierno de Obregón le parecía muy radical, el movimiento obrero «muy extremista», el gobierno «muy bolchevique». Los capitalistas norteamericanos no entendían la dialéctica obregonista de control del movimiento popular.

El CEIC sintetizaba: «Hoy el problema para el capitalismo norteamericano y para la burguesía mexicana que ansían llegar a un compromiso, yace en moldear el llamado movimiento radical en formas aceptables para ambas partes.»

Pasando a un análisis más político, establecían que el sucesor natural de Obregón era Calles, forjador de esa burocracia sindical y agrarista que había colaborado en la caída de Carranza. La política de un gobierno así, solo podía ser una política de compromiso social reformista. No podría satisfacer las demandas de un desarrollo capitalista ni las demandas de los trabajadores y campesinos. Los problemas del desarrollo agrario no se pueden resolver en el marco capitalista. Calles puede tratar de complacer a todos «y llegar a la bancarrota» o tratar de resolver los problemas del capitalismo reprimiendo y recortando los avances del movimiento popular. Ambos comportamientos podían resultar benéficos para la burguesía porque «ese será el momento de una intervención de Obregón y su amigo De la Huerta», que aparecerán como salvadores y otorgarán «seguridad al comercio y a la industria». Entonces se elegirá a De la Huerta o se reelegirá Obregón.

Al llegar a este punto del análisis, los autores se preguntaban, ¿cuáles son las tareas de los comunistas? Y respondían: «La primera tener clara la situación y su desarrollo, la segunda que no le es indiferente a la clase trabajadora si la traiciona Calles o De la Huerta, aunque ambos llegaran al mismo punto. Calles hoy representa protección para las masas ante la dominación clerical y reaccionaria. El Partido Comunista debe apoyar en las elecciones a Calles, no de una manera entusiasta.»

Y culminaba:

> Debemos demandar de Calles una declaración sobre el desarme de campesinos que Obregón instigó, debemos exigir protección a los huelguistas, castigo a los oficiales culpables del asesinato de obreros en Veracruz y San Ángel, una dura acción contra los fascistas, la regulación de los artículos 27 y 123, medidas contra la crisis habitacional, y la división de los latifundios sin pago de indemnización a los terratenientes, etc.[3]

El tercer apartado de la carta-documento trataba de nacionalizar la concepción del Frente Único. Dejando de lado los debates realizados en el II y IV Congresos de la IC sobre el tema, se hundía en los misterios de la política laboral mexicana. En síntesis los elementos que ofrecía a los comunistas mexicanos, eran los siguientes: vincular la táctica del Frente Único a todos los problemas concretos que afectan a las masas. Popularizar la idea del Frente Único. No se trata de amalgamarse con los sindicalistas y los reformistas, no se trata de establecer compromisos temporales para desenmascarar a los reformistas. Se trata de reunir abiertamente a las direcciones sindicalistas, reformistas e independientes para participar en comités conjuntos en torno a demandas clave, con absoluta libertad de críticas en las partes.

El CEIC entendía las dificultades de desarrollar un proyecto así, compartía la denuncia y la caracterización de la burocracia moronista, que se encontraba al mismo nivel que los ministros burgueses ampliamente comprometida con el sistema, pero el CEIC depositaba su confianza en la presión de las masas hacia la izquierda. «Lo mismo se aplica a la CGT [...] que ahora se encuentra derrotada por las tácticas de Quintero y los agentes del gobierno». «El partido debe decir a los elementos honestos entre los sindicalistas y los anarquistas: no les pedimos nada más que una lucha conjunta por las demandas comunes de la clase trabajadora». Pero este llamado a la unidad tenía como objetivo «la liquidación de los líderes socialreformistas y de la ideología anarquista pequeñoburguesa [*que*] es el propósito de la lucha por el Frente Único.

El cuarto capítulo, muy brevemente, señalaba la necesidad de que el partido luchara en el frente americano contra el imperialismo, y se vinculara estrechamente a los partidos comunistas y a los movimientos latinoamericanos.

La carta-documento presionaba al partido hacia un viraje a la derecha en el terreno sindical, lo invitaba a profundizar en la línea electoral (por más condiciones que pusiera) y proponía intervenir en la campaña presidencial apoyando a Calles condicionalmente.

Las directrices tácticas estaban supuestamente muy claras, pero había algo que era dejado de lado por los comisionados del CEIC y que resultaba de primordial importancia: los comunistas en México eran un pequeño puñado de militantes, su presencia en el movimiento sindical era prácticamente nula, y si bien tenían una cierta influencia en el movimiento campesino (partiendo de que dirigían las Ligas de Comunidades Agrarias de Michoacán y Veracruz), orgánicamente su posición estaba prendida con alfileres. ¿Hacia dónde y hacia quiénes dirigir a este grupo de activistas?

El 9 de septiembre, el comité nacional ejecutivo respondió prestamente a uno de los puntos señalados en la carta, y en la prensa realizó declaraciones sobre la futura campaña presidencial:

> El CNE del PCM declara formalmente que siendo campesina la inmensa mayoría de la población mexicana, y siendo obrera la única minoría considerabilísima y activa, el gobierno de México debe ser emanado de esas fuerzas que son el verdadero pueblo y, en consecuencia, el Partido Comunista de México apoyará aquella candidatura a la Presidencia de la República que reúna la mayoría de las corporaciones campesinas y obreras.
>
> El PCM declara asimismo, que siendo las fuerzas campesinas y obreras la mayoría de la población del país, de quienes debe emanar en justicia el gobierno, los trabajadores que individual o corporativamente se abstengan de votar, apoyarán efectivamente a la burguesía con la fuerza que restan a los partidos de trabajadores, y así, so pretexto del anarquismo, solo son traidores a sus hermanos de clase como obreros y al país que pertenecen como ciudadanos[4].

Si la carta del CEIC impulsaba la derechización del partido, la declaración del PCM era más conservadora aún. El enemigo principal en el movimiento obrero no era el moronismo, sino los «traidores» anarquistas a su clase y a su país. Si el CEIC pedía apoyo crítico a Calles, el PCM contestaba con un apoyo acrítico a... ¿A quién?

Notas al pie

1 La carta fue editada por el Workers Party of America en un folleto titulado *Strategy of the Communists*, de él están tomadas todas las citas.

2 Cuando se elaboró la carta, además de Carrillo, se encontraba en Moscú o estaba a punto de llegar Úrsulo Galván que había de asistir al Congreso fundacional de la Kresistern.

3 Lo que significaba un apoyo crítico a Calles, en función a «destruir las ilusiones de las masas en el gobierno de Calles», *Inprecor*, 8 de noviembre de 1928, citando una intervención de Ramírez, en la que comentaba la carta de 1923 en el VI Congreso de la IC.

4 Salazar/*Historia luchas*, p. 100.

7. LUCHA INTERNA

Un mes antes de la ambigua respuesta electoral del PCM, y poco después de la llegada de la carta de la IC, el partido había intervenido en las elecciones de San Luis Potosí apoyando a un candidato agrarista, Aurelio Manrique, en su lucha por la gubernatura, contra le presidente del Partido Cooperatista, Prieto Laurens[1]. Era la primera vez que los comunistas tomaban partido en un proceso electoral, y lo hacían por un candidato ajeno a sus fuerzas, en un estado en el que no existía una local comunista y formando coalición con el PLM (moronista) y el PNA.

Los resultados de la elección nunca pudieron saberse. Ambas fuerzas en disputa se declararon triunfadores y mientras Prieto, apoyado por la gran prensa, el ex gobernador y la pasada legislatura, tomaba posesión en la capital, Manrique lo hacía en la zona agraria donde tenía bases organizadas. Obregón intervino declarando desaparecidos temporalmente los poderes en el estado y nulificando así la temporal victoria de Prieto[2].

¿Por qué, además de simbólica, era esta primera aparición en la escena de los comunistas tan desangelada? El motivo solo puede encontrarse en la lucha interna en la que el partido se encontraba en torno a su actuación para las elecciones presidenciales de 1924.

Adolfo de la Huerta se había presentado como candidato del Partido Cooperatista, y lentamente en torno suyo se fue reuniendo una coalición de muy variados intereses, en la que solo existía un común denominador, la aversión a Calles, candidato de Obregón. Juntos en el mismo barco viajaban militantes civilistas del Partido Cooperatista; generales antiagraristas como Guadalupe Sánchez; generales ex magonistas como Antonio I. Villarreal; socialistas a la mexicana como Salvador Alvarado; ex villistas como Buelna; hombres de paja de los comerciantes gachupines de Acapulco como el coronel Crispín Sámano o de los grandes propietarios henequeneros como el coronel Ricárdez.

El primer duelo de ambas candidaturas fue las elecciones para gobernador en San Luis Potosí. Podía considerarse simbólica la participación de los comunistas, en cuanto a las fuerzas aportadas, pero como definición era sustancial. La decisión de apoyar a Manrique en SLP y, por tanto, mostrarse como callistas, no fue tomada sin una fuerte lucha interna en el partido que no acabó de resolverse en agosto de 1923, como mostraba la declaración electoral del 9 de septiembre. Dentro del PC la opción delahuertista era defendida fuertemente por un sector.

En el informe que se rendiría año y medio después, el partido informaba escuetamente de la situación: «De la Huerta [*también*] nos hizo proposiciones.[3]»

Bertram Wolfe en sus memorias, es más explícito:

> De la Huerta [...] ofreció una gran suma a Manuel [*Díaz*] Ramírez, secretario del Partido Comunista, para subsidiar su partido. Ramírez, viendo a los militares y los fondos económicos en lo que debería ser el lado ganador, y con apoyo rojo también en el lado mas radical[4], propuso que deberíamos dar el apoyo a lo que parecían ser los ganadores. Dirigí la oposición a que se aceptara el subsidio y señalé que Obregón y Calles, la mayor de las Confederaciones (CROM) y el Partido Laborista representaban el mal menor[5].

Aunque el punto de vista de Wolfe dominó en el comité nacional (y de pasada significó su acceso a los niveles más latos de decisión del partido y su creciente influencia dentro de él), Díaz Ramírez no fue desplazado, incluso en noviembre se hizo cargo de la secretaría general provisionalmente, por ausencia de Gómez Lorenzo.

El hecho es que el partido después de la pequeña aventura potosina no se pronunció públicamente en uno o en otro sentido, sino que mantuvo su ambigüedad y esperó a que los acontecimientos definieran la situación, desoyendo así las órdenes de la Internacional.

En octubre, un nuevo argumento apoyó la posición de Díaz Ramírez, cuando nació el Partido Socialista Mayoritario Rojo para apoyar la candidatura de De la Huerta. Ahí se reunían una serie de militantes del ala izquierda del sindicalismo mexicano, agrupados en torno a los expulsados de la CGT en mayo de 1922, Rosendo Salazar y José G. Escobedo. Junto a ellos estaban dirigentes electricistas del SME como Velasco y Celis Gutiérrez, algunos ex obregonistas que habían estado en el Partido Socialista Mexicano como Armando Salcedo, Fortino B. Serrano Ortiz, e incluso un ex miembro del PCM, el dirigente sindical de los cocheros y molineros Leonardo Hernández[6]. Algunos miembros de la CGT se vieron arrastrados a la aventura encabezados por Woltano Pineda, uno de los dirigentes de la Federación Textil, pero la reacción de la central anarcosindicalista fue expulsarlos de inmediato[7].

A pesar de la pronta reacción de la CGT, que además de expulsarlos multiplicó las declaraciones de apoliticismo y los artículos en sus periódicos denunciando que ambas partes tenían intereses políticos, y por lo tanto no populares, la gran prensa manejó que la CGT se había puesto del lado de De la Huerta[8]. Los ferrocarrileros, o al menos una buena parte de ellos, también se sumaron a la campaña delahuertista a través del Partido Nacional Ferrocarrilero financiado por ADH.[9]

Encharcado en esta polémica y después de su fracaso en la constitución de un punto de apoyo en el terreno sindical, los últimos meses de 1923 fueron vividos por los comunistas mexicanos en un marco grisáceo, donde por ningún lado aparecían alternativas que los sacaran del marasmo.

Los fondos con los que se contaba, habían sido usados totalmente y aun habían faltado, para enviar a dos miembros del equipo dirigente a la Unión Soviética: Rafael Carrillo que fue a Moscú apara intervenir en el III Congreso de la Internacional de la Juventud Comunista, y Úrsulo Galván, que viajó con dinero proporcionado por Tejeda, y en la fundación del Consejo Campesino Internacional entre el 10 y el 15 de octubre en Moscú, donde fue nombrado miembro del *presidium*[10].

De estos meses se conocen dos documentos del Comité Nacional Ejecutivo del PC DE M, el primero una respuesta a los despidos de empleados gubernamentales por el recorte presupuestal obligado por el pago de la deuda a los Estados Unidos, y el segundo, la *Circular Nº 2*, donde se hace un llamado a crear condiciones para editar un nuevo periódico del PCM.

El manifiesto contra la política gubernamental que fue pegado en las paredes del DF, proponía varias formas de cubrir la deuda sin afectar los intereses de los trabajadores. Desde poner impuesto a las grandes plantaciones de maguey, hasta castigar con mayores impuestos las propiedades de extranjeros o de capitalistas que residieran fuera de México, la importación de licores, las cantinas, los artículos de lujo. Se declaraba en contra de la disminución del presupuesto para educación y de los impuestos en el agua a los campesinos. El último punto decía: «Si es necesario escoger entre pagar a los banqueros norteamericanos o a los empleados gubernamentales, el gobierno debe pagar a sus empleados.[11]»

Sin ninguna fuerza, ni mínima militancia entre los empleados del estado, el partido operaba sobre una línea de denuncia y agitación, se volvía cada vez más un partido de opinión testimonial, de presencia escénica. Sin embargo, el manifiesto podía verse a la luz de una segunda situación: De la Huerta había renunciado a la Secretaría de Hacienda el 1 de septiembre siendo sustituido por Pani el 26. El nuevo ministro desató un ataque furibundo contra su antecesor acusándolo de múltiples fraudes y luego implementó las medidas hacendarías que tan acremente criticaba el partido. Podría interpretarse que en la oscilante definición entre Calles y De la Huerta, al atacar las medidas del ministro callista, se optaba por el segundo. De no ser así, el PC se definía por primera vez cara al poder y no cara al movimiento.

En la *Circular Nº 2*, se atribuía la actual «etapa de estancamiento» a la falta «de periódico de calidad y regular». Tras la desaparición en mayo de *El Frente Único* de Veracruz, el partido no contaba con ninguna clase de prensa, ni siquiera irregular.

Tras haber contado con cuatro periódicos (el semanario *La Plebe*, el diario *El Frente Único*, el semanario *El Obrero Comunista* y el periódico mensual *Juventud Mundial*) en el momento más intenso del ascenso del movimiento inquilinario, que llegaron a tirar conjuntamente cerca de ochenta mil ejemplares mensuales, en los últimos seis meses de 1923 no habían contado con ningún órgano de expresión.

La circular atribuía la crisis periodística del partido «no a la incapacidad administrativa o redactora de los comunistas», sino a su federalismo, dado que los esfuerzos aislados habían impedido la consolidación de un diario nacional. Como respuesta a esto proponía una campaña financiera para levantar un fondo de cinco mil pesos que le permitiera comprar un imprenta para editar un órgano central, bien fuera en la que se había estado imprimiendo *El Frente Único* u otra[12].

Así llego el Partido Comunista de México a los primeros días de diciembre de 1923.

NOTAS AL PIE

1 B.D. Wolfe: «Mexicans put Flags at half Mast for Lenin», *The Daily Worker*, 4 de febrero de 1924.

2 J.W.F. Dulles: *Ayer en México*, FCE, México, 1977, pp. 168 y 172. Romana Falcón: *Revolución y caciquismo en San Luis Potosí*, Colmex, México, 1984, pp. 149-153.

3 *III Congreso PC DE M*, p. 63.

4 Se refiere al Partido Socialista Mayoritario Rojo en esos momentos en formación.

5 Wolfe/ *A life*, p. 303.

6 Salazar/*Historia luchas*, p. 109.

7 El PSMR nació el 24 de octubre, el 26 la CGT se reunió en consejo y declaró: «Categóricamente por no convenir al movimiento obrero radical inmiscuirse en asuntos políticos [...] los trabajadores radicales se abstienen en absoluto de actuar políticamente». *El Demócrata*, 27 de octubre de 1923.

8 No solo la gran prensa mintió sobre la participación de la CGT en el movimiento delahuertista. Muchos autores dieron por buena esta versión como Marjorie Ruth Clark (p. 68) y Jorge Basurto (*El proletariado industrial en México*, UNAM, México, 1975, pp. 243 y 244.

Antes del estallido de la rebelión, se publicaron en *Nuestra Palabra* y *Nueva Solidaridad Obrera* varios artículos combatiendo cualquier clase de compromiso con las fuerzas enfrentadas en la sucesión presidencial. Uno de estos artículos («Es imposible callar», *Nuestra Palabra*, Nº 18, 25 de octubre de 1923) estaba firmado por el cegetista veracruzano Fernández Oca que había de ser asesinado durante la rebelión. Quizás el más explícito fue un editorial del secretariado en *Nueva Solidaridad Obrera* (Nº 2, 11 de noviembre de 1923) en que se decía: «Volvemos a repetir claro y alto que no tenemos compromisos con ningún partido, llámese Laborista, Mayoritario Rojo, Cooperatista o Conuñalista.»

9 B.D. Wolfe: «De la Huerta Gold is making Trouble in Railway Unions», *The Daily Worker*, 9 de febrero de 1924. Parece ser que De la Huerta colaboró con sesenta mil pesos de las arcas de la Secretaría de Hacienda para construir el Partido Nacional Ferrocarrilero. Monroy/*El último caudillo*, p. 75.

10 *El V Congreso de la IC*, Pasado y presente, Buenos Aires, 1975, T. II p. 133 y LCAEV/*El agrarismo*, p. 50.

11 B.D. Wolfe: «Take from poor in México to pay Wall Street Debts», *the Worker*, 10 de noviembre de 1923.

12 *Circular Nº 2*, PC DE M, firmada por el secretario provisional Manuel Díaz Ramírez, noviembre de 1923.

8. LA REBELIÓN DELAHUERTISTA Y LOS COMUNISTAS

Los primeros indicadores de que la contienda electoral iba a desembocar en un «motín político», los tuvo el partido a finales de noviembre de 1923. El día 27, en ausencia de Úrsulo Galván, Licona y Cardel, dos de los dirigentes de la Liga de Veracruz, se entrevistaron con Obregón en Celaya y le advirtieron de los preparativos que el general Sánchez estaba haciendo en el Estado de Veracruz para el levantamiento. Obregón les recomendó pasar a la clandestinidad y organizarse[1]. En México el comité del PC DE M seguramente tuvo acceso a esta información, pero no tomó ninguna medida.

En Veracruz los preparativos de los militares eran vistos con buenos ojos por los hacendados que organizaban guardias blancas para unirse a las fuerzas del general Sánchez. Tres días después de la entrevista fueron asesinados el campesino Marcelino Ruiz y Juvencio Adán, organizador de la LCAEV en Zongolica, por órdenes de los gachupines de la hacienda de Morotzongo. Adán quedó tendido con catorce balazos en el cuerpo. Era la primera víctima del levantamiento[2].

El 4 de diciembre, De la Huerta dejó el DF en una gira de propaganda que lo llevaría esa misma noche a Veracruz. El 5, el general Guadalupe Sánchez estaba levantado en armas en Veracruz, amparando con sus fusiles al candidato. Se había iniciado la rebelión.

El comité nacional del PC DE M se reunió. Los argumentos de Bertram Wolfe utilizados anteriormente se volvieron más pragmáticos, ya no se trataba del contenido de la rebelión hacia las clases oprimidas, sino de las oportunidades que el partido podría obtener de esta:

«Dado que Obregón perdió a los generales, podemos obtener de él que arme a los trabajadores y campesinos, y en estados como Michoacán y Veracruz, las comunidades agrarias están bajo nuestro liderazgo. Esta es la oportunidad de hacer al Partido Comunista independiente de todos los subsidios.[3]»

El debate debe de haber sido intenso, dado el equilibrio de las posiciones. Se sabe que Wolfe (nominalmente no era miembro de la dirección del partido, pero su poder en él había crecido enormemente y actuaba como tal) estaba a favor, lo mismo se sabe de Diego Rivera, por demás íntimo compañero de Wolfe y un tanto su discípulo en materia política; es sabido que Manuel Díaz Ramírez estaba a favor de apoyar la rebelión. Nada se conoce de las posiciones de Allen y Mallen. El secretario nacional Gómez Lorenzo, debe haber volcado la balanza al apoyar a Wolfe. En un informe oficial del PC DE M se dice:

> Hasta la víspera de la revuelta nada se precisó, y cuando estalló, no había criterio unificado en el Comité de entonces.
>
> En la víspera misma de la revuelta, el CNE se salvó tomando orientación correcta contra el delahuertismo, pero demasiado tarde para comunicar sus acuerdos a Veracruz, Yucatán y Michoacán. La misma confusión se reflejó en las Locales[4].

Una vez tomado el acuerdo, el partido en el DF comenzó a moverse para obtener armas de Obregón[5]. Su primera definición pública la hizo a través del sindicato de pintores que el 7 de diciembre condenó la rebelión y se puso a disposición del gobierno para combatirla[6].

El día 7 se levantó el general Enrique Estrada en Jalisco, con lo que la rebelión contaba con tres focos: Veracruz, Oaxaca-Guerrero (donde se había conjugado un alzamiento prematuro de Figueroa con el apoyo del general Maycotte, que había sido enviado a perseguirlo) y Jalisco. El Grupo Acción al que le iba la vida si el gobierno resultaba derrotado, movilizó a la totalidad de sus fuerzas. Llamó a los sindicatos a armarse, creó un comité militar, ofreció camiones y chóferes en leva obligada al gobierno para el transporte de tropas, editó manifiestos, organizó grupos paramilitares, pidió armas, levantó pequeñas milicias[7]. Y además procuró descalificar a la CGT acusándola de delahuertista, lo mismo que a los comunistas[8].

La rebelión unificó a la absoluta totalidad de los militares disidentes al obregonismo y a lo que veían como su prolongación: Plutarco E. Calles. Dentro de un mismo movimiento se colocaron militares progresistas y ultra reaccionarios. De la Huerta, la cabeza visible del levantamiento armado tenía un halo progresista sobre él, su intervención a favor de las luchas obreras durante el interinato presidencial (junio-noviembre 1920), sus posteriores intervenciones desde la Secretaría de Hacienda apoyando a ferrocarrileros y portuarios, contribuían a fortalecerlo, pero no estaba capacitado para dominar a las fuerzas que había desatado. Era prisionero de los generales alzados. Junto a él hubo en el proceso de la rebelión algunos otros generales progresistas como Alvarado, Villarreal y Buelna, pero la rebelión había de caracterizarse por la alianza de los militares más reaccionarios con las fuerzas más regresivas de la reacción: los hacendados michoacanos y veracruzanos, los comerciantes gachupines del puerto de Acapulco, los miembros de la casta dorada henequera yucateca. Así, so pretexto de la rebelión, la combinación militares-guardias blancas, actuó impunemente.

El Partido Comunista, tras su definición de última hora, desarrolló una caracterización política de la rebelión que justificaba su actitud.

Lo hizo sobre todo a través de la prensa comunista norteamericana, puesto que en ese momento no contaba en México con un diario. Wolfe en particular, Leighton y Richard Francis Phillips en *Liberador, The Nation, The Daily Worker*, y a través de la *Prensa Federada* dieron amplia publicidad a esta caracterización que si no homogénea, sí coincidía en señalar a la rebelión como un alzamiento contrarrevolucionario. Phillips la caracterizaba como una «contrarrevolución contra el radicalismo reformista de Calles» y Wolfe como «la tormenta fascista que ha estallado en México»[9]. Estos argumentos justificaban la presencia de los comunistas en el lado de Calles y Obregón.

Los anarcosindicalistas mantuvieron su tesis de que se encontraban ante un conflicto político interburgués y que nada podía la clase obrera y campesina sacar en claro de este enfrentamiento, fuera de ser reprimida por ambos bandos al servicio de capitalistas y latifundistas, o ser usada como carne de cañón. La represión de Guadalupe Sánchez contra sus dirigentes en Veracruz, no modificó la posición de la CGT, como tampoco lo hizo la razzia que el obregonismo hizo en San Ángel contra los sindicatos textiles[10].

El Partido Comunista no tenía una fuerza que movilizar en la capital, por lo tanto su oferta de intervención armada se limitó a la simbólica participación de los pintores en el movimiento. Armados por Xavier Guerrero[11], Rivera y Siqueiros salieron para puebla con Gómez Lorenzo, aunque no combatieron[12]. Si en el DF la intervención del partido fue simbólica, no fue el caso de Veracruz y Michoacán donde los comunistas, dirigiendo a los militantes de las Ligas Agrarias, tomaron las armas. O más bien, se declararon en pie de guerra, porque las armas las tenían los grupos de los terratenientes apoyados por el ejército.

Un grupo de las Ligas dirigido por Licona comenzó a realizar reuniones en los alrededores de Veracruz. Tenían por toda arma una pistola, y dos veces estuvieron a punto de ser cercados por los soldados, pero evadieron los cercos y se concentraron en Plan del Manantial[13]. Peor suerte tuvieron Juan Rodríguez Clara y Feliciano Ceballos, que el mismo 5 de diciembre, fueron detenidos en las inmediaciones de la estación el Burro por el coronel Aarón López Manzano (el que había dirigido la represión de junio de 1922 contra el sindicato inquilinario), quien los entregó al terrateniente Franyutti, en cuya hacienda fueron asesinados a puñaladas[14]. En los primeros días del levantamiento cayeron Marcelo J. Cruz y dieciséis campesinos más asesinados por el ejército en el paso de Peñas Blancas[15]. Igual suerte corrió Benito Fernández Colorado, agente de propaganda agrícola[16]. El día 7 Guillermo Lira, secretario general de las Juventudes Comunistas del puerto fue detenido en Boca del Monte, donde estaba comisionado trabajando en una escuela para los campesinos, colgado en un árbol y luego fusilado por pistoleros y soldados mandados por el cacique González[17]. En el puerto se inició la cacería de Herón Proal y fueron asesinados el cromista Luis García, hermano del alcalde y Jacobo Ramírez[18].

El día 9 de diciembre cayó Jalapa en manos de los rebeldes. Allí fue capturado el primer secretario de las Ligas, José Cardel, y fue enviado a Veracruz. Torturado brutalmente por el terrateniente Lino Lara murió en Mozambo[19]. En Córdoba fueron asesinados Ángel López y J. Campo[20]. Dos militantes importantes también fueron detenidos y se salvaron milagrosamente de morir: en Orizaba, el secretario de la JC, el obrero textil Mauro Tobón[21] y en las cercanías del Istmo el ferrocarrilero simpatizante Francisco J. Moreno[22].

En estas condiciones, arriba el día 13 de diciembre al puerto de Veracruz el vapor holandés Volendam. En él viajan Úrsulo Galván y Rafael Carrillo Azpeitia que regresan de Moscú. En La Habana habían sido advertidos de que el puerto estaba en manos enemigas, pero ambos habían decidido continuar el viaje. En su última escala habían comprado a los marinos alemanes del Holsatia, en el que habían viajado desde Europa, cuatro pistolas Parabellum a veinte pesos cada una. Ambos logran desembarcar, pero mientras que Galván se esconde y enlaza con los grupos que se encuentran en las afueras del puerto a través de Antonio Carlón, Carrillo es detenido, y se salva del fusilamiento sólo porque el jefe militar, Torbio Beltrán, le cree que sea un estudiante que vuelve de un viaje de estudios en Europa[23]. Gracias a esto, pasó tan solo unos días detenido, y luego pudo incorporarse a un grupo clandestino de la JC que en el puerto colaboró con las guerrillas.

Galván se une a un pequeño grupo de agraristas de Santa Rita y en su primera acción militar atacan por sorpresa la estación de Santa Fe donde después de hacerse con armas y parque huyen.

En esos momentos hay tres partidas de agraristas en el centro de Veracruz, la de Galván, la de Carlón y la de Licona. El grupo de Galván es sorprendido en la ranchería de Cantarranas y deshecho. Ahí, Úrsulo Galván se salva de milagro. Con gran presencia de ánimo se hace pasar por uno de los soldados rebeldes y envía a los demás a perseguir a «Úrsulo Galván» hacia lugar errado[24].

Los grupos de Licona y Carlón se unifican el 5 de enero y firman un documento en la Barranca de Plan del Río, en el que se constituyen en una fuerza armada del agrarismo que no solo combate a la rebelión sino que también defiende al campesino contra la ofensiva de los terratenientes. El grupo, mal armado, se limita a la detención de algunos miembros de las guardias blancas, a los que desarma e inflige castigo corporal, y a evitar que las múltiples partidas de soldados y guardias blancas los cerquen. El único combate de importancia lo realizan en los alrededores de Tatetla donde los latifundistas pretendían quemar la comunidad. El enemigo se retira en el primer enfrentamiento y ellos en el segundo por falta de parque. El 3 de febrero se hace contacto con Úrsulo Galván que había huido y estaba solo, y se unifica un grupo de un centenar de agraristas que toma Carrizal sin combate el 5 de marzo. Para esta fecha se han producido ya los siguientes hechos: Batalla de Esperanza (29 enero) donde se quebró el poder militar del delahuertismo en Veracruz; toma de Córdoba (5 febrero) y toma de Veracruz por el ejército federal (12 febrero). En la estación Carrizal se hacen trincheras, se detienen latifundistas y se comunican con Jalapa, que ha sido recuperada por tropas al mando de Heriberto Jara. El 7 de marzo el grupo se enlaza con Jara que pide protejan la vía férrea[25].

Estas son todas las acciones del agrarismo veracruzano en la primera fase de la rebelión delahuertista. Mientras esto sucedía, en el puerto de Veracruz funcionó un pequeño grupo de la JC que intentó enviar armas y parque a los alzados:

«Los locatarios del mercado compraban a los soldados delahuertistas armas y parque y estos se lo vendían porque no les pagaban y necesitaban comer. Los estibadores se apoderaban de dinamita en los muelles y todo se lo hacían llegar a Úrsulo Galván[26]». El grupo estaba siendo dirigido por Almanza, Dehesa y Bolio a los que más tarde se incorporó Carrillo[27].

En abril de 1924, con la rebelión ya derrotada, el grupo agrarista cobró la forma de una fuerza regular y fue militarizado por Jara, convirtiéndose en el batallón Nº 86. En él, bajo el mando de un oficial profesional, el coronel Gonzalo Portilla, se integraron los ciento setenta y cinco miembros de la guerrilla de Galván; este recibió el grado de teniente coronel y Antonio Carlón el de capitán[28].

La participación de la Liga en la represión del alzamiento en Veracruz fue mitificada por el PC DE M, y de este mito se han hecho eco posteriores investigaciones. El hecho es que, según los propios informes de los miembros de la LCAEV, las guerrillas organizadas nunca rebasaron los doscientos hombres, estaban mal armadas y no participaron en ningún enfrentamiento importante[29]. No era un problema de valor o de habilidad organizativa. Simplemente el agrarismo jarocho no estaba preparado militarmente en el momento de iniciarse la rebelión, y se encontró en una situación defensiva ante los fusiles de los terratenientes y las fuerzas de Guadalupe Sánchez. La reacción de los grupos de Charlón y Licona y la llegada de Galván y su subida al monte, tuvieron además de valor simbólico, la virtud de salvar a varios de los militantes más destacados de la LCAEV de una muerte segura.

Si esta fue la situación en Veracruz, donde la represión arrojó a los agraristas a las filas del gobierno y al combate contra la rebelión delahuertista, muy diferente fue el caso de Michoacán. Allí, el agrarismo se encontraba a la defensiva ante una agresión del ejército y los terratenientes, amparada por el gobierno de Obregón. Se esperaba que Múgica se levantara con los delahuertistas y contra el gobierno central, «por esa causa [...] Primo Tapia, Luis Mora y Tovar, Emilio Moreno y otros más, se lanzaron a la lucha armada»[30]. Primo Tapia con un grupo de agraristas armados se concentró en Villa Jiménez poco tiempo después de conocerse el levantamiento del general Estrada en Jalisco y la noticia de que sus fuerzas avanzaban hacia Morelia. Se acordó celebrar una asamblea agrarista en Parindícuaro. Las bases de la Liga querían ir contra el gobierno de Sánchez Pineda aprovechando la rebelión. Primo Tapia y Soria caracterizaron la rebelión como un enfrentamiento ínterburgués y se manifestaron en contra de intervenir en la revuelta.

La situación era muy confusa. Si las tropas del Estado, al mando del gobernador habían dado sobrada prueba de su antiagrarismo, también las fuerzas de Estrada estaban aliadas con los caciques.

Primo fraguó un plan, y tomó el tren para entrevistarse con Calles en San Luis Potosí y pedirle fusiles para poner en armas a los campesinos de Zacapu. Calles le ofreció fondos de la oficina de Hacienda de Morelia, pero cuando Primo volvió a Morelia, las fuerzas de Estrada ya habían tomado la capital (24 de enero). Con los delahuertistas habían formado filas algunos agraristas como Mora y Tovar y Moreno. Primo entró en la ciudad y consiguió un salvoconducto. Organizó una nueva brigada agrarista y salió a combatir, no contra los federales sino contra las fuerzas antiagraristas de Alfredo Guerrero que militaban en las filas delahuertistas, y lo hizo con armas obtenidas en Morelia de los propios delahuertistas. Con una fuerza de un par de centenares de agraristas armados, ajustó cuentas a pistoleros de los hacendados y tomó Tírindaro donde combatió contra guardias blancas que se suponía estaban del lado de las fuerzas gubernamentales (2 de febrero). Al final de la odisea, las fuerzas de Primo Tapia se unieron al batallón 90 de la Piedad, donde Soria era teniente, y terminaron la rebelión delahuertista del lado del gobierno central[31].

Siete veces habían cambiado de bando en tres meses, permaneciendo siempre, eso sí, del lado del agrarismo armado contra los hombres de las haciendas y los soldados que los apoyaban.

Si en Veracruz y en Michoacán los comunistas tomaron las armas de manera muy diferente pero con resultados muy parecidos, en Yucatán la local se paralizó, probablemente contagiada por la apatía del propio gobierno de Carrillo Puerto, que ante un levantamiento militar dirigido por el coronel Ricárdez Broca retrocedió, en lugar de armar a los campesinos y organizar la revuelta popular apoyada en la base de masas de las Ligas de Resistencia. El 24 de diciembre los militares expidieron un decreto prohibiendo los mítines de socialistas y comunistas[32], e iniciaron la cacería de Felipe Carrillo Puerto y un grupo de sus más fieles adeptos, a los que finalmente capturaron en territorio de Quintana Roo y ejecutaron el 3 de enero de 1924, tras un juicio fraudulento. Por los fusiles de los militares de Ricárdez hablaban los billetes de los hacendados henequeros. En Guerrero los delahuertistas destruyeron el Partido Obrero de Acapulco y asesinaron a su dirigente, Juan Escudero, por órdenes de los comerciantes gachupines[33].

La rebelión delahuertista culminó en un baño de sangre de generales rebeldes que dejó expedito el camino a la Presidencia de Plutarco Elías Calles, y costó muchas bajas al movimiento popular atrapado en una situación para la que no estaba preparado. La CROM envió a los campos de batalla a varios miles de trabajadores y campesinos como carne de cañón, y algunas de sus secciones sufrieron el paso a plomo de las huestes militares rebeldes (Puebla y Orizaba fueron los lugares donde abundaron los asesinatos de trabajadores cromistas a manos de las fuerzas del ejército rebelde). Tras la rebelión, el movimiento obrero siguió siendo purgado a causa de su supuesta intervención en el levantamiento. Obregón depuró el gremio ferrocarrilero con centenares de despidos, so pretexto de que los rieleros habían apoyado a los delahuertistas[34]; en Puebla las fábricas de hilados se cerraron temporalmente[35]; en la zona petrolera de Tampico las compañías despidieron a un millar de miembros del sindicato rojo cegetista poniendo como excusa la revuelta[36]; en el DF los militares obregonistas detuvieron a Genaro Gómez, el dirigente de los panaderos, acusándolo de delahuertista[37].

El 8 de febrero en el DF, el Partido Comunista celebró un acto conjunto luctuoso en memoria de Lenin y Carrillo Puerto, con el Partido Laborista y el Partido Nacional Agrarista. Intervinieron Morones por el PLM, Lauro G. Caloca por el PNA, Mena del Partido Socialista del Sureste y Diego Rivera por el PCM[38]. Carrillo había dejado de ser el Zar Amarillo de Yucatán para los comunistas; Morones compartía tribuna con ellos.

Aunque Bertram Wolfe calificó el acto como el nacimiento del Frente Único en México[39], a lo que se asistía era a la consumación del gran viraje a la derecha del partido en sus primeros años de vida.

Notas al pie

1 Informe de Licona al II congreso de la LCAEV, Almanza/*Agrarismo*, XI-41 y 42.

2 Almanza/*Agrarismo*, XI-10 y 11.

3 Wolfe/*A life*, p. 303.

4 Informe Bolchevización, *III Congreso*, p. 58.

5 «Menos de veinticuatro horas después del levantamiento, el presidente Obregón recibió la oferta de apoyo armado del [...] Partido Comunista». B.D. Wolfe: «A new Page in México's history», *Liberator*, febrero de 1924.

6 *The Nation*, 8 de diciembre de 1923. El día 9 el sindicato publicó un manifiesto contra la rebelión que se difundió ampliamente. *El Machete*, N° 1, primera quincena de marzo de 1924.

7 Para la reacción inicial cromista ver *El Demócrata* 7 al 12, 13 y 16 de diciembre de 1923. Ricardo Treviño, *Frente al ideal*, COM, México, 1974, pp. 42-47. Barry Carr/*El Estado*, p. 192 y ss.

8 La lentitud de reacción del PCM «dio oportunidad a los amarillos para propalar la mentira de que había habido comunistas delahuertistas», Informe Bolchevización, *III Congreso*, p. 58.

9 R.F. Phillips (como Ramírez): «The Revolution in México», *Liberator*, enero de 1924. B. D. Wolfe: «Take the Road to the Left», *Liberator*, abril de 1924. Cerca de treinta artículos escritos por Leighton, Wolfe y Phillips aparecieron en los meses de diciembre de 1923 a abril de 1924 en la prensa norteamericana que dio gran importancia al levantamiento delahuertista.

10 En Veracruz fueron asesinados el día 5 de diciembre siete dirigentes de la CGT: Fernández Oca, Ballezo, Hidalgo, Martínez y tres compañeros más que asistían a una reunión de sindicatos campesinos rojos en la ranchería de Tuzales, preparatoria del congreso que habría de celebrarse a fin de mes en el DF; fueron fusilados por soldados y pistoleros de los caciques. Dos días más tarde fue asesinado en Soledad de Doblado José María Caracas por dos oficiales del ejército acompañados por pistoleros de los latifundistas. El 31 de diciembre soldados obregonistas, durante cateo, acribillaron a balazos en San Ángel a José Chávez, secretario general de la Santa Teresa. Las matanzas de Veracruz provocaron la ruptura de la federación local con la CGT, puesto que la Central en Congreso desautorizó a los veracruzanos a intervenir en la represión al movimiento delahuertista. A pesar de las agresiones de ambos bandos, la CGT celebró el 26 de diciembre su III congreso en el DF con 82 248 representados, donde reafirmó su vocación «apolítica». «En plena dictadura», *Humanidad*, N° 10, 2 de febrero 1924. *Informe al secretariado de la AIT*, 24 de abril de 1924. *Bases de la CGT* documentos mecanográficos. *JCF a A. Barrera*, 2 de enero de 1924. Almanza/*Agrarismo*, XI-14-17 y 20. En la posterior propaganda comunista Fernández Oca, Caracas, Ballezo y los restantes anarcosindicalistas han sido señalados como miembros del PC, o ambiguamente como agraristas y jarochos, dando a entender su pertenencia a la LCAEV (en particular en el folleto de la LCAEV: *El agrarismo en México*); muchos autores contemporáneos han reproducido este error doloso.

11 Charlot/*Mexican*, p. 244.

12 Wolfe/*Rivera*, p. 234 y Loló de la Torriente/*Memoria y razón*, p. 229 (donde erróneamente los sitúa en el ataque a Puebla que se produjo el 23 de diciembre).

13 Informe de Marcos Licona al II Congreso de la LCAEV, Almanza/*Agrarismo*, XI.

14 LCAEV/*El agrarismo*, p. 40.

15 Almanza/ *Agrarismo*, XI-12-13.

16 Monroy/ *El último*, p. 453.

17 LCAEV/*El agrarismo*, p. 39.

18 B. D. Wolfe: «A new Page…», donde se hace eco de una información falsa aparecida en la prensa del DF en esos días sobre la captura y fusilamiento de Herón Proal (que algunos autores contemporáneos secundaron).

Proal, usando las redes del sindicato inquilinario, permaneció oculto en Veracruz durante toda la ocupación delahuertista. Todavía el 22 de enero, fuerzas militares que lo buscaban destruyeron la imprenta de la CGT donde se imprimía *Pluma Obrera* y asesinaron a Carlos Cruz. Almanza/ *Agrarismo*, XI-14.

19 LCAEV/*El agrarismo*, p. 24 y Almanza/ *Agrarismo*, III-38.

20 B. D. Wolfe: «Take the Road to the Left», *Liberator*, abril de 1924.

21 A Stirner: «Gobierno socialista y contrarrevolucionario. Las pérdidas del proletariado en la guerra civil», en *Correspondance Internationale*, Nº 21(traducción proporcionada por Polo Michel).

22 Almanza/ *Agrarismo*, XI-23.

23 Gill/ *Revolución y extremismo*, p. 632. Humberto Musacchio: «Carrillo Azpeitia, más de sesenta años en la lucha política», *Unomásuno*, 23 de agosto de 1983.

24 Almanza/ *Agrarismo*, XI-39.

25 Informes de Licona y Carlón al II Congreso de la LCAEV, Almanza/*Agrarismo*, XI.

26 Musacchio/ *Carrillo Azpeitia*.

27 Almanza/*Agrarismo*, XI-85-86. Desde el 12 de febrero el puerto quedó en manos del gobierno. Al llegar las tropas, Herón Proal salió de su escondite y organizó una manifestación que avanzó sobre El Dictamen disparando revólveres y tronando cuetes. Monroy/ *El último*, p. 158 y *NAW FA* (Colmex MP 138) 812.00/26987.

28 LCAEV/ *El agrarismo*, p. 37 y Almanza/*Agrarismo*, XI-77.

29 Ni estuvieron en la Batalla de Esperanza como algunos autores han sugerido, ni formaron un fuerte destacamento de guerrillas que hostigara a los militantes, ni participaron en la recuperación de Jalapa, ni persiguieron a las fuerzas de Guadalupe Sánchez en la retirada. Entre los veinte mil soldados que intervinieron en los combates en el Estado de Veracruz, los doscientos agraristas rojos, eran una gota de agua.

30 Apolinar Martines/ *Tapia*, pp. 129-130.

31 Versión de Soria, en Embriz/*La Liga y el PC*, pp. 19 y 20 y Friedrich/*Agrarian Revolt*, pp. 106 y ss.

32 *The Daily Worker*, 5 de febrero de 1924. No hay noticias de la local de Campeche que se vio en una situación similar a la de Mérida.

33 PIT II/Rogelio Vizcaíno: *El socialismo en un solo puerto*, Información Obrera-Extemporáneos, México, 1983.

34 B.D. Wolfe: «De la Huerta Gold is making Trouble in Railway Unions», *The Daily Worker*, 9 de febrero de 1924.

35 A. Bruschetta a JCV, 20 de enero de 1924.

36 F. Ríos a Orellana, 28 de enero de 1924.

37 *El Demócrata*, 15 de febrero de 1924.

38 *The Daily Worker*, 12 de febrero de 1924.

39 Suplemento del *Daily Worker*, 26 de abril de 1924.

SÉPTIMA PARTE

EL FRENTE ÚNICO «POR ARRIBA» Y «POR ABAJO»

Febrero - Diciembre 1924

1. CORRECIONES SECUNDARIAS A LA LÍNEA

Cuando la rebelión delahuertista tocaba su fin, el partido cubrió con un tupido velo de declaraciones su ruinosa situación política. Reducido a un puñado de militantes, «no más de un centenar de personas en todo el país»[1], aislado el comité nacional de las locales, muertos algunos de sus mejores militantes en Veracruz, destruida su local de Mérida, dispersas sus fuerzas, desconcertados muchos de sus afiliados por el viraje a la derecha de la política del Frente Único, sin influencia en el movimiento sindical en ningún punto del país, vivía uno de los momentos más difíciles en su ya difícil historia.

Ante el poder, el partido trató de cobrar su intervención en la rebelión y sacar alguna ventaja de ella, con declaraciones como: «El Partido Comunista arrojó todas sus fuerzas en el lado del gobierno mientras la rebelión duró»[2], trató de mostrar una fuerza muy diferente a la que en realidad poseía, mientas insistía en la alianza con agraristas y laboristas, en nombre de una nueva versión de la política de Frente Único bastante diferente de la que había mantenido hasta antes de la rebelión.

En estos meses se mantuvieron reuniones con la dirección de la CROM para ver si se realizaba una alianza cuyo objetivo sería revivir el movimiento inquilinario; se habló ampliamente de un frente electoral con agraristas y laboristas.

En un balance autocrítico realizado un año más tarde, el partido diría de sí mismo: «De un delahuertismo enteramente antiproletario y anticomunista, el comité ejecutivo anterior al actual reaccionó al otro extremo, hacia un callismo no menos burdo y anticomunista, del cual se salvó a última hora con el manifiesto *Hacia un gobierno obrero y campesino*.[3]»

El manifiesto, publicado el 20 de febrero de 1924[4], trataba de endurecer la posición del PCM ante el gobierno, muy debilitada por el manifiesto del sindicato de pintores editado en diciembre que apoyaba la candidatura de Calles[5].

Tras justificar la intervención del partido en la represión de la asonada delahuertista diciendo que se había hecho «no por considerar al gobierno algo perfecto, sino porque comprendimos que la reacción era infinitamente peor», criticaba a Obregón por haber mantenido la confianza en los generales reaccionarios Enrique Estrada y Guadalupe Sánchez, a los que había dejado al mando de un división, y por haber desarmado a los campesinos, y señalaba que esto era posible porque en México no existía como en Rusia un «gobierno obrero y campesino». El manifiesto, que no mencionaba la candidatura de Calles ni el apoyo del partido a esta, llamaba a construir el Frente Único a laboristas y agraristas para lograr este gobierno «obrero y campesino.»

El partido había falsificado la realidad de acuerdo a sus deseos. A partir de la coincidencia con agraristas y laboristas en la defensa del gobierno durante la rebelión delahuertista, fantaseaba con un proceso de izquierdización de los partidos de Morones y Soto y Gama del que no solo no existía ninguna prueba, sino que no tenía ningún viso de realidad. Agraristas y laboristas habían defendido durante la rebelión su situación de miembros del bloque obregonista gobernante y aspirantes a ser los hijos más favorecidos del gobierno de Calles. Reivindicando su lugar en el aparato gubernamental, como manipuladores y controladores por la vía fraudulenta y represiva si era necesario, de los movimientos obrero y campesino.

Sin embargo el partido quería ver otra realidad, y la encontraba en cualquier signo exterior, aunque este fuera puramente superficial y demagógico. Por eso, destacó ampliamente la decisión del gobernador agrarista potosino Aurelio Manrique de poner la bandera a media asta durante tres días de enero, en señal de luto por la muerte de Lenin[6].

La autocrítica de 1925 sería superficial; el manifiesto *Hacia un gobierno obrero y campesino* no solo no hacía que el partido abandonara el callismo «burdo y anticomunista», sino que ni siquiera lo señalaba, y depositaba la confianza del desarrollo partidario en un frente con los partidos triunfantes que no solo no estaban dispuestos a unirse a los comunistas, sino que estaban muy dispuestos a destruirlos a la primera señal de dar la lata que mostraran.

En un ámbito menos público que el de los manifiestos, el partido demostraba tener más confianza en que sus agraristas de Veracruz y Michoacán permanecieran armados, y en comenzar a reconstruir los nexos entre el CNE y las locales. En una carta del secretario nacional Gómez Lorenzo al secretario de la local michoacana Alfonso Soria, se decía:

> Si hay posibilidad de quedar con las armas en la mano en calidad de defensas o lago así, hay que aceptarlas, desde luego, teniendo siempre como punto de vista el armamento del mayor número posible de trabajadores. Pero siempre debemos evitar el aparecer como gobiernistas incondicionales; antes bien, estamos en el deber comunista de criticar en el gobierno todos los actos que juzguemos contrarios al interés de nuestra clase[7].

Curiosamente, en estos meses negros para el PC DE M habían surgido dos nuevos puntos de apoyo en provincia, en Puebla se mantenían buenas relaciones con Martín Paleta de la confederación sindical cromista y el partido iniciaba un trabajo allí después de un viaje de Díaz Ramírez; y en Tampico había resurgido un grupo de militantes afines al PC, proponiendo un proyecto de Frente Único localmente entre las organizaciones sindicales del puerto[8].

Sorprendentemente, el centro para este proyecto de crecimiento y de reorganización nacional surgiría de algo tan caótico como el sindicato de pintores, y tendría la forma de un periódico.

Notas al pie

1 *La Voz de México*, 18 de marzo de 1942.

2 B. D. Wolfe: «Take the Road to the Left», *Liberator*, abril de 1924.

3 *Informe sobre el* V *Congreso de la* IC, III *Congreso*, p. 28.

4 Reeditado en *El Machete*, Nº 1, primera quincena de marzo de 1924.

5 Reeditado en *El Machete*, Nº 7, segunda quincena de junio de 1924.

6 B.D. Wolfe: «Mexicans put Flags at half Mast for Lenin», *The Daily Worker*, 4 de febrero de 1924 y B.D. Wolfe: «Mexican Gobernor cuts Expenses by opening Prisions», *The Daily Worker*, 26 de febrero de 1924.

7 R. Gómez Lorenzo a A. Soria, 9 de marzo de 1924, Embriz-León/*Documentos*, pp. 133-135.

8 *Humanidad*, Nº 11, 16 de febrero de 1924.

2. EL FILOSO INSTRUMENTO

El 13 de marzo de 1924 nació *El Machete*, un periódico de cuatro páginas que prometía ser quincenal, órgano del sindicato de pintores. Su dirección colectiva estaba integrada por Diego Rivera, Siqueiros y Xavier Guerrero; lo administraba Graciela Amador, compañera de Siqueiros, y colaboraba en la redacción Jorge Piño Sandoval. Su tiraje era de tres mil ejemplares[1].

Bajo el grabado en madera de un puño empuñando un machete en cuya hoja se leía el título del periódico una cuarteta:

> *El machete sirve para cortar la caña*
> *para abrir las veredas en los bosques umbríos*
> *decapitar culebras, tronchar toda cizaña*
> *y humillar la soberbia de los ricos impíos.*

Los versos eran fundamentalmente de Graciela Amador, aunque habían participado en su forma final todos los miembros del equipo de *El Machete*.

El equipo de colaboradores que se mantuvo en los primeros cuatro números estaba integrado por Bertram Wolfe y el profesor universitario marxista de origen alemán Alfonso Goldschmidt[2].

El primer editorial firmado por Xavier Guerrero utilizaba un lenguaje bastante sofisticado para atacar a los intelectuales europeizantes, hacía una vaga declaración de ponerse al servicio del movimiento popular y se declaraba a favor de la educación social del arte y la educación racional; para culminar con el lema «Obreros y campesinos del mundo uníos», que parecía un tanto fuera de lugar al calce de esa presentación[3].

Los nexos del sindicato con el PC DE M no se ocultaban. En la página 1 aparecía el manifiesto «Hacia un gobierno obrero y campesino». Pero estos nexos (más con una organización que con un proyecto político) se diluían en ese número 1 donde aparecía un farragoso artículo de Siqueiros sobre los conceptos artísticos del sindicato de pintores, un largo texto de Wolfe sobre Gandhi y la lucha social en la India, un artículo indigenista de Gómez Robelo y una apología de Carrillo Puerto firmada por Diego Rivera, además de un «rollazo» sobre la ética proletaria del escritor «NN» y un editorializante texto de Goldschmidt titulado: «¿Qué es la revolución?[4]»

El periódico había sido diseñado para convertirse en cartel y poder ir a los muros:

> El machete era impreso en formato múltiple, esto es, de grandes proporciones. Mayor que los periódicos burgueses de gran circulación [...] permitía fijarlo como *affiche* en los muros de las calles y como periódico de pared en los centros de trabajo, lo mismo que en los locales sindicales y agrarios. Para que esto fuera posible lo imprimíamos de derecha a izquierda [...] Lo imprimíamos a dos tintas, rojo y negro, lo que nos permitía darle una gran vivacidad de color[5].

Paradójicamente en los primeros números, la gráfica no estaba presente en el diario, que se llenó de artículos apenas ilustrados. Lo que podría ser la aportación más importante del sindicato no aparecía en el quincenario; los pintores sindicalizados querían el diario para escribir en él, no para grabar o ilustrar ideas; para esto tenían sus muros.

El número 2, salido a fines de marzo, incluía otros tres artículos de Rivera, Goldschmidt y Wolfe, que aunque se mantenían en el ámbito de las ideas abstractas, habían superado la dispersión inicial del primer número[6].

Y ya en el número tres, la problemática campesina emergía en el periódico con tres artículos de Rivera, Wolfe y un anónimo corresponsal de Veracruz (probablemente Almanza)[7].

Al fin, el partido tenía un periódico regular. El sindicato de pintores con los dineros de Rivera, Siqueiros y Guerrero, más los ocasionales sablazos a sus restantes compañeros de trabajo, proporcionaba una base económica estable al diario[8]. Graciela Amador, que oficiaba como administradora y cobradora, había compuesto un verso para los contribuyentes: «*El que quiera su rojo celeste, que le cueste*»[9]. El mismo pequeño equipo ponía la cuota de trabajo, que no era poca, para realizar el diario y distribuirlo:

Xavier Guerrero cuenta:

«Pasábamos noches enteras escribiendo, dibujando, grabando en maderas (sin saber hacerlo) [...]. Nosotros mismos empaquetábamos los periódicos, distribuíamos la edición y la fijábamos en las paredes antes de amanecer.[10]»

Pero a pesar del esfuerzo, la experiencia no resultaba muy satisfactoria en las primeras ediciones. El periódico era muy acartonado, no se definía ante el tipo de lectores que estaba buscando, encontraba la salida en el tono editorializante y no informaba de los acontecimientos que según la óptica del partido afectaban al movimiento popular; estaba muy lejos de los conceptos leninistas del «organizador colectivo» o del «orientador ideológico». Pero evolucionaba rápidamente, buscaba meterse en la lucha de clases y no contemplarla, y su equipo de redacción aprendía pronto. Con todos sus defectos originales, existía, y esto, para un partido en una situación angustiosa, víctima de una debilidad política crónica, significaba una importante oportunidad que no se dejó pasar.

NOTAS AL PIE

1 *El Machete*, Nº 1, primera quincena de marzo de 1924. Siqueiros/ *Coronelazo*, p. 193. Testimonio de Rafael Carrillo en Adys Capullo: *Julio Antonio Mella en los mexicanos*, Editorial El Caballito, México, 1983. «Tres años de dura lucha», *El Machete*, Nº 61, segunda quincena de marzo de 1927. «Organicemos comités pro Machete», *El Machete*, Nº 106, 17 de marzo de 1928.

2 Que además de colaborar en los primeros números de *El machete*, realizó algunos estudios teóricos sobre la estructura agraria en México.

3 Xavier Guerrero: «Propósitos», *El Machete*, Nº 1, primera quincena de marzo de 1924.

4 Para ilustrar el peor tono del contenido de *El Machete*, esta cita de Goldschmidt: «La cultura técnica es la reunión de materias muertas, el último amontonamiento unánime alrededor del objeto técnico.»

5 Siqueiros/ *Coronelazo*, pp. 219-219.

6 B.D. Wolfe: «Evolución contra revolución», A. Goldschmidt: «La teoría soviética, Marx y Lenin» y D.I. Rivera: «Fíjate, trabajador», *El Machete*, Nº 2, segunda quincena de marzo de 1924.

7 *El Machete* ingresó a la línea de la información popular por la vía campesina, y como tema central con la consigna de impedir el desarme agrario. Se hablará de estos tres artículos en capítulos siguientes.

8 Wolfe/ *Rivera*, p. 176.

9 Charlot/ *Mexican*, p. 246.

10 Xavier Guerrero: «*El Machete* dejó inmensa huella», *La Voz de México*, 20 de marzo de 1962.

3. PCM. CALLES PARA PRESIDENTE

A mediados de abril, el Partido Comunista presentó un programa mínimo al candidato presidencial Plutarco Elías Calles como condición para apoyarlo en su próxima campaña electoral. El programa consistía en la petición de la reglamentación del artículo 27 y del 123, junto con los dos bloques de demandas obreras y campesinas. Entre las campesinas, las principales eran: derecho a portar armas para los agraristas, dotación de tierras según el sentir de cada comunidad (colectivización o reparto), escuelas agrícolas, refacciones a los campesinos, centros de compraventa de productos agrícolas, red de caminos secundarios. Entre las demandas obreras: seguro obrero, reparto de utilidades, salario mínimo industrial, asistencia médica y medicinas, Ley Inquilinaria.

A estas se añadían: respeto al derecho de huelga, la petición de una ley sobre inviolabilidad del domicilio social de cualquier agrupación, y otra contra el uso del ejército y la policía en las huelgas[1].

Diego Rivera fue el comisionado para llevar a Calles la proposición del partido:

> Halló al candidato ante rueda de amigos entre los que estaban Luis Morones, Aurelio Manrique, Antonio Díaz Soto y Gama, Luis León y otros. Calles, estirando una pierna como una magnífica pantera, le dijo al pintor: «De nada de eso tengo miedo [...] para hablar corto y claro —dijo mirando a la rueda de amigos— le diré a usted esto, Diego: si usted tuviera sobre sus hombros mi cabeza y yo tuviera sobre los míos la suya [...] ¡No pensaríamos más parecido![2]»

Los comunistas interpretaron la aceptación de Calles a su programa mínimo como la posibilidad de tener un espacio en el frente electoral gubernamental. Por cierto, el programa no era nada ambicioso en una época en que electoralmente las promesas y la demagogia abundaban, y Calles juraba en Orizaba envolverse en la bandera roja del proletariado.

En esos días, Calles respondió a un reportero de *El Demócrata* cuando le preguntó por el bolchevismo mexicano: «[...] a las corrientes impetuosas es necesario guiarlas, hallar cauce que las discipline y contenga, convirtiéndolas, de agentes de destrucción en elementos útiles e inofensivos.[3]»

Para cualquiera que supiera leer, estaba claro: el callismo ofrecía un espacio político a los comunistas en su seno, la única condición era que fueran «útiles e inofensivos.»

Días más tarde se inició la conferencia nacional del PCM.

NOTAS AL PIE

1 «Conferencia del PCM», *El Machete*, N° 5, primera quincena de mayo de 1924.

2 De la Torriente / *Memorias*, p. 238.

3 *El Demócrata*, 18 de abril de 1924.

4. CONFERENCIA NACIONAL

El 25 de abril de 1924, el comité nacional ejecutivo se reunió en una conferencia ampliada. Aunque el orden del día no lo reflejaba, se trataba de un ajuste de cuentas con la vieja dirección nacional y en particular con Díaz Ramírez y Gómez Lorenzo. Siguiendo la tradición, el partido se reorganizaba ante cada una de sus múltiples crisis con una reunión o un congreso. En este caso, la reunión nacional jugó el papel de un congreso y no solo perfiló la línea futura del partido, sino que cambió a sus dirigentes nacionales. No hay información de quiénes fueron los invitados a la reunión ampliada, ni de cuántos fueron los participantes, pero sí se sabe que la Internacional Comunista envió un delegado a la conferencia, el dirigente comunista norteamericano Jay Lovestone[1], quien participó en los debates.

El orden del día original planteaba cinco puntos: un informe de Galván y de Carrillo sobre los congresos de las internacionales campesinas y juvenil celebradas en Moscú a las que habían asistido como delegados; un amplio informe de Bertram Wolfe sobre el «Imperialismo y la organización comunista panamericana»; un debate sobre el Frente Único; la elección de delegados al v Congreso de la Internacional Comunista que habría de celebrarse en Moscú dos meses más tarde, y un apartado para debatir el «fascismo y el terror blanco.[2]»

La reunión, que duró siete días, hizo un balance de la situación del partido, cuyas conclusiones fueron las siguientes:

> 1. Dislocamiento del partido. Desconcierto y confusionismo en el CNE.
> 2. Ruptura orgánica entre las locales y el cuerpo central.
> 3. Una fuerte corriente oportunista marcada por la política social-oportunista del CN ante la rebelión central.

> Los efectivos del partido estaban reducidos a su más mínima expresión. Nunca las expresiones irónicas de nuestros detractores tuvieron mejor aplicación. La destrucción de varias locales por la revuelta delahuertista (Veracruz, Yucatán, Michoacán, etc.). La cotización reducida a cero. El movimiento revolucionario había asestado un duro golpe a los riñones del partido. Los fondos existentes en la tesorería eran de $2.50[3].

La crisis de la Tesorería era un reflejo de la situación del grupo de militantes que «a causa de la situación económica creada por la pasada revuelta [...] estaban empobrecidos, trabajando jornadas mínimas, etc.[4]»

Bertram Wolfe dirigió el golpe central contra la vieja dirección, y consolidándose como el ideólogo del partido con su trabajo sobre el imperialismo y unas tesis sobre la cuestión agraria, adquirió mayor autoridad aún. Hubiera sido el secretario nacional de la organización, pero siguiendo la tradición, se eligió a un mexicano, y este fue Rafael Carrillo Azpeitia, recién regresado de Moscú, dirigente de las Juventudes durante los años 1921 y 1922, y que se caracterizaba más por su disciplina que por su habilidad teórica u organizativa; Carrillo sería sin lugar a dudas durante 1924, el hombre de Wolfe. El resto del comité quedó compuesto por dos miembros del equipo viejo de la ex JC, uno de ellos el ferrocarrilero, compañero de cuarto de Carrillo en ese momento e impresor de *El machete*, Juan González, que ocupó la Secretaría sindical, y el otro metalúrgico, Carlos Becerra, que ocupó la secretaría de la Juventud Comunista; el mismo Wolfe quedó a cargo de prensa y publicidad, y dos miembros de los que poco se sabe, Juan Martínez y Roberto Hernández (secretario de la local de Veracruz) ocuparon respectivamente la secretaría de organización y la tesorería; por último, Úrsulo Galván fue nombrado secretario agrario. Como suplentes del comité quedaron Díaz Ramírez, Manuel Almanza, Diego Rivera y Luis Vargas Rea[5].

Con el reajuste se pasaba de un comité de cinco miembros a uno de siete con cuatro suplentes. Además de Díaz Ramírez y Gómez Lorenzo (la mancuerna que había dirigido el PC desde 1921), también Diego Rivera dejaba el comité, con Allen y Mallén. Los tres últimos más por sus inasistencias y falta de trabajo que por motivos políticos. A pesar de que se había desplazado a los dos principales dirigentes del partido de la etapa anterior, Díaz Ramírez se conservaba como suplente y Rosendo Gómez Lorenzo pasó a ser el responsable del partido en el interior de la redacción de *El Machete*. Por cierto que en este pleno el sindicato de pintores ofreció el periódico al partido y por falta de fondos este decidió que no podía aceptarlo, y aunque aumentó se presencia orgánica dentro del periódico, *El Machete* siguió siendo órgano del sindicato[6].

La conferencia no modificó la línea de apoyo electoral a Calles basada en el programa mínimo que había adoptado el anterior comité.

En los cambios en la línea política, el más significativo fue que mientras se adoptaba una cautelosa política de acercamiento al laborismo, se acordaba formar núcleos comunistas dentro de los sindicatos de la CROM, persistir en la línea de intervención electoral, fortalecer la política agraria basada en la defensa de los núcleos agraristas armados y operar con cobertura de otras organizaciones en algunos estados.

El partido en los últimos meses había participado en Michoacán dentro del Partido Socialista Michoacano y andaba promoviendo la formación de un partido campesino; en Yucatán se había trabajado dentro del Partido Socialista del Sureste; en Veracruz se proponía trabajar dentro y cerca del Partido Veracruzano del Trabajo; se había iniciado el entrismo en el Partido Agrarista de San Luis Potosí y en el Partido Agrario Oaxaqueño.

Wolfe fue nombrado delegado del Partido Comunista para el V Congreso de la IC, y sus tesis sobre el imperialismo consumieron buena parte de la discusión interna, más como lectura formadora que como un debate, para luego ser publicadas íntegras en *El Machete*[7].

En palabras del propio partido, el nuevo comité tenía enfrente «un trabajo de romanos», y cualquier cosa menos una línea clara. Contaba con un pequeño grupo de trabajadores, con una cierta presencia en el movimiento campesino en dos estados, y con un periódico de salida regular que podía colaborar a darle forma a sus fuerzas dispersas en todo el país. La situación no era muy halagüeña.

NOTAS AL PIE

1 Alexander / *Communism*, p. 323.

2 *El Machete*, Nº 5, primera quincena de mayo de 1924.

3 «1924: Balance político del Partido Comunista de México», *El Machete*, Nº 28, 8-15 enero 1925.

4 Ibídem.

5 Informe CNE, *III Congreso*, p. 3.

6 Humberto Musacchio: «El Marx nuestro de cada día», *Nexos*, Nº 54, junio de 1982, citando una entrevista con Carrillo Azpeitia.

7 «El trabajo, imperialismo y panamericanismo» se publicó en *El Machete*, Nº 6, 8, 10, 12 y 13, y aunque B. Wolfe abjuraría de él muchos años después por considerarlo «muy marxista», era una interesante reunión de información sobre el peso de las inversiones norteamericanas en América Latina, y cómo habían desplazado a los capitales europeos. De ahí se extraía la lección de que la revolución latinoamericana debería chocar con el imperialismo yanqui.

5. «EL AGRARISMO EN PELIGRO»

Al mismo tiempo que terminaba la conferencia de abril, *El Machete* publicó un artículo de Bertram Wolfe titulado «El agrarismo en peligro»[1], que exponía el programa de lucha agraria del partido y de las Ligas bajo su dirección:

Los nueve puntos del proyecto insistían en la necesidad de colectivizar la tierra, de impedir la fragmentación de los latifundios que se repartieran, de dotarlos de tractores, semillas, derecho de aguas, créditos, etcétera.

Ponía en duda la necesidad de entregar la tierra en pequeñas parcelas, y en el caso de que tal cosa sucediera, decía que el gobierno debía dotar a las comunidades de maquinaria común.

Señalaba que la dotación no debería ser provisional, sino condicionada a que el campesino mantuviera o superara la productividad de la tierra del latifundio expropiado. Sugería la necesidad de crear cuerpos de agrónomos viajeros que enseñaran los métodos modernos de cultivo a gran escala y pedía al gobierno el establecimiento de comunidades modelo en toda la República.

Llamaba al partido a hacer «una intensa propaganda comunista y contra la pequeña propiedad y a favor del cultivo extenso cooperativo» y terminaba así:

> Para impedir la incertidumbre de los movimientos reaccionarios y los atropellos de los terratenientes armados, cada campesino y cada comunidad deben ser armadas, pero no en pequeña escala, cosa que nada vale contra cuartelazos militares, equipados con ametralladoras, cañones y otros implementos guerreros, sino que cada comunidad debe tener sus propias ametralladoras, parque, etc. [...] en gran escala.

El proyecto era francamente idílico, el movimiento no estaba en situación de exigir armas, sino francamente a la defensiva ante una nueva arremetida de los caciques.

La situación era sintomática en Veracruz. Mientras las fuerzas agraristas organizadas en el Batallón 86 permanecían custodiando Carrizal, los Lagunes volvían a hostilizar a los campesinos del Istmo, y asesinaron a Lino Rodríguez en el Arenal, luego saquearon e incendiaron cincuenta y cuatro casas en Santa María Tatetla[2]. La local de Veracruz informaba que los «rendidos» actuaban con total impunidad:

> Los asesinos de Fernández Oca se pasean por el lugar de su crimen [...] El coronel turco Karahan, terrateniente y ganadero, está tan insolente y agresivo como antes [...] Un coronel hispano llamado Gómez sigue haciendo de las suyas [...] Está por llegar Otilio Franyutti a tomar pasaje para Europa; asesino de Rodríguez Clara y Feliciano Ceballos [...] Hace pocos días en el Burro, este mismo degenerado paseó a una mujer desnuda por las calles y luego le cortó los pechos [...] Lino Lara el atormentador y asesino de Cardel está gestionando la rendición y entre tanto se pasea tranquilo [...] Loyo, el general de los terratenientes coopera (?) en la campaña contra Guadalupe Sánchez[3].

En su mensaje, la local constataba que los agentes de los hacendados que habían intervenido activamente en la rebelión habían vuelto por sus fueros ante la pasividad de las tropas federales.

Galván no había estado permanentemente inmóvil en Carrizal y de vez en cuando el Batallón 86 hizo alguna escapada para «enviar al cielo» a algunos destacados terratenientes o sus guardias blancas. En una de sus correrías atacó a un grupo de guardias en el Mirador y los derrotó. El latifundista suizo Groham lo denunció acusándolo de saqueo, y fuerzas federales detuvieron al dirigente comunista. Gracias a las presiones de la Liga unidas a la intervención de Tejeda, fue liberado[4].

A pesar de la liberación de Galván, la acción de las fuerzas federales mostraba bien a las claras que la vieja y estable relación entre el ejército y los latifundistas, se restablecía rápidamente.

El Machete insistió en la campaña contra el desarme[5] y a mediados de mayo publicó un excelente cartel dentro de sus páginas, con un eslogan muy breve: «El que no sabe conservar el rifle no merece conservar la tierra.»

Paradójicamente, los mejores cuadros de la Liga tenían su rifle en las manos y permanecían organizados militarmente dentro del Batallón 86, pero también estaban militarizados y sus movimientos limitados, así como también estaban limitadas sus posibilidades de extender la organización y capitalizar las derrotas de las guardias blancas.

Después de la rebelión, para cubrir la baja de Cardel, el Comité de la LCAEV se reorganizó y Díaz Ramírez pasó a ocupar la secretaría[6], pero el problema no era administrativo, ni siquiera organizativo, sino más bien político-militar.

En julio de 1924, se produjo un nuevo choque que fue denunciado violentamente por los comunistas en *El Machete*, cuando el día 8, fuerzas al mando del capitán Sarmiento desarmaron a una partida agrarista de Maltrata y fusilaron a Francisco López, presidente municipal, Cecilio Teran , presidente del comité local agrario, y cinco campesinos más[7].

No mucho mejor era la situación de los agraristas michoacanos. El gobernador Sánchez Pineda al tomar nuevamente el poder había desatado la persecución contra los agraristas rojos. El intento de realizar una convención en Michoacán fue impedido y muchos delegados fueron detenidos, entre ellos Primo Tapia, acusado de delahuertista. Las defensas sociales se mostraron muy activas y aumentaron los asesinatos y las detenciones[8].

La convención de los michoacanos tuvo que celebrarse en Acámbaro, Guanajuato, entre el 15 y el 19 de abril. Había sido convocada conjuntamente por la Liga de Comunistas y Sindicatos Agrarios y por la Federación de Sociedades Obreras y Campesinas de la CROM[9]. En la local se había discutido si la Liga debería adherirse a la CROM dentro de la política de Frente Único que la dirección del partido estaba impulsando desde el DF. Primo Tapia, que estaba huido, y luego encarcelado, no pudo participar en las reuniones de la local ni en el Congreso. La Local adoptó la posición de incorporar la liga a la CROM con «salvedades», misma que fue aprobada por el comité nacional. Al congreso de Acámbaro solo llegaron veinticinco comunidades. En las intervenciones, los miembros de la local,

Reséndiz y Rosales no expresaron las «salvedades» y chocaron públicamente con Soria; finalmente se aprobó la adhesión, que fue duramente criticada por Primo Tapia, quien tan pronto quedó libre la deshizo porque la mayoría de los pueblos estaba en contra[10].

Mientras el programa agrario de Wolfe ponía el acento en luchar porque el reparto fuera colectivo y no parcelario, y pedía ametralladoras para las comunidades. Los dos organismos de masas en los que el PC influía, luchaban por su supervivencia y por poder reorganizarse para pasar a la ofensiva.

En lo único en que coincidían ambas situaciones era en el título del artículo de BDW: «El agrarismo en peligro.»

NOTAS AL PIE

1 *El Machete*, N° 3, primera quincena de abril de 1924.

2 Almanza/ *Agrarismo,* XIV-2 y 3.

3 «Los crímenes de los rendidos en Veracruz», *El Machete*, N° 3, primera quincena de abril de 1924.

4 «Una fechoría rebelde en Veracruz», *El Machete*, N° 6, primera quincena de junio de 1924.

5 «Sigue el desarme de campesinos», *El Machete*, N° 5, primera quincena de mayo de 1924.

6 LCAEV/ *El Agrarismo*, p. 81.

7 Informe de la local comunista de Orizaba: «Cómo fueron asesinados los soldados agraristas en Maltrata», *El Machete*, N° 8, segunda quincena de julio de 1924.

8 «La dictadura burguesa en Michoacán», *El Machete*, N° 6, primera quincena de junio de 1924.

9 Sánchez/ *Movimiento socialista*, pp. 66-67.

10 Informe CNE, *III Congreso*, pp. 14-15.

6. EL VIRAJE DEL MACHETE

Si la situación en el campo no era buena, en algunas ciudades, no estaba pasando por mejores momentos el partido[1]. En el puerto de Veracruz el PC rompió definitivamente los frágiles nexos que le unían a Herón Proal y el SRI. El 5 de abril de 1924, Julián García, Porfirio Sosa, Arturo Bolio, Rafael Cruz y el resto del comité local retiraron su reconocimiento a Proal acusándolo de malversación de fondos[2].

Bolio cuenta:

> [...] desconocimos a Herón Proal por su mala actuación, y porque prácticamente demostró ser lo contrario de lo que él ha propagado, al principio fue enemigo de la propiedad privada, no había ni grande ni pequeña que fuese bien adquirida. Siempre dijo: «La propiedad es un robo»; hoy sustenta un criterio bien distinto, tiene auto (Overlan), sus casas propias, terrenos y una fuerte fortunita sindicalista revolucionaria [...] A raíz de haber desconocido al falso *mesías* muchas dificultades y tropiezos tuve que vencer. Se pretendió asesinarme por una ocasión.[3]

La ruptura definitiva con Proal dejó al partido en muy malas condiciones. La local quedó desarticulada («Es difícil reorganizarla con visitas continuas del secretario nacional»). Además se produjeron choques internos, y el partido expulsó a Barrios por «conducta bochornosa en su sindicato» y «actitud en la lucha contra Proal[4].»

En el balance realizado a fines de ese año, el comité nacional reseñaba:

> La local de Veracruz en la cual teníamos puestas nuestras esperanzas, decaía día con día [...] Un serio colapso se sentía en todo el partido,

> En Michoacán la local no se reorganizaba. En Tampico la efervescencia del periodo preparatorio de las grandes luchas, distraía la atención de los comunistas de la región. Sin fondos, con escasas conexiones, el comité limitó su trabajo a no interrumpir las comunicaciones y a dar al periódico *El Machete* una trayectoria cada vez más a la izquierda. Sin embargo, todos sus redactores no comprendían aún la necesidad de ser más izquierdistas que las circunstancias políticas[5].

Ciertamente, la transformación en *El Machete* comenzó a sentirse desde el número 5 con la inclusión de Rosendo Gómez Lorenzo en la redacción. No solo se multiplicaban los temas sobre las luchas obreras y campesinas, sino que formalmente el periódico se hacia más accesible. Su gráfica mejoraba con grabados de Siqueiros, Xavier Guerrero y Amado de la Cueva. En sus páginas emergían carteles y corridos. Aparecían colaboraciones que llegaban desde las zonas en lucha (Monterrey, Nayarit, Tampico[6]), en particular se daba una amplia cobertura a la huelga del Águila, donde los comunistas participaban con algunos militantes dirigidos por Turrubiates y Cruz, miembros del comité sindical; y de la huelga de julio en Orizaba donde la CROM se lanzó en un gran movimiento por la nivelación de salarios impuesto por las asambleas y con una pequeña presencia de la local del PCM[7].

Gómez Lorenzo impulsó un par de campañas desde las páginas del diario de cuyo comité responsable formaba parte con Siqueiros y Guerrero en sustitución de Rivera, desde el número nueve (3-9 de agosto de 1924): la campaña contra la llegada a México de la nave Italia y la campaña contra los asesinos de los agraristas de Maltrata[8], e inició dentro del diario un estilo de denuncia/campaña permanente que el periódico habría de conservar durante sus primeros años.

De los primeros meses de 1924 a agosto, la línea sindical se había venido transformando. En la medida que los comunistas participaban en el movimiento, sus acuerdos se desvanecían para dejar paso a posiciones más radicales. De la esperanza de poder establecer un Frente Único con un laborismo supuestamente radicalizado tras la rebelión delahuertista, se había pasado a la proposición del Frente Único contra las direcciones laboristas. Se chocó contra la CROM en Michoacán a pesar de la dirección nacional del PC, y se chocó violentamente contra ella en Tampico, cuando vendió el movimiento del Águila[9]. Se chocó con ella al impulsar el Frente Único tampiqueño y al denunciar la intervención de los cuadros del Grupo Acción en el freno de la huelga de Orizaba. De posibles candidatos a la unidad, o al menos incómodos compañeros de viaje, pasaron a ser los «líderes amarillos», «los traidores», «los falsos líderes» de siempre.

La CROM dirigida por el Grupo Acción, no había cambiado sustancialmente de posición, como haría meses más tarde al ingresar al gobierno y derechizarse mucho más todavía. Sus comportamientos políticos de freno a las luchas, limitación del movimiento al terreno económico por la base y conciliación por las alturas, aislamiento de los conflictos entre sí, conciliación política con las instancias gubernamentales, consolidación de una camarilla de líderes por arriba de la estructura sindical en la Federación Local o Regional que manejan las negociaciones como propias, debilitamiento de la asamblea como instancia de decisión... Las mismas prácticas del sindicalismo conciliador que se desarrollaban desde 1918 y se consolidaron desde 1921.

Pero el partido, si bien choca por su derecha con la CROM, no se acerca por su izquierda a la CGT, a la que persiste en ignorar a pesar de que la central anarcosindicalista dirige en 1924 varios enfrentamientos violentos y de masas contra el obregonismo. Las luchas de los cegetistas son ignoradas por el PC DE M, que se mueve en este nivel de la política «real» que se ha establecido en las palabras y que trata de ajustar en una realidad en al que no tiene fuerzas para intervenir.

La única confluencia de la izquierda roja, se produce en torno a la campaña contra la llegada a México de la nave Italia. El barco enviado como embajada publicitaria por el gobierno de Musolini es el objeto de las iras del PC DE M y la CGT que llaman a boicotearlo. El PC le dedica tres artículos y un número extra completo de *El Machete*[10]. La campaña común (pero separada, ambas fuerzas parecen ignorarse mientras multiplican las mismas consignas, unos en *El Machete* y otros en *Humanidad y Nuestra Palabra*) terminan con una débil manifestación en el DF, un reparto de propaganda bajo represalia policiaca en Veracruz y una manifestación en Tampico. Quizá lo más exitoso en toda la movilización, que no tiene mayor eco porque el fascismo es poco comprendido por un movimiento obrero que no lo ha vivido, es el cartel con que el partido termina la campaña, donde Orozco muestra en un grabado a un grupo de intelectuales, entre los que destaca Salvador Novo tocando las nalgas de uno de sus compañeros, y Siqueiros le pone el siguiente pie de grabado: «Los perros fachistas. Mancebos eruditos y poetas, corresponsales de periódicos burgueses y comisionados por algunas secretarías de Estado para agasajar a sus cuates de la nave Italia, a su vuelta de Veracruz se reúnen para hacer añoranzas.[11]»

Si bien *El Machete* registra en esos meses que van de abril a julio un cambio en la línea sindical del partido, no lo hace en la actitud de este hacia Calles y las elecciones presidenciales. La apología callista alcanza niveles de aberración en el número siete del periódico (segunda quincena de junio) cuando se dice que Calles «interpretará favorablemente a los obreros y campesinos los artículos 27 y 123 de la Constitución»; y en el grabado de Xavier Guerrero que ilustra el texto se lee bajo una imagen de Calles: «Amigo del trabajador. Una fuerza del porvenir»[12]. El 6 de julio de 1924 en las elecciones para la Presidencia, Calles derrota abrumadoramente a su oponente el general Flores. El partido cierra la campaña en la que no ha tenido ninguna intervención significativa, con un artículo donde señala que «comprobamos con la actitud de todo el proletariado nacional que no hubo imposición del gobierno en las ultimas elecciones», y aunque advierte que «no habrá democracia mientras existan explotadores y explotados» y que el gobierno rompió su imparcialidad al continuar el desarme de agraristas, prevé la posibilidad de un nuevo golpe militar y anticipa que los comunistas estarán con el candidato «no por él ni por su camarilla, sino en defensa propia»[13]. El artículo si bien no hacía una caracterización clasista del triunfo de Calles, al menos abandonaba el tono de loa con el que *El Machete* lo había tratado anteriormente. Era un anuncio de tiempos por venir.

Notas al pie

1 Hay que tomar en cuenta que a causa de la rebelión delahuertista, los comunistas vieron paralizado todo su pequeño trabajo popular en Veracruz, Morelia, Mérida, Puebla y Tampico.

2 Acta de la local en el archivo de Almanza, citada por Fowler/ *Orígenes obreros*, p. 255.

3 Arturo Bolio a JCV, 17 de octubre de 1924.

4 *III Congreso*, p. 9.

5 1924/ *Balance político.*

6 «Nayarit, feudo de la casa Aguirre», «La cervecería Cuauhtémoc contra los obreros», *El Machete*, Nº 7, segunda quincena de junio de 1924 y Gregorio Turrubiates: «Los obreros del Águila, Tampico y la compañía el Águila», *El Machete*, Nº 6, primera quincena de junio de 1924.

7 En los últimos días de julio y los primeros de agosto de 1924, doce mil hilanderos de Orizaba a los que secundaron trabajadores de otros gremios fueron a la huelga general por nivelación de salarios. La huelga fue tan dura como la que habían sostenido los trabajadores de la región cinco años antes, y duró hasta el 12 de agosto. La CROM se vio desbordada por los acuerdos tomados en las asambleas y estuvo a la cola del movimiento. El partido, apoyándose en la local y en el grupo Propaganda Roja, intervino en la lucha con un trabajo básicamente de denuncia y propaganda dirigido por Ignacio González, Doroteo Hernández, Mauro Tobón y E. Marín. El CNE calificó la intervención como: «Buen trabajo de la local de Orizaba en pleno cuartel general amarillo», 1924/ *Balance político.* María Luisa Serna: *Las luchas obreras en 1924. El Machete*, Nº 9, 17 y extra del 10 de agosto de 1924.

8 Local Comunista de Orizaba: «Cómo fueron asesinados los soldados agraristas de Maltrata», *El Machete.* Nº 8, segunda quincena de julio de 1924. El 8 de julio de 1924 una partida militar encabezada por el capitán José Sarmiento, tras desarmar a un grupo de irregulares agraristas, ordenó su fusilamiento. *El Machete* mantuvo una campaña permanente de denuncia insertando una nota en todas sus ediciones en la que se pedía que se juzgara a los asesinos.

9 «Sigue en pie la huelga del Águila. Pese a la traición de los amarillos», *El Machete*, Nº 7, segunda quincena de junio de 1924.

10 *El Machete*, Nº 8, 10, 11 y extra del 18 de agosto de 1924.

11 *El Machete*, Nº 11, 25 de agosto-4 de septiembre de 1924.

12 *El Machete*, Nº 7, 2ª quincena de junio de 1924.

13 «Al margen de las elecciones celebradas el día 6», *El Machete*, Nº 8, segunda quincena de julio de 1924.

7. WOLFE A MOSCÚ

En mayo de 1924, el delegado del Partido Comunista de México para el V Congreso de la Internacional Comunista, Bertram D. Wolfe, abandonó la Ciudad de México. Su designación la había ganado en una lenta lucha interna iniciada en los últimos meses de 1923, de la que había salido triunfante y estaba avalado por un trabajo teórico muy original, su investigación sobre el imperialismo norteamericano y América Latina que se publicó en *El Machete* meses más tarde. Esto no significó que el viaje fuera fácil. En principio no había dinero, y hubo que sablear a amigos y desconocidos. Diego Rivera le prestó una parte, otros compañeros hicieron sus aportaciones e incluso consiguió dinero adelantado de un coleccionista de timbres postales, que le pidió una serie conmemorativa de la muerte de Lenin. Luego siguieron las dificultades para hacerse con un pasaporte, que resolvió con un certificado de nacimiento de Luis Vargas Rea y un favor del ministro Genaro Estrada, ante el cual Diego Rivera intervino. Luego el permiso en el trabajo en la SEP que Vasconcelos le concedió de buena manera. Así, convertido en Luis Vargas y Braun, Wolfe salió para Nueva York.

En Nueva York recibió un nuevo préstamo del Partido Comunista Norteamericano, y trabajando en un barco llegó hasta Copenhague. De ahí tomó un tren para enlazar con Berlín, en donde lo esperaba su contacto de la Comentern. Durante su viaje a Rusia desde Hamburgo, conoció a otros dos pasajeros que iban al congreso de la IC, el español Isidoro Acevedo, dirigente minero del PC, y Manabendra Nath Roy[1].

Las miserias de Wolfe terminaron con su arribo a Moscú, cuando como delegado al congreso de la Comintern, recibió vales para tres comidas al día en el hotel Lux. Había llegado a tiempo para participar en las últimas reuniones del comité ejecutivo ampliado de la IC que precedieron el V congreso.

> Allí pude conseguir que se adicionara a la orden del día del congreso el problema de la América Latina. Fui nombrado miembro de las siguientes comisiones: la cuestión latinoamericana, la cuestión inglesa; la cuestión americana, la comisión agraria, la comisión sobre cuestiones nacionales y coloniales; la comisión de organización; la comisión sindical y la comisión de propaganda. Dediqué mi atención principalmente a la comisión sobre las cuestiones nacionales y coloniales, a la latinoamericana y a la agraria[2].

El congreso duró del 17 de junio al 8 de julio, y de hacer caso a las memorias de Wolfe, este percibió vagamente la lucha interna que se estaba produciendo entre bambalinas en la dirección del partido comunista soviético, y que tenía que ver con la sucesión de Lenin. Percibió el ascenso rutilante de Zinoviev como figura dirigente de la Internacional y la desaparición de Trotsky de la escena. Asistió a un violento debate sobre la comprensión o incomprensión de las ideas de Frente Único vertidas en el III congreso[3], y tomó notas para llevarse a México, que ante la retirada de la escena del ascenso de la revolución mundial, cuya última triste experiencia habían sido las barricadas de Hamburgo y la derrota de la Revolución Alemana, los comunistas deberían aumentar su pureza en nombre de la lucha contra las «desviaciones de derecha». La pureza volvía a sectorizar la Internacional; así «el laborismo era el brazo izquierdo y el fascismo el derecho del mismo sistema social moribundo.[4]»

Los dos planteamientos centrales que se habían desarrollado en el III y IV congresos, el Frente Único y «hacia un gobierno obrero y campesino» eran desechados. El Frente Único, en palabras de Zinoviev se volvía tan solo «un modo de agitar y movilizar a las masas», y el gobierno obrero y campesino, «un sinónimo de dictadura del proletariado». Las viejas consignas se mantenían, pero los contenidos cambiaban. Ahora se hablaba del «Frente Único por abajo» contra las direcciones reformistas. Wolfe debió contemplar sorprendido cómo el PC Mexicano si quería mantenerse en la ortodoxia debería modificar radicalmente su política.

Wolfe intervino el 3 de julio en el debate sobre el problema agrario haciendo una breve explicación de las condiciones mexicanas y exponiendo el programa de los comunistas mexicanos[5]. Ya en la décimotercera sesión había tratado de llamar infructuosamente la atención al congreso sobre la importancia del imperialismo norteamericano y, por lo tanto, la importancia derivada de los trabajadores de América Latina:

> Los Estados Unidos se han convertido en el centro de gravedad del capitalismo y la revolución [...] El proletariado europeo tiene pues un poderoso enemigo en los Estados Unidos. Pero tiene en el proletariado de América Latina un aliado poderoso. La Internacional no lo sospecha suficientemente [...] La importancia de América Latina para los Estados Unidos es inmensa, pero ni Zinoviev ni los comunistas estadounidenses la reconocen [...][6]

Al lado de este llamado de atención, las peticiones de la sección mexicana de la IC eran francamente humildes. Wolfe era portador de propuestas: 1) Un boletín en español síntesis de la ISR y el de la IC; 2) Centralización de actividades de los partidos comunistas latinoamericanos; 3) Instrucciones de la Comintern en español; 4) Realizacion de una conferencia comunista latinoamericana en México en diciembre de 1924[7]. Las proposiciones no recibieron respuesta, fuera de ser publicadas en el órgano de la Comintern.

Wolfe aprovechó el viaje para participar en el Congreso de la Internacional Sindical Roja que se celebró al final del V Congreso de la IC. Aunque no tenía ningún mandato sindical, Wolfe habló sobre la ISR y América Latina repitiendo sus ideas centrales: importancia del imperialismo norteamericano, importancia para el proceso revolucionario mundial de la clase trabajadora latinoamericana, dominio de amarillos y anarquistas en el terreno sindical, debilidad de la ISR a causa fundamentalmente de «ausencia absoluta de dirección, de instrucciones y relaciones», y en particular «carencia absoluta de una prensa apropiada en español y de un boletín de información.[8]»

Tras el fracaso del viejo Bureau Latinoamericano de la ISR, el aparato de la IC no prestó oídos a las sugestiones de Wolfe, aunque lo nombró miembro del Bureau Ejecutivo de la ISR.

Antes de abandonar Moscú, el norteamericano fue convocado por una comisión secreta de la IC:

> «Camarada Wolfe —dijo el camarada Pianitski, secretario de la Organización y tesorero de la Comintern—. ¿Qué petición financiera tiene el Partido Comunista Mexicano que hacer a la comisión de presupuesto?» «No mucho —respondí—. Nuestro problema principal que somos incapaces de resolver por nosotros mismos, es el problema de la pobreza y el analfabetismo de los campesinos comunes. Ve, nuestro periódico, *El Machete*, cuesta diez centavos diarios. Para comprar un ejemplar de *El Machete* tendría que gastar de una tercera a una quinta parte de su salario diario. Además, en muchos de los pueblos, los campesinos no pueden leer, así que tendríamos que enviar un ejemplar gratis a cada comunidad para que uno de nuestros miembros educados lo leyera y les explicara a los campesinos lo que no pueden entender. Queremos su ayuda para enviar ejemplares a esos pueblos. Diría que doscientos cincuenta dólares cubrirían esto por un año.»
>
> Los miembros de la comisión de presupuesto se me quedaron mirando sin acabar de creerlo, luego se miraron entre sí, y luego de nuevo a mí.
>
> «¿Dijo doscientos cincuenta dólares? —preguntó Pianitski incrédulo; por días habían estado oyendo peticiones de centenares de miles de dólares, y botado grandes porciones de lo que les habían pedido. Y aquí estaba un delegado pidiendo sobras—. Propongo que la comisión de presupuesto otorgue la petición del Partido Comunista Mexicano —dijo finalmente—. ¿Alguna objeción? [...] Así se hará.»
>
> Y [...] fue exactamente doscientos cincuenta dólares los que llevé en mi monedero-cinturón a México sano y salvo a través de varias fronteras[9].

Wolfe regresó a México rápidamente, sin detenerse más que en Chicago, donde dio amplias satisfacciones al Partido Comunista de Estados Unidos por su salida de fines de 1922 sin haber pedido permiso. Su presencia en el V congreso como dirigente del Partido Comunista Mexicano justificaba plenamente su abandono. Es más, su intervención sobre el imperialismo norteamericano había causado gran interés entre los dirigentes del PC de EE.UU. Tras unos pocos días, Wolfe bajó a la frontera Sur para incorporarse a su partido adoptivo.

Notas al pie

1 Wolfe/ *A life*, pp. 306-318 e Informe de B. Wolfe, *III Congreso*, p. 24.

2 Informe B. Wolfe, *III Congreso*, p. 23.

3 El tema del Frente Único fue reformulado en el V Congreso de la IC; ver en particular las intervenciones de Zinoniev en la tercera sesión y de Treint en la quinta. *V Congreso de la Internacional Comunista*, Cuadernos de Pasado y Presente, Córdoba, 1975, T. I pp. 71-77 y 101-103.

4 Informe B. Wolfe, *III Congreso*, p. 27.

5 *V Congreso de la IC*, pp. 327-328. Otra versión en *Inprecor*, N° 55, 5 de agosto de 1924.

6 *V Congreso de la IC*, T I, p. 163.

7 B.D. Wolfe: «The Struggle against Imperialism in L.A.», *Inprecor*, N° 48, 24 de julio de 1924.

8 La intervención se publicó fragmentada en *El Machete* (N° 11, 21-28 de agosto de 1924) bajo el título: «La Internacional Sindical Roja y la América Latina.»

9 Wolfe/ *A life*, p. 337.

8. LA LIQUIDACIÓN DEL SINDICATO DE PINTORES

En junio de 1923, el sindicato de pintores se vio sometido a una triple ofensiva: por un lado, la agresión sistemática de los estudiantes contra sus murales; por otro, la permanente campaña de prensa que los diarios de la capital hacían contra ellos y su pintura, y por otro las presiones de la administración por su colaboración en *El Machete*.

En los primeros meses de 1924, las tensiones entre estudiantes y pintores desembocaron en un violento enfrentamiento. Cuenta Siqueiros:

> A los estudiantes, por influencia de muchos de sus viejos maestros reaccionarios, tanto en política como en arte, nuestras obras les parecían una especie de resurrección idolatrita prehispánica y algo positivamente feo. Para ellos nuestra pintura era ateamente horrenda, una verdadera blasfemia a Dios y al arte.
>
> Tan grave fue la situación que los pintores tuvimos que defendernos a balazos de los disparos que con frecuencia lanzaban los estudiantes, sin duda alguna, más contra nuestras obras que contra nosotros mismos [...]. En su acción hacían funcionar la fonética, mediante un golpear incesante contra las bardas de madera que habíamos nosotros colocado para proteger nuestros trabajos en desarrollo [...].
>
> El choque más grave con los estudiantes se produjo de la manera siguiente: empezaron los alumnos de la preparatoria provocando a quien desde entonces era más susceptible a la provocación, o sea a mí; y su provocación consistió en el uso de cerbatanas para lanzar en contra de la pintura, tanto en la ya ejecutada, como la que estaba en proceso, una ininterrumpida sucesión de plastas de papel masticado. Y después frente a mis respuestas de puntería familiar muy directa, alguno de ellos llevó una pistola de pequeño calibre, seguramente de

> esas que sirven para tirar al blanco, a lo cual yo contesté haciendo un ruido horrendo con mi 44. Entonces ellos en formación cerrada pretendían arrebatar la justiciera arma defensiva. Felizmente las tremendas detonaciones de mi arcabuz llegaron hasta el primer patio y de esa manera todos los flamantes muralistas acudieron rápidamente en mi auxilio. Juntos todos nosotros y con nuestros ayudantes, hacíamos un grupo muy próximo al número treinta; nos tiramos pecho tierra, tanto en el corredor de arriba como en el corredor de en medio y parte baja [...].
>
> Una bala de las nuestras al rebotar, le pegó en la cara a uno de los estudiantes, con la cual la mayor parte de estos creyó que este había recibido un impacto directo nuestro y empezaron a tratar de atinarnos en lo que se nos veía de las cabezas[1].

Los pintores fueron salvados en ese encuentro por los soldados yaquis que estaban de guardia en el viejo edificio de la escuela de leyes, pero la animosidad estudiantil creció.

Las campañas de la prensa, en las que intervenían lo mismo los progresistas *El Heraldo de México* y *El Demócrata*, como los conservadores *Excelsior* y *El Universal*, también colaboraron a crear un clima adverso a los muralistas del sindicato. A mediados de junio *El Heraldo* hizo una violenta campaña contra Diego, diciendo que el dinero de la nación se tiraba en los murales, y que Diego ganaba una fortuna pintándolos. Diego respondió diciendo: «El pintor que más gana lo hace tanto como un artesano que pinta paredes por metro cuadrado. El público puede comprobarlo examinando los contratos.[2]»

En la administración pública también se atacaba a los muralistas, en este caso por su intervención en *El Machete*. Orozco, Siqueiros y Guerrero fueron suspendidos en su salario, y el último despedido de su empleo en la Secretaría de Agricultura por su trabajo en el periódico, aunque el ministro lo recontrató con nombre falso[3].

Todas estas presiones se hicieron una sola cuando se produjo la huelga estudiantil a fines de junio de 1924. El 25 de junio Orozco y Siqueiros fueron arrojados a la calle por los estudiantes y sus murales en la preparatoria, mutilados[4]. Orozco se encontraba pintando *Asalto a un banco* y Siqueiros *Monarquía y democracia*. Esos dos murales sufrieron el asalto estudiantil y con navajas, ácido, picos y pintura fueron destruidos, así como otros trabajos de Orozco.

Vasconcelos ante la ofensiva estudiantil decidió suspender los trabajos murales en la Escuela Preparatoria.

El sindicato se reunió. Los más radicales y ofendidos, Siqueiros y Orozco, propusieron la huelga de pintores. Rivera argumentó que la huelga se les impone a los que estaban en la prepa, que dejar de pintar él y Guerrero que se encontraban decorando los patios de la SEP sería hacerle el juego a los que quieren acabar con la pintura mural. Dos días antes Rivera había recibido una ampliación de su contrato para pintar la escalera de la Secretaría de Educación Pública. Se decidió con oposición de Rivera firmar un manifiesto (que él firmo también) en el que se denunciaban las mutilaciones y se terminaba amenazando a los profesores reaccionarios, instigadores del ataque, con que se les pagara «ojo por ojo y diente por diente.[5]»

El 3 de julio Vasconcelos renunció a la Secretaría de Educación Pública para hacer campaña para el gobierno de Oaxaca. En un banquete que le dieron los pintores, Rivera le agradeció que les hubiera permitido trabajar a pesar «de los imbéciles que le rodean.[6]»

El sindicato volanteó el centro de la ciudad y propuso la huelga[7]. Una segunda reunión en los primeros días de julio, terminó con la ruptura de Rivera, que estaba en contra de la huelga, argumentando que los muralistas no podían entrar en la prepa, estaban en huelga de hecho. Diego presentó su renuncia al sindicato y, por lo tanto, a *El Machete*, donde lo sustituyó Gómez Lorenzo, aunque permaneció en el partido[8].

En nuevo titular de la Secretaría, Bernardo Gastelum[9] despidió el día 15 de julio a Orozco, Siqueiros, Revueltas, Charlot, Amado de la Cueva y los muralistas que trabajaban en la preparatoria. De nada le sirvió a Rivera su actitud defensiva y tratar de seguir pintando. El día 23 de julio la Secretaría de Educación canceló todos los contratos vigentes que tenía con él y canceló los contratos pendientes para hacer el mural del Estadio Nacional y el de la escuela Gabriela Mistral[10]. Rivera, sin sueldo, siguió pintando y se aferró a sus muros.

Siqueiros contestó en *El Machete* al despido:

«Los miembros del Sindicato de Pintores y Escultores que hemos sido arrojados por los reaccionarios colados en la administración pública, y los que sus intrigas jesuíticas sigan arrojando, colaboraremos en *El Machete*. Cambiaremos los muros de los edificios públicos por las columnas de este periódico revolucionario.[11]»

Pero el sindicato estaba destruido. Su única fuente de trabajo hasta ese momento, la Secretaría de Educación Pública, les había quitado las paredes. Algunos de los pintores se fueron de la Ciudad de México, otros se vincularon más estrechamente a *El Machete*, como Siqueiros, Guerrero y Orozco, que comenzó a entregar regularmente sus colaboraciones desde ese momento[12].

Rivera continuó pintando sin sueldo hasta que lo hicieron abandonar el edificio de la SEP. En septiembre, mutilaron sus murales y el sindicato salió en su defensa, en lo que sería la última intervención pública de la organización. A los muralistas solo les quedaba la esperanza de que el nuevo ministro de Educación, cuando Calles asumiera la Presidencia en diciembre de ese año, les abriera nuevamente las paredes. No sería así.

Notas al pie

1 Siqueiros/ *Coronelazo*, pp. 190-192 y Orozco/ *Memorias*, pp. 80-81.

2 *El Heraldo de México*, 20 y 22 de junio de 1924.

3 Testimonio de Xavier Guerrero en Charlot/ *Mexican*, p. 251.

4 Charlot/ *Mexican*, p. 280.

5 *Excelsior*, 2 de julio de 1924.

6 *Excelsior*, 5 de julio de 1924.

7 Charlot/ *Mexican*, p. 245.

8 *El Machete*, N° 13, 11-18 de septiembre de 1924.

9 En sus memorias Siqueiros y Orozco confunden a Bernardo Gastelum, quien ocupará la Secretaría de Educación en interinato desde la renuncia de Vasconcelos, con su sucesor, nombrado por Calles en diciembre de 1924, Puig Casauranc. Siqueiros/ *Coronelazo*, pp. 222-223.

10 Wolfe/ *Rivera,* p. 231.

11 «El Sindicato de Pintores y Escultores combatirá en *El Machete*», *El Machete*, extra del 10 de agosto de 1924.

12 Xavier Guerrero: «*El Machete* dejó inmensa huella», *La Voz de México*, 26 de marzo de 1962.

> Clemente Orozco cooperó con magníficos dibujos de aguda crítica. Nosotros señalábamos el tema y él tenía el orgullo, honradez, decía yo, de estudiar los temas tan tesoneramente que desarrollaba diez y quince veces nuestros encargos. Lo que ocurría era que acumulaba una máxima calidad de trabajos a su fuerza estética que sobrepasaba en mucho a los mejores caricaturistas del mundo en aquella época.

9. DESARROLLO EN LA ZONA PETROLERA

A lo largo de 1924, el PC consolidó en una zona donde otro núcleo en provincia había tenido trabajo anteriormente, se trataba de la local de Tampico, a la que se ha hecho algunas referencias accidentales en partes anteriores del texto.

En Tampico, la local surgió como resultado de las grandes movilizaciones petroleras que durante todo 1924 sacudieron el sur del Estado de Tamaulipas y el norte de Veracruz. Hay vagas referencias a visitas de miembros del comité nacional a la zona petrolera después del fracaso de la rebelión delahuertista, y es de suponerse que de estas visitas surgió un grupo de obreros que habrían de participar organizadamente en el auge como comunistas.

El despegue del movimiento tampiqueño se inicia con la gran huelga petrolera del Águila (consecuencia a su vez del éxito del movimiento de los electricistas sucedido meses antes). El 22 de marzo de 1924 la huelga estalló impulsada por un sindicato minoritario pero muy cohesionado que fue ganando a la mayoría de los trabajadores[1]. Las demandas centrales no eran económicas, sino que tenían que ver con el reconocimiento del sindicato, la seguridad en el empleo, las indemnizaciones por accidentes y el pago de salario en caso de enfermedad[2]. El pliego, en suma, representaba la firma de un contrato colectivo. La empresa el Águila del grupo de la Dutch Shell era la más importante de la zona de Tampico y de su derrota dependía una movilización generalizada entre los trabajadores petroleros.

El partido tenía en el comité de huelga un miembro, Gregorio Turrubiates, y a través de *El Machete* le dio un gran seguimiento a la lucha[3]. El sindicato se había unido a la CROM a instancias de su secretario general, Serapio Venegas, quien veía en la afiliación cobertura para la huelga, pero mientras el movimiento huelguístico entraba en una etapa de resistencia a causa de la dureza de la compañía, la intervención de los miembros del Grupo Acción tendía a quitarle a los trabajadores la dirección de la lucha. Los dirigentes cromistas, encontraban en el movimiento una insuperable posibilidad de hacerse con un importante contingente obrero en la zona petrolera, con el que nunca habían contado, y movieron sus recursos conciliadores y su peso en el gobierno obregonista. El 9 de junio la comisión formada por Morones, Treviño y otros miembros de la plana mayor de la CROM y en la que intervenía Turrubiates, obtuvo de la empresa una primera propuesta y anunció a bombo y platillo que la huelga había terminado[4]. El 14 de junio la asamblea general de los trabajadores del Águila desconoció las negociaciones de la CROM a espaldas de los trabajadores[5], aumentó su fuerza dentro del movimiento militar que provocó que los obreros fueran desalojados de las instalaciones, pero que no los hizo abandonar la huelga; la empresa se vio obligada a ceder el 17 de julio[6].

El triunfo del Águila estimuló la organización de otras empresas. Pero no fueron los comunistas los que tomaron la batuta de los nuevos organismos, fue la CGT que, tras una lucha relámpago de los trabajadores de aguas minerales y hieleros, había levantado una Federación Local, donde destacaba el sindicato de obreros del petróleo de la Huasteca Petroleum Company, que se fue a la huelga a mediados de agosto por aumento salarial, reconocimiento de la organización y contrato colectivo[7].

El Partido Comunista había lanzado en Tampico la línea de Frente Único, que combinaba con el ataque a la dirección cromista. La CROM era particularmente débil en el puerto, estaba dirigida por Gracidas y Araujo y tras el fracaso en el Águila contaba tan solo con cuatro sindicatos y no más de seiscientos afiliados.

La política de Frente Único implicaba la creación de una central regional por encima de la CROM, la CGT y los IWW que tenían cierta presencia en Tampico, y a la que deberían sumarse las potentes organizaciones autónomas (por lo demás bastante conservadoras en sus direcciones), el sindicato electricista y la Unión de Alijadores. En mayo se formó una federación pero en ella no entraron los cegetistas ni algunos sindicatos de la CROM y ni siquiera participaron los alijadores y electricistas. El PC sin embargo, gracias a la presencia creciente de *El Machete* y su intervención en el movimiento del Águila, logró que uno de sus miembros, Benjamín Cruz, fuera electo secretario de prensa de la federación[8].

Tras veintitrés días de movimiento, los anarcosindicalistas triunfaron en la Huasteca obteniendo entre el diez y veinticinco por ciento de aumento y pago de compensaciones por accidentes y enfermedades, y el mismo día del triunfo la Federación local de la CGT inició una nueva huelga en la Mexican Gula[9].

Mientras las huelgas petroleras se sucedían, la CGT y el partido entablaron una virulenta guerra propagandística en la que intercambiaron acusaciones mutuas donde se llamaron traidores, «políticos», oportunistas y denuncias más graves ya en el tono de la calumnia, desde las páginas de *El Machete* y *Nuestra Palabra*[10].

La local comunista fue reorganizada el 20 de agosto y ya incluía militantes de todos los gremios importantes del puerto[11]. Tras el inicio del movimiento de la Mexican, que formaba parte de la Federación Local de la CGT, siguieron huelgas en la Pierce Oil (el 8 de septiembre) y en la Transcontinental (el 18 de septiembre). La primera estaba organizada por un sindicato autónomo cercano a la CGT y la segunda por un sindicato dentro de la influencia de la Federación Local, sobre la cual actuaba el PC. En este creciente clima de movilización, la lucha de tendencias en el movimiento se hizo más compleja. Una nueva corriente «unitaria» apareció en el panorama (electricistas, comercio, alijadores) y sosteniendo la proposición de crear una organización unitaria al margen de las centrales, abría la posibilidad de cooperación con el Partido Socialista Fronterizo que lanzaba en esos días como candidato al gobierno del Estado a Portes Gil, al mismo tiempo que sostenía un proyecto de luchas en busca de ventajas económicas y denunciaban a los rojos de toda laya. La intervención en los conflictos de los Trabajadores Industriales del Mundo (IWW) con un proyecto propio de unidad por industrias no hizo más fácil la situación. La local de Tampico se pronunció en contra del nuevo proyecto unitario, desconfiando de sus promotores, pero así caía en flagrante contradicción con su propaganda pro Frente Único[12].

Mientras las diversas tendencias buscaban la hegemonía, el 1 de octubre una comisión intersindical fue hacia las instalaciones de la Mexican Gula en Terminal Prieto, para protestar por la utilización de «trabajadores libres» por parte de la compañía, y fueron recibidos a tiros por el destacamento del ejército que cuidaba el acceso. Un muerto y once obreros heridos fue el resultado de las descargas de los soldados[13]. La reacción fue tremenda, el día 2 un paro general afectó a Tampico y la región petrolera limítrofe, y una manifestación de veinticinco mil trabajadores recorrió la ciudad. El dirigente cegetista, Enrique Rangel, fue detenido. La CROM culpó a los «provocadores anarquistas» y la CGT hizo un llamado nacional para una huelga general[14].

Ante la represión, el movimiento en la Mexican se replegó, quedó descabezado y aceptó una proposición de las organizaciones mayoritarias de subordinarse a un comité de huelga, integrado por dirigentes de otros sindicatos, y desafiliarse de la CGT. La mayoría así lo hizo y en la Mexican coexistieron dos sindicatos, uno blanco y otro con dos corrientes, la minoritaria anarcosindicalista y la mayoritaria dirigida por los secretarios generales del Águila, los electricistas, el propio Turrubiates y Ruiz de los empleados de comercio.

El partido desató una fuerte campaña de prensa para responder al asesinato y forzó una intervención parlamentaria de su solitario senador, Luis G. Monzón, sobre el tema[15].

La represión no impidió que surgieran nuevas huelgas en el puerto y en los campos petroleros, y en los últimos meses de 1924 se fueron al movimiento los maestros de Cecilia (CGT), los petroleros de la Corona (CROM), y nacieron nuevos sindicatos entre las lavanderas, en la Draga, y en la Oil Well Suply[16].

Con la CROM aislada en la zona de Tampico, aunque tratando de entablar relaciones con los grupos «autónomos» (a los que la CGT calificaba de «neovaquetones»[17]), la CGT muy radicalizada y con fuerza creciente, el Frente Único en pleno ascenso y dirigiendo las luchas principales, la local de Tampico presionada por el comité nacional eligió la alianza con los autónomos, e incluso fue más allá, y aceptó la postulación de Turrubiates para formar parte del Ayuntamiento dentro de una planilla de Partido Socialista Fronterizo. Las elecciones de diciembre pusieron frente a frente a comunistas y anarcosindicalistas que llamaban al boicot[18], y los insultos que se intercambiaron fueron aún más violentos que meses antes[19]. Si a esto sumamos la ruptura entre la CGT y la IWW, las tres fuerzas de izquierda en el puerto se encontraron en trincheras opuestas ante un movimiento que no solo no decrecía, sino que seguía en ascenso.

En tan solo seis meses el Partido Comunista se había implantado en Tampico; aunque aún con muy pocos militantes, tenía una presencia importante en varias empresas petroleras, su periódico circulaba y sus dirigentes eran escuchados. Sin embargo, su política de Frente Único era un fracaso real, aunque formalmente parecía habar logrado algunos éxitos. Nunca antes el movimiento había estado tan escindido y las fuerzas radicales tan enfrentadas.

Notas al pie

1 María Luisa/ *Luchas obreras 1924*.

2 Lief Adleson: «Coyuntura y conciencia» en *El trabajo y los trabajadores en la historia de México*, Colmex, México, 1979.

3 *El Machete*, N° 5 («El conflicto del Águila en Tampico»), N° 6 («Los obreros de Tampico y la compañía El Águila»), N° 7 («Sigue en pie la huelga del Águila») y N° 8 («El Triunfo del Águila es un bofetón a los falsos líderes»).

4 Salazar/ *Historia luchas*, p. 139 y Serna/ *Luchas 1924*. En el éxito de esta primera etapa que obligó a la empresa a abrir negociaciones se encuentran las presiones de los ferrocarrileros que no transportaron productos del Águila durante la huelga y un boicot decretado por la CROM contra la compañía.

5 *Historia Obrera*, N° 24, marzo de 1982. Morones escribió al secretario de Industria un largo telegrama el 15 de junio desolidarizándose del movimiento.

6 Salazar/ *Historia luchas*, p. 145.

7 *Nuestra Palabra*, N° 38, 21 de agosto de 1924. F. Ríos a JCV, 16 de mayo de 1924.

8 *El Machete*, N° 6, primera quincena de junio de 1924. Formaban parte de ella dieciséis organizaciones.

9 «El triunfo de los obreros del petróleo» y «La huelga de la Mexican Gula», *Nuestra Palabra*, N° 41, 18 de septiembre de 1924.

10 *El Machete* acusó falsamente a Valadés de tener un empleo como inspector de Hacienda mientras actuaba como organizador sindical en Tampico y *Nuestra Palabra* caracterizó a los comunistas de «traidores y politiqueros.»

11 *El Machete*, N° 12, 4-11 de septiembre de 1924.

12 El CNE criticó las dudas de la local de Tampico, a la que acusó de no «saber interpretar» la corriente pro Frente Único surgida en la región. Informe CNE, *III Congreso*, p. 11.

13 Librado Rivera: «¡Basta!», *Sagitario*, N° 1, 11 de octubre de 1924.

14 «Enrique Rangel», *Nuestra Palabra*, N° 44, 16 de octubre de 1924. «Los asesinatos de obreros en Tampico», *El Machete*, N° 16, 9-11 de octubre de 1924.

15 Monzón desmentía el 19 de noviembre las versiones oficiales según las cuales los obreros habían agredido a los soldados. Luis G. Monzón: *Algunos puntos sobre el comunismo*. Talleres tipográficos Soria, México, 1924.

16 Informe al secretario de la CGT, 18 de noviembre de 1924. *El Machete*, N° 28, 26 de diciembre de 1924. *Sagitario*, N° 4, 1 de noviembre de 1924.

17 *Nuestra Palabra*, N° 46 y 47 (30 de octubre y 6 de noviembre de 1924).

18 *Manifiesto de la Federación Local de Tampico*, CGT, noviembre de 1924 e informe CNE, *III Congreso*, pp. 8-9.

19 *El Machete*, N° 24, 4-11 diciembre de 1924, calificaba como «agentes de las compañías petroleras en Tampico» a José C. Valadés («fascio-delahuertista»), Recoba, Montoya (a) F. Ríos, «agentes bien definidos de nuestros enemigos de clase.»

10. CRISIS DE DIRECCIÓN EN 1924

El nuevo comité electo en abril de 1924 enfrentó desde su nacimiento graves problemas internos. En el balance realizado a fin de año, el partido decía de esta etapa:

> Duros días en los cuales la esperanza de los miembros alentados, se estrellaba contra la indiferencia y el desencanto de los miembros del partido que guiados por un heterogéneo comité saltaron todos los extremos de la cuerda política: desde el anarquismo al oportunismo, flujo y reflujo marcado con admirable desorganización por el [...] comité[1].
>
> El grupo de los siete, estaba francamente mermado. Bertram Wolfe había partido a Rusia, su suplente Diego Rivera no se presentó a las reuniones del comité; Martínez y Hernández nunca asistieron. Galván, militarizado, no se movía de Veracruz, donde también se encontraban los suplentes Manuel Díaz Ramírez y Almanza. Vargas Rea el cuarto suplente «llamado al comité nacional no cumplió ninguna comisión, primero se le encomendó el Secretariado Agrario y no lo desempeñó y más tarde a insistente solicitud de él, el de Organización Interna [*donde*] conferidas varias misiones de importancia [...] no consiguió hacerlo.

Lo mismo se decía de Juan González, secretario sindical, que «no pudo desempeñar su tarea por incapacidad y por falta de tiempo. Más tarde habiéndosele encomendado la tesorería no pudo hacer nada y actualmente es uno de nuestros últimos miembros en cuanto a actividad». Solo se salvaban de la quema autocrítica el secretario general Rafael Carrillo y el de la JC, Becerra, y este no del todo, porque «confiesa que no tiene calma para leer los artículos largos». Las funciones de enlace estaban muy deterioradas, no se enviaban a las locales las actas del comité nacional, no se traducía el órgano de la Internacional, *Inprecor*, no se mantenía correspondencia[2].

En estas condiciones, cada militante era una isla y se encerraba en su trabajo local, teniendo como nexo *El Machete*, que gracias a la tenacidad del grupo de Gabriela Amador, Siqueiros y Guerrero, se mantenía regularmente, y cuya calidad informativa impulsada por Gómez Lorenzo mejoraba constantemente.

En mayo, siguiendo los acuerdos del año anterior, el PC DE M se constituyó como partido legal para efectos electorales. En una asamblea celebrada el día 22 en la Ciudad de México, se levantó un acta en la que se elegía como comité electoral a Jesús Bernal, Vargas Rea y Siqueiros, se daba la noticia del comité nacional existente y se acordaba un programa público de cuatro puntos: a) «El partido propugna por la implantación del gobierno obrero y campesino» (utilizando la fórmula que desde *El Machete* se había popularizado en los últimos meses e implicaba la alianza con laboristas y agraristas[3]). En el programa electoral, entonces, se omitían los conceptos dictadura del proletariado o revolución socialista, b) «Transformación del municipio en Consejo de Trabajadores, obreros y campesinos»; c) Socialización de la tierra y los medios de producción; d) Organización Sindical Obrera y Campesina[4].

El acto, puramente formal, habría de permitir al partido intervenir bajo sus siglas (PC DE M adherido a la Internacional Comunista, con su escudo («una estrella roja de cinco puntas con una hoz y un martillo cruzados al centro») y su lema («Proletariado de todos los países, uníos») en las elecciones de diputados que habrían de producirse a mitad de año y las municipales de fines de 1924. Nada de esto sucedió, porque Vargas Rea perdió los papeles, retrasó la tramitación y el partido se quedó sin registro[5].

El caos en la dirección se prolongó hasta septiembre, cuando con el regreso de Bertram Wolfe, este y Carrillo decidieron ampliar el CNE con la cooptación de dos miembros que sustituyeran a los ausentes y a los «quebrados». Así llegaron a la Dirección Nacional del PC DE M David Alfaro Siqueiros y Xavier Guerrero un 16 de septiembre[6]. El comité quedó compuesto así: secretario general Carrillo, prensa y propaganda Wolfe,

JC Becerra; Siqueiros secretario sindical y X. Guerrero secretario agrario. El balance de 1924 caracterizaría de esta manera el cambio en la dirección: «Un alto en la descomposición del partido», y valoraba junto a esta medida orgánica su periódico como el mejor impulsor de la lucha contra el caos interno: «*El Machete* se convierte en arado que abre enérgicamente la tierra y siembra, siembra [...][7]»

Una de las primeras medidas tomadas junto con la reactivación de la correspondencia con los militantes de provincia, fue la reorganización de la local del DF, a la que se le dieron estatutos en septiembre de ese año. Los estatutos[8] apenas si variaban los de 1922, poniendo énfasis tan solo en la regularidad de las sesiones, los informes del comité, la disciplina y la cotización que se establecía en veinticinco centavos para los solarios de menos de cuarenta y cinco pesos mensuales y en un uno por ciento aproximadamente para los superiores.

Entre las medidas novedosas estaba un mecanismo de reclutamiento que establecía que los adherentes obreros estarían dentro de la organización un mes a prueba y los no obreros dos; durante este periodo no podrían votar ni ser electos para cargos representativos. El único motivo de expulsión era la inasistencia a cuatro sesiones de la local que se celebrarían dos veces al mes mínimo.

La base material para la reconstrucción de la local del DF que cobraba forma estatutaria, estaba en la consolidación de un pequeño grupo de ferrocarrileros en el DF.

Notas al pie

1 1924/ *Balance político*.

2 Informe CNE, *III Congreso*, pp. 3-6.

3 La fórmula venía del IV congreso de la IC e implicaba un gobierno de colaboración con fuerzas obreras (laboristas, socialdemócratas, etc.). En el V Congreso la fórmula se mantuvo pero su contenido cambió radicalmente, convirtiéndose en un sinónimo de dictadura del proletariado impulsada por los comunistas.

4 *Acta constitutiva con fines electorales del PC DE M*. Archivo PCM.

5 Informe CNE, *III Congreso*, p. 4.

6 Siqueiros/*Coronelazo*, p. 220. Informe CNE, *III Congreso*, p. 4. Siqueiros dice que así se integraron él y Guerrero en el partido, lo que no es exacto, porque ya aparecían desde mayo como miembros de este, firmando documentos y actuando en su nombre. Lo que sí puede decirse es que a partir de esta fecha *El Machete* pasó a depender totalmente del PC con el sindicato de pintores ya desaparecido, aunque el hecho no se formalizaría hasta seis meses más tarde.

7 1924/ *Balance político*. Desde principios de agosto (Nº 9) *El Machete* se convirtió en un irregular semanario que publicó en las siguientes veintiuna semanas (hasta fin del año) dieciséis números regulares y dos extras.

8 «Organización y disciplina de lucha. Reglamento de la local comunista de la Ciudad de México», *El Machete*, Nº 14, 25 de septiembre- 2 de octubre de 1924.

11. LOS COMUNISTAS FERROCARRILEROS

En el segundo semestre de 1924, el PC DE M logró crear un punto de apoyo a su labor entre los ferrocarrileros sindicalizados. El movimiento de los rieles, encuadrado mayoritariamente en la Confederación de Sociedades Ferrocarrileras, había sido desde el congreso comunista de diciembre de 1921 uno de los objetivos del partido, en la línea de penetrar en las organizaciones autónomas, para restablecer la presencia comunista dentro del sindicalismo tras su ruptura con la CGT. En 1924, se logró este primer contacto, que aunque no fuera significativo en términos de fuerza dentro de la confederación, permitió al PC DE M un espacio político para su propaganda a través de *El Machete*, mejoró su información respecto a la situación del sindicato más grande del país y formó en algunas sociedades pequeños grupos de militantes comunistas.

El punto de partida fue la Unión de Carpinteros, una de las diecisiete sociedades que componían la confederación, y en particular la sucursal número uno en el DF. Ahí se concentraron algunos militantes del partido, entre ellos Juan González, su secretario sindical hasta septiembre de 1924, y Simeón Moran, uno de los dirigentes juveniles del movimiento inquilinario. Los comunistas comenzaron a expresar sus opiniones a través del órgano de la Unión, *Fuerza y Cerebro*, y en agosto Juan González pasó a dirigir el periódico provisionalmente[1]. Simeón Morán desde un par de meses antes había sido electo secretario del exterior de la Unión[2], y así el partido pudo entablar relaciones indirectas con algunas de las sucursales del interior del país.

Las relaciones entre la Unión y el PCM se fortalecieron en esos meses cuando se formó Ayuda Internacional Obrera, una organización pantalla de la IC que debería hacerse cargo de labores de solidaridad económica y apoyo social. En el primer comité de la Ayuda participaban, además de dos comunistas (Carrillo y María del Refugio García), Miguel Othón de Mendizábal como presidente y el dirigente de la Unión de Carpinteros José Aguirre. La Unión además, prestaba su local a Ayuda Internacional para que esta pudiera contar con oficinas[3]. Ayuda Internacional nunca funcionó, pero permitió al PC estrechar sus lazos con los carpinteros-ferrocarrileros.

El otro punto de apoyo del partido en el interior de la confederación se dio en la Sucursal 29 de la Alianza de Ferrocarrileros, otra de las sociedades que componían la confederación y que agrupaba a los empleados del ferrocarril en el Distrito Federal. Sus cuadros dentro de las oficinas de Ferrocarriles Nacionales eran el cojo Carlos Rendón, infatigable propagandista, y Enrique Torres, el Pollo, que había sido activista del movimiento inquilinario a los dieciséis años (aquel que rompió el récord de sindicalización de vecindades en mayo de 1922), quienes reclutaron a Elías Barrios, presidente de la Comisión de Vigilancia de la Alianza, y aunó de los colaboradores y más tarde director del periódico de la sociedad, Hernán Laborde[4].

Con estos contactos como punto de partida, el PC trabó relaciones circunstanciales con algunos grupos de rieleros en el Ferrocarril Mexicano y con los ferrocarrileros de Zumpango, Xico y San Rafael[5].

Sin embargo, las condiciones reinantes no permitieron ninguna acción que fuera más allá de la propaganda en aquel año. Los ferrocarrileros se encontraban a la defensiva tras el tremendo reajuste que había forzado Obregón como castigo a la participación de algunos militantes en la rebelión delahuertista, y además estaban sometidos a una campaña de la CROM para destruir la confederación y sustituirla por un sindicato incorporado a la central.

El cromista Salvador Álvarez había abierto el fuego contra la Confederación de Sociedades Ferrocarrileras a raíz del II congreso de esta, que se celebró en Aguascalientes en agosto de 1924, con unas envenenadas declaraciones en la prensa nacional donde declaraba la guerra. La CROM había estimulado también en ese mismo mes la escisión de una de las sociedades, la Unión de Caldereros, fragmentada por Paulino Faz; y apoyaba a otra escisión en el departamento de vía dirigida por S. García y existente desde diciembre de 1923[6].

Para fines de 1924, en noviembre, esta política que estaba íntimamente ligada al proyecto monopolizador que habría de impulsar Morones desde la Secretaría del Trabajo contra los sindicatos autónomos, se expresó en el congreso cromista de Ciudad Juárez donde se declaró que uno de los fines de la central amarilla era «procurar controlar a los elementos ferrocarrileros», y se dio ingreso a la CROM a una organización amarilla, la Alianza de Empleados de Express, escindida de la Alianza de Ferrocarrileros Mexicanos, para más tarde crear la Federación Nacional Ferrocarrilera[7].

La ofensiva cromista, la presión gubernamental, más la debilidad y el corporativismo de los dirigentes de la Confederación de Sociedades Ferrocarrileras, sumados al repliegue que existía entre los obreros después de la derrota de 1921 y las purgas de principios de 1924, no hacían propicio el campo para que la organización comunista se extendiera. De manera que los grupos creados se mantuvieron durante los últimos meses de 1924 en estado de pequeñas células ocupadas básicamente en trabajos de educación, denuncia y propaganda[8]. De estas labores, quizá la más exitosa fue el trabajo educativo que realizó Bertram Wolfe. Apoyándose en la Unión de Carpinteros, Wolfe inició en los últimos días de septiembre una serie de conferencias que se titularon genéricamente «La lucha de clases a través de los siglos» y se daban todos los martes de seis a siete en el local sindical[9]. A ellas asistían no solo los simpatizantes comunistas de la Unión y la Sucursal 29 de la Alianza, sino también ferrocarrileros de otras sociedades. El curso, que se prolongó casi un año, era según su autor «una mezcla de historia, sociología, economía y pensamiento político[10]» , y le permitió desenvolver sus mejores dotes como profesor de bachillerato y al partido aumentar su presencia entre los rieleros del DF.

Si bien todo este trabajo no pasó a mayores en cuanto al reclutamiento o la consolidación de una tendencia comunista en la CSF, limitándose a influir en no más de un centenar de ferrocarrileros, fue otro más de los elementos que obligaron al partido a reconsiderar sus relaciones con la dirección cromista y a forzar su rompimiento radical con esta. La ofensiva de la CROM contra la Confederación de Sociedades Ferrocarrileras se oponía diametralmente al proyecto de Frente Único bajo influencia comunista, con un punto de apoyo en las organizaciones sindicales autónomas, que el partido propugnaba.

NOTAS AL PIE

1 *Fuerza y Cerebro*, N° 24, 23 septiembre 1924.

2 *Fuerza y Cerebro*, N° 22, 8 de julio de 1924.

3 *El Machete*, N° 10, 21-28 agosto y *Fuerza y Cerebro*, N° 23, 6 de agosto de 1924.

4 «Hacia la unidad obrera», *El Machete*, N° 9, 2-9 de agosto de 1924 y Elías Barrios: *El escuadrón de hierro*, ECP, México, 1978, pp. 30-31.

5 *El Machete*, N° 13, 11-18 septiembre de 1924 y 14, 25 septiembre-2 octubre 1924.

6 Rodea/ *Luchas ferrocarrileras*, pp. 247-249.

7 Ibídem y Serna/ *Luchas obreras 1924*.

8 *El Machete* publicó de agosto a diciembre de 1924, una docena de artículos sobre problemas del gremio, denuncias de represiones, proyectos de reorganización y opiniones de militantes del sindicato sobre la situación general.

9 *El Machete*, N° 14, 25 septiembre-2 octubre 1924.

10 Wolfe/ *A life*, p. 297. Una de las conferencias de Wolfe fue reportada por dos agentes al servicio de la Procuraduría General de la República. El documento resulta enternecedor, al ver cómo los policías reexplicaban a sus superiores minuciosamente y muy a su entender, los conceptos marxistas de Wolfe. El informe por cierto lleva por titulo *Confedencial. AGN/Obregón-Calles* 241-P-4-W-1.

12. EL «ENTRISMO AGRARIO» DEL PCM

En los primeros días de septiembre se publicó en español la intervención de Bertram Wolfe en el V Congreso de la Internacional Comunista sobre el problema agrario y la política del PCM[1].

El documento, tras establecer la insuficiencia del reparto agrario gubernamental, que además de dotar de escasas tierras a las comunidades y no tocar a los latifundios, solo había dotado a tres mil pueblos de un total de quince mil, repasaba las ideas claves de «El agrarismo en peligro», que se había hecho público en abril con un programa de siete puntos:

1. Luchar contra el reparto de tierras en pequeñas parcelas.
2. Luchar contra las dotaciones provisionales.
3. Luchar contra las dotaciones de terrenos nacionales en lugar de repartir los latifundios productivos.
4. «Al lema del gobierno "Todo hombre tiene derecho a un pedazo de tierra" hemos opuesto el lema "Todo hombre tiene derecho a la tierra que pueda trabajar".»
5. Propaganda en el campo de la idea de un «gobierno obrero y campesino.»
6. Frente a la lentitud de la legalidad gubernamental, la toma de tierras.
7. Luchar contra el desarme, conservar las armas por la fuerza si es necesario.

Curiosamente, el documento publicado en *El Machete* alteraba la versión original del texto leído originalmente por Wolfe en Moscú el 3 de julio de 1924. El punto cinco, en la versión original, hablaba de la defensa del gobierno pequeño burgués, mientras que ahora se hablaba del gobierno obrero-campesino, fórmula en boga de la IC y que revisaba la política pro callista de principios de 1924. Además, en la versión original había un punto ocho, que por evidentes motivos de discreción política había sido eliminado de la redacción en *El Machete*. En este punto, Wolfe informaba de la línea del partido de penetrar el Partido Nacional Agrarista[2]. Si bien esta segunda omisión era comprensible por motivos tácticos, el cambio del punto cinco era un claro ejemplo del proceso de viraje a la izquierda que el partido había vivido en tan solo cuatro meses. El hecho de hablar de tomas de tierras, que no se mencionaba en abril, profundizaba el viraje.

La línea de penetrar al PNA se había desarrollado lentamente. Aprovechando la estructura federal de los agraristas (el partido era una confederación de pequeños partidos regionales, a veces más de uno en una sola región, y un conglomerado de cuadillos), el PC había picoteado en algunos estados sin llamar demasiado la atención. Había coqueteado con los agraristas de San Luis Potosí y con su líder máximo, el gobernador Aurelio Manrique. Había estado haciendo trabajo entre los agraristas oaxaqueños, conquistando al presidente del Partido Agrarista de Oaxaca, Roberto Calvo Ramírez, y se infiltraba en el Partido Agrarista del Estado de México.

En San Luis la aproximación no pasó de los intercambios de halagos y de las respuestas demagógicas de Manrique, aunque es posible que en esas relaciones fallidas entre el partido y el agrarismo haya surgido la relación con el senador Luis G. Monzón que tan útil había de serles a los comunistas.

En el Estado de México comenzaron a organizarse núcleos agraristas dentro del PNA, primero en Atenco, Texcoco, más tarde en San Miguel Chiconcuac, luego en Zapotlán y por último en Acolman, donde los agraristas influidos por el PC ganaron las elecciones municipales en noviembre[3].

En Oaxaca la situación fue más compleja, y al mismo tiempo más promisoria para los comunistas, porque su trabajo organizativo tenía un punto de apoyo muy importante en Calvo Ramírez, presidente del partido agrarista local y miembro del PC, y porque las elecciones para la gubernatura permitieron un amplio trabajo de agitación y organización.

Las elecciones de Oaxaca enfrentaron a Vasconcelos y a Onofre Jiménez. Ambas fuerzas intercambiaron acusaciones de haberse apoyado en los caciques y los militares. El partido, a pesar de las viejas deudas que había contraído con Vasconcelos a través del sindicato de pintores, apoyó a Onofre Jiménez. Su argumento era que Vasconcelos tenía entre sus partidarios a las fuerzas más conservadoras de la sociedad oaxacaqueña, mientras que Onofre contaba con los agraristas, aunque en su declaración de toma de partido los comunistas reconocían que «Onofre es igual o menos revolucionario que Vasconcelos.[4]»

La verdad es que el partido no apostaba por Onofre sino por el Partido Nacional Agrarista al que había decidido apoyar, y cuyo presidente en Oaxaca era Calvo Ramírez. En agosto se celebraron las elecciones junto con las de diputados locales. Calvo Ramírez fue candidato por el PAO a la XVII circunscripción, con sede en Zimatlan y la zona de los Valles. El PC movilizó en Oaxaca a algunos de sus militantes para apoyar la campaña de Calvo, y uno de ellos, el estudiante Carlos Serret, informó más tarde de las dificultades habidas. Toda la campaña impregnada de un fuerte tono agrarista fue hostilizada por el ejército y los hacendados. El día de las elecciones (3 de agosto) hubo tiroteos. Los peones de las haciendas fueron llevados a votar en masa custodiados por guardias blancas, y el candidato fue asaltado por un grupo de soldados encabezados por el teniente Figueroa, quienes le quitaron dos rifles 30-30. Al llegar a Oaxaca el 6 de agosto Calvo fue detenido por el coronel Salazar, quien estaba al mando de ocho soldados, y que tras provocarlo lo hirió. La herida no impidió que el comunista ganara por 9 170 votos a 2 865[5]. Era el primer triunfo electoral en la historia del partido.

Si bien la elección de Calvo fue un triunfo, la de Onofre resultó muy pronto un rotundo fracaso para los agraristas. Tres meses después de haber tomado el poder, se reprimía a las comunidades, el reparto agrario se había detenido, los expedientes estaban congelados[6].

Después de seis meses de haber iniciado la penetración en el PNA, esta parecía haber dado sus máximos frutos, y no eran muchos.

La otra posibilidad para impulsar el crecimiento del trabajo campesino comunista estaba en el apoyo que pudieran darle las Ligas de Comunidades de Michoacán y Veracruz, cuyos congresos estaban convocados para fines del año 1924.

Notas al pie

1 B. Wolfe: «Nuestro problema agrario», *El Machete*, Nº 12, 4-11 septiembre de 1924.

2 He comparado la versión de *El Machete* con la aparecida en *Inprecor*, Nº 55, 5 de agosto de 1924 y en V *Congreso de la* IC, T I, pp. 327 y 328.

3 Ver los números 13, 14, 15, 19 y 23 de *El Machete*.

4 «El pleito electoral en el Estado de Oaxaca», *El Machete*, Nº 10, 21-28 de agosto de 1924.

5 *Informe de Carlos Serret al Partido Nacional Agrarista*, 12 de agosto de 1924.

6 «Onofre Jiménez se quita la careta», *El Machete*, Nº 27, 25 diciembre-1 enero 1925.

13. LA FALLIDA PENETRACIÓN EN LA CROM

El trabajo de denuncia e información de *El Machete*, unido a la pequeña labor organizativa realizada por el grupo de comunistas del DF, les permitió además de lograr la mencionada influencia entre los ferrocarrileros, crear pequeños núcleos en el sindicato metalúrgico de la CROM en el DF, en el sindicato de redactores de prensa y fortalecer el sindicato de carpinteros.

El proyecto que venía desde la conferencia de abril de 1924 era utilizar estas organizaciones como punta para intervenir más activamente en la Federación de Sindicatos u Obreros, del DF (CROM), y con esa política el PCM presionó para afiliar al Sindicato de redactores a la central (el metalúrgico y el de carpinteros, desde el 26 de Marzo eran cromistas).

Paralelamente, los choques en ferrocarriles y Tampico fueron haciendo más violenta su relación con el laborismo del Grupo Acción, hasta llegar a la consigna: «El fascismo y el laborismo son gemelos», expresada en octubre de 1924[1]. Los comunistas no se quedan en la consigna y en ese mismo mes expulsaron del Partido Socialista Michoacano, a través de la local de Morelia, a siete miembros de querer infiltrar el PCM y fusionarlo con el Partido Laborista y de tratar de hacer labor de la CROM[2]. De los siete expulsados tres lo habían sido antes de la local comunista: Fidensio Reséndiz, Othón Sosa y Gabriel Rosales. Los otros cuatro eran destacados miembros de la Federación de Sindicatos con los que Primo Tapia y Soria habían trabajado estrechamente en los últimos años: Nicolás Ballesteros, Pedro Coria (periodista sindical), Simón L. Díaz y Maximiliano Silva. La expulsión provocó el viaje a Morelia de una comisión investigadora del CNE que se entrevistó con los expulsados y terminó dictaminando que su marginación había sido correcta porque «los camaradas expulsados se encuentran en las filas de la CROM y sirven al mismo tiempo en muchas de las maniobras del Congreso Local.[3]»

Haber llevado la guerra hasta el Partido Socialista Michoacano, donde los comunistas no tenían derecho a hacerlo si eran consecuentes con la política de Frente Único, sirvió de pretexto para una respuesta de los laboristas mucho más violenta que el acto que la había desencadenado.

La CROM se reunió en Ciudad Juárez entre el 17 y el 26 de noviembre de 1924 con un objetivo central, ultimar su pacto social con Plutarco Elías Calles que asumiría la Presidencia de la República el 1 de diciembre. Las declaraciones en la VI convención dejaron clara esa sumisión y apoyo incondicional. Morones, que no pudo asistir porque estaba herido a causa de una trifulca a tiros en la Cámara de Diputados, envió un telegrama a la convención donde pedía que se le entregara a Calles la Presidencia de la CROM, que se «colaborara con toda la fuerza con el Poder Ejecutivo» y que se dispusiera todos los sindicatos de la organización «en defensa de los intereses del proletariado mexicano y en sus relaciones con el gobierno socialista que presidirá el compañero Calles»[4]. Orgánicamente, la CROM fortaleció su centralización y disciplina, e inició el ataque a anarcosindicalistas, independientes y comunistas. El congreso acordó además desarrollar la «vigilancia de los miembros.»

La primera medida de esta «vigilancia» fue expulsar de la convención a Alfonso L. Soria, delegado por Michoacán. El argumento fue muy simple: era comunista[5]. En los debates contra Soria intervinieron el secretario general, Ricardo Treviño, y curiosamente tres ex comunistas, Ballesteros de Morelia, Diego Aguillón y Delhumeau, además de Moneda y Rico[6]. Una intervención fue particularmente dolorosa para los miembros del PC, la del dirigente agrarista Manrique, gobernador de San Luis Potosí, con el que habían flirteado a lo largo del año, y en cuyo partido, el PN de SLP, trataban de infiltrarse. Manrique ofreció a la CROM el apoyo agrarista contra los comunistas.

El partido interpretaba el ataque como una respuesta de la debilidad del Grupo Acción ante la creciente demanda de sus sindicatos campesinos, expresada por los delegados, de pasar a la acción directa y la toma de tierras; demanda que podía ser estimulada por los comunistas[7].

El PC no pudo ofrecer más respuesta a la expulsión que la acción de la Cámara del Trabajo de Soledad de Doblado de Veracruz, que ordenó a su representante que abandonara la convención en solidaridad con Soria[8].

Una semana después de la convención, Morones era nombrado secretario de Industria Comercio y Trabajo, y decenas de miembros significados de la CROM ingresaban en el gobierno como inspectores, técnicos, funcionarios de alto nivel en la administración callista.

El Partido Comunista penosamente trató de hilvanar una línea sindical en la que asimilar estos acontecimientos. En el manifiesto «Por la unidad sindical, contra la ofensiva burguesa» denunció la derechización de los amarillos y llamó a fortalecer la lucha por el Frente Único «desde abajo». Añadió la consigna de «unidad sindical» y orquestó su propaganda entorno a la idea de «depurar a las direcciones sindicales.[9]»

En el siguiente mes el Grupo Acción golpeó en el DF a los comunistas en los pequeños espacios que habían creado. La primera medida fue rechazar, por veintisiete votos, la credencial de Bertram Wolfe como delegado del sindicato de prensa a la Federación; aunque había sido elegido por unanimidad por su organización, le negaron el derecho de ser delegado.

Salvador Álvarez dirigió la asamblea donde a pesar de la intervención de Wolfe y de otros miembros del sindicato no comunista, no pudieron pasar la férrea cortina tendida por los moronistas. El sindicato se había afiliado a la CROM por iniciativa del PCM, y el autor del reporte sobre la asamblea se quejaba de que «ahora habrá mucha gente en el sindicato de redactores que aprovecharán para romper con la CROM.[10]»

Tras esta medida el Grupo Acción tomó la determinación de no solo excluir como delegado, sino también expulsar a Wolfe junto con Jesús Bernal, dirigente del sindicato carpintero de la CROM[11]. El último golpe se produjo en enero de 1925, cuando sacaron a golpes al dirigente de la JC Carlos Becerra de una asamblea del sindicato del hierro tras expulsarlo. En la reunión de los metalúrgicos, intervinieron muchos policías del DF y una quincena de hombres armados, y Becerra salió lesionado en el choque[12]. En dos meses todo el trabajo de penetración de la CROM en el valle de México se había derrumbado.

NOTAS AL PIE

1 *El Machete*, N° 17, 16-23 octubre 1924. La consigna era el resultado del viraje a la izquierda del partido y de los acuerdos del V Congreso de la IC.

2 Las expulsiones se produjeron el 9 de octubre y fueron anunciadas en *El Machete*, N° 20, 7 noviembre 1924.

3 Informe CNE, *III Congreso*, p. 10.

4 Salazar/ *Historia luchas*, p. 165.

5 Estatutariamente podían hacerlo, porque en la V convención (septiembre 1923) se había acordado que «las agrupaciones obreras deberán expulsar de su seno a todos los elementos de filiación comunista». Barbosa /*La CROM*, p. 376.

6 «La significativa expulsión de Alfonso F. Soria», *El Machete*, N° 23, 27 noviembre-4 diciembre 1924.

7 «¿Para que sirvió la VI Convención de la CROM?», *El Machete*, N° 23, 27 noviembre-4 diciembre 1924.

8 «La voz de los trabajadores se hace oír», *El Machete*, N° 25, 11-18 diciembre 1924.

9 «Por la unidad sindical contra la ofensiva burguesa», *El Machete*, N° 31, 5-12 febrero 1925.

10 *El Machete*, N° 29, 15-22 enero 1925. El partido había incorporado al sindicato a la CROM desde el 26 de marzo de 1924. Serna/ *Luchas obreras* 1924.

11 «Dominar o destruir», *El Machete*, N° 27, 25 diciembre 1924-1 enero 1925.

12 Carlos Becerra: «Mi expulsión de la Unión del Hierro, adherida a la CROM», *El Machete*, N° 33, 5-12 marzo 1925.

14. CONGRESOS AGRARISTAS. HACIA LA ORGANIZACIÓN NACIONAL

Mientras esto sucedía en el DF, el 6 de noviembre en Morelia se inició el II Congreso de la Liga de Comunidades y Sindicatos Agrarios de Michoacán. Estaban presentes ciento ochenta y cuatro delegados con voz y voto y varios delegados fraternales, entre los que destacaban Luis Méndez, presidente de la Comisión Agraria Local, viejo militante de la Casa del Obrero Mundial, que había apoyado fuertemente los esfuerzos de Primo Tapia y los agraristas en los últimos meses; una delegación del PC DE M encabezada por su secretario general, Rafael Carrillo Azeitia, y una de las ligas de comunidades de Veracruz que dirigía con Úrsulo Galván[1].

La sesión del día 6 se fue en acreditaciones, mensajes, lista de presentes a los agraristas caídos, nombramiento de comisiones, invitaciones al gobernador Ramírez para que asistiera al acto, saludos varios.

Los nombramientos de las comisiones se hicieron combinando a los delegados fraternales con los titulares, y así Mora y Tovar, Ascencio, Alfonso Soria, Carrillo Azeitia, Alberto Coria y Luis Méndez se integraron con campesinos en las comisiones de gobernación, hacienda, instrucción, propaganda y organización.

Los comunistas compartían el espacio político con miembros del PSM, del PNA y funcionarios gubernamentales. Quizá por eso el primer mensaje de salutación a proposición de Mora y Tovar fue para los Partidos Agrarista y Laborista, para el presidente de la República y para el ministro de Agricultura. No estaban presentes los miembros de la Federación de Sindicatos afines al laborismo que un mes antes habían sido expulsados del Partido Socialista y la Local Comunista.

Los comunistas se apuntaron un primer tanto al proponer y conseguir que el día 7 la convención celebrara el aniversario de la Revolución Rusa, con canciones y dos largos discursos de Carrillo y Galván.

Mientras se esperaban los resultados de las comisiones, se aprobó una colaboración solidaria con los agraristas de Veracruz que estaban siendo azotados por la plaga de langosta. Las comunidades acordaron la colaboración en dinero o en especie.

Úrsulo Galván, en nombre de la LCAEV, intervino largamente para denunciar el agrarismo amarillo y a los partidos de los que «poco se podía esperar» Laborista y Agrarista. Nuevamente se cambiaba el tono de la convención en este duelo subterráneo entre los comunistas y las corrientes más conservadoras asistentes.

El día 8 se escucharon denuncias concretas. Un rosario interminable de acusaciones conmovió a la asamblea: asesinatos, despojos, juicios interminables en los que jueces venales amparaban a los latifundistas, crímenes que quedaban impunes, torturas... Los nombres de las comunidades afectadas iban cayendo sobre la asamblea: Opopeo, Azajo, Nocupétaro, San Miguel Curahuango, Ixtlan, Etúcuaro.

El cronista de la convención registró:

«Y de las narraciones de estos hechos tomó relieve, en el ánimo de las delegaciones presentes, la idea formidable de unir sus pueblos, como antes con el lazo fuerte de la solidaridad, que los hará respetados, que garantizará para los hombres del campo que ya no dobleguen la espina dorsal ante la burda imagen de los amos.»

El día 9 se producen las elecciones del comité. Primo Tapia es reelecto secretario general de la Liga y Justino Chávez secretario del interior, Jesús Solórzano será el tesorero.

El PCM obtiene un segundo éxito tras la elección de dos de sus miembros en la dirección de la Liga, cuando a proposición de Úrsulo Galván logró que el congreso se adhiriera al Consejo Campesino Internacional (la Internacional Campesina de Moscú), aunque esto fuera bajo la forma indirecta de nombrar un delegado para la promotora mexicana del consejo; evidentemente, este delegado sería Primo Tapia.

El congreso aprueba una Constitución de la Liga y varios acuerdos particulares, pero no le da repuesta a los dos principales problemas planteados: ¿Cómo detener la agresión sistemática de los hacendados? (y aquí no hay otras respuestas que una respuesta militar); ¿y cómo presionar para que se agilice la dotación de tierras?

Sin duda la Liga Michoacana se había fortalecido, pero no había encontrado salida a los dos problemas más graves del movimiento campesino de la región, más allá de una de una voluntad de solidaridad y unidad, que tendría que expresarse a través de una organización más cohesionada.

Desde el punto de vista del PC (que no ha regateado esfuerzo, enviando a su secretario general[2] y al dirigente de la LCAEV), la convención ha resultado un éxito: se han fortalecido las relaciones entre Michoacán y Veracruz (intercambio de delegados, apoyos solidarios por la base), se ha hecho abundante propaganda de la Revolución Rusa (adhesión al Consejo Campesino Internacional, conferencias de Galván y Carrillo sobre la URSS), se ha elegido una dirección cuyos dos cargos principales están ocupados por miembros del partido (Tapia y Chávez), se ha minado la influencia del laborismo y el agrarismo en la Liga y se ha propagandizado el programa del partido, lo que se refleja en las conclusiones.

El siguiente acto se produjo a fines del mismo mes de noviembre al reunirse en Jalapa los delegados al II Congreso de la Liga de Comunidades Agrarias del Estado de Veracruz. Antes del congreso ha circulado un folleto titulado *El agrarismo en México. La cuestión agraria y el problema campesino*[3] en cuya redacción además de las de Galván, se sentían primordialmente las manos de Almanza y Blanco, y la probable colaboración de Díaz Ramírez, quien fungía como secretario de la Liga tras la muerte de Cardel en diciembre del año anterior.

El folleto adelantaba los temas claves a debate en el congreso, y mostraba el viraje a la izquierda que el partido quería imprimirle a la Liga veracruzana. En su introducción, los redactores decían:

«Después de varios años de cruenta lucha por la adquisición de la tierra, los verdaderos campesinos, los que hemos probado el sabor de la tortilla dura, comida al pie del surco en tiempo de paz y empuñando el rifle en tiempo de guerra, necesitamos hacer una especie de balance de nuestras actuaciones.»

En el balance propuesto brota como central el problema de la arrogancia de los latifundistas que habían jugado sus cartas con el delahuertismo, y tras la derrota militar de este resurgían en todo su poder mientras el agrarismo era desarmado («De vuelta al hogar no acertamos a precisar si hemos asistido a un hecho real o fuimos víctimas de una pesadilla: porque todo en nuestro derredor permanece como antes. Los enemigos a quienes creímos exterminar con fiero combate, están frente a nosotros y nos miran con arrogancia»). El folleto estaba ilustrado con las fotos de los agraristas muertos en Veracruz durante la revuelta, miembros de la LCAEV o de los sindicatos rojos, y abundaban las narraciones sobre los crímenes de los hacendados.

El segundo elemento del balance era establecer el «aborto revolucionario» que había significado el agrarismo legalista, y proponer la «revolución proletaria» como única alternativa al problema agrario.

El tercer elemento era una crítica radical de los partidos «social reformistas» (laborista, agrarista), que concebían al campesino como el elector, la reserva de sangre para defender al gobierno y los productores de víveres para las ciudades.

El folleto pasaba a señalar las debilidades de la organización autónoma y establecía dos: el localismo y la falta de programa. La respuesta a ambos era la organización nacional campesina y el Partido de los Obreros y los Campesinos (a lo largo del folleto se habla de este partido sin mencionar por su nombre al Partido Comunista. De no conocer la composición de la comisión redactora y el proyecto político en que se encontraban, daría la impresión de que proponían la organización de un nuevo partido basado en las organizaciones de masas agraristas)[4].

El folleto dedicaba además un capítulo a la plaga de la langosta que azotaba el campo veracruzano, a la información sobre Rusia y el Consejo Campesino Internacional, a las cooperativas agrícolas y a los errores de los que pretendían organizar el movimiento agrario desde el movimiento obrero (los anarcosindicalistas).

El congreso se inició con la presencia del general Adalberto Tejeda, que cedía el gobierno de Veracruz a Heriberto Jara en aquellos días, y de Rafael Carrillo, secretario general del PC DE M. El sindicato inquilinario de Jalapa proporcionó alojamiento a los congresistas[5], y durante una semana, concidentemente la última de noviembre y primera de diciembre, que marcaba el paso del gobierno de Obregón al de Plutarco Elías Calles, los militantes del PC lograron que el congreso fuera convirtiendo en acuerdos las proposiciones contenidas en «El agrarismo en México». El concepto del Frente Único había desaparecido; la Liga era concebida como una extensión del partido que ejecutaría la política agraria de este y sería el instrumento para extender la influencia comunista en el movimiento campesino. Se aprobó una declaración de principios que establece como programa mínimo el ejido y la socialización de la tierra como programa máximo, la solidaridad obrero campesina y el internacionalismo agrario[6].

Bertram Wolfe, que había llevado una representación de la Liga a Moscú en caso de que se reuniera el Consejo Campesino Internacional, dio a los congresistas una conferencia sobre Rusia, y trató, al comparar el sovietismo con la posición del gobierno de Veracruz, de debilitar la situación de Tejeda, pero el gobernador saliente con habilidad neutralizó la intervención del norteamericano y dejó que la propaganda soviética cayera en el vacío[7]. Por unanimidad se decidió afiliar la Liga al Consejo Campesino Internacional, del que Úrsulo Galván había sido fundador en Moscú en 1923[8]. El tres de diciembre de 1924 se aprobó la ponencia sobre la organización nacional campesina redactada por Manuel Almanza y Úrsulo Galván. La misión de la Liga sería crear una comisión para recorrer el país difundiendo el proyecto y llamar a un Congreso Nacional de Ligas Agrarias[9]. Los restantes acuerdos del congreso reflejaban la absoluta identificación de la Liga con el PC. Se pedía al ejecutivo que se armara a los campesinos, se licenciara el Batallón 86 dejando las armas a los agraristas; se pedía el castigo a los latifundistas que habían colaborado con la rebelión delahuertista y la indemnización a los campesinos por acciones de aquellos; se proponía la fundación de colonias agrícolas militares, una cooperativa agraria central en el Estado; la Liga acordaba dotarse de un periódico: *La Voz del Campesino*, y poner un restaurante en el domicilio social de la organización en Jalapa para dar de comer a los campesinos que estuvieran de paso por la ciudad[10].

A la hora de las elecciones, Úrsulo Galván fue reelecto como presidente, Manuel Almanza pasó a la secretaría y Antonio Echegaray fue electo tesorero (los tres miembros del PC DE M).

La política de Frente Único había terminado en Veracruz. El partido se sentía lo suficientemente fuerte como para debilitar sus lazos con el gobierno estatal, y no seguir con Jara lo que se había iniciado con Tejeda[11].

El proyecto de «entrismo dentro de los contingentes del PNA», estaba siendo sustituido por el proyecto de construir una Liga Agraria Nacional bajo influencia del PC apoyada en los contingentes de Veracruz, Michoacán, el Estado de México y Oaxaca.

No había terminado diciembre y aún no había podido desplegarse la militancia de los agraristas comunistas, cuando en Oaxaca y en Michoacán se produjeron fuertes represalias contra el movimiento campesino.

El general Mange, jefe de operaciones en Oaxaca, agasajado por los hacendados y aprovechando el viraje a la derecha del gobernador Onofre Jiménez, desató una cacería de brujas en el estado. En San Mateo dos campesinos fueron fusilados, las guardias blancas mataron a un niño en el Vergel, los hacendados acompañados por soldados atacaron las comunidades en varios puntos del estado. Mange en persona detuvo el Ayuntamiento de Zimatlán, y el de Zachila fue detenido por el capitán Bravo que había militado en el delahuertismo. En enero, cien Dragones federales cayeron sobre San Martín de los Cansecos, una niña de doce años fue violada, veinte agraristas detenidos. La respuesta a las protestas campesinas fue: «Venimos con órdenes del presidente de la República de acabar con los bandidos que quieren tierras.[12]»

Si los crímenes de Mange asolaron Oaxaca, en Michoacán no fue mejor la situación. Primo Tapia, que tras el congreso había iniciado una gira de organización por las comunidades, se encontraba el 27 de diciembre en Naranja cuando ciento cincuenta hombres de la hacienda Cantabria atacaron la población. Primo pudo huir, pero algunos agraristas fueron ahorcados, y las guardias blancas robaron la cosecha, violaron mujeres, torturaron y detuvieron a cuarenta campesinos. El 26 de diciembre habían asaltado Tiríndaro y el 29, fuerzas federales del 62 Regimiento cayeron sobre Tarajero[13].

Estaba claro que el agrarismo organizado no podía frenar la ofensiva de los terratenientes aliados con el ejército, dentro de la actual relación de fuerzas.

En enero de 1925, al fin el Batallón 86 fue licenciado, pero no como pedía la Liga. Un día, a los agraristas les dieron permiso y al regresar al acuartelamiento al día siguiente no los dejaron entrar; estaban licenciados... Pero las armas se habían quedado en el cuartel[14].

NOTAS AL PIE

1 Toda la información sobre el congreso está tomada de *Crónica de los trabajos efectuados por la II gran Convención de la Liga de Comunidades y Sindicatos Agrarios del Estado de Michoacán de Ocampo. 1924*, Tipografía de la Escuela de Artes y Oficios, Morelia, 1924. Reproducida por Embriz-León/ *Documentos*, pp. 56-74 y Martínez/ *Tapia*, pp. 141 y ss.

2 El CNE prefirió enviar a Carrillo al congreso michoacano que tenerlo presente en el acto conmemorativo de la Revolución de Octubre que se celebraba en el DF en esos días con la participación del primer embajador soviético en México (¡!). Esto muestra la importancia que el partido daba al movimiento agrarista.

3 Sin pie de imprenta, ochenta y una páginas, ilustrado con fotos.

4 Como erróneamente interpreta Roberto Sandoval en su trabajo citado.

5 Informe CNE, *III Congreso*, p. 15.

6 Almanza/ *Agrarismo*, XII-24 y 25.

7 Wolfe/ *A life*, pp. 331-332.

8 «The mexican Farmers join the Peasant International», *Inprecor*, 14, 11 feb. 1925.

9 Almanza/ *Agrarismo*, XII-27-32.

10 «Resoluciones del II Congreso de la LCAEV», *El Machete*, N° 25, 11-18 diciembre 1924 y Almanza/ *Agrarismo*, XII-44 y ss.

11 «Había llegado la hora de romper relaciones con Jara y dar una base económica independiente a la Liga de Comunidades Agrarias, utilizando al mismo tiempo el contacto con el Partido Veracruzano del Trabajo para crear núcleos más grandes dentro de él y al mismo tiempo no dejar de fundar locales del Partido Comunista». Informe B. Wolfe, *III Congreso*, p. 29.

12 «Los asesinatos y atropellos del general Mange en Oaxaca», *El Machete*, N° 32, 19-26 febrero 1925.

13 Friedrich/ *Agrarian revolt*, p. 116 y «Los crímenes de Michoacán reclaman justicia», *El Machete*, N° 31, 5-12 febrero de 1925.

14 Almanza/ *Agrarismo*, XV-10-12.

OCTAVA PARTE

BOLCHEVIZAR

Diciembre 1924 - marzo 1925

1. LOS RUSOS LLEGAN

En 1924 el gobierno de Obregón y el gobierno soviético iniciaron pláticas formales a través de sus embajadas en Alemania tendientes a la reanudación de relaciones, suspendidas desde la época revolucionaria. Ortiz Rubio, embajador en Berlín, hizo la petición formal en junio de 1924, y el 30 de julio el ministro de Relaciones Exteriores de México, Aarón Sáenz, declaró: «[...] no vemos [...] obstáculo alguno para renovar en el momento en que se desee.[1]»

Bertram Wolfe, que se encontraba en esos momentos en Moscú, fue interrogado por Chicherin, el ministro soviético de Relaciones Exteriores:

> «Camarada Wolfe, México acaba de acordar el reconocimiento diplomático de la Unión Soviética, ¿cómo lo explica?
>
> «Es fácil, camarada Chicherin. Cada vez que el gobierno mexicano pasa un rato difícil ante le movimiento obrero o campesino, o frente al Partido Comunista, lo resuelven con una acción radical en sus relaciones exteriores. No sé lo que hayan hecho últimamente en casa, pero habrán silenciado el criticismo de la izquierda, o al menos lo enmudecieron, reconociendo su gobierno. ¿Qué les cuesta? Nada. ¿Qué peso tienen en los asuntos mundiales? Ninguno.»

Wolfe, además de magnificar la importancia del PCM, que como él decía respecto al peso de México en los asuntos internacionales, en lo nacional era nulo, dejaba de lado el problema central, la relación entre el gobierno obregonista y los Estados Unidos. En un momento de grandes huelgas petroleras, el reconocimiento de la Unión Soviética era una jugada clave para presionar a Estados Unidos e indirectamente a las compañías petroleras.

Chicherin le preguntó además qué ventajas podía obtener la Unión Soviética del reconocimiento, y Wolfe tras explicarle que no podría sacar ninguna ventaja comercial, señaló que México sería el primer país latinoamericano que reconocería a la Unión Soviética, aunque esto probablemente no influyera en otros países del continente, y que si se trataba de usar México como trampolín para introducir emisarios de la Comintern en Estados Unidos, más de la mitad de la frontera común estaba desguarnecida[2].

Si México obtenía del reconocimiento una carta de presión contra los Estados Unidos, la Unión Soviética obtenía el primer reconocimiento latinoamericano que ayudaba a romper el bloqueo diplomático.

El caso es que los pasos formales se aceleraron y el 4 de agosto el gobierno mexicano aceptó a Stanislao Pestkovsky como primer embajador soviético, y la URSS a Basilio Vadillo como embajador mexicano.

Pestkovsky tenía cuarenta y dos años en 1924; hijo de un noble polaco, había participado en el movimiento estudiantil de Polonia siendo compañero de Dherzynsky. En 1902 se incorporó al Partido Socialdemócrata de Lituania. Detenido en Varsovia en 1904. Organizó huelgas en la revolución de 1905. Participó en actividades terroristas. Desterrado a Siberia cuatro años. Al terminar su destierro en 1911, realizó trabajo organizativo entre campesinos. Deportado de nuevo en 1912 huyó del destierro. En 1913 se encuentra en Londres donde se incorpora al Partido Socialdemócrata Bolchevique. Trabaja como electrotécnico. Regresa a Rusia en 1917, pasa a ser miembro del secretario del PSD ruso y durante la Revolución de Octubre se hace cargo de la dirección de Telégrafos; más tarde es viceministro del Pueblo de Nacionalidades, presidente del Comité Revolucionario de la República Kirguiz, comisario político en el frente polaco y luego miembro de la comisión de límites; vinculado a la oposición «centralista democrática». Su envío a México es el resultado de un relativo destierro, dados sus vínculos con la oposición y el intento de utilizar sus dotes conspirativas en un proyecto de alcance latinoamericano[3].

El partido recibe la designación con júbilo. En la primera semana de octubre aparece un llamado del comité nacional para la organización de la recepción a Pestkovsky. Se forma un comité especial y se abre una colecta para gastos en el recibimiento[4].

La llegada del embajador ruso se habría de producir en medio de una virulenta polémica con los anarcosindicalistas. Mientras *El Machete* llenaba sus páginas con información exaltada e incluso sacaba una edición especial[5], la prensa anarcosindicalista atacaba violentamente a los bolcheviques y al futuro embajador.

Con materiales originados en Europa, particularmente en los medios anarcosindicalistas alemanes, informaciones sobre la represión al movimiento machnovista y acerca de la ofensiva bolchevique contra la autonomía sovietista, los partidos y grupos de oposición de izquierda, los consejos fabriles y los sindicatos, los anarcosindicalistas mexicanos iniciaron una poderosa campaña para deslindarse del comunismo y atacar la corrupción de las proposiciones originales de la Revolución Rusa. Las acusaciones incluían constantes denuncias de las atrocidades cometidas por la Cheka.

El centro de la feroz crítica podía resumirse en los siguientes argumentos: la dictadura soviética no es transitoria sino que aspira a hacerse permanente, no es obrera sino de partido, se persigue a la oposición, se persigue el pensamiento, se persigue en particular a los anarquistas, se ha abolido el derecho de huelga, no se ha erradicado el hambre y la miseria. Se utilizaban para hablar de Rusia calificativos como: «régimen de terror», «tiranización del pueblo», etcétera.

No se trataba de informaciones vagas o de un debate estrictamente ideológico, muchos artículos citaban minuciosamente represiones y persecuciones[6].

De rebote, la propaganda anarcosindicalista hacia extensivas sus críticas a los comunistas mexicanos a los que caracterizaba como una prolongación de los rusos, llegando a calificar a *El Machete* como «un órgano de la Cheka» porque este negaba la persecución que en Rusia sufrían los anarquistas.

Las ya de por sí envenenadas relaciones entre la CGT y el PC, se vieron mucho más envilecidas en el curso de esta guerra de papeles.

Hacia fines de octubre, cuando se aproximaba la fecha de arribo del embajador, dos artículos culminaron la campaña cegetista; uno en el órgano central del sindicalismo ácrata, *Nuestra Palabra*, que llamaba a repudiar al «embajador del crimen» y a que se asistiera a los actos que se iban a celebrar a su llegada para protestar contra la persecución del anarquismo en Rusia[7]; y el otro, la ruptura final del magonismo con la Revolución Soviética, un artículo de Librado Rivera desde las páginas de *Sagitario*, ya incorporado a la CGT, en que señalaba la incompatibilidad del pensamiento libertario con la doctrina de la dictadura del proletariado[8].

Con este caldeado ambiente en los círculos militantes, y aunque la polémica no debió apasionar demasiado a las bases obreras, si se mide por los hechos que habrían de suceder, Pestkovsky desembarcó el 30 de octubre del barco Río Pánuco en el puerto de Veracruz[9]. Al llegar se abstuvo de ofrecer declaraciones a la prensa hasta confirmar el terreno que pisaba, y se limitó a aceptar las porras y vítores de algunos trabajadores veracruzanos que acudieron al pie de la escalerilla a recibirlo[10].

Tomó el tren del Mexicano para el DF y descendió el mismo día en la estación Buenavista, donde el partido le había preparado una recepción a la que asistieron un par de centenares de personas miembros del PCM y de la Unión de Carpinteros, el único sindicato que asistió[11]. Luego, un mitin frente al hotel y nuevos discursos, nuevas declaraciones de amor a la Revolución Soviética triunfante.

El 7 de noviembre por la mañana, Pestkovsky entregó credenciales a Obregón y tras las declaraciones obligadas, deseos de prosperas relaciones, júbilo, etc., declaró:

«Esta lucha de siglos de las masas trabajadoras en México por su independencia de la opresión imperialista extranjera ha despertado en los corazones de los trabajadores y campesinos de la Unión Soviética, la más profunda simpatía hacia el pueblo mexicano». Obregón respondió mañosamente que «México siempre ha reconocido el derecho indiscutible que todos los pueblos tienen para darse el gobierno y leyes que mejor satisfagan sus propios anhelos» y que los pueblos se acercan «cada vez más [...] por la similitud de llevar hacia un constante mejoramiento a las masas que por tantos años han vivido entre la opresión y la miseria.[12]»

Por la tarde, organizado por el PC, se efectuó el acto de aniversario de la Revolución de Octubre en el anfiteatro de la preparatoria.

Pestkovsky fue recibido con aplausos y se desarrolló un largo programa en el que además de varias intervenciones, se cantaron canciones, se recitaron poemas y se desplegaron estandartes[13].

Las intervenciones de Gómez Lorenzo y Pestkovsky fueron recibidas con aplausos, pero las de Monzón y Turrubiates, el militante comunista de la región petrolera, fueron interrumpidas por anarquistas que se encontraban en la galería.

En la versión taquigráfica se encuentran multitud de párrafos como este (tomado de la intervención de Monzón):

«Yo quisiera establecer una diferencia entre la forma de obrar del amarillismo y del comunismo rojo... (Una voz: ¡Es igual! Otra voz al interruptor: ¡Cállate, bruto!)»

Turrubiates, que atacó a la CGT duramente en su discurso, fue interrumpido más veces aún. Siqueiros tuvo que intervenir para evitar que el acto terminara en un enfrentamiento a golpes y Wolfe llegó a decir: «Que cada comunista que esté aquí, calle y escuche el mensaje de nuestro camarada. Nosotros no estamos aquí para matar espías». A la salida del acto, el diputado Caloca, simpatizante de la Revolución Rusa y miembro de la PNA atacó pistola en mano a un de los miembros del secretariado de la CGT que había estado retando a los oradores[14].

Los anarquistas no quitaron el dedo de la llaga respecto a la denuncia del bolchevismo, y poco después del acto del 7 de noviembre comenzó a salir el periódico *Rusia Trágica*, que editado por E. Vera y Jacinto Huitrón, círculo en los medios sindicales de fines de 1924 a febrero de 1925[15], difundiendo denuncias de los anarquistas presos en Rusia y en el exilio.

A las contradicciones que los anarquistas y el PC tenían en el movimiento obrero (Tampico, Sindicato de Redactores, línea del Frente Único, etc.) vino a sumarse con brío renovado, la polémica sobre la Revolución Rusa.

Si el reconocimiento de la URSS por Obregón significó para los comunistas un punto de apoyo eficaz en sus relaciones con la Comintern, también significó la confirmación de su guerra con el anarcosindicalismo.

NOTAS AL PIE

1 Héctor Cárdenas/ *Relaciones mexicano-soviéticas*, Capítulo VI.

2 Wolfe/ *A life*, p. 334.

3 Datos biográficos en *La Luz al campesino*, N° 5, 15 octubre de 1926 y «Una vida ejemplar», *El Machete*, N° 51, 30 de septiembre de 1926.

4 *El Machete*, N° 15, 2 al 9 de octubre de 1924.

5 En *El Machete* se anunció un número especial para el séptimo aniversario de la Revolución Rusa que contenía artículos de Rafael Carrillo, Mallén, Wolfe, Gómez Lorenzo, Edo Finen, Brandao y dibujos de Guerrero y Orozco. No he podido localizarlo en las colecciones existentes en México y Nueva York.

6 Ver en particular «La tragedia de la Revolución Rusa», *Nuestra Palabra*, N° 33 (19 junio) y N° 34 (26 junio), «El régimen de terror en Rusia», *Nuestra Palabra*, N° 43 (9 octubre) y «La verdad sobre Rusia», *Nuestra Palabra*, N° 46 (30 octubre) y 47 (6 de noviembre).

7 «El embajador ruso», *Nuestra Palabra*, N° 45, 23 de octubre de 1924.

8 Librado Rivera: «Mi decepción de la Revolución Rusa», *Sagitario*, N° 3, 25 de octubre de 1924.

9 El resto de la delegación soviética consistía en un secretario, León Haykis, quien había acompañado a Pestkovsky en la República Kirguiz y era también miembro de la «oposición centralista democrática»; un secretario de prensa llamado Volinsky y un traductor de apellido Zeitlin. Wolfe/*A life*, pp. 75-76.

10 Mario Gill: «Relaciones entre México y la Unión Soviética» en *México y la Revolución de Octubre.*

11 El partido esperaba una gran asistencia de obreros cromistas, misma que nunca se produjo, y había pedido a estos que no llevaran la bandera nacional, sino la roja, porque «sería un insulto gratuito al valiente proletariado ruso». *El Machete*, N° 18, 23-30 octubre de 1924.

12 Cárdenas/ *Relaciones*, pp. 75-76.

13 Entre los actos culturales: Gregorio López y Fuentes recitó su poema *Lenin* y Concha Michel y Mari Vázquez cantaron una canción de Carlos Gutiérrez Cruz que se estrenó ese día («*Sol redondo y colorado / como una rueda de cobre / de a diario me estás mirando / y a diario me miras pobre. / Me miras con el arado / luego con la rodazera / una vez en la llanura / y otra vez en la ladera*»).

14 El acto del día 7 puede reconstruirse en los artículos de Guillermo Durante de Cabarga en *El Demócrata* (8 noviembre); «Pestkovsky, la avanzada contrarrevolucionaria», *Nuestra Palabra*, N° 48, 14 de noviembre y «Sensacionales declaraciones del camarada Turrubiates», *El Machete*, N° 21, 13-20 de noviembre de 1924.

15 Colaboraban en la edición los grupos Luz y Vida, Humanidad, Centro de Estudios Sociales y Tierra Libre de la Ciudad de México. Llevaba como lema: «Por la revolución social y contra sus explotadores embusteros». Conozco los tres primeros números, los dos primeros sin fecha, y el tercero del 7 de febrero de 1925.

2. ENCUENTRO CON GUANAJUATO

Desde noviembre de 1921, el Partido Comunista Revolucionario de México de Nicolás Cano se había mantenido enclaustrado en Guanajuato, sosteniendo un periódico, *Rebeldía*, y una guerra mortal contra el gobernador Antonio Madrazo.

El primer choque de esta guerra se produjo a los pocos días de haberse instalado el grupo, cuando fuerzas rurales al mando de un pariente del gobernador asaltaron la imprenta donde se editaba el periódico propinando golpes y amenazas. Detrás de la agresión estaba el miedo del gobernador de que Cano se lanzara a la Presidencia Municipal de Guanajuato, utilizando la influencia que tenía entre los mineros, consecuencia de su trabajo allí durante la huelga de 1916[1].

Los choques menudearon el año siguiente, pero la crisis sindical, producto en buena medida de la crisis económica de la minería en Guanajuato, impidió el desarrollo del PCRM, que le hablaba a un sector obrero desorganizado y a la defensiva, cuyo último acto había sido el intento de huelga dirigido por Tabler en 1920.

El equipo de Cano concentró sus fuerzas en el periódico y en una campaña casi personal contra el gobernador, que provocó que en 1922 fuera suspendido *Rebeldía*, reanudando su aparición en enero de 1923[2].

Rebeldía, expresión de los comunistas guanajuatenses, entre los que se encontraban Nicolás Cano, Francisco Álvarez y Antonio Méndez, profesaba un bolcheviquismo muy sui géneris. Junto con esporádicas denuncias sobre la condición de los trabajadores de la región, abundaban artículos moralizantes sobre lo mal que andaba el correo, lo ridículas que eran las bodas religiosas, las malas condiciones urbanísticas de la capital del estado, las barrabasadas de los «sietemesinos» estudiantes, etc.[3] No había en sus páginas ninguna información sobre el movimiento obrero nacional, ni existía entre sus artículos propaganda comunista de ninguna especie. Lo central era la denuncia del gobernador que recibía los calificativos de «lamebotas de los gachupines», «miserable jenízaro», «troglodita blanco», «puto», «aborto del infiernazo burgués.[4]»

El «estilo» del periódico, como bien puntualizaban sus redactores, no obedecía a un caso de locura, sino a la obligada respuesta ante la agresión continua del gobierno que a través de libelos, represalias, detenciones, ataques armados, había traído en jaque al grupo. Madrazo, entregado en los años de su gobierno a los dueños de las minas y al clero, destruyendo toda organización sindical independiente y reduciendo a los comunistas a un pequeño grupo de oposición escrita, aislados de la población y sistemáticamente hostigados.

La respuesta a la ofensiva de enero de 1923 del renacido periódico, no fue menos violenta que las anteriores. El día 27 de ese mismo mes, cuando salía a la calle el número 50 de *Rebeldía*, la milicia estatal al mando de los hijos del gobernador, se presentó en las oficinas del PCRM fusil en mano y obligó a los comunistas a salir a la calle «donde un grupo como de cuarenta soldados de las milicias armados de palos, cuchillos y carabinas nos esperaban para golpearnos; todos los allí presentes recibimos garrotazos, algunos heridas de cuchillo y arma de fuego». Entre los heridos se encontraba el propio Cano, los secretarios del partido, Alvarado, J. Dolores Barrón y Méndez; un tipógrafo que recibió un balazo en el ojo, y otros tres trabajadores, además de un niño que había ido a comprar un periódico. El hostigamiento prosiguió con un saqueo de las oficinas y la presencia continua de guardias armadas, que disparaban al aire constantemente frente a las casas de los militantes... El dos de febrero la dirección del PCRM fue detenida y encarcelada y aunque algunos fueron liberados por un juez, este les dijo que no podía ofrecerles garantías contra los actos del gobernador. Cano permaneció preso en la cárcel de Granaditas y la imprenta de *Rebeldía* cerrada a punta de pistola por las fuerzas del gobernador; muchos de los miembros del partido fueron obligados a dejar el estado, amenazados de muerte[5].

Ocho meses más tarde, el 25 de septiembre de 1923, el 25 de septiembre de 1923, *Rebeldía* salía a la calle dando noticia pormenorizada de la represión y con un cintillo permanente en el que acusaba a Madrazo y a sus hijos de haber sido sus instigadores. Esto podía suceder porque desde ese mismo día Madrazo había terminado su mandato como gobernador de Guanajuato.

Cuando Enrique Colunga fue electo gobernador del Estado y Cano puesto en libertad, el PCRM trató de presionar al funcionario para que se resolviera la bancarrota del erario público y se acabara con los restos de la administración de Madrazo: policías, funcionarios municipales, administradores estatales; e inició algunas campañas, entre ellas una para mejorar las condiciones de los presos comunes, que fueron exitosas[6]. Cano entró como representante obrero en la junta de conciliación, y a fines de 1923, trató de enlazar con el PC DE M para incorporarse a él, como única vía para romper el aislamiento. La propuesta no fructificó por razones de incomunicación, y el grupo de Guanajuato permaneció aislado del resto del país durante casi todo el año 1924.

En los últimos meses de 1924, Cano ganó las elecciones para representar a su estado en la junta de salario mínimo, y cuando parecía que su situación se volvía menos agitada, fue atacado por un hombre a sueldo de la patronal que le disparó una .38, salvándose milagrosamente de la muerte[7].

El 3 de noviembre de 1924, el PCRM se adhirió formalmente al Partido Comunista y se convirtió en su local de Guanajuato. El partido respondió aceptando la adhesión, poniendo al periódico *Rebeldía* bajo dirección del comité nacional y reconociendo a Cano como secretario de la local guanajuatense[8]. La formalización de las relaciones no se produjo sino hasta el 10 de enero de 1925 cuando Cano viajó a la capital, entregó la documentación y se cerró el acuerdo[9].

Así se produjo el encuentro de los dos partidos comunistas que había en México.

Notas al pie

1 *AGN/Obregón-Calles* 421-C-10 y 811-C7.

2 Con el número 50; en *Rebeldía*, N° 51, 27 de enero de 1923, se dan noticias de la suspensión.

3 *Rebeldía*, N° 51 y N° 53, 6 de octubre de 1923.

4 Ver en particular «El undécimo macanazo del troglodita blanco, Madrazo», *Rebeldía*, N° 51.

5 «Presente y adelante», *Rebeldía*, N° 52, 26 de septiembre de 1923.

6 *Rebeldía*, N° 53, 54 (13 octubre) y 56 (27 de octubre de 1923).

7 «En Guanajuato se intenta asesinar a un comunista», *El Machete*, N° 27, 25 diciembre de 1924-1 enero de 1925.

8 *El Machete*, N° 30, 22-29 de enero de 1925.

9 Informe CNE, *III Congreso*, p. 10.

3. LA EXPERIENCIA ELECTORAL

La decisión de intervenir en los procesos electorales tomada por el partido desde 1923, por debilidad o por falta de interés de sus militantes o sus direcciones, no había sido llevada a la práctica. La solitaria campaña de Roberto Calvo Ramírez en Zimatlán para una diputación local en el congreso oaxaqueño, que culminó con su elección, quizá reanimó el dormido interés partidario en la «lucha electoral», de manera que en octubre de 1924 la dirección del PC publicó en *El Machete* una serie de consideraciones previas a la intervención comunista en las luchas electorales, como antecedentes a la campaña para elegir el Ayuntamiento de la Ciudad de México que habría de celebrarse un mes más tarde.

El documento titulado «Reformismo o revolución»[1] establecía los principios que habrían de regir a los comunistas en la campaña: «El PC figurará en las elecciones para propagar su programa, para ponerse en contacto más ampliamente con la clase trabajadora, para disipar y destruir las ilusiones parlamentarias de reforma en el organismo de la política burguesa».

A esta declaración seguían diez puntos para ser aplicados en la campaña: 1) Denuncia del laborismo porque aceptará la no retroactividad del artículo 27, aplastará las huelgas y devolverá los ferrocarriles al capital; 2) Explicar qué es el comunismo; 3) Propaganda sobre la abolición de municipios y formación de soviets; 4) Los candidatos del PC no cobrarán sus sueldos y solo recibirán el equivalente a lo que gana un obrero fabril, entregando al partido el resto. Invitarán al cabildo a sindicatos y comunidades agrarias debilitando la estructura municipal; 5) Se luchará por el correcto manejo de los fondos; 6) Se luchará por «impuesto solo a los ricos»; 7) Solución al problema inquilinario, casas a obreros por cuenta del municipio; 8) Todo trabajo municipal deberá encargarse solo a obreros sindicalizados; 9) Reforma pedagógica para preparar el advenimiento del comunismo; 10) Abolición del uso de soldados y policías en conflictos laborales, guardia roja sindical.

Estos diez puntos estaban acompañados de la recomendación de que los candidatos entendieran que su misión central, si eran elegidos, era «obstruccionar el sistema», y la recomendación de que los candidatos no fueran licenciados o profesores, sino obreros.

La puesta en marcha de la campaña no debe haber causado mayor eco en las filas del partido, porque *El Machete* no hizo propaganda por ningún candidato comunista, ni dio noticia de alguna campaña electoral o reportó elecciones en cualquiera de los distritos del DF donde hubiera intervenido un miembro del PCM.

La única alusión a las elecciones de noviembre se produjo cuando se notificó la expulsión del PC DE M de Rafael Mallén, «por violaciones a la disciplina y falta de ideología comunista». Mallén había participado junto con N. Molina Enríquez y Benigno Valenzuela (director de *El Demócrata*) en las elecciones, como candidato del partido Unión Revolucionaria Educativa a una regiduría[2].

Curiosamente, mientras el partido se negaba a que hubiera profesores entre sus candidatos, era un profesor recientemente incorporado al PC quien les ofrecía sus primeros éxitos dentro de la política parlamentaria.

Luis G. Monzón, electo senador por San Luis Potosí en una candidatura independiente, y que se había incorporado a la XXI legislatura en septiembre, se había adherido al PC y actuaba dentro del Senado como un disciplinado comunista, utilizando su curul para las denuncias que le encargaba el comité nacional y para la propaganda comunista en artículos de prensa.

En un breve lapso, Monzón había intervenido informando sobre los casos de Argueta (un miembro del PC de Michoacán que había sido reprimido por la empresa Dos Estrellas por sus denuncias) y de los huelguistas de Tampico; que había realizado una investigación parlamentaria sobre los crímenes de Mange en Oaxaca, y usado la tribuna que le ofrecía *El Universal* y *El Demócrata* en su calidad de parlamentario, para hacer propaganda comunista[3].

Monzón, un maestro de escuela rural nacido en la hacienda de Santiago en San Luis Potosí en 1872, que había sido diputado al Congreso Constituyente por el distrito minero de Arizpe, Sonora, se había hecho comunista durante un viaje a la Unión Soviética, y tras su elección en 1924 como senador por San Luis Potosí se había incorporado al PC. Su disciplina como parlamentario provocó los más encendidos elogios en *El Machete*[4].

Si bien las elecciones en el DF no produjeron ningún resultado a pesar del documento «Reformismo o revolución», en los últimos meses de 1924 y los primeros de 1925 el partido incrementó su grupo parlamentario con otros dos diputados locales de Veracruz y un regidor en Tampico.

Los dos diputados locales fueron Úrsulo Galván por Córdoba y Francisco Moreno por San Andrés Tuxtla. Nuevamente fueron organizaciones ajenas las que los lanzaron como candidatos. Galván fue propuesto como candidato por el Partido Veracruzano del Trabajo (que dirigía el ex gobernador Tejeda), el Partido del Trabajo, el Partido Campesino Tierra y Libertad y el Partido Antonio Gutiérrez Armas. Con una campaña relámpago, en la que pronunció discursos agraristas muy encendidos y discursos muy cálidos («He barrido el polvo de los talleres, he sentido caer sobre mi rostro, fulminante como látigo de fuego, la mirada oblicua del servil capataz; y he leído en esas miradas todo el odio de aquella clase nuestra sufrida y explotada clase»), Galván triunfó contra el candidato laborista Figueroa por 4 403 votos a 913[5].

Francisco J. Moreno, un dirigente de la Confederación de Sociedades de la LCAEV en la zona de los Tuxtlas, fue postulado por la planilla Partido Rojo y triunfó en San Andrés Tuxtla[6].

El tercer parlamentario comunista fue Gregorio Turrubiates, el petrolero despedido del Águila, quien participó dentro de una planilla del Partido Socialista Fronterizo que ganó las elecciones para la alcandía de Tampico.

Si bien no se discutió la campaña de Úrsulo Galván, la de Turrubiates fue duramente criticada por el comité nacional que lo acusó de haber roto la disciplina y la táctica electoral del partido señalada en el documento citado. Turrubiates se negó a disciplinarse y no asistió a una reunión a la que fue convocado por el comité nacional, lo que provocó mayores suspicacias y aumentó las críticas de que la presencia del comunista había servido para enmascarar las posiciones reaccionarias del partido de Portes Gil que lo había usado como una «hoja de parra.[7]»

El caso es que en 1925 el partido tenía un senador, tres diputados locales y un regidor en sus filas, sin haber intervenido como PCM en una sola campaña electoral.

Notas al pie

1 *El Machete*, N° 15, 2 al 9 de octubre de 1924.

2 *El Machete*, N° 22, 20-27 de noviembre de 1924.

3 Monzón/ *Algunos puntos*.

4 «Nuestro senador comunista», *El Machete*, N° 30, 22-29 de enero de 1925.

5 *El Machete*, N° 31, 5-12 de febrero de 1925 y N° 33, 5-12 de marzo de 1925.

6 Almanza/ *Agrarismo*, p. 26 y Fowler/*Movilización*, p. 82. Moreno era simpatizante del PC cuando fue elegido diputado en febrero de 1925 y no ingresó sino hasta el 10 de junio de ese año. Su petición fue avalada por Úrsulo Galván y M. Díaz Ramírez. *El Machete*, N° 41, 13 de agosto de 1925.

7 Informe CNE, *III Congreso*, pp. 8-9.

4. CALLES «SE QUITA LA MÁSCARA»

En los últimos meses de 1924 y los primeros de 1925, el PC DE M revisó su política respecto al presidente electo Plutarco Elías Calles. Mucho influyó en el abandono del callismo el rotundo fracaso de las experiencias de «Frente Único por arriba», y también el regreso de Bertram Wolfe y la transmisión de las directrices de la IC de considerar el laborismo como «la mano izquierda del capitalismo». Aunque la traducción mexicana de la apreciación de la socialdemocracia que utilizaban los comunistas europeos resultaba bastante mecánica, se adaptaba al viraje a la izquierda que la realidad le estaba imprimiendo al Partido Comunista, al cerrarle los caminos por la derecha agraristas y cromistas. La primera ruptura pública, aún muy moderada, se dio en septiembre a partir de la crítica a la XXI legislatura, a la que se calificaba como «instrumento del imperialismo norteamericano» y cuya composición se culpaba a Calles y a Obregón[1].

Conforme se acercaba el momento en que Calles asumiría la Presidencia, parecía como si el partido a través de *El Machete*, buscara un motivo para romper un matrimonio al que nadie lo había invitado y en el que se habían empantanado solos. El primer pretexto lo ofrecieron las declaraciones del presidente electo en una gira realizada por los Estados Unidos, cuando al entrevistarse con una comisión de banqueros norteamericanos, Calles declaró: «Pueden ustedes tener la seguridad absoluta de que los ideales que perseguimos no serán un obstáculo al desarrollo de la industria o el comercio». El partido reaccionó titulando en su semanario: «Calles se quitó la máscara y se mostró tal como será en la Presidencia»; y completó la afirmación: «El presidente electo niega su socialismo.[2]»

Curiosamente, la prensa comunista ignoró declaraciones hechas por el propio Calles unos días antes también en Nueva York, pero ante un auditorio muy diferente, un auditorio de la AFL: «La felicidad del mundo será un hecho cuando las clases trabajadoras dirijan los destinos de la humanidad». En un banquete ofrecido en el Templo del Trabajo el futuro presidente añadió: «Pueden estar seguros los compañeros que yo no seré un farsante o un traidor, porque las clases trabajadoras no han electo a un político común, sino a quien está identificado con ellas y siente sus sufrimientos, y ese hombre, pueden estar convencidos y seguros, sabrá cumplir con su poder.[3]»

El presidente de México en menos de veinticinco días era capaz de satisfacer a banqueros y burócratas sindicales. Había palabras para todos. Pero no era diferente al Calles que habían apoyado fervorosamente desde *El Machete* cuatro meses antes. No eran los actos o las confusas declaraciones del personaje que había de apropiarse del sillón presidencial en unos días lo que motivaba la ruptura del partido con él; era un viraje que trataba de corregir a como diera lugar una línea política que había sembrado ilusiones en la base del partido respecto a las posibilidades del callismo y sus aliados laboristas y agraristas.

En un balance hecho por el secretario general, Rafael Carrillo Azpeitia, cuatro meses más tarde, se decía:

«El partido se encontraba en una situación difícil, porque no podía adoptar su verdadera actitud de organización comunista, después de la conducta del anterior comita. Fue una verdadera tarea la lucha por convencer a todos de lo ilusorio de las promesas laboristas [...][4]»

Lo que no decía era que la etapa más callista del partido se había producido en julio de 1924, cuatro meses antes de esta ruptura, cuando Carrillo ya era secretario general y Wolfe secretario de prensa y propaganda (aunque se encontraba ausente de México en el congreso de la IC).

El pretexto final para el deslinde (no se puede hablar de rompimiento cuando antes sólo hubo adhesión), se produjo a los pocos días de haber asumido la Presidencia, cuando Plutarco Elías Calles hizo pública la formación de su gabinete. *El Machete* calificó la selección de ministros hecha por el presidente con un titular a lo ancho de la plana: «El primer acto oficial de Calles, la elección de su gabinete, marca su primera traición al proletariado nacional», y tras señalar que las figuras más progresistas del bloque laborista-agrarista (Soto y Gama, Gasca, Delhumeau, Manrique, Lombardo y Caloca) no estaban presentes en el gabinete, caracterizó así a los elegidos:

«Corrompidos de Obregón»: Aarón Sáenz, Pani.

«Social traidores«: Morones.

«Francamente fachistas«: Puig Cassauranc, Romeo Ortega.

«Simples amigos«: Valenzuela y Luis León[5].

Richard Francis Phillips, desde Nueva York, terminó de justificar los elementos de la ruptura del partido con el presidente, atribuyéndola a un cambio en la posición de Calles:

> Hace quince meses Calles significaba protección para las masas trabajadoras mexicanas, contra la dominación clerical y extranjera; hoy significa opresión gubernamental, compromiso con los enemigos nativos y extranjeros y sufrimiento permanente para los campesinos.
>
> El cambio de ha producido tan rápido que es difícil de creer, aun en México [...]. Los comunistas que nunca tuvieron ilusiones acerca del obrerista general, se han mostrado ahora abiertamente contra él[6].

El manto de palabras difícilmente podía encubrir la oscilación de las posiciones del partido. Calles nunca había sido más que un prolongador de la línea obregonista. Si algo había fallado, no era el nuevo presidente, que tiraba al cesto de la basura su ropaje demagógico, sino el mítico Calles que iba a favorecer el «Frente Único por arriba», cuyas últimas proposiciones desaparecían en diciembre de 1924. Y estas ilusiones habían sido toas más que por los actos de Calles o Morones, por las directrices de la Internacional Comunista.

NOTAS AL PIE

1 *El Machete*, Nº 12, 4-11 septiembre 1924.

2 *El Machete*, Nº 22, 20-27 de noviembre de 1924.

3 *El Demócrata*, 8 de noviembre de 1924.

4 Informe Carrillo/*III Congreso*.

5 *El Machete*, Nº 24, 4-11 diciembre 1924. El informe de Carrillo al III congreso también afirma que fue la selección del gabinete («dentro del cual están encerrados los elementos más reaccionarios de pasadas administraciones y los reformistas más connotados») lo que obligó la ruptura. Ahí se añade: «Nosotros ya preveíamos la trayectoria de tracción y servilismo». Informe Carrillo/ *III Congreso*, p. 37.

6 R.F. Phillips (firmando como Manuel Gómez): «The Evolution of Sr. Calles», *Workers Monthly*, abril de 1925.

5. ARGUETA, DOS ESTRELLAS Y LAS VIRTUDES DE LA PRENSA

Entre las campañas más brillantes realizadas por *El Machete* entre 1924 y 1925 hay que destacar la relacionada con la mina Dos Estrellas en la localidad michoacana de Tlapujahua. A mediados de año, un solitario militante sindical, David Argueta, envió al periódico una denuncia sobre la injusticia de la compañía minera y las facilidades que le daban para ejercerla las autoridades locales[1]. Dos meses más tarde, en octubre, insistió en un nuevo artículo, ahora denunciando al presidente municipal que falló a favor de la empresa en un juicio laboral por despidos[2]. A fines de ese mismo mes, volvió a insistir, ahora con una denuncia más violenta, esta vez contra la compañía. El artículo, que se titulaba «La compañía Dos Estrellas roba a los deudos de sus obreros muertos en el trabajo», describía minuciosamente el caso del minero Serapio Abrego que en un accidente en el interior de la mina recibió un fuerte golpe en la cabeza. En el hospital de la compañía le realizaron una curación superficial y lo mandaron a su casa, haciendo que regresara cada tercer día a recibir una nueva curación. Abrego apenas podía caminar los tres kilómetros que separaban su hogar del consultorio médico en las afueras de la mina, y en una de estas caminatas falleció sin atenciones. El doctor de la compañía minera calificó la muerte de reumatismo para evitar responsabilidades. Los camaradas del muerto exigieron una investigación y un médico de la localidad realizó la autopsia, certificando que había muerto por heridas en la cabeza. Durante dos días la empresa y los trabajadores se encontraron enfrentados sobre el cadáver del minero muerto. El hospital de la compañía, donde se celebró la autopsia, fue rodeado por los mineros hasta que la empresa ordenó a la policía su desalojo. Los mineros apelaron al juez que estaba viendo el caso y el enfrentamiento se hizo más profundo[3].

Argueta fue demandado por la compañía, y *El Machete* nuevamente recogió la historia ahora protestando por la demanda[4].

El pueblo minero, hasta hace unos meses aislado de los centros informativos del país, de repente se había colocado en la mira de *El Machete*, que comenzó a distribuirse de una manera amplia provocando el desconcierto de la compañía.

Argueta fue detenido por orden de uno de los capataces de la empresa, y aunque salió libre gracias a las gestiones y presiones de los obreros[5], días más tarde, el 24 de octubre volvió a la cárcel acusado por el abogado de la compañía de difamación. *El Machete* con fuertes palabras reportó el caso nuevamente[6].

Parecía que el caso de Dos Estrellas cobraba una importancia desproporcionada en un país en el que estos acontecimientos se producían diariamente y por decenas, pero el estilo que Gómez Lorenzo le había dado al diario, estribaba en ofrecer seguimiento de las noticias, montar campañas permanentes y utilizarlas como ejemplo. Así, el partido inició una campaña permanente por la libertad de Argueta, cuya medida más importante fue una intervención en el Senado de Luis Monzón, que repasó la historia de la denuncia leyendo el artículo íntegro que había provocado la represión[7]. En el semanario se hizo del caso Argueta un motivo de denuncia permanente, al que se sumaron otros dos casos, el de Teódulo Vázquez, un agrarista de Zacatecas que estaba en la cárcel por haberse liado a tiros con los caballeros de Colón y que, aun siendo miembro del Partido Laborista, su organización no había hecho nada por él, y el de Ventura Herrera, un marinero veracruzano que había matado al capitán de su barco en defensa propia durante una reyerta y al que las compañías navieras querían hacer pudrir en la cárcel para dar una lección[8].

La campaña dio resultado, y en diciembre Argueta salió libre, fue indemnizado por la compañía con doscientos diez pesos de salarios atrasados, y los deudos del muerto recibieron también su indemnización.

El partido celebró la victoria de su línea de «campaña de prensa» con un artículo más[9].

Las consecuencias inmediatas se reflejaron en Dos Estrellas, donde a fines de diciembre se formó el Sindicato de Obreros y Campesinos de Tlapujahua con cincuenta miembros[10] y en enero la local comunista[11].

El «caso Argueta» probó al PC, que en un estado de debilidad organizativa crónico, *El Machete* podía ser una de sus mejores armas.

Notas al pie

1 David Argueta: «Justicia que se vende», *El Machete*, N° 10, 21-28 de agosto de 1924.

2 «El presidente municipal de Tlapajahua está vendido a los ricos», *El Machete*, N° 15, 2 al 9 de octubre de 1924.

3 *El Machete*, N° 17, 16-23 octubre de 1924.

4 *El Machete*, N° 18, 23-30 octubre 1924.

5 Monzón/ *Algunos puntos*.

6 *El Machete*, N° 20, 7 noviembre de 1924.

7 Monzón/ *Algunos puntos*.

8 *El Machete*, N° 22, 20-27 noviembre 1924.

9 *El Machete*, N° 26, 8-15 diciembre 1924.

10 *El Machete*, N°27, 25 diciembre 1924-1 enero 1925.

11 *El Machete*, N° 28, 8-15 enero 1925.

6. LA SITUACIÓN EN EL DF

Los golpes asestados a la organización comunista dentro de los sindicatos de la CROM en el valle de México (redactores, carpinteros, metalúrgicos), obligaron a la Local del DF a tratar de buscar un nuevo camino en el movimiento sindical al iniciarse 1925. Dada la ruptura absoluta de relaciones con la CGT, quedaba la franja de los sindicatos autónomos, en la que aún se podía actuar. Era evidentemente el único espacio en que los comunistas habían podido supervivir sindicalmente. Pero no solo el partido había puesto la vista en los sindicatos autónomos. La CROM, como se ha narrado en capítulos anteriores, iniciaba a fines de 1924 una ofensiva contra la Confederación de Sociedades Ferrocarrileras buscando destruirla y apoderarse de sus restos. Lo mismo había de intentar contra todas aquellas organizaciones que estaban fuera de su férula.

La llegada de Morones a la dirección de la Secretaría de Industria, Comercio y Trabajo a principios de diciembre, dentro del gabinete de Calles, marcó el inicio de una era de ofensiva cromista contra todas las organizaciones sindicales de izquierda o «autónomas». Para esto la CROM hizo evolucionar su política y se mostró dispuesta a ampliar el pacto que tenía con el Estado mexicano y hacerlo extensivo hasta las patronales, e incluso hasta los sindicatos blancos a los que se mostró dispuesta a acoger en su seno.

El primer sindicato afectado por esta ofensiva política fue el de panaderos del DF, que se había mantenido firmemente organizado a pesar de su ruptura con la CGT en mayo de 1922, y en el que la influencia del partido no se había desarrollado mayormente, aun cuando la mayoría de los dirigentes del sindicato habían formado parte de él entre 1919 y 1922[1].

La CROM utilizó a uno de sus incondicionales, Juventino Servín, para intentar escindir el sindicato[2] y el gobierno endureció sus posiciones ante las demandas económicas de los panaderos. El partido, que se había alejado del sindicato panadero en los últimos años (o a la inversa), tomó la defensa de los panaderos rojos contra la agresión cromista a través de *El Machete*[3], como un primer paso para reconstruir la presencia sindical de los comunistas en el valle de México.

Si la defensa de los panaderos, que se movilizaban por seguro médico, descanso dominical y recorte de la jornada nocturna, fue le primer paso dado por la local del DF a la búsqueda de nuevas fuerzas, la CROM los invitó de nuevo a dar el segundo, cuando provocó el conflicto tranviario.

A fines de 1924 existían entre los tranviarios dos organizaciones sindicales. La primera, la Unión de Tranviarios, que había colaborado en 1923 para destruir el sindicato rojo actuando como un instrumento de la empresa y la CROM, y que más tarde se había retirado de la central amarilla para convertirse en una organización apéndice de la patronal; y la Alianza de Tranviarios, un organismo construido por la CROM en esos meses para recobrar el control de la empresa. La Alianza cromista emplazó a huelga en marzo de 1925 y a pesar de los llantos y quejas de la Unión, la estalló con pleno apoyo del gobierno del DF que impidió que los unionistas entraran a trabajar[4]. Los sindicatos autónomos apoyaron a la Unión a pesar de su carácter patronal, defendiéndola ante la ofensiva cromista. La CGT declaró que ambas organizaciones hacían política por encima del interés de los trabajadores, y aunque las demandas de la Alianza eran parcialmente justas, iban a ser utilizadas para controlar más aún a los trabajadores[5]; el partido titubeó. Manuel Díaz Ramírez, que era el encargado de las relaciones con los tranviarios por parte de la local del DF, apoyó a la Unión de Tranviarios patronal y los ayudó a «redactar un memorándum al presidente Calles, pidiendo que el gobierno federal ayudara a los unionistas y obreros no organizados, para romper la huelga tranviaria»; e hizo esto en el mismo momento en que el CNE estaba declarando que «los líderes de la Unión representaban los interés de la compañía». El memorial estaba redactado casi en los mismos términos que el de la compañía, dirigido al «Público» que insertaba diariamente «en anuncios que ocupaban planas enteras en todos los periódicos.[6]»

El comité nacional salió al paso de la toma de posición de Díaz Ramírez y publicó un artículo, «La huelga de tranviarios», en el que apoyaba las peticiones de la Alianza, denunciaba las maniobras de la CROM tras de la Alianza, denunciaba a los líderes unionistas como patronales, y señalaba que las «masas unionistas ven a la CROM y le hacen el juego a la empresa». Llamaba a crear un Frente Único por la base y contra los líderes de ambas tendencias[7]. Pero la dinámica de la lucha iba más allá de los comunistas, que no tenían ninguna presencia entre los tranviarios; así tras doce días de huelga la alianza cromista logró que la empresa se doblegara, la Unión se deshizo y el sindicalismo murió definitivamente entre los tranviarios, ayudado por una serie de despidos que la Alianza permitió a lo largo de 1925 y que afectaron a los trabajadores que habían vivido el sindicalismo de acción directa de 1921-1923.

Si estas experiencias no permitieron a la local romper el aislamiento en que se encontraba, mucho menos lo hizo la campaña para conmemorar el primer aniversario de la muerte de Lenin, que a pesar de las directrices de la Internacional Comunista de llevarla a las calles y a las fábricas, se mantuvo en los límites del grupo militante[8], que organizó una «velada leninista» el 24 de enero en la que intervinieron Pestkovsky, Wolfe, Piñó, Elías Barrios y Úrsulo Galván[9], quien recitó un poema suyo titulado *México nuevo* («*Para vengar tanto mal / de la burguesía asesina / todos los proletarios / a empuñar la carabina*»[10]) y realizó una subasta de 40 dibujos que se habían publicado en *El Machete* de Orozco, Siqueiros, Xavier Guerrero, Alba Guadarrama y Máximo Pacheco, la mayoría de los cuales fueron adquiridos por trabajadores petroleros a precios entre cinco y veinte pesos[11].

En un balance realizado a fines de marzo de 1925, *El Machete* hacía constar el caos reinante en la local del DF: «Declaracionitis, deudas, ausentismo», nada de trabajo sindical. «Rojas se empujaba el texano para atrás» y Becerra y Bernal se desesperaban. La llegada de cinco nuevos miembros, salidos de la CROM, molestos por las expulsiones de los comunistas, apenas si pudo reanimar un poco el ambiente[12].

Wolfe mientras tanto, además de seguir con su curso entre los ferrocarrileros, había emprendido un nuevo trabajo periodístico, animado por sus intervenciones en Moscú acerca de la importancia del imperialismo norteamericano. Se trataba de *El Libertador*, órgano de la Liga Antiimperialista Panamericana. La revista que se pretendía que circulase en el continente estaba financiada por la embajada soviética[13] y contaría con portadas de Xavier Guerrero y artículos de exiliados latinoamericanos en México. Aunque Wolfe actuaba como director de la publicación, Úrsulo Galván apareció como director-gerente y el norteamericano sólo como jefe de redacción, y cuando colaboró lo hizo bajo el seudónimo de Audifaz, por razones tácticas.

A pesar de que la Liga Antiimperialista Latinoamericana era un membrete ideado por Wolfe, este logró que colaboraran en la revista varios intelectuales y militantes de todo el continente, junto a conocidos miembros de partidos comunistas como el mexicano, el cubano y el norteamericano. Wolfe también atrajo a la publicación algunos liberales radicales norteamericanos críticos de la política de intervencionismo militar de los Estados Unidos.

Aunque se trataba de un material mucho más «blando» que el que normalmente publicaba en *El Machete*, algunos de sus artículos críticos contra el gobierno mexicano provocaron molestias en las altas esferas, quizá porque la publicación estaba destinada a una venta en el exterior del país.

En el número 1 aparecido en marzo de 1925, Audifaz escribió sobre la devolución de los ferrocarriles a manos privadas, criticó la posición cromista de frenar cualquier huelga solidaria y habló de la oferta formal del PCM de convocar a una huelga general hecha a los ferrocarrileros[14].

Los únicos éxitos que el partido podía apuntarse en el valle de México en los últimos meses de 1924 y los primeros de 1925 estaban en el terreno de la propaganda. No aparecía camino alguno de trabajo organizativo sólido en el movimiento sindical. Mientras tanto, la CROM atacaba a los rojos y a los «autónomos», apoyada en su situación de privilegio dentro del aparato estatal, y el contraataque en sectores como el textil, protagonizado por los anarcosindicalistas, iba a conmover a la Ciudad de México.

La crisis partidaria invitaba a realizar un nuevo congreso...

Notas al pie

1 El sindicato de obreros del DF desde su reorganización en 1918 era una de las fuerzas rojas más solidas del valle de México. Muchos de sus dirigentes, incluido su secretario general en varios periodos, Genaro Gómez, habían militado esporádicamente en el PC; pero se habían alejado de él y limitado su trabajo político a la acción sindical. Aislados del resto del sindicalismo rojo del valle de México en mayo de 1922 por su ruptura con la CGT, no habían podido desplegar su influencia en el resto del ala roja del movimiento. Es un misterio el porqué el PC no realizó un trabajo más profundo en un sindicato que aparentemente las circunstancias habían alineado a su lado. Probablemente la línea de Frente Único planteada por el partido a fines de 1923 había alejado a este a los panaderos rojos, que no querían tener nada que ver con la CROM.

2 Servín fue expulsado del sindicato panadero por traidor en 1921 y en 1924 creó una pequeña escisión que se sumó a la CROM con el nombre de Unión de Panaderos. Con Morones en la Secretaría de Industria, J. Servin fue nombrado inspector de Trabajo. Desde su posición en 1925 inició la agresión contra los panaderos rojos. Paloma Saiz: *Las luchas panaderas en el DF*, ponencia presentada en el Coloquio Nacional de Historia Obrera, Colima,1981.

3 *El Machete*, N° 25, 11-18 diciembre 1924 y N° 29, 15-22 enero 1925.

4 Miguel Rodríguez: *Los tranviarios y el anarquismo en México*, UAP, México, 1981, capítulo XI.

5 La CGT conservaba dentro de la empresa algunos militantes, miembros de la destruida Federación de Obreros, pero ante la situación se limitó a las dos direcciones sindicales, la blanca y la amarilla. *Nuestra Palabra*, N° 52, febrero 1925.

6 «Para el III congreso: La bolchevización del PC», *El Machete*, N° 35, 19-26 de marzo de 1925.

7 *El Machete*, N° 33, 5-12 de marzo de 1925 e Informe CNE/*III Congreso*, p. 16.

8 «Carta de la IC al PCM», *El Machete*, N° 28, 8-15 enero 1925.

9 *El Machete*, N° 31, 5-12 febrero 1925.

10 *El Machete*, N° 29, 15-22 enero 1925.

11 *El Machete*, N° 30, 22-29 enero 1925.

12 «Abajo los muertos», *El Machete*, N° 34, 12-19 marzo 1925. José Rojas, el secretario de la Local, era un chofer, y se hizo cargo de *El Machete* del N° 18 al 39; H. Musacchio/ *Marx nuestro*.

13 «Pestkovsky apenas si me había oído cuando dijo: "Estaré complacido en donarles algunos fondos de manera que pueda empezar de inmediato, tan pronto como tenga los originales y los dibujos o grabados para la primera edición"». Wolfe /*A life*, p. 345.

14 «Adiós socialismo», *El Libertador*, N° 1, marzo de 1925. Existe una colección completa de la publicación en la NYPL.

7, REPRESIÓN EN MÉRIDA

Tras la derrota de los asesinos de Carrillo Puerto, el pequeño grupo de comunistas de Mérida, colocado en una situación en la que las Ligas comenzaron a reorganizarse dirigidas por Cantón, vivió sus mejores momentos. Su trabajo dentro del Partido Socialista se extendió. La unidad efímera que se había dado entre el partido y el PSSE ante la rebelión delahuertista, la apología que el PC había hecho de Carrillo en *El Machete* en el artículo de Rivera, colaboraron a romper el círculo sectario en que se encontraban los comunistas. En algunas comunidades comenzó a leerse su propaganda y la JC creció en la zona de Progreso[1]. Para fines de 1924, la situación evolucionó conforme el socialismo yucateco viraba a la derecha. Nuevamente el coronel Zamarrita, al mando de la guarnición, comenzó la persecución de los trabajadores de la Unión Obrera de Ferrocarrileros de Yucatán, donde el partido tenía en Roberto Celis a su mejor militante. Clementito Cahum fue detenido por distribuir *El Machete*[2], y el gobierno disolvió el Sindicato Electricista de Mérida, el otro punto de apoyo en el trabajo de los comunistas[3].

En los primeros días de 1925, las persecuciones contra los comunistas dirigidas por el gobernador Iturralde llegaron al límite. Varios sindicatos fueron disueltos, se habló de un complot comunista contra el gobierno local y con ese pretexto varios miembros de la local fueron detenidos y llevados a la penitenciaria Juárez. *El Machete* fue prohibido y sus distribuidores perseguidos. Aunque varios de los detenidos fueron liberados por falta de pruebas, se vieron obligados a salir de Yucatán[4].

A mediados de enero de 1925, *El Machete* daba la noticia de la práctica disolución de su local en Mérida por la represión, y de la presencia de los comunistas yucatecos en el DF.

NOTAS AL PIE

1 «La organización comunista en Yucatán», *El Machete*, Nº 10, 21-28 agosto 1924.

2 *El Machete*, Nº 24, 4-11 diciembre 1924.

3 *El Machete*, Nº 27, 25 diciembre 1924-1 enero 1925.

4 «La represión en Yucatán», *El Machete*, Nº 29, 15-22 enero 1925.

8. BOLCHEVIZAR A LOS BOLCHEVIZADOS. LA PREPARACIÓN DEL CONGRESO

El 13 de diciembre de 1924, en una formularia nota en la que se solicitaba permiso de la Internacional Comunista, se convocaba al III Congreso del Partido Comunista de México con el siguiente orden del día:

1) Inauguración. 2) Informe del comité nacional ejecutivo. 3) Informe del delegado para el V Congreso de la IC. 4) Informe de los delegados de los partidos en Estados Unidos, Centroamérica y las Antillas. 5) Informe del delegado de la Federación de Juventudes Comunistas. 6) Propaganda y prensa, informe del órgano central. 7) Informe de las locales. 8) Problema sindical. Informe del delgado del V Congreso de la ISR; instrucciones para miembros dentro de la CROM, CGT, CSF; campañas contra el divisionismo sindical; Frente Único, Tampico, Veracruz. Organización en Industria Básica. Federaciones Nacionales de Industria. 9) Problemas Agrarios. 10) Informe del delegado al Consejo Campesino Internacional; Consejo Campesino Nacional; Veracruz, Michoacán, etc. Programa Agrario; Ligas Campesinas, prensa y propaganda campesina. Actitud ante el problema agrario gubernamental. 11) Bolchevización del partido; medidas prácticas; crítica del periodo oportunista del partido y del oportunismo de los ejecutivos. a) Estatutos; b) Actitud ante el gobierno amarillo; c) Educación de los miembros en el marxismo-leninismo. 12) Informe del secretariado panamericano. a) Relaciones con los partidos hermanos del continente; b) Relaciones con los grupos antiimperialistas; c) Lucha contra el imperialismo; d) Lucha continental por la Internacional Sindical Roja. 13) programa u organización del PC DE M. 14) Elecciones y clausura[1].

A la convocatoria siguieron una serie de documentos hechos públicos a través de *El Machete* y que tenían el sentido de hincar una discusión previa al congreso. El primero de estos materiales fue el balance sobre la lucha de los comunistas en 1924[2], que tras repasar las varias crisis sufridas por el PC en el año, señalaba como el problema central a resolver «nuestros defectos orgánicos. Aún tenemos costumbres demasiado anarquistas». Siguió un pequeño documento titulado «¿Tú eres comunista?», en que se cargaba contra los que no pagaban cuotas y no militaban, e inició una campaña económica para pagar a un organizador viajero[3].

A diferencia de otros congresos, no se trataba ahora de una acción de un sector de la militancia del partido para reorganizarlo, sino una iniciativa surgida desde la dirección existente, para controlar férreamente la militancia y «bolchevizarla». No se buscaba ahora la iniciativa de la militancia para volver a levantar del caos al partido. El comité nacional creía tener bien presente cuáles eran los problemas y las soluciones y quería que el partido las adoptara, se uniformara en torno a ellas. Las conclusiones centrales estaban en el orden del día y en algunos de los documentos que se habían publicado o que habrían de publicarse antes de que el congreso se celebrara en abril. Quizá haya estado en la cabeza de la dirección del partido que el debate debía producirse no solo en el interior de la organización, porque el 20 de febrero, el CNE retó a la CGT a un debate de «ideas», que fue aceptado rápidamente por los anarcosindicalistas. Es muy posible que la necesidad de concentrar esfuerzos en el congreso haya hecho cambiar de idea a los comunistas, porque el debate tras ser anunciado en la prensa de ambas organizaciones, no se efectuó[4].

El 1 de marzo de 1925 apareció un reglamento para la acreditación de delegados firmado por Rafael Carrillo donde se establecía que habría un representante por local o grupo comunista, más uno por cada veinte militantes o fracción de diez; que los delegados deberían portar informes estadísticos internos: informes de prensa, cuotas, campañas, sindicalismo, problemas agrarios y políticos y cubrir sus gastos hacia la Ciudad de México[5].

El siguiente elemento para la preparación, fue una serie de tres artículos insistiendo sobre el problema de la «bolchevización». Los tres artículos en un tono muy áspero, aunque sin mencionar nombres, atacaban las debilidades disciplinarias del partido. En el primero, que según sus autores trataba los defectos de estructura u organización del PCM[6], se señalaba: «Somos una organización de propaganda más que un partido proletario». Y se definía la militancia como: «Hay un grupo que no cumple y sabotea los acuerdos del CNE [...] hay otro grupo que hace lo que le pega la gana, y la mayor parte no hace nada.»

El obligado contrapunto a esta caracterización era la proposición de construir un «partido monolítico, de una sola pieza». Se criticaba la descentralización de la organización apelando a múltiples ejemplos, entre ellos el del caos electoral: en Tampico se aceptó candidatura dentro del PSF, en Veracruz se acordó formar un partido campesino y en México un partido político para Michoacán.

Proponía una estructura ya no basada en las locales, sino en células por centro de trabajo, a las que atribuía una doble virtud, facilidad para irse a la clandestinidad y facilidad para «fundirse con las masas.»

Proponía la «bolchevización de *El Machete*» por la vía de aumentar los escritos directos de las fábricas y el campo.

El segundo artículo aparecido una semana después[7], tras insistir en la necesidad de centralización y disciplina, tomaba ahora el problema de la «bolchevización» desde el aspecto ideológico-educativo. Proponía una serie de medidas en la prensa: sección de teoría en *El Machete*, reorientación de *Rebeldía* de Guanajuato porque «no tiene nada de comunista». En las ediciones sugería la traducción y publicación de obras de Lenin, Marx, Engels y Bujarin. Llamaba a realizar campañas de discusión agraria, ferrocarrilera, asonadas, imperialismo yanqui, etc. En lo interno proponía: clases a los nuevos reclutas, aumento del periodo de prueba antes de la admisión, obligación de lecturas («Nuestro problema agrario» de la LCAEV, «Anarquismo y comunismo científico» de Bujarin), creación del cargo de director de educación de todo el partido y un director en cada local, y el estudio de la historia de los partidos comunistas ruso y mexicano.

El tercero, a la siguiente semana, hablaba de «las desviaciones o tendencias anticomunistas que se notan dentro del partido»[8]. Explicando las dificultades, que se resumía en indisciplina e individualismo, su génesis dentro del partido se atribuía al anarquismo dominante en el movimiento obrero con el siguiente párrafo:

> El PC DE M adolece muchos defectos del ambiente. Las tendencias buenas o malas del proletariado mexicano no pueden menos que reflejarse en el partido. A pesar de ser este la vanguardia más consciente de dicha clase. Y es que el partido comunista no nace como un dios, ya adulto, sino que nace en el seno de organizaciones anteriores y viene a la vida heredando los defectos de estas.

En el trabajo del partido, pocas cosas sucedieron en estos dos meses anteriores al congreso. *El Machete* mantuvo su propaganda contra la dirección cromista mientras se desarrollaban los conflictos entre panaderos y ferrocarrileros, y dio noticia de la salida para Oaxaca del senador Monzón, que habría de montar una nueva interpelación parlamentaria por los asesinatos de campesinos que estaba cometiendo el general Mange[9].

Se reorganizó la local de Tampico sumando nuevas fuerzas, y pasó a dirigirla Lorenzo Márquez, secretario del interior del sindicato petrolero de la Transcontinental, sustituyendo a Turrubiates, que tras su elección como regidor y el conflicto interno que esto supuso, fue rebajado a secretario político de la Local[10]. En Veracruz se inició el trabajo celular en algunos sindicatos, mientras Proal arremetía nuevamente contra los militantes del partido creando un clima difícil para los comunistas, en el que un grupo de inquilinos atacó al secretario de la local del puerto, Luis R. Hernández, tratando de lincharlo[11], y el SRI publicó un manifiesto denunciando a Sosa, Bolio y otros militantes a los que acusaba de «haber perdido la confianza del pueblo inquilinario.»

En el campo veracruzano, mientras se comenzaba a dar el rompimiento con el nuevo gobernador Heriberto Jara, a consecuencia del viraje a la izquierda del partido, Almanza partía para Moscú a representar a la Liga en el próximo congreso del Consejo Campesino Internacional[12].

Las energías estaban puestas en el III congreso. Así llegó el 7 de abril de 1925.

NOTAS AL PIE

1 *El Machete*, Nº 26, 18-25 diciembre 1924, publicó la convocatoria.

2 1924/ *Balance político.*

3 *El Machete*, Nº 28, 8-15 enero 1925.

4 *Nuestra Palabra*, Nº 55 (marzo 1925) y Nº 58 (2 abril 1925) y *El Machete*, Nº 32, 19-26 febrero 1925.

5 «Acreditación de delegados», *El Machete*, Nº 35, 19-26 marzo 1925.

6 «Sobre el próximo congreso», *El Machete*, Nº 33, 5-12 marzo de 1925.

7 «Para el III congreso. La bolchevizacion del PC», *El Machete*, Nº 34, 12-19 marzo 1925.

8 «Para el III congreso. La bolchevizacion del PC», *El Machete*, Nº 35, 19-26 marzo 1925.

9 *El Machete*, Nº 32 y 34.

10 *El Machete*, Nº 34.

11 *Manifiesto del SRI de Veracruz*, 5 de marzo de 1925 y *El Machete*, Nº 28, 8-15 enero 1925.

12 La situación de la LCAEV y la definición del problema habían de tratarse en el III congreso. Jara había asumido el poder el 1 de diciembre de 1924 y había buscado el apoyo de los cromistas de la zona industrial de Orizaba y de la Liga para continuar la política populista de Tejeda. Incluso ofreció su apoyo y el del Partido Veracruzano del Trabajo para que Úrsulo Galván pudiera ser diputado federal por Veracruz, pero el PC en su nueva línea política no aceptó. Moreno en un artículo titulado «A los agraristas y obreros veracruzanos» atacó violentamente a Jara exigiendo su renuncia desde enero de 1925.

[illegible] en que se [illegible]. La [illegible] [illegible] [illegible]

[illegible]

[illegible]

[illegible] la revuelta [illegible] del Partido Comunista pro- [illegible] de las [illegible] [illegible] [illegible]

[illegible] política [illegible]

los primeros [illegible]

[illegible]

9. EL III CONGRESO

El día en que se inauguró el III congreso, la prensa nacional no informó sobre el acto. En cambio dio la noticia del asesinato del dirigente poblano Martín Paleta y los ecos del asalto a la Carolina por un grupo de misteriosos bandoleros[1].

En el congreso se encontraban representados «unos pocos centenares de miembros» (ocho[2] pertenecientes a diez locales comunistas: México, Veracruz, Morelia, Tampico, Guanajuato, Orizaba, Jalapa, Río Blanco, Mérida y Tlapujahua)[3].

Carrillo rindió un informe sobre el partido en nombre del comité nacional ejecutivo, Wolfe leyó su informe como delegado en el congreso de la IC, se dio lectura a otro informe: «La situación económica de México y las próximas tareas del PC» y un cuarto, sobre la «bolchevizacion.»

A pesar de que aparentemente cada informe tocaba un tema diferente, los cuatro eran una repetición de la crítica a las posiciones pasadas y una exposición tartamudeante y fragmentada del nuevo proyecto; de tal manera que pueden ser estudiados como un todo.

La caracterización de la situación nacional era muy simple: tras Calles y el laborismo se encontraba el imperialismo norteamericano, cuyo poder sería creciente. Existía la posibilidad de nuevas revueltas militares (a juicio del Partido Comunista, producto de las tensiones entre los imperialistas ingleses desplazados o los japoneses pujantes que querían intervenir en México, ambos contra los norteamericanos y usando como vehículo a los generales mexicanos) y los comunistas deberían apoyar a Calles como un «mal menor.»

La política agraria de Calles, basándose en la experiencia de los primeros cuatro meses de su gobierno, era caracterizada como «represiva» y cada vez más reaccionaria (represiones en Michoacán, La Laguna, Oaxaca, no dotación de tierras, ampliaciones anticonstitucionales, abandono del refaccionamiento a cooperativas, desarme de los campesinos). La respuesta gubernamental al sindicalismo se caracterizaba por la persecución del las organizaciones autónomas, la colaboración con los patrones (como había sucedido en el caso textil), y el reajuste en ferrocarriles. Al lado de esto, la cúpula moronista de la CROM se burocratizaría y corrompería más, y se compraría económicamente a la «aristocracia obrera» (¿?)[4].

En resumen se veía el callismo como una prolongación del obregonismo con una creciente trayectoria de «traición y servilismo.»

Wolfe hacía una interpretación de las tesis del V congreso adaptada a la situación mexicana, con abundantes ejemplos. El centro del análisis era la apreciación de que se estaba frente a un reforzamiento del capitalismo mundial, que se apoyaba en sus dos brazos, el laborismo y el fascismo, caracterizados en un momento como brazo izquierdo y derecho del capital, y en otros como «Laborismo gemelo del fascismo.[5]»

Estas apreciaciones avalaban y daban sustento a las tesis del CNE sobre la posición obligada del PC ante la política gubernamental.

A partir de esto el partido formulaba su línea en trazos generales de la siguiente manera: «Frente Único por abajo», nunca por arriba, y solo en excepcionales condiciones por arriba y por abajo simultáneamente. O sea, proposición de unidad al movimiento contra sus direcciones, fin de la política de relaciones con el ala izquierda del callismo[6], «ruptura absoluta de relaciones con la burguesía y sus servidores, Frente Único con la clase obrera y campesina»[7]. Esto último en concreto significaba no aceptar los llamados del «bloque confederado», formado por ciertos gobernadores progresistas que trataban de atraer al PC, como Colunga en Guanajuato, Zuno en Jalisco y Portes Gil en Tamaulipas, a los que se caracterizaba como «la futura rebelión delahuertista.[8]»

Para el movimiento agrario, la proposición significaba en principio marchar solos en la constitución de la Liga Nacional Campesina, y aquí el partido se contradecía llamando a «mantener relaciones con el ala izquierda del PNA» (que en esos meses había sido desplazado del bloque gobernante)[9].

El Frente Único, sin embargo y a pesar de las continuas llamadas a que se hiciera «desde abajo», era definido con el galimatías con el que la IC lo había elaborado en el III y IV congresos:

«A veces es necesario no ir más allá de solidaridades momentáneas. A veces es necesario empezar la tarea por medio de los líderes, otra veces desde abajo, como ocurre en la CROM, y otras desde arriba y desde abajo, como hacemos con las organizaciones ferrocarrileras.[10]»

Si la ofensiva de Calles-Morones contra radicales y autónomos iba a producirse, el partido podía encontrar un aliado importante en la CGT, cuyo destino estaba en juego. Pero los comunistas no lo veían así, cegados por su enfrentamiento con los anarcosindicalistas. Caracterizaban a la CGT como dirigida por «líderes [*que*] han llegado a una degeneración completa», «putrefactos ideológicamente» y decían que: «La CGT marcha a su fin. La confederación textil le dará el golpe de muerte.[11]»

Las proposiciones en el terreno agrario era simples: impulsar la nueva organización agrarista nacional de forma independiente; dar «cara al campo», como decía la IC.

En el terreno sindical las proposiciones eran más complicadas: impedir el aislamiento a que la dirección de la CROM los quería conducir a través de las expulsiones, insistir en la campaña de «Frente Único contra los lideres amarillos», iniciar un trabajo celular dentro de las empresas, «única posibilidad dentro de la CROM»[12], e insistir en la acción dentro de los sindicatos autónomos, en particular los ferrocarrileros.

La línea electoral se precisó dentro de las ideas clave que se habían expresado antes. Candidatos comunistas, sin alianzas, con «propaganda realmente comunista», porque «con un partido tan débil no debe permitirse la postulación con otros partidos obreros de masas»[13]. Para garantizar esta línea, las declaraciones electorales y las candidaturas locales deberían someterse al CNE.

No solo en este caso se verticalizaba el partido. Todas las intervenciones que dieron pie a los debates del congreso insistían en la necesaria centralización. Se decía: «A los que sabotean o no cooperan con el comité hay que sujetarlos a la disciplina que necesita un partido comunista o echarlos fuera.[14]»

La centralización era uno de los aspectos de la llamada «bolchevizacion»; una especie de autodepuración del partido, y una conversión de los problemas políticos que lo habían afectado en sus primeros años, en problemas internos, relativos a la calidad de la militancia. Las abundantes críticas contenidas en los cuatro informes insistían en destacar estos aspectos: «Pudo hacerse más; pero los prejuicios y el poco cariño que al partido profesan nuestro camaradas, principalmente los de fuera de la capital, ha sido una rémora para un mayor crecimiento del partido.[15]»

La consigna de la bolchevizacion era traducida así por Wolfe, de los acuerdos del V congreso: «Partido centralizado, sin fracciones ni grupos, de ideología unificada, voluntad única.[16]»

En el punto específico dedicado al tema se abundaba el contenido de la bochevizacion, tras señalar que «somos una organización de propaganda más que un partido proletario», en las siguientes proposiciones: trabajo nuclear, clandestino o semiclandestino, estructura basada en centros de trabajo no en locales, días fijos de sesiones, cobro estricto de cuotas, estatutos para todos, información de los miembros.

Abundaban en los cuatro informes y en los documentos previos las críticas a la locales y a los miembros de la dirección por su nombre; y en el congreso se establecía como causa central de la debilidades del PC deficiencias y fracasos en la militancia; «los prejuicios anarquistas [*que*] se manifiestan en las tendencias antidisciplinarias de nuestra gente, en el deseo de algunos de obrar por cuenta propia, muchas veces en oposición al CN; en el trabajo irregular y desorganizado, en los largos periodos de inactividad [...] en la incapacidad para participar en elecciones en el sentido comunista.[17]»

Habiendo encontrado el enemigo en su primitivo anarquismo y su debilidad en no ser suficientemente bolcheviques, los comunistas encabezados por su Comité Nacional Ejecutivo y dirigidos por Carrillo y Wolfe aprobaron los cuatro informes por «unanimidad»[18].

El Congreso adoptó además resoluciones sobre la prensa, la educación interna, las relaciones con los partidos hermanos de América y eligió su nuevo CNE.

Respecto a la prensa, se habló largo de *El Machete*, se criticó su primera etapa («sus apreciaciones políticas no eran suficientemente claras, sino enredadas y sus conclusiones socialdemocráticas»), se criticó la etapa dirigida por Gómez Lorenzo, y la última en la que había estado dirigido por Siqueiros, que «los estima como una cosa en sí, independiente del partido y a cuya existencia debe subordinarse todo lo demás»[19], se señaló el estado deficitario del periódico[20] y se acordó: nombrar un administrador permanente, dotarlo de una página agraria, aumentar el material educativo en sus páginas y fortalecer la red de corresponsales de origen obrero y campesino. Se decidió suspender *Rebeldía* en Guanajuato y hacer que su material se publicara en *El Machete* y apoyar la edición de *El Libertador*[21].

En materia educativa, tras sugerir la lectura obligada de algunos textos, de la historia del PC y la obligatoriedad de leer *El Machete*, se acordó formar un departamento de investigación y estadística, y fortalecer la educación nacional y localmente[22].

En materia de relaciones, tras aprobar una resolución formal sobre «las relaciones con los partidos hermanos del continente»[23], se tomaron acuerdos para estrechar las relaciones con el Partido Comunista Norteamericano («no es necesario extendernos en detalles»), que de esta manera se volvía intermediario entre la IC y el PC DE M, y adoptaba el rol de «hermano mayor» que tendría durante los siguientes años[24].

El 13 de abril, el III Congreso del PC terminó, tras elegir a un nuevo comité nacional ejecutivo que dirigiría de nuevo Carrillo Azpeitia, y del que formarían parte Bertram Wolfe, Xavier Guerrero, David Alfaro Siqueiros, el ferrocarrilero Carlos Rendón y Manuel Díaz Ramírez[25].

En el papel, el partido se había «bolchevizado.»

Notas al pie

1 Se trataba de un grupo anarquista encabezado por Durruti y Ascazo, y fue otra de las tentaciones de la CGT para realizar acciones violentas individuales, que no prosperó.

2 Ana Victoria habla de «más de doscientos» («Reseña del III Congreso Nacional del PCM», *Nueva Época*, N° 7-8, julio-agosto 1969). La cita de «unos centenares» la proporciona un artículo anónimo en *Workers Monthly* de junio de 1925.

3 El citado artículo de *Workers Monthly* habla de doce locales y Marcel Neymet/ *Cronología*, p. 40, cita erróneamente la local de Ciudad Juárez (inexistente). He buscado minuciosamente rastros de trabajo comunista organizado en alguna otra parte del país, y puedo afirmar que no existía aparte de en esos diez puntos.

4 «La situación política y económica de México y las próximas tareas del PC» citado aquí como Informe Carrillo, leído el día 8 de abril. *III Congreso*, pp. 35-37.

5 Informe Wolfe/ *III Congreso*, p. 25.

6 Informe Wolfe/ *III Congreso*, p. 28.

7 Informe Carrillo/ *III Congreso*, p. 49.

8 Informe Carrillo/ *III Congreso*, pp. 39-42.

9 Informe Carrillo/ *III Congreso*, p. 38.

10 Informe CNE/ *III Congreso*, Pp. 11-12.

11 Informe Carrillo/ *III Congreso*, p. 50. La apreciación resultó errónea. La CGT desarrolló sus más brillantes ofensivas en el sector textil durante 1925 y 1926. Ver del autor y Guadalupe Ferrer, *Los hilanderos rojos*, ponencia presentada en el Coloquio Nacional de Historia Obrera de Mérida, 1981.

12 Informe CNE/ *III Congreso*, pp. 7-13.

13 Informe CNE/ *III Congreso*, pp. 8-16, Informe Carrillo/*III Congreso*, pp. 29-30 e informe Bolchevizacion/*III Congreso*, p. 62.

14 Informe Bolchevizacion/ *III Congreso*, p.53.

15 Informe CNE/ *III Congreso*, p. 7.

16 Informe Wolfe/ *III Congreso*, p. 32.

17 Informe Bolchevizacion/ *III Congreso*, p. 61. Además se criticaba violentamente al comité salido del II Congreso del PC, en particular a Díaz Ramírez y Gómez Lorenzo, aunque no se salvaban los demás. Las críticas se hacían extensivas hasta el comité formado en la conferencia de abril de 1924, e incluso hasta los cooptados en septiembre de 1924. Era particularmente duro con Juan González, al que se acusaba de «incapacidad» y de tener contraídas graves deudas con la organización; de Rivera se decía: «Ha continuado deslizándose por una pendiente reformista. No cumple los

deberes más elementales de los miembros: critica a escondidas los actos del Comité y no cumple las tareas que se le encomiendan. Creemos que el camarada Diego Rivera debe ser considerado como simpatizante y no como miembro activo». Informe CNE/ III *Congreso*, pp. 4 y ss.

18 Bertram Wolfe: «La bolchevización y los deberes actuales del PCM», *Inprecor* N° 51, 18 junio 1925. Traducción proporcionada por PM.

19 Sin embargo, no dejó de reconocerse que «era uno de los órganos mejor redactados en nuestro idioma». Informe CNE, Dictamen de la Comisión de prensa/ III *Congreso*, pp. 17-19 y 67-69.

20 Se debían $299.17. Gómez Lorenzo debía ciento cuatro pesos. Durante seis meses le había dedicado tiempo completo al periódico y no tenía otro trabajo, de manera que la deuda se condonaba. Dictamen comisión de prensa/ III *Congreso*, p. 70.

21 Dictamen comisión de prensa/ III *Congreso*, p. 68.

22 Informe Bolchevizacion/ III *Congreso*, p. 61.

23 III *Congreso*, pp. 75-77.

24 Informe CNE/ III *Congreso*, p. 20. Al congreso asistieron delegados del Partido Comunista Norteamericano que no he podido identificar. *Workers Monthly*, junio 1925.

25 Bertram Wolfe/ *La bolchevización*.

SALIDA

De 1919 a 1925, el Partido Comunista había perseguido erráticamente un lugar en la sociedad mexicana. Un espacio que en los sueños se presentaba como el encuentro de su papel en la vanguardia de los obreros y los campesinos en lucha; y cuando los sueños decrecían, como el encuentro con un movimiento obrero, campesino o popular, por pequeño que este fuera. Si el bolchevismo era la más acabada doctrina social, cuyas virtudes comprobaba la victoria indiscutible de la única revolución socialista del planeta, ¿Dónde estaba la falla?

A veces, los comunistas mexicanos pensaron que la falla estaba en ellos mismos, en sus debilidades, en su blandeza, en su falta de temple, en su inmadurez política. Otras veces pensaron que la Internacional no entendía México y por eso sus consejos no eran claros, nítidos, acertados como un rayo. A veces pensaron que la culpa la tenía la habilidad, la fuerza o la mala fe de sus enemigos. Las más de las veces pensaron, aunque nunca lo dijeron, que la culpa la tenía el país. El país confuso, inexplicable, que les ponía trampas a cada paso, que enlodaba su perspectiva; que oscurecía, como el humo de una mala hoguera, su visión.

Incapacitados para saber dónde estaba la falla, actuaron de una manera oscilante; combinando la búsqueda (ahora se llamaría el método de ensayo y error) de los resquicios políticos donde poder incluirse, con la interpretación de los acuerdos de la IC que podían guiar su práctica.

¿Alguien podría acusarlos de eclecticismo en medio de la confusión en que se agitaban?

El III congreso fue la culminación de esta primera etapa de búsqueda, heterodoxia, confusión y experimento. En abril de 1925 el partido decidió que el único camino para la consecución de sus objetivos pasaba por la construcción de una organización monolítica, centralizada, disciplinada internamente y externamente frente a la Internacional Comunista. Es por esto que «se bolchevizaron.»

Durante sus seis primeros años de vida, los comunistas mexicanos manejaron una gran variedad de tácticas centrales. Promovieron un proyecto sindicalista revolucionario unitario, que operó en el movimiento obrero como el otro polo ante la opción conciliadora que la CROM estaba ofreciendo a los trabajadores mexicanos. Esta etapa que se desarrolló de mayo de 1920 a septiembre de 1921, ofreció a los comunistas su única victoria consistente, el haber aportado a la creación de la CGT. A partir de su marginación de la central sindical, buscaron en la periferia del movimiento obrero un punto de apoyo para su desarrollo; no lo encontraron entre los desempleados y sí en cambio lo hallaron exitosamente entre los inquilinos, aunque su trabajo inquilinario duró tan solo un año (1922). A partir de ese momento, el partido buscó en la política, entendida como un proyecto estratégico y superior al accidente que los colocaba en la lucha de uno u otro sector, la solución a sus males. La política los llevó al Frente Único «por arriba» que encontró su momento más desarrollado en la época posterior a la rebelión delahuertista (diciembre de 1923). El fracaso de esta opción francamente derechista, los dejó nuevamente en el desamparo. Se apoyaron entonces en un ecléctico planteo que combinaba su reciente descubrimiento de las potencialidades del movimiento campesino (visto en las dos variantes que coexistieron durante un año, la del entrismo en el PNA y la de formación de Ligas Campesinas autónomas) con una línea muy artificialmente elaborada en el terreno sindical que se expresaba en las consignas del «Frente Único contra los líderes» y en el trabajo de penetración de la CROM.

La enorme grieta abierta entre los anarcosindicalistas y los comunistas desde mayo de 1922, y que a lo largo de los años se fue profundizando, les impidió verse como las dos fuerzas de oposición a la tendencia integradora al sistema que la CROM y el PNA protagonizaban en el movimiento obrero y campesino. En ese sentido los comunistas dejaron de lado el problema central que planteaba el régimen de Calles a las fuerzas revolucionarias, el de resistir a la absorción y consolidarse autónomamente, y optaron por una línea de acumulación de fuerzas guiada por la traducción de los planteamientos de la IC.

En los años inmediatamente posteriores al congreso de 1925, el PC DE M a pesar de los acuerdos tomados y de su «bolchevización» no se convirtió en la vanguardia de una fuerte organización de masas; su organización celular no se instaló en las fábricas mexicanas, su pretensión de penetrar los sindicatos autónomos fracasó en lo esencial, y no lograron impedir que la CROM los marginara de casi todas las fábricas y sindicatos donde estaba instalada. Encontraron nuevos puntos de apoyo en otras zonas del país, en casi todos los casos gracias a tercos y sólidos trabajos de sus mejores militantes. Así entraron en la zona textil de Jalapa o en la minera de Jalisco. También se mantuvieron en los pequeños reductos que habían creado y se extendieron en el movimiento campesino formando una Liga Nacional.

Se vieron envueltos en nuevos «motines políticos» de los que nada sacaron y que les costaron la vida de algunos de sus mejores militantes y varias escisiones. Se bolchevizaron y se centralizaron, pero tuvieron una dirección tan poco estable como las anteriores, aunque Carrillo siguió siendo durante un buen tiempo su secretario general.

En cuanto a los personajes (porque no puedo ignorar que esta es una historia de personajes, no solo de aparatos), en los años inmediatamente posteriores al congreso de 1925 sufrieron muy diferentes destinos.

Del núcleo de cien militantes de los que se habla frecuentemente a lo largo de esta historia por su nombre y apellido, pocos permanecerían en el partido en 1929 cuando las condiciones nacionales cambiaron y el PC DE M fue arrojado a la clandestinidad por el gobierno de Portes Gil.

Varios murieron accidentalmente o fueron asesinados. Tal es el caso de Amado de la Cueva, que murió al estrellarse su moto en una carretera de Jalisco cuando descendía una cuesta a toda velocidad, o el de Francisco J. Moreno, el ferrocarrilero diputado, que fue asesinado en Jalapa en septiembre de 1925. La misma suerte corrió el sindicalista textil Mauro Tobón al que asesinaron en Orizaba en 1928. Los pistoleros de los caciques mataron a Primo Tapia en Michoacán en 1927 y los de los dueños de las minas de Jalisco a José F. Díaz en 1926.

Diego Rivera renunció al PC días después del congreso, pidió que se le mantuviera como simpatizante, y tardó varios años en reincorporarse al partido. Siqueiros se fue a pintar a Jalisco pero terminó organizando sindicatos mineros junto con su esposa Graciela Amador, en uno de los trabajos más brillantes que hicieron los comunistas entre 1925 y 1929.

Almanza y Galván vieron coronados sus sueños y en 1926 fundaron la Liga Nacional Agrarista, que dirigieron hasta la muerte por enfermedad del primero. En el camino, ambos fueron expulsados del PC por «traidores» (expresión que se volvió natural en el lenguaje partidario después de 1929 para caracterizar a los discrepantes).

Manuel Díaz Ramírez fue marginado del partido en 1925 y reincorporado en 1926. Quizá haber sido el único mexicano que conoció a Lenin lo salvó de la quema.

Bertram Wolfe fue expulsado de México por el gobierno de Calles pocos meses después del congreso y su salida en tren del país, a la que asistieron varios miembros de la dirección del partido, terminó en una borrachera llena de lamentaciones que protagonizaron Carrillo y Monzón. Wolfe regresó muchos años después, pero ya no como comunista. No fue el caso de Phillips, de Roy, Borodín, Katayama y Fraina, que nunca más pisaron tierra mexicana. Stirner pasó por México unos días en 1931, siendo un agente de la Comintern que había sido deportado de España.

Nicolás Cano fue expulsado del partido en 1925 por «colunguista», otro tanto le pasó a Vargas Rea. Monzón resistió más y no salió de la organización sino hasta los años treinta; lo mismo que Gómez Lorenzo.

De una lista de cien militantes destacados del periodo de 1919 a 1925 (que me sirvió para elaborar el Apéndice VIII), para 1929, quince habían sido expulsados, veintiséis habían dejado el PCM, ocho habían muerto violentamente, once se habían ido al extranjero (en misiones o deportados), veintidós ya no aparecían en crónicas y prensa comunista, por lo que podía suponerse que o habían abandonado el PC DE M o ya no jugaban un papel importante dentro de él, y tan solo dieciocho continuaban como militantes activos cuando el PC cumplió diez años de vida.

El Machete sobrevivió, incluso soportó las persecuciones de los años 1929 a 1933 bajo la forma de un pequeño periódico ilegal. Lamentablemente, años después el partido decidió cambiarle de nombre a su órgano central y bautizarlo de una manera mucho más inofensiva: *La Voz de México*.

Marx fue publicado al fin en México después del III congreso. Sin embargo su nombre no ascendió en el santoral, y el objeto número uno de lectura, admiración y culto de los bolcheviques mexicanos siguió siendo Lenin, así como el gran aniversario a celebrar año con año, fue el 7 de noviembre, el día de la Revolución Rusa.

La historia de los primeros años del comunismo mexicano se fue sumiendo poco a poco en el olvido. El propio partido al irse renovando su equipo dirigente fue perdiendo a los hombres de la generación del 19 al 25. Para los efectos del esquema, la etapa fue recordada como «excesivamente anarquista» o «pre bolchevique», e incluso la fecha fundacional del PC se diluyó en la memoria colectiva del comunismo mexicano.

Esta sorprendente falta de memoria, que con el tiempo se fue agudizando, propició la situación de que el mexicano fuera uno de los pocos partidos comunistas en el mundo que no ha contado con una historia oficial. Curiosamente, tampoco existe una historia extraoficial sino tan solo aproximaciones bastante desinformadas.

Los comunistas no fueron la excepción a la ausencia colectiva de memoria en la que se encuentra sesenta años después la totalidad de la izquierda mexicana y todo el movimiento obrero.

Las penurias, las glorias y hazañas, la política de aquel grupo de militantes, se fue al rincón del olvido. El objeto de este libro fue robarle a la falta de memoria un poco de historia y tratar de recuperar para la nueva izquierda y el movimiento obrero la experiencia de los bolcheviques mexicanos.

APÉNDICES

Apéndice I

Delegados mexicanos a encuentros internacionales celebrados en Moscú 1920-1925

FECHA	ACTO	DELEGADOS
Julio 1920	II Congreso de la IC	M.N. Roy, Richard Francis Phillips, Evelyn Trent Roy (¿?)
Junio 1921	III Congreso de la IC	Manuel Díaz Ramírez
Julio 1921	II Congreso de la ISR	Manuel Díaz Ramírez
Finales 1921	II Congreso de la Internacional Juvenil Comunista	Alfredo Stirner
Noviembre 1922	IV Congreso de la IC	Alfredo Stirner
Octubre-Noviembre 1923	III Congreso de la Internacional Juvenil Comunista	Rafael Carrillo Azpeitia
Noviembre 1923	II Congreso del Consejo Campesino Internacional	Úrsulo Galván
Junio 1924	V Congreso de la IC	Bertram D. Wolfe
Julio 1924	III Congreso de la ISR	Bertram D. Wolfe
Marzo 1925	III Congreso del Consejo Campesino Internacional	Manuel Almanza

Apéndice II

Dirigentes del PCM 1919-1925

FECHA	
24 noviembre 1919	Reunión restringida Comité Nacional PSM
José Allen, secretario M.N. Roy R.F. Phillips V. Ferrer Aldana Leonardo Hernández Comité nacional, se desconoce el número de miembros En diciembre Elena Torres se hace cargo de la tesorería	
Febrero 1921	Conferencia Nacional
José Allen, secretario general Manuel Díaz Ramírez José C. Valadés Secretariado de tres miembros	
Noviembre 1921	Conferencia JC
Jesús Bernal secretario general Rosendo Gómez Lorenzo, secretario de correspondencia Comité reorganizador del PCM	
31 diciembre 1921	I Congreso
Manuel Díaz Ramírez, secretario general Rosendo Gómez Lorenzo Juan González Juan Barrios Cruz (1) Comité nacional ejecutivo de cinco miembros	

FECHA	INSTANCIA EN LA QUE SON ELECTOS
Abril 1923	II Congreso
Manuel Díaz Ramírez, secretario general Rosendo Gómez Lorenzo Diego Rivera Carlos Palacios Úrsulo Galván Comité nacional ejecutivo de cinco miembros	
Julio 1923	Reestructuración interna CNE
Rosendo Gómez Lorenzo, secretario nacional Manuel Díaz Ramírez, secretario internacional Diego Rivera, secretario político José Allen, secretario de finanzas Rafael Mallén CNE de cinco miembros	
1 Mayo 1924	Conferencia Nacional
Rafael Carrillo, secretario general Juan González, secretario sindical Jesús Martínez, secretario organización Úrsulo Galván, secretario Agrario Carlos Becerra, secretario JC B.D. Wolfe, secretario propaganda Roberto Hernández, tesorero Suplentes: Diego Rivera, Manuel Almanza, Luis Vargas Rea y Manuel Díaz Ramírez CNE de siete miembros y cuatro suplentes	

FECHA	INSTANCIA EN LA QUE SON ELECTOS
Septiembre 1924	Reorganización del CNE por cooptación
Salen: Martínez, Galván, Hernández y Juan González Entran: D.A. Siqueiros y Xavier Guerrero CNE de cinco miembros	
Abril 1925 Rafael Carrillo, secretario nacional B.D. Wolfe D.A. Siqueiros X. Guerrero Carlos Rendón Manuel Díaz Ramírez CNE de seis miembros	II Congreso

Apéndice III

Locales del PCM 1920-1925

Veracruz, agosto-septiembre 1920
Tampico, septiembre 1920. Reorganización 20 agosto 1924
DF 1 octubre 1920
Toluca, agosto 1921 (desaparece en 1922)
Nogales, 24 diciembre 1921 (desaparece en 1923)
Mérida, 1921
Campeche, 4 febrero 1923 (desaparece en 1924)
Morelia, junio 1923
Orizaba, octubre 1924
Guanajuato, 3 noviembre 1924
Jalapa, 1924
Tres estrellas enero 1925
(Tlapujahua)
Río Blanco, 1925

APÉNDICE IV
NÚMERO DE AFILIADOS AL PCM

INFORMES Y ESTIMACIONES	
Noviembre 1919	10
Marzo 1920	unos 50
Mayo 1920 La baja se produce por la deserción de Agua Prieta	menos de 50
Febrero 1921 En tres locales, con todo y la JC	unos 300
Diciembre 1921 Tras un crecimiento y un decrecimiento producto de las expulsiones y la salida de CGT, con todo y la JC	«Escasos 500»
Agosto 1922 Según *Inprecor*, Nº 57, producto del auge inquilinario	1 500
Septiembre-octubre 1922 Según Carr, en el momento más bajo del reflujo tras la lucha inquilinaria	191
Abril 1923 En el II Congreso	menos de 500
Enero-Febrero 1924 Según *La Voz de México*, tras la rebelión delahuertista	«no más de 100»
Abril 1924 En la Conferencia Nacional, según informe del III Congreso	«Reducidos a su mínima expresión»
Mayo 1924 Según reporte al Y Congreso de la IC	«1 000»
Abril 1925 En el III Congreso, según *Workers Monthly*, junio 1925	«Unos pocos centenares de miembros»

Apéndice V

Folletos editados por el Partido Comunista 1919-1925

FECHA	PIE DE IMPRENTA	PRECIO
Noviembre 1920	Talleres Gráficos Comunista de Tacubaya	
Salud a los trabajadores de la Rusia emancipada		5ç
Abril 1921	Bureau Provisional Mexicano de la ISR	
J.T. Murphy: *La Internacional Roja de Sindicatos*		5ç
Diciembre 1921	SPI	
Manifiesto del comité de organización del PCM		
Septiembre 1921	Biblioteca Internacional	
Sen Katayama: *La República Rusa de los soviets*		10ç
Septiembre 1921		
N. Bujarin: *El programa de los comunistas*		50ç
Diciembre 1922		
Louis C. Fraina: *El imperialismo americano*		10ç
Máximo Gorka: «Lenin»		5ç

FECHA	PIE DE IMPRENTA	PRECIO
Enero a Marzo 1922	Biblioteca de la Internacional	
G. Zinoviev: *La Internacional Comunista*		5ç
León Trotsky: *Carta a un sindicalista francés*		10ç
Tesis sobre la cuestión agraria del II *Congreso de la* IC		15ç
Estatutos de la Internacional Comunista		5ç
TC: *Organización, estructura y métodos de acción de los partidos comunistas*		20ç
IC: *Tesis sobre la táctica*		20ç
N. Lenin: *El Estado y la revolución. El comunismo de izquierda*		
Marzo a Abril 1922	Biblioteca del Partido Comunista	
José C. Valadés: *Revolución social o motín político*		30ç
L. Trotsky: *La situación internacional*		
Julio 1923	Biblioteca del Defensor del Pueblo	
Diego Rivera: *La acción de los ricos yanquis y la servidumbre del obrero mexicano*		
Carlos G. Cruz: *Cómo piensa la plebe*		
1923-1924	Biblioteca Comunista	
La cuestión agraria		5ç
Bujarin: *El* ABC *del comunismo*		10ç
1924	Biblioteca del PCM	
G. Zinoviev: *Lenin*		20ç
N. Bujarin: *Anarquismo y comunismo científico*		
Noviembre 1924 a Junio 1925	Talleres Tipográficos Soria	
Luís G. Monzón: *Algunos puntos sobre el comunismo*		
PCM: III *Congreso*		
Carlos Gutiérrez Cruz: *Sangre roja*		20ç

Apéndice VI

Prensa del partido comunista
(o realizada bajo influencia comunista)
1919-1925

El soviet. Director Eduardo Camacho, órgano de los Jóvenes Socialistas Rojos. DF. Nº 1 del 13/X/1919. Pasa a ser en noviembre 1919 órgano extraoficial del PCM. Último número editado: 8, el 16/XII/1919.

EL Comunista. Directora Elena Torres, administración, redacción e impresión Vicente Ferrer Aldana. Órgano del PCM. Nº 1 de diciembre de 1919. DF. Números editados 4 (¿?), último numero de abril de 1920.

El Comunista de México. Director Linn A.E. Gale. Órgano del PC DE M. DF. Nº 1 de enero de 1920. Último número el 6 de febrero de 1921.

Juventud Mundial. Director José C. Valadés. Órgano de los Jóvenes Igualitarios, a partir de agosto de 1920 pasa a serlo de la Juventud Comunista. Nº 1 del 25 de julio de 1920. DF. Último número (¿?), se conoce hasta el 11 de agosto de 1921.

Boletín Comunista. Director Manuel Díaz Ramírez. Órgano del PCM. DF. Nº 1 del 8 de agosto de 1920. Último número el extra (posterior al 4) del 10 enero 1921.

Vida Nueva. Director Manuel Díaz Ramírez. Órgano del grupo Vida Nueva, extraoficial de la FCPM. DF. Nº 1 del 16 de agosto de 1920. Último número editado el 12 del 1 de febrero de 1921.

El Trabajador. Director primera etapa (¿?), segunda etapa José G. Escobedo. Órgano extraoficial del Bureau Sindical de la ISR y de la CGT. Nº 1de marzo-abril (¿?) 1921. Último número el 17, del 4 de septiembre de 1921.

El Obrero Comunista. Director Richard Francis Phillips (como J. Rocha). Órgano del PC DE M. DF. Nº 1 del 18 de agosto de 1921. Último úumero el 20 del 1 de mayo de 1922.

Rebeldía. Director Nicolás Cano. Órgano del Partido Comunista Revolucionario de México. Desde noviembre del 1923 de la local comunista de Guanajuato del PCM. Guanajuato. Último número, de fines de 1924 (rebasó al menos los setenta).

La Plebe. Director Manuel Díaz Ramírez. Órgano del PC DE M. a mediados de agosto pasa a ser órgano del Sindicato Revolucionario de inquilinos del DF. Nº 1 de mayo de 1922. Último número (¿?) septiembre 1922.

El Frente Único. Director Manuel Almanza. Órgano de la local comunista de Veracruz. Nº 1 el 2 de junio de 1922. Veracruz. Último número (¿?) de junio de 1923. Se editaron al menos cerca de trescientos números.

Juventud Roja. (¿?) Órgano de la Juventud Comunista de Veracruz editado a mediados de 1922.

El Machete. Dirección colectiva de Diego Rivera, D.A. Siqueiros y Xavier Guerrero. En junio de 1924 Rosendo Gómez Lorenzo sustituye a Rivera. Administración Graciela Amador. Desde el Nº 8 el responsable es José Rojas. DF. Nace como órgano del sindicato de pintores, a partir del Nº 4 el PC DE M lo asume como propio aunque esto no se formaliza hasta abril de 1925. Nº 1 de la primera quincena de marzo de 1924. Hasta abril de 1925 edita treinta y cinco números y tres extras.

El Libertador. Director Bertram Wolfe, aunque aparece como editor gerente Úrsulo Galván. Órgano de la Liga Antiimperialista Latinoamericana. DF. Nº 1 de marzo de 1925. Salen ocho números.

Apéndice VII

Seudónimos con los que firmaron o fueron conocidos algunos comunistas extranjeros en México

Mijail Borodín (Mijail Markovitch Gruzenberg): Ginzberg, Alexandrescu.

Martín Brewster: Biernbaum.

Sen Katayama (Sugataro Yabuki): Yavki.

D. Bodar: Pablo Palos.

Herman P. Levine: Martin Paley, Morris Levine.

Richard Francis Phillips: Frank Seaman, José Rocha, Jesús Ramírez, Jesús Gómez, Jesús Ramírez Gómez, Manuel Díaz de la Peña.

Louis C. Fraina: Luis Carlos Fernández.

Bertram D. Wolfe: Audifaz.

Edgar Woog: Alfredo Stirner.

Apéndice VIII

Del nucleo militante del PCM de 1919 a 1925[1]

Obreros textiles: 7
Tranviarios: 1
Carpinteros: 5
Costureras y sastres: 3
Mecánicos: 2
Mineros: 2
Estibadores-cargadores: 2
Ferrocarrileros: 6
Periodistas: 5
Metalúrgicos: 2
Tipógrafos: 5
Maestros: 6
Zapateros: 1
Campesinos: 4
Petroleros: 4
Pintores: 5
Tabaqueros: 2
Panaderos: 5
Tallistas: 1
Estudiantes: 3
Chóferes: 1
Obreros industriales de oficio no especificado: 8
Electricistas: 3
Empleados: 2
Cochero: 1
No especificados: 12

RESUMEN

Obreros: 63
Profesionales liberales y estudiantes: 21
Campesinos: 4
No especificados: 12

Extranjeros: 8
Mexicanos: 92

Hombres: 93
Mujeres: 7

1 Tomando como base cien militantes destacados, miembros de la dirección nacional, de la dirección de las locales, dirigentes sindicales o agrarios, directores de órganos de prensa, delegados a congresos partidarios o sindicales.

Apéndice IX

Principales documentos de la Internacional Comunista. Difusión en México

I CONGRESO DE LA IC (Marzo de 1919)

*Plataforma de la IC Publicada en *Socialista*, Nº 40 (15/IX/1919) y *El Soviet*, Nº 5 (17/XI/1919) con títulos diferentes.

*Manifiesto de la IC a los proletarios de todo el mundo Editado en *El Soviet*, Nº 4 (10/XI/1919).

II CONGRESO DE LA IC (Junio 1920)

*Veintiuna condiciones para la admisión de los partidos comunistas a la IC Publicado en *Boletín Comunista*, extra (1/I/1921)

*Resolución sobre el papel del PC En *Boletín Comunista*, Nº 3 (IX/1920)

*El PC y el parlamentarismo. En *Boletín Comunista,* Nº 3.

*Tesis de Lenin sobre el movimiento sindical fragmentaria. En *Boletín Comunista*, Nº 4 (3/X/1920).

*Estatutos de la IC. Editados en folleto en 1922.

*Tesis sobre la cuestión agraria. Editadas en folleto en 1922.

III CONGRESO DE LA IC. (Junio 1921)

*Tesis sobre la situación mundial y las tareas de la IC. Inéditas en México.

*Tesis sobre la estruc tura y los métodos de acción de los PC. Editadas en folleto en 1922.

*Tesis sobre la táctica editadas en folleto en 1922.

IV CONGRESO (Noviembre 1922)

*Resolución sobre la táctica. Inédita en México.

*Tesis sobre la unidad del frente proletario. Inédita en México.

*Tesis sobre la acción comunista en el movimiento sindical. Inédita en México.

V CONGRESO DE LA IC (Junio de 1924)

*Informe de Zinoviev sobre la táctica. Inédita en México.

*Tesis sobre la bolchevizacion de los PC. Resumido de forma muy apretada en el informe de B. de Wolfe, editado en *III Congreso del PC DE M*.

*Resolución sobre el problema sindical. Inédita en México.
*Resolución sobre el fascismo. Inédita en México.
*Resolución sobre el Consejo Campesino Internacional.
Se publicó en un folleto de la Liga de Comunidades Agrarias de Veracruz.

Apéndice X

Delegados de la internacional comunista en México

Mijail Borodín	1919 octubre-diciembre
R.F. Phillips	1921 enero-mayo, julio-noviembre
Carl Jonson	1921 marzo-¿?
Louis Fraina	1921 marzo- ¿mayo?
Sen Katayama	1921 marzo-noviembre
Jay Lovestone	1924 abril

Apéndice XI

Expulsiones del PCM. 1919-1925

1920
Vicente Ferrer Aldana
Leonardo Hernández
Martín Brewster
1922
José C. Valadés, Enrique Arana, Antonio Calderón, Aurelio Senda y otros tres miembros de la JC.
1924
Rafael Mallén
Ballesteros, Resendiz y Sosa (local de Michoacán)
Juan Barrios (local de Veracruz)

Apéndice XII

Parlamentarios comunistas 1919-1925

Nombre	Fecha elección	Cargo	Lugar	Partido que lo postuló
Luis G. Monzón	Septiembre 1924	Senador (ingresa siendo senador)	SLP	Independiente y PA SLP
Roberto Calvo R.	Agosto 1924	Diputado local Oaxaca	XVII Distrito Zimatlán	Partido Agrarista Oaxaqueño
Gregorio Turrubiates	Diciembre 1924	Regidor Ayuntamiento	Tampico	Partido Socialista Fronterizo
Francisco J. Moreno	Fines 1924	Diputado local (ingresa siendo diputado)	S. Andrés Veracruz	Partido Rojo Tuxtla
Úrsulo Galván	Febrero 1925	Diputado local	Córdoba Veracruz	Partido Comunista, Partido Veracruzano del Trabajo, Partido del Trabajo, Campesino, Tierra y Libertad
Carlos Palacios	1922	Diputado local (ingresa siendo diputado)	Jalapa Veracruz	Partido del Trabajo

FUENTES INFORMATIVAS

I. Libros

En la realización de este libro, fueron consultados millares de artículos periodísticos. He tratado de seleccionar en esta lista de fuentes los que me parecieron más interesantes; en las secciones IV y V se ofrecen por separado los artículos firmados (en orden alfabético) y los anónimos (en orden cronológico) para facilitar la consulta. Asimismo he ordenado los principales documentos programáticos del comunismo mexicano por orden de «aparición en escena» en la sección III. Dentro de la sección VII, la lista de prensa obrera mexicana se ha restringido a aquellos órganos que ofrecieron información directa sobre el movimiento comunista, eliminando los que tan solo proporcionaban información contextual. Lo mismo puede decirse respecto a la bibliografía; he omitido en ellas todas las obras consultadas sobre el Estado surgido de la Revolución Mexicana, la situación política del país, la historia global del movimiento obrero o los materiales de historia del comunismo visto desde una perspectiva internacional, limitando la lista de fuentes a aquellas donde hay información sobre los orígenes del comunismo mexicano, así sea de muy escasa importancia.

Robert J. Alexander: *Communism in Latin América*, NJ University Press, New Brunswick, 1957.

Manuel Almanza García: *Historia del agrarismo en el Estado de Veracruz*, manuscrito, copia proporcionada por Roberto Sandoval.

Anónimo: *¿Quién es quién en el comunismo?*, Madrid, 1956, SPI.

Luis Araiza: *Historia del movimiento obrero mexicano*, Ediciones COM, México, 1975.

Guillermina Bahena (comp): *La Confederación General de Trabajadores*, (1921-1931). CEHSMO, México, 1982.

Fabio Barbosa: *La CROM, de Luis N. Morones a Antonio J. Hernández*, UAP, Puebla, 1980.

Elías Barrios: *El escuadrón de hierro*, Ediciones de Cultura Popular, México, 1978.

Armando Bartra: *Movimientos campesinos posrevolucionarios*, 1920-1976, manuscrito inédito.

Carleton Beals: *México and interpretation*, B.W. Huebsch Inc. NY 1923.

___________: *Glass Houses*, J.B. Lippincott, NY 1938.

Arturo Bolio: *Rebelión de mujeres*, Editorial Kada, Veracruz, 1951.

Héctor Cárdenas: *Las relaciones México-soviéticas*, Colección del Archivo histórico diplomático mexicano, México, 1974.

Barry Carr: *El movimiento obrero y la política en México*, 1910-1929, dos tomos, Sepsetentas, México, 1976.

Jean Charlot: *The mexican mural reinaissance*, Yale University Press, 1963.

L.N. Chernov-I.V. Milovanov: *Vidas consagradas a la lucha*, editorial Nauta, Moscú, 1966.

Stephen Clissold: *Soviet relations on Latin América 1918-1968. A documentary survery*, Royal Institute of International Affaire, Londres, 1970.

Confederación Regional Obrera Mexicana: *Memoria de los trabajos llevados a cabo por el comité central de la CROM durante el ejercicio del 23 de noviembre de 1924 al 1 de mayo de 1926*, México, 1926.

J. Cuadros Caldas: *México Soviet*, S. Loyo, Puebla, 1926.

Adys Cupull: *Julio Antonio Mella en los mexicanos*, El Caballito, México, 1983.

Ramyansu Sekhar Das: *M.N. Roy. The humanist philosopher*, New Delhi, 1957.

Theodor Draper: *The roots of American Communism*. The Viking Press, NY 1957.

Arnulfo Embriz: *El movimiento campesino y la cuestión agraria, ante la sección mexicana de la III Internacional*, Tesis, ENAH, 1982.

__________ y Ricardo León: *Documentos para la historia del agrarismo en Michoacán*, CEHAM, México, 1982.

José G. Escobedo: *Notas biográficas*, edición del autor, México, 1951.

Heather Fowler: *Movilización campesina en Veracruz*, S.XXI, México, 1979.

Paul Friedrich: *Agrarian revolt in a Mexican village*, University of Chicago Press, Chicago, 1977.

Vicente Fuentes Díaz: *Los partidos políticos en México*, Editorial Altiplano, México, 1979.

Octavio García Mundo: *El movimiento inquilinario en Veracruz*, Sepsetentas, México, 1976.

Rodrigo García Treviño: *La ingerencia rusa en México y Sudamérica*, Editorial América, México, 1959.

Mario Gill: *Episodios Mexicanos, México en la hoguera*, Editorial Azteca, México, 1960.

________ (comp.): *México y la revolución de octubre*, ECP, México, 1976.

Boris Goldenberg: *Kommunimus in Lateinamerika*, Hannover, 1966.

Pablo González Casanova: *En el primer gobierno constitucional*. Tomo VI de *La clase obrera en la historia de México*, S.XXI, México, 1980.

Rocío Guadarrama: *Los sindicatos y la política en México: La CROM, 1918-1928*, ERA, México, 1981.

Ernst Halperin: *Communism in México*, MIT, Cambridge, 1963.

Donald L. Herman: *The commintern in México*, Washington Public Afairs Press, Washington, 1974.

______________: *The communist tide in Latin América*, University of Texas, Austin.

Manuel Diego Hernández: *La Confederación Revolucionaria Michoacana del Trabajo*, Centro de Estudios de la Revolución Mexicana, Jiquilpan, 1982.

Jacinto Huitrón: *Orígenes e historia del movimientos obrero en México*, Editores Mexicanos Unidos, México, 1974.

IC: *Los cuatro primeros congresos de la Internacional Comunista*, Cuadernos de Pasado y Presente números 43 y 47, Buenos Aires, 1973.

IC: V *Congreso de la Internacional Comunista*, Cuadernos de Pasado y Presente números 55 y 56, Buenos Aires, 1975.

IC: *El VI Congreso de la Internacional Comunista*, Cuadernos de Pasado y Presente números 66 y 67, S.XXI, México, 1978.

Hyman Kublin: *Asian revolutionary. The life of Sen Katayama*. Princeton, 1964.

Boris Koval: *La gran Revolución de Octubre y América Latina*, Editorial Progreso, Moscú, 1978.

Friedrich Katz: *La guerra secreta en México*, ERA, México, 1982.

Branko Lazintch: *Biographical dictionary of the Commintern*. Hoover Institution Press, Stanford, 1973.

Harvey A. Levenstein: *Las organizaciones obreras de Estados Unidos y México. Historia de sus relaciones*. EDUG, Guadalajara, 1980.

José Mancisidor: *Síntesis histórica del movimiento social en México*, CEHSMO, México, 1976.

Manuel Márquez Fuentes – Octavio Rodríguez Araujo: *El Partido Comunista Mexicano*. El Caballito, México, 1973.

Apolinar Martínez Múgica: *Primo Tapia, semblanza de un revolucionario michoacano*, El Libro Perfecto, México 1946.

______________________: *Isaac Arriaga*, Universidad Michoacana, Morelia, 1982.

Arnoldo Martínez Verdugo: *Partido Comunista Mexicano. Trayectoria y perspectivas*. FCP, México, 1971.

______________________: *Historia del Comunismo en México*, Grijalbo, México, 1985.

Ricardo Melgar Bao: *El marxismo en América Latina 1920-1924. Introducción a la historia regional de la* IC. Original mecanográfico proporcionado por el autor.

Gerald H. Meaker: *La izquierda revolucionaria en España*, Ariel, Barcelona, 1978.

Luis Monroy Durán: *El ultimo caudillo*, edición de José S. Rodríguez, México, 1924.

Luis G. Monzón: *Algunos puntos sobre el comunismo*, Talleres Tipográficos Soria, México, 1924.

Marcel Neymet: *Cronología del Partido Comunista Mexicano*, ECP, México, 1981.

José Clemente Orozco: *Autobiografía*. ERA, México, 1970.

Francisco J. Paoli – Enrique Montalvo: *El socialismo olvidado de Yucatán*, S. XXI, México, 1977.

Partido Socialista del Sureste: *Segundo congreso obreros de Izamal*, CEHSMO, México, 1977.

Partido Socialista Yucateco: *Primer congreso socialista celebrado en Motul*, estado de Yucatán, CEHSMO, México, 1977.

Gerardo Peláez: *Partido Comunista Mexicano, 60 años de historia*, UAS, México, 1980.

Rollie E. Poppino: *International communism in Latin América, a history of the movement, 1917-1963*, The Free Press, NY, 1964.

J.H. Retinger: *Morones de México*, Biblioteca del Grupo Acción, México, 1927.

Diego Rivera: *Arte y Política*, Grijalbo, México, 1978.

__________, Gladys March: *Mi arte, mi vida*, Editorial del Herrero, México, 1963.

Marcelo Rodea: *Historia del movimiento obrero ferrocarrilero*, 1890-1943, edición del autor, México, 1944.

Miguel Rodríguez: *Los tranviarios y el anarquismo en México*, UAP, Puebla, 1980.

Manabendra Nath Roy: *La voz de la India*, SPI, México, 1918.

__________________: *Memoirs*, Bombay, 1964. La parte mexicana de las «Memorias» ha sido traducida al español en *El Buscón* N°. 1, noviembre de 1982.

Rosendo Salazar: *Historia de las luchas proletarias en México*, Editorial Avante, México, 1938.

_____________, José G. Escobedo: *Las pugnas de la gleba*, PRI, México, 1976.

Karl M. Schmidt: *Communism in México, a Study in Political frustation*, University of Texas, Austin, 1965.

SRE: *Relaciones Mexicano-soviéticas*, Archivo Histórico Diplomático, México, 1981.

David A. Siqueiros: *Me llamaban el Coronelazo*, Grijalbo, México, 1977.

Charles James Stephens: *Communism in México*, 1919-1940, Tesis, Universidad de Berkeley.

Luis Suárez: *Confesiones de Diego Rivera*, Grijalbo, México, 1975.

Paco Ignacio Taibo II –Rogelio Vizcaíno A.: *Memoria Roja*, Leegar-Júcar, México, 1984.

Raquel Tibol: *Textos de David Alfaro Siqueiros*, Archivo del Fondo 22-23, FCE, México, 1971.

Loló de la Torriente: *Memoria y razón de Diego Rivera*, Editorial Renacimiento, México, 1959.

Ricardo Treviño: *El espionaje comunista y la evolucion doctrinaria del movimiento obrero*, SPI, México, 1952.

____________: *Frente ideal*, ediciones de la COM, México, 1974.

José C. Valades: *Memorias de un joven rebelde*, 2 tomos, original mecanografiado.

Bertram D. Wolfe: *Diego Rivera*, Editorial Ercilla, Santiago de Chile, 1941.

______________: *A life in two Centuries*, Stein and Day, NY, 1981

II. Folletos

Elías Barrios: El *movimiento obrero internacional. Hacia el frente único*, México, 1926.

N. Bujarin: *El programa de los comunistas*, Biblioteca Internacional, México, 1921.

CROM: *Proyectos, dictámenes y puntos resolutivos aprobados en la VI convención de la CROM*, Talleres Linotipográficos La Lucha, México, 1925.

Grupo Evolución Social: *1º de mayo*, Veracruz, abril 1919.

Louis C. Fraina: *El imperialismo americano*, Biblioteca Internacional, México, 1921.

Sen Katayama: *La República Rusa de los soviets*, Biblioteca Internacional, México 1921.

Liga de Comunidades Agrarias del Estado de Veracruz: *El Agrarismo en México*, SPI.

J.T. Murphy: *La Internacional Roja de Sindicatos Obreros*, Edición del Bureau provisional mexicano del Consejo Internacional de Sindicatos y Uniones de Trabajadores, México, 1921.

Partido Comunista Revolucionario de México: *Constitución del Partido Comunista Revolucionario de México*, México, 1921.

Partido socialista de México: *Carta Bolsheviki*, México, 1920.

Partido Socialista Mexicano: *Manifiesto del PSM*, 2 de febrero de 1921, Imprenta Naco, México.

Diego Rivera: *La acción de los ricos yanquis y la servidumbre del obrero mexicano*, Biblioteca del Defensor del Pueblo, México, 1923.

Salud a los trabajadores de la Rusia emancipada, talleres Gráficos Comunistas de Tacubaya, México, 1920.

Paco Ignacio Taibo II: *Las huelgas del verano del 20 en Monterrey*, Cuadernos del OIDMO, Monterrey, 1981.

León Trotsky: *Carta a un sindicalista francés*, Biblioteca de la Internacional Comunista, México, 1922.

José C. Valadés: *La burla política*, Publicaciones SELH, México, 1923.

___________: *Revolución social o motín político*, Biblioteca del Partido Comunista, México, 1922. Otra edición incompleta bajo el titulo *Las asonadas militares y la política de los comunistas*, en ACERE, México DF, 1980.

Anónimo: *Celestino Gasca*, México DF, 1942, SPI.

________: *Bases generales de la Liga Internacional Amigos de la India*, SPI, México, 1919.

________: *Pueblo, estos son tus derechos, reclámalos*, Imprenta Cosmópolis, Chicago, s/f.

III. Documentos

«Convocatoria al Primer Congreso Nacional Socialista», marzo de 1919, volante, Fondo ENAH.

«First congreso of the Nacionalist Socialist Party of México» *Gale´s Magazine*, No. 1, agosto de 1919.

«Reglamento interior para las discusiones en *el I Congreso Nacional Socialista,* volante, Fondo ENAH.

«Protesta de los socialistas mexicanos«, 11 de junio de 1919, *Socialista* N°. 38, 1 de agosto de 1919.

«Declaraciones de principios aceptados por el Congreso Nacional Socialista celebrado en México del 25 de agosto al 4 de septiembre», en *El Soviet* N°. 1, 13 de octubre de 1919, *Socialista* N°. 40, 15 de septiembre de 1919 y *Oposición* N°. 294.

«Programa de acción adoptado por el Congreso Nacional Socialista« en *Socialista* N°. 40 y *Oposición* N°. 294.

«Manifest of Communist Party of México, 7 de septiembre de 1919», en *NAW DJ* 374726 y *Gale's Magazine* N°. 4, octubre de 1919.

Partido Socialista de México: «Manifiesto a los trabajadores del Mundo», *Socialista* N°. 40, 15 de septiembre de 1919.

«El Partido Socialista Mexicano tratará de unificar su actuación con los partidos comunistas de otras regiones», *El Soviet* N°. 6, 26 noviembre 1919.

José Allen: «Informe al comité ejecutivo de la IC», 29 de noviembre de 1919, *Oposición*, 26 de julio, 1 de agosto de 1979.

M. Borodín a José Allen: Reconocimiento provisional del PCM por la IC, volante, *NAW DJ* 374726.

Circular del PC DE M, diciembre de 1919, Archivo Valadés.

«Manifiesto del Bureau Latinoamericano de la III Internacional» 8 de diciembre de 1919, *El Soviet* N°. 8, 16 de diciembre de 1919 y *Oposición*, 23-29 de agosto de 1979.

«¿Qué es el PCM?», *El Comunista* N°. 3, 8 de enero de 1920.

Bureau Comunista Latinoamericano: «A los compañeros de Cuba», *El Comunista* N°. 3, 8 de enero de 1920.

«Manifiesto a los trabajadores de todas las industrias», *El Comunista de México* N°. 3, junio de 1920.

«Nuestro Programa», *Boletín Comunista* N°. 1, 8 de agosto de 1920.

«Jóvenes Proletarios», llamamiento de la FJC, publicado censurado en *El Universal*, 27 de agosto de 1920.

«Declaraciones de principios, estatutos y bases constitutivas de la FCPM», septiembre de 1920, Fondo ENAH.

Federación Comunista del Proletariado Mexicano: «Convocatoria», enero 1921, volante.

PC DE M: *A los comunistas de la región mexicana. Abajo con los traidores ¡Fuera los entrometidos!*, volante, archivo del autor.

«Resoluciones del congreso fundacional CGT», *Libertario*, Veracruz, 26 de febrero de 1921.

«Conclusiones de la Convención convocada por la Federación Comunista del Proletariado Mexicano», volante 4p., archivo autor.

«Hacia la unificación del comunismo en México», *El Comunista de México* N°. 6, febrero de 1921.

«Convocatoria para el primer Congreso de la federación de Jóvenes Comunistas de México», *Juventud Mundial* N°. 10, julio de 1921.

«Convocatoria al primer congreso de la CGT», 9 de julio, volante, archivo del autor.

«Resoluciones y listas de asistentes al primer Congreso de la CGT», *El Trabajador* N°. 17, 4 de septiembre de 1921.

Secretariado de la CGT: «Importante circular a las organizaciones confedérales», *El Trabajador* N°. 17, 4 septiembre de 1921.

«Manifiesto del Comité Ejecutivo de la CGT», noviembre 1921, archivo autor.

Bureau Ejecutivo de la ISR: «Setter to the mexican workers» *RILU Bulletin* N°. 8, 15 noviembre 1921.

Comité organizador del PCM: «Alerta compañeros, una declaración necesaria», *El Obrero Comunista* N°. 11, 10 de diciembre de 1921.

Secretariado del PCM: «Convocatoria a las organizaciones comunistas de la región mexicana», *El Obrero Comunista* N°. 12, 17 de diciembre de 1921.

«Primer Congreso del PC», *El Obrero Comunista* N°. 15, 11 de enero de 1922.

«Actas del I Congreso del Partido Comunista Mexicano», diciembre 1921, enero 1922. Copia archivo del autor.

«Reglamento local del DF», 6 de marzo de 1922, archivo Valadés.

«Reglamento y estatutos del Comité pro Órgano del PCM», 8 de marzo de 1922, archivo Valadés.

«Estatutos del Partido Comunista de México, Sección de la Internacional Comunista», *La Plebe* N°. 4, 9 de junio de 1922.

«El CNE del PCM al comité ejecutivo de la IC», 7 de septiembre de 1922. CEM.

«Circular», 10 de marzo de 1923. CEM.

Local de Morelia PCM: «A los trabajadores del campo y la ciudad», junio de 1923. Reproducción Embriz – León.

Comité Ejecutivo de la Internacional Comunista: «Strategy of the communist», 21 de agosto de 1923, editada por el Workers Party of América, SPI.

Secretariado nacional del PC DE M: «Circular No. 2», 12 de noviembre de 1923. CEM.

«Hacia el gobierno obrero y campesino», Resolución del PC DE M, 20 de febrero de 1924, *El Machete* N°.1, primera quincena de marzo de 1924.

«Acta constitutiva del PC DE M con propósitos electorales», 22 de mayo de 1924. CEM.

«Conferencia del PCM», *El Machete* N°. 5, primera quincena de mayo de 1924.

«Organización y disciplina de lucha. Reglamento de la Local comunista de la Ciudad de México», *El Machete* N°. 14, 25 de septiembre, 2 de octubre de 1924.

«Reformismo o revolución», *El Machete* N°. 15, 2 al 9 de octubre de 1924.

«Llamamiento del PCM. El gobierno que se llama amigo de las clases proletarias», *El Machete* N°. 16, 9-11 de octubre de 1924.

Comité sindical del PCM y comité mexicano de la ISR: «Manifiesto a los delegados del Congreso de la Federación Panamericana del Trabajo», *El Machete* N°. 22, 20-27 de noviembre de 1924.

«El programa del P. Comunista de México» *El Machete* N°. 27 (25 diciembre 1924, 1 enero 1925) y N°. 28 (8 -15 enero 1925).

«Carta de la IC al PCM en el primer aniversario de la muerte de Lenin», *El Machete* N°. 28, 8 -15 enero 1925.

«Balance político del Partido Comunista de México», *El Machete* N°. 28, 8 – 15 enero 1925.

Comité sindical del PCM y comité pro unidad sindical de la región mexicana: «Por la unidad sindical, contra la ofensiva burguesa», *El Machete* N°. 31, 5 -12 febrero 1925.

«Sobre el próximo congreso», *El Machete* N°. 33, 5 -12 de marzo de 1925.

«Para el III Congreso. La Bolchevización del PC», *El Machete* N°. 34, (12 -19 de marzo de 1925) y 35 (19 -26 marzo 1925).

«Bolchevicemos al Partido Mexicano», *El Machete* No. 41 (13 de agosto de 1925) y 42 (3 de septiembre de 1925).

«Los cinco primeros años del PCM. Resumen del curso que se dará en la escuela obrera del Partido Comunista», *El Machete* N°. 101, 11 febrero 1928.

IV. ARTICULOS FIRMADOS

Lief Adleson: «Coyuntura y conciencia: Factores convergentes en la fundación de los sindicatos petroleros en Tampico durante la década de 1920» en *El Trabajo y los Trabajadores en la historia de México*, Colmex, México 1979.

José Allen (como Alejo Lens): «Sobre la tesis del comité Ejecutivo de la III Internacional», *Boletín Comunista* N°. 4, 3 octubre 1920.

________: artículo aparecido en *La Voz de México*, 15 septiembre 1944. Reproducido en Fabio Barbosa: *La CROM de Luis N. Morones a Antonio J. Hernández*, p. 367 y ss.

________: «El movimiento comunista en México. Su iniciación, sus trabajos, sus errores, su situación actual y su porvenir», 7 diciembre de 1922, informe mecanográfico.

Luis Araiza: «Dentro del sindicalismo no caben políticos ni zánganos y ello ha motivado la claudicación de los ambiciosos», *Nuestros Ideales* N°. 5, 7 de junio de 1922.

Alberto Araoz de León: «Preliminares para la formación de la CGT», *Nuestra Palabra* N°. 65, 22 de febrero de 1926.

Enrique H. Arce: «Sindicalismo a base de socialismo revolucionario», *Socialista* N°. 39, 15 agosto 1919.

David Argueta: «Justicia que se vende», *El Machete* N°. 10, 21 -28 agosto 1924.

Geo Barreda: «What the Mexican Communists are doing?», *Gale´s Magazine*, N°. 5 noviembre de 1919.

Carleton Beals y Roberto Haberman: «The Mexican Revolution», *Liberator*, julio de 1920.

___________: «El gobierno de México y los trabajadores mexicanos», *Liberator*, octubre de 1920 y Vida Nueva Nº. 7, 24 octubre de 1920.

Carlos Becerra: «Mi expulsión de la Union del Hierro adherida a la CROM», *El Machete* Nº. 33, 5-12 marzo 1925.

Harry Bernstein: «Marxismo en México», *Historia Mexicana* Nº. 28, abril -junio 1953.

Juan Jerónimo Bertrand: «La Juventud Comunista», *El Obrero Comunista* Nº. 14, 31 diciembre 1921.

Djed Bojorquez: «El congreso socialista», *El Monitor Republicano*, 4 septiembre 1919.

Luis F. Bustamante: «La lucha de clases en México», *Revista CROM*, capitulo IV, 1 marzo 1936; capítulo V, 1 abril 1936 y capitulo VI, 1 de mayo de 1936.

Federico Campbell: «El enigmático José Allen, posible espía estadounidense pionero de la radiodifusión mexicana», *Proceso* Nº. 373, 26 diciembre 1983.

Barry Carr: «Los orígenes del Partido Comunista Mexicano», *Nexos* Nº. 40, abril de 1981.

_________: «Marxists, Communists and Anarchists in the Mexican Labor Movement, 1910-1925», mecanográfico.

_________: «Temas del comunismo mexicano», *Nexos* Nº. 54, junio de 1982.

Francisco Cervantes López: «El congreso socialista», *Socialista* Nº. 38, 1 agosto 1919.

____________________: «El I Congreso Nacional Socialista», *Socialista* Nº. 40, 15 septiembre 1919.

Comité de Patio de la vecindad Nº. 120 de Guillermo Prieto: «Acta», 4 julio 1922, archivo JCV.

Juan Cristóbal: «El Congreso Comunista», *El Demócrata*, 17 febrero 1921.

Manuel Díaz Ramírez: «Hablando con Lenin en 1921», *Liberación* Nº. 8, noviembre -diciembre de 1957.

Olivia Domínguez: «El anarcosindicalismo y el agro veracruzano», ponencia mecanográfica.

Dionisio Encina: «La Revolución Socialista de Octubre y su influencia en el desarrollo del movimiento revolucionario en México», *Liberación* Nº. 8, noviembre – diciembre 1957.

Ciro Esquivel: «Contestación a las declaraciones hechas a *Excelsior* por el teniente Subow», *El Comunista de México* N°. 6, febrero 1921.

Jorge Fernández: «Notas sobre la historia del Partido Comunista Mexicano», *Teoría* N°. 8, septiembre 1950.

José Fernández Oca: «Es imposible callar», *Nuestra Palabra* N°. 20, 8 de noviembre de 1923.

Vicente Ferrer Aldana: «I Congreso Socialista en la Ciudad de México», *Libertario* N°. 14, 31 agosto 1919.

Enrique Flores Magón: «Actitud que asumimos ante las asonadas y revueltas políticas», *Nuestra Palabra* N°. 26, 20 diciembre 1923.

Heather Fowler: «orígenes laborales de las organizaciones campesinas en Veracruz», *Historia Mexicana* N°. 78, octubre – diciembre 1970.

____________: «Los orígenes de las organizaciones campesinas en Veracruz. Raíces políticas y sociales», *Historia Mexicana* N°. 85, julio – septiembre 1972.

Louis C. Fraina (como Luis Carlos Fernández): «Construid el Partido Comunista», *El Obrero Comunista* N°. 1, 18 agosto 1921.

____________: «Unemployment in México», RILU *Bulletin* N°. 12, febrero 1922.

Linn A.E. Gale: «Bolshevism in México», *Gale´s Magazine* N°. 7, febrero de 1919.

____________: «México the Land of promises», *Gale´s Magazine* N°. 9, abril de 1919.

____________: «We slackers in México», *Gale´s Magazine* N°. 11, junio de 1919.

____________: «First congreso of the Socialist Party of México», *Gale´s Magazine* N°. 1, agosto 1919.

____________: «El deber de los Socialistas mexicanos», *Socialista* N°. 38, 1 agosto 1919.

____________: «Gompers dominates Mexican Socialist congreso. Communist Party organized», *Gale´s Magazine* N°. 2, septiembre 1919.

____________: «The mexican communist and the IWW», *Gale´s Magazine* N°. 6, diciembre 1919.

___________: «Los socialistas mexicanos repudian a los traidores», *El Comunista de México* N°. 1, enero 1920.

___________: «Industrial unionism in México», *Gale´s Magazine* N°. 9, abril 1920.

___________: «La labor de la IWW en México», *El Comunista de México* N°. 3, junio 1920.

___________: «Bolsheviqui Gold in México», *Gale´s Magazine* N°. 11, junio –julio 1920.

___________ (como El Luchador Viejo): «Mexican wobblies convene on the roof», *Gale´s Magazine* N°. 1, agosto 1920.

___________: «Towards soviet in Mexico», *Gale´s Magazine* N°. 2, septiembre 1920.

___________: «El II Congreso de la III Internacional», *El Comunista de México* N°. 4.

___________: «What to expect if you come to México?», *Gale´s Magazine* N°. 5, diciembre de 1920.

___________: «The one Big Union in México», *Gale´s Magazine* No. 6, enero 1921.

P. García: «Petróleo, reajuste de salarios, ejército de sin trabajo, gobierno vacilante y partidos políticos claudicantes», *El Obrero Comunista* N°. 12, 17 diciembre 1921.

Bernardo García Díaz: «Acción directa y poder obrero en la federación de la CROM de Orizaba», original mecanográfico.

Octavio García Mundo: «La etapa radical del movimiento inquilinario de Veracruz», Ponencia mecanografiada.

Julio García Muñoz: «Cómo y cuándo se formó el PC DE M», documento mecanográfico, Guadalajara 25 de junio de 1938.

Harrison George: «Well, What about Obregón and the Mexican Teapot?», *The Daily Worker*, 17 febrero 1924.

Mario Gill: «Veracruz, resolución y extremismo», *Historia Mexicana* N°. 8, abril –junio 1953.

________ : «El impacto de la Revolución de Octubre en México» y «Relaciones entre México y la Union soviética» en *México y la Revolución de Octubre*, ECP, México, 1976.

A. Goldschmidt: «La teoría soviética, Marx y Lenin», *El Machete* N°. 2, segunda quincena de marzo de 1924.

Rosendo Gómez Lorenzo: «El primer aniversario de la Revolución de Octubre» en *México y la Revolución de Octubre*, ECP, México 1976.

Jesús González: «Sobre la unidad», *Humanidad* Nº. 5, junio de 1923.

Irwin Granich: «Well, what about México?», *Liberator*, enero 1920.

__________: «Two México´s, a store», *Liberator*, mayo 1920.

Xavier Guerrero: «El Machete dejó inmensa huella», *La Voz de México*, 20 marzo 1962.

Heriberto Jara: «Veracruz está prácticamente bajo los efectos de la ley marcial», *El Demócrata*, 5 abril 1923.

Juventud Comunista Anárquica: «Manifiesto», volante, febrero 1923.

______________________________: «Estatutos», volante, 4 febrero 1923.

Sen Katayama: «The Dictatorship of the Proletariat», inédito, archivo JCV.

Frederic W. Leighton: «Comunists of México in second Congress», *The Worker*, 7 abril 1923.

_______________: «Pro-proletarian art in México», *Liberador,* diciembre 1923.

Local Comunista de Orizaba: «Cómo fueron asesinados los soldados agraristas de Maltrata», *El Machete* Nº.8, segunda quincena de julio de 1924.

A. Lozovsky: «El frente único». *El Obrero Comunista* Nº. 19, 4 de marzo 1922.

Rafael Mallén: «Sufragio efectivo de obreros y campesinos», *El Machete* No. 5, 1ª quincena de mayo 1924.

Tomas Martínez: «Deslindando el campo», *Solidaridad* Nº. 7, 21 agosto 1921.

Arnoldo Martínez Verdugo: «El Congreso Socialista de 1919», *Oposición*, 19 -25 junio 1979.

_____________________: «La fundación», *Oposición*, 26 julio, 1 agosto 1979.

_____________________: «El esfuerzo latinoamericano», *Oposición*, 23-29 agosto 1979.

Lino Medina: «La fundación y primeros años del PCM», *Nueva Época* Nº. 4-5, abril-mayo 1969.

Jesús Méndez: «Esta revolución no es nuestra », *Nuestra Palabra* Nº. 26, 20 diciembre 1923.

Humberto Musacchio: «El Marx nuestro de cada día», *Nexos* Nº. 54, junio 1982.

_______________: «Carrillo Azpeitia, más de sesenta años de lucha política», *Unomásuno*, 23 de agosto de 1983.

Rafael nieto: «Los bolcheviques», *Acción*, 17 mayo 1920.

Epigmenio H. Ocampo: «Credo bolchevique», volante, fondo ENAH.

J. Ortiz Petricioli: «Isaac Arriaga», *Revista CROM*, mayo 1921.

William C. Owen: «Revelaciones de un comunista», *Guillotina* Nº. 29 (3 agosto), 31 (5 agosto) y 33 (7 agosto 1923).

Roberto Paris: Notas biográficas de Sen Katayama, Edgar Woog, Louis C. Fraina, Frank Seaman, Adolfo Santibáñez, mecanográficas.

Vicente de Paula Cano: «Obreros del Mundo», *Bandera Roja* Nº. 4, 1 marzo 1918.

Gerardo Peláez: «Primeros pasos del PCM», *Página Uno*, 10 octubre 1982.

Richard Francis Phillips (como Manuel Díaz de la Peña): «Lo que quieren los comunistas», manuscrito, archivo JCV.

_________________ (como Frank Seaman): «In the back wash», *El Heraldo de México*, 27 octubre 1919.

_________________ (sin firmar): «Los socialistas de América Latina por la III Internacional», serie de tres artículos en *España Nueva* de Madrid, 28, 30 y 31 enero 1920.

_________________ (como J. Ramírez): «Mr. Hughes suprimes himself», *Liberator*, noviembre 1923.

_________________ (como J. Ramírez Gómez): «Panamerican adventures, of Sam Gompers», *The Labor Herald*, septiembre 1924.

_________________ (como J. Ramírez): «The counter Revolution in México, *Liberator*, febrero 1924.

_________________ (como Manuel Gómez): «The evolution of señor Calles», *Worker´s Monthly*, abril 1925.

_______________ (Manuel Gómez/Theodor Draper): «From México to Moscow», *Survey* N°. 53 (octubre 1964) y 55 (baril 1965).

J.A. del Pino: «Desde Tampico», *Vida Nueva* N°. 6, 10 octubre 1920.

Salvador Puente: «Los sucesos de Puente Nacional», *El Demócrata*, 4 abril 1923.

Jesús Ramírez: «Sobre la unidad obrera», *Galeote* N°. 1, mayo 1925.

Víctor Recoba (como F. Ríos): «Me obligaron a callar», *Humanidad* N°. 6, 23 febrero de 1924.

Felipe Reyes y la sección de la JC en Establecimientos Fabriles: «Excitativa», volante, 14 agosto 1921.

Diego Rivera: «¡¡Asesinos!!», *El Machete* N°. 1, primera quincena de marzo de 1924.

_________: «Fíjate trabajador», *El Machete* N°. 2, segunda quincena de marzo 1924.

_________: «La inercia del gobierno da pie a un nuevo golpe reaccionario», *El Machete* N°. 3, primera quincena de abril de 1924.

Librado Rivera: «¡Basta!», *Sagitario* N°. 1, 11 octubre 1924.

_________: «Mi decepción de la Revolución Rusa», *Sagitario* N°. 3, 25 octubre 1924.

Antonio Rodríguez: «La eterna farsa política», *Nuestra Palabra* N°. 18, 25 de octubre de 1923.

Aurelia Rodríguez: «El Frente Único», *Nuestra Palabra* N°. 53, 19 de febrero 1925.

J. Rodríguez / M. Paley: «El congreso comunista», *El Obrero Industrial* N°. 7, 1 marzo 1921.

Arnold Roller: «Yucatán, yesterday and today», *The Daily Worker supplement*, 23 febrero 1924.

Ana María Romero: «No es superior el hombre a la mujer», *Iconoclasta* N°. 9, 9 noviembre 1919.

Laura Romero de Tamayo: «Historia de una lucha, inquilinos rojos *vs* sindicalismo católico», Ponencia mecanografiada.

Evelyn Roy: «La mujer mexicana y el movimiento feminista mundial», *Socialista* N°. 38, 15 agosto 1919.

_________: «México and her people», *El Heraldo de México* 22 y 29 septiembre, 6, 13, 20 y 27 de octubre de 1919.

________: «Correspondencia de Rusia», *Boletín Comunista* Nº. 2, 30 agosto 1920.

M.N. Roy: «Flesh eating and the War Spirit in Man», *El Heraldo de México*, 17 octubre 1919.

________: «Michel Borodín en Amerique», *Le Contrat Social* Nº. 5, septiembre-octubre 1919.

Gerardo Sánchez: «El movimiento socialista y la lucha agraria en Michoacán» en *La cuestión agraria. Revolución y contrarrevolución en Michoacán*, Universidad Michoacana, Morelia, 1984.

Roberto Sandoval: «El movimiento popular en Veracruz y la Revolución Mexicana». Copia mecanográfica.

________: «Notas sobre la vanguardia roja y el movimiento popular en Veracruz 1910-1924», ponencia presentada en el encuentro de Historia Obrera de Colima, 1980.

Seminario de Historia Obrera ENAH: «Cronología del movimiento obrero en 1921», inédito.

María Luisa Serna: «Los hilanderos rojos 1924», original mecanográfico.

________: «Cronología. Las luchas obreras en 1924», *Historia Obrera* Nº. 21, enero 1982.

Carlos Serret: Informe el PNA sobre las elecciones en Oaxaca, *El Machete* Nº. 10, 21-28 agosto 1924.

David A. Siqueiros: «El sindicato de pintores y escultores combatirá en El Machete», *El Machete* Nº. 9, 3-9 agosto 1924.

Alfredo Stirner: «Gobierno socialista y contrarrevolucionario. Las pérdidas del proletariado en la guerra civil», *Inprecor* Nº. 21.

C.F. Tabler: «Starving miners morder in Guanajuato», *Gale's Magazine*, agosto 1920.

Paco Ignacio Taibo II: «Datos sueltos y retratos apresurados. Los militantes obreros 1918-1924», inédito.

________: «El muro y el Machete», *Información Obrera* Nº. 55, marzo 1985 y Nº. 56, abril 1985.

________: «Las huelgas en el interinato de Adolfo de la Huerta, una estadística», *Historia Obrera* Nº. 20, septiembre de 1980.

________, Rogelio Vizcaíno: «Informe sobre los rojos», en *Memoria Roja*, Leega-Júcar, México, 1984.

________________: «Inquilinos del DF a colgar la rojinegra», *Historia* Nº. 3, enero-marzo 1983.

V.I. Trush: «La actividad de Lenin en el terreno de la política exterior», *América Latina* Nº. 2, Editorial Progreso, Moscú, 1974.

Gregorio Turrubiates: «Los obreros de Tampico y la compañía el Águila», *El Machete* Nº. 6, primera quincena de julio de 1924.

Gerardo Unzueta: Cuarenta y siete años de lucha del PCM», *Nueva Época* Nº. 14, octubre 1966.

Leopoldo Urmachea: «Editorial», *El Microteléfono* Nº. 0, 25 junio 1920.

________________: «Rojos y amarillos», *Vida Nueva* Nº. 6, 10 octubre 1920.

________________: «Las organizaciones obreras en Sudamérica», *El Soviet* Nº. 4, 10 noviembre 1919.

José C. Valadés: «Memoria sobre la actuación del sindicato de inquilinos del DF», manuscrito inédito, 1923.

____________: «Apuntes sobre el congreso fundacional de la CGT», febrero 1921, manuscrito.

______________: «A la juventud», *Humanidad* Nº. 2, febrero 1923.

____________: «Vicente Ferrer Aldana y el socialismo mexicano», «Felipe Carrillo Puerto, el tipo de líder», «La efervescencia del cambio social en México», «Los comienzos de Luis N. Morones» y «Múgica en el Partido Comunista», en libro inédito aun sin título.

____________: «Hablando sobre unidad», *Humanidad* Nº. 8, septiembre 1924.

Valadés Ramírez: «Marx y la revolución socialista», *Libertario* Nº. 5, 23 de marzo de 1919.

Miguel Ángel Velasco: «Veintidós años de lucha del PCM», *La Voz de México*, 15 septiembre 1942.

________________, José Estévez: «Entrevistas», serie inédita dentro del programa de historia oral del CEHSMO.

Ana Victoria: «Reseña del III Congreso Nacional del PCM (1925)», *Nueva Época* Nº. 7-8, julio-agosto 1969.

Benjamín Villa: «Dictadura: ¡No!», *El Pequeño Grande*, octubre 1921.

Rogelio Vizcaíno: «Recordando 1921», *Yucatán, Historia y Economía* N°s. 15-16, septiembre-diciembre 1979, una segunda versión en *Memoria Roja*, Leega-Jucar, México 1984.

____________, Paco Ignacio Taibo II: «El camarada José Allen», *Nexos* N°. 61, enero 1983, reproducido en *Memoria roja*.

____________: «La garra bolchevique», editado originalmente en *Sábado* y reproducido en *Memoria roja*.

Bertram D. Wolfe: «Fascisti in México force labor unity», *The Worker*, 14 abril 1923.

____________: «Communists in México in 2nd Congress», *The Worker* 5 mayo 1923.

____________: «Mexican rent strike leb by communists», *The Worker*, 12 mayo 1923.

____________: «Communists of México have dayly», *The Worker*, 19 mayo 1923.

____________: «Pro- political action wins in México», *The Worker*, 26 mayo 1923.

____________: «Take from poor in México to pay Wall Street debts», *The Worker*, 10 noviembre 1923.

____________: «A new page in México´s history», *Liberator*, febrero 1924.

____________: «Mexicans put flags at half mast for Lenin», *The Daily Worker*, 4 febrero 1924.

____________: «Secret diplomacy hides facts in big loans to mexicans», *The Daily Worker*, 4 febrero 1924.

____________: «Obregón party faces split over assasination», *The Daily Worker*, 7 febrero 1924.

____________: «De la Huerta gold is making trouble in railway unions», *The Daily Worker*, 9 febrero 1924.

____________: «Mexican governor cuts expenses by opening prisions», *The Daily Worker*, 26 febrero 1924.

____________: «Evolución contra revolución», *El Machete* N°. 2, segunda quincena de marzo 1924.

____________: «Take the road to the left», *Liberator*, abril 1924.

____________: «El agrarismo en peligro», *El Machete* N°. 3, primera quincena abril 1924.

______________: «Death brings united front to México», *The Daily Worker*, 26 abril 1924.

______________ (sin firmar): «Imperialismo y panamericanismo», *El Machete* N°. 7 (segunda quincena junio), 8 (segunda quincena julio), 10 (21-28 agosto), 12 (4-11 septiembre) y 13 (11-18 septiembre 1924).

______________: «The struggle against imperialism in L.A.», *Inprecor* N°. 48, 24 julio 1924.

______________: Intervención en el V congreso de la IC sobre el tema agrario, *Inprecor* N°. 55, 5 agosto 1924.

______________: «Art and revolution», *The Nation*, 27 agosto 1924.

______________ (sin firmar): «La América Latina en la Internacional», *El Machete* N°. 11, 25 agosto, 4 septiembre 1924.

______________ (sin firmar): «Nuestro problema agrario», *El Machete* N°. 12, 4-11 septiembre 1924.

______________ (como Audifaz): «Subencionitis», *El Libertador*, N°. 2, mayo 1925.

______________ (como Audifaz): «Calles, Tchincherin, Pestkovsky y Tío Sam», *El Liberador* N°. 3, junio 1925.

______________: «Bolchevization and inmediate tasks of the Mexican Communist Party», *Inprecor* N°. 51, 18 junio 1925.

V. ARTICULOS SIN FIRMA (POR ORDEN ALFABÉTICO)

«El pueblo ruso», *Luz* N°. 12, 12 diciembre 1917.

«Opiniones y comentarios, Rusia revolucionaria», *Luz* N°. 34, 6 febrero 1918.

«Los obreros opinan que las ideas de los bolsheviqui no pueden prosperar en México», *El Pueblo*, 18 enero 1919.

«A vuelo de pájaro», *El Pueblo*, 30 enero 1919.

«La obra que Lenin y Trotsky llevan a efecto en Rusia, secundada por el proletariado indo-hispánico», *El Pequeño Grande*, 1 de mayo 1919.

«¿Bolchevismo en Baja California?», *El Demócrata*, 12 de septiembre de 1919.

«How much of Russia is Ander the old russian govenment», *El Heraldo de México*, 7 de octubre de 1919.

«Lenine, el líder bolchevique», *El Heraldo de México*, 8 de noviembre de 1919.

«Importante sesión del PSM», *El Soviet* N°. 4, 10 de noviembre de 1919.

«Los obreros de México ante la Liga de las Naciones», *El Soviet* N°.5, 17 de noviembre de 1919.

«Plataforma de la Internacional Comunista», *El Soviet* N°. 5, 17 de noviembre de 1919.

«No bolcheviques in México», *El Heraldo de México*, 18 de noviembre de 1919.

«The advent of feminism in México», *El Heraldo de México*, 3 de diciembre de 1919.

«Llamamiento a los trabajadores», *El Monitor Republicano*, 6 de enero de 1920.

«Se nos ha negado la franquicia», *El Comunista* N°. 3, 8 de enero de 1920.

«El Partido Comunista local», *El Monitor Republicano*, 19 de enero de 1920.

«El Lic. Aguirre Berlanga y Mr. Gale son considerados peligrosos para los E.U.», *El Monitor Republicano*, 21 de enero de 1920.

«La propaganda de agentes bolshevikis», *Excelsior*, 12 de junio de 1920.

«Los Bolcheviques en la capital», *Excelsior*, 11 de junio de 1920.

«¿Quiénes son propagandistas del bolchevismo?», *Excelsior*, 12 de junio de 1920.

«Los Bolsheviki se indignan y nos amenazan», *Excelsior*, 13 de junio de 1920.

«Los Bolsheviki en México esperan recibir muy pronto 18 millones de dólares», *Excelsior*, 14 de junio de 1920.

«Existe en la capital una asamblea roja», *El Demócrata*, 5 de julio de 1920.

«Han sido descubiertos en México dos agentes de Trotski y Lenine», *El Demócrata*, 22 de julio de 1920.

«Los obreros disgustados contra los falsos apóstoles», *El Demócrata*, 23 de julio de 1920.

«Son del todo infundados los temores acerca de un movimiento del bolchevismo», *El Demócrata*, 24 de julio de 1920.

«Hermano soldado», volante, agosto de 1920.

«La conferencia comunista panamericana», *Boletín Comunista* N°.1, 8 de agosto de 1920.

«Nuestro programa», *Boletín Comunista* N°. 1, 8 de agosto de 1920.

«Los bolsheviquis serán expulsados», *El Universal*, 25 de agosto de 1920.

«Cuándo nació en México el bolchevismo, cómo sirve y cómo trabaja», *El Universal*, 26 de agosto de 1920.

«El padre del bolchevismo en México», *El Universal*, 27 de agosto 1920.

«De Michoacán, De Veracruz», *Boletín Comunista* No.2, 30 de agosto de 1920.

«Federación Comunista de pueblos indigentes», *Boletín Comunista* N°. 2, 30 de agosto de 1920.

«Se descubrió otra reunión de bolcheviques en Pachuca», *El Heraldo de México*, 30 de agosto de 1920.

«Los sindicatos en México y el Partido Comunista», *Boletín Comunista* N°. 4, 3 de octubre de 1920.

«Local comunista del DF», *Boletín Comunista* N°. 4, 3 de octubre de 1920.

«Trabajadores mexicanos, Gompers trata de hacernos borregos de la Liga de las Naciones», *Boletín Comunista* extra, 10 enero 1921.

«Condiciones de admisión a los partidos dentro de la IC», *Boletín Comunista* extra, 10 de enero de 1921.

«Hacia la unificación del comunismo en México», *El Comunista de México* N°. 6, febrero de 1921.

«La convención de la Federación Comunista unificará al proletariado mexicano», *Vida Nueva* N°. 12, 1 de febrero de 1921.

«El congreso Panamericano», *Vida Nueva* N°. 12, 1 de febrero de 1921.

«Ayer se instaló el congreso comunista», *El Universal*, 16 de febrero de 1921.

«Una intentona bolchevique en México», *El Universal*, 16 de febrero de 1921.

«Mexican socialists join communism», *Gale´s Magazine*, marzo de 1921.
«Echoes of the Panamerican Labor Congress», *Gale´s Magazine*, marzo de 1921.
«Protesta», *Juventud Mundial*, N°. 9, junio de 1921.
«La JC de Puebla», *Juventud Mundial* N°. 10, julio de 1921.
«Interiores», *Juventud Mundial* N°. 10, julio de 1921.
«Un congreso obrero que resultó político», *Solidaridad* N°. 1, 10 julio de 1921.
«Después de todo el bolchevismo existe», *El Universal*, 27 de agosto de 1921.
«El primer congreso de la CGT», *El Obrero Comunista* N°. 3, 1 de septiembre de 1921.
«La CGT celebra su I congreso nacional», *El Trabajador* N°. 17, 4 de septiembre de 1921.
«El congreso obrero propone que los menores de 12 años no se admitan en los talleres», *El Heraldo de México*, 7 de septiembre de 1921.
«México an example of proletarian solidarity», *RILU Bulletin* N°. 6, 8 de octubre de 1921.
«México», *RILU Bulletin* N°. 7, 15 de octubre de 1921.
«A los trabajadores», *Rebeldía* N°. 1, 6 de noviembre de 1921.
«La JC de la ciudad de México», volante, 7 de noviembre de 1921.
«Interesantes conferencias que sustentarán los comunistas de México», *El Demócrata*, 9 de diciembre de 1921.
«convención of the General Confederation of Labor», *RILU Bulletin* N°. 10, 15 de diciembre de 1921.
«Se intentó proclamar en Puebla una República soviet», *El Demócrata*, 20 de diciembre de 1921.
«Los comunistas de Ahualulco con las armas en la mano», *El Obrero Comunista* N°. 13, 24 de diciembre de 1921.
«Se inaugura el primer congreso de nuestro partido», *El Obrero Comunista* N°. 14, 31 de diciembre de 1921.
«El primer congreso del PC tuvo como principal resolución la tarea de formar el Frente Único del proletariado Mexicano», *El Obrero Comunista* N°. 15, 11 de enero de 1922.
«El gobierno socialista de Yucatán y la Liga Obrera ferrocarrilera», *El Obrero Comunista* N°. 17, 28 de enero de 1922.

«Como se llama eso», *El Obrero Comunista* N°. 16, 18 de enero de 1922.

«El mitin de los inquilinos fue disuelto a balazos por la policía», *El Demócrata*, 18 de marzo de 1922.

«El sindicato de inquilinos controla el DF», *El Obrero Comunista* N°. 20, 1 de mayo de 1922.

«El problema del inquilinato», *El Obrero Comunista* N°. 20, 1 de mayo de 1922.

«Si reducen las rentas no habrá pago», *El Heraldo de México*, 8 de mayo de 1922.

«Estadística de los hechos hasta hoy por el sindicato de inquilinos», *El Demócrata*, 27 de mayo de 1922.

«La CGT y la ISR», *Nuestros Ideales* N°. 4, 2 de junio de 1922.

«El sumo pontífice del socialismo amarillo en Yucatán se exhibe tal cual es», *El Frente Único* N°. 5, 6 de junio de 1922.

«Más de tres mil inquilinos desfilaron hoy por las principales avenidas de la capital en imponente manifestación de luto», *El Mundo*, 7 de julio de 1922.

«La segunda convención comunista», *El Heraldo de México*, 13 de agosto de 1922.

«Segunda sesión del congreso comunista», *El Heraldo de México*, 14 de agosto de 1922.

«Ayer se celebró la tercera asamblea de la convención comunista», *El Heraldo de México*, 16 de agosto de 1922.

«Nuestro programa», *Humanidad* N°. 1, 15 de diciembre de 1922.

«El desastre», *Humanidad* N°. 2, febrero de 1923.

«Manifiesto del CC del sindicato de inquilinos», cartel, marzo de 1923.

«The trade Union Movement in México», *Inprecor* N°. 31, 5 de abril de 1923.

«Documentos para la historia», *Nuestros Ideales* N°. 3, 27 abril de 1923.

«Lo que opina Flores Magón», *Humanidad* N°. 4, mayo de 1923.

«Por la unidad obrera, por el frente Único del Proletariado», *El Frente Único* N°. 265, 10 de mayo de 1923.

«Meeting cultural», volante, 5 de julio de 1923.

«Proyecto de ley del inquilinario formado por el sindicato de inquilinos de esta capital», original mecanográfico, septiembre de 1923.

«En plena dictadura», *Humanidad* N°. 10, 2 de febrero de 1924.

«Los crímenes de los rendidos en Veracruz», *El Machete* N°. 3, primera quincena de abril de 1924.

«El conflicto del Águila en Tampico», *El Machete* N°. 5, primera quincena de mayo de 1924.

«Una fechoría rebelde en Veracruz», *El Machete* N°. 6, primera quincena de junio de 1924.

«La tragedia de la Revolución Rusa», *Nuestra Palabra* N°. 33 (19 junio) y 34 (26 de junio de 1924).

«Calles y Flores frente a los intereses de la clase trabajadora en México», *El Machete* N°. 7, segunda quincena de junio de 1924.

«Cómo fueron asesinados los soldados agraristas de Maltrata», *El Machete* N°. 8, segunda quincena de julio 1924.

«Al margen de las elecciones celebradas el día 6», *El Machete* N°. 8, segunda quincena de julio de 1924.

«El Frente Único panacea», *Nuestra Palabra* N°. 36, 24 de julio de 1924.

«Pro ayuda», *Fuerza y Cerebro* N°. 23, 6 de agosto de 1924.

«Boicot a la nave Italia», extra de *El Machete*, 18 de agosto de 1924.

«Para leer y estudiar. Dictadura y resolución», *Nuestra Palabra* N°. 38, 21 de agosto de 1924.

«El pleito electoral en el Estado de Oaxaca», *El Machete* N°. 10, 21-28 de agosto de 1924.

«La organización comunista en Yucatán», *El Machete* No. 10, 21-28 de agosto de 1924.

«La XXI legislatura será instrumento del imperialismo norteamericano. Los generales A. Obregón y P.E. Calles son fatalmente sus autores intelectuales», *El Machete* N°. 12, 4-11 de septiembre de 1924.

«Reorganización comunista en Tampico», *El Machete* N°. 12, 4-11 de septiembre de 1924.

«Protesta del sindicato de pintores y escultores por nuevas profanaciones de pinturas murales», *El Machete* N°. 13, 11-18 de septiembre de 1924.

«La reacción rusa intenta un incursión en los países latinoamericanos», *Nuestra Palabra* N°. 41, 18 de septiembre de 1924.

«Protesta», *Fuerza y Cerebro* N°. 24, 23 de septiembre de 1924.

«Habla la checa», *Nuestra Palabra* N°. 42, 23 de septiembre de 1924.

«Traidores y vividores profesionales», *El Machete* N°. 14, 25 de septiembre- 2 octubre de 1924.

«Camaradas, preparaos a recibir triunfalmente al embajador de los obreros y campesinos rusos», *El Machete* N°, 15, 2 al 9 de octubre de 1924.

«Quedó organizada la Federación Obrera y Campesina del puerto de Veracruz. Un gran paso hacia el Frente Único», *El Machete* N°. 15, 2 al 9 de octubre de 1924.

«El régimen de terror en Rusia», *Nuestra Palabra* N°. 43, 9 de octubre de 1924.

«Los asesinos de obreros en Tampico», *El Machete* N°. 16, 9-11 de octubre de 1924.

«El fascismo y el laborismo son gemelos», *El Machete* N°. 17, 16-23 de octubre de 1924.

«El embajador ruso », *Nuestra Palabra* N°. 45, 23 de octubre de 1924.

«El segundo congreso de la Liga de Comunidades Agrarias de Michoacán», *El Machete* N°. 18, 23-30 de octubre de 1924.

«Liga de Comunidades Agrarias del estado de Veracruz», *El Machete* N°. 19, 20 octubre, 6 de noviembre de 1924.

«La verdad sobre Rusia», *Nuestra Palabra* N°. 46, (30 octubre) y 47 (6 de noviembre de 1924).

«Depuración del PS de Michoacán», *El Machete* N°. 20, 7 de noviembre de 1924.

«Pestkovsky, la avanzada contrarrevolucionaria», *Nuestra Palabra* N°. 48, 14 de noviembre de 1924.

«¿Para qué sirvió la VI convención de la CROM?», *El Machete* N°. 23, 27 de noviembre de 1924.

«La Liga de Comunidades Agrarias de Veracruz se adhiere en masa a la Internacional Campesina de Moscú», *El Machete* Nº. 24, 4-11 de diciembre de 1924.

«Agentes de las compañías petroleras en Tampico», *El Machete* Nº. 24, 4-11 de diciembre de 1924.

«Resoluciones del segundo congreso de la LCAEV», *El Machete* Nº. 25, 11-18 diciembre de 1924.

«David Argueta en Libertad», *El Machete* Nº. 26, 18-25 de diciembre de 1924.

«El III congreso del PCM se efectuará del 7 al 12 de abril de 1925», *El Machete* Nº. 26, 18-25 de diciembre de 1924.

«Carta al presidente Calles, protestando contra actos criminales de la empresa petrolera Pierce Oil Co.», *El Machete* Nº. 26, 18-25 de diciembre de 1924.

«En Guanajuato intentan asesinar a un comunista», *El Machete* Nº. 27, 25 diciembre, 1 enero de 1925.

«Dominar o destruir», *El Machete* Nº. 27, 25 diciembre 1924 al 1 enero 1925.

«La represión en Yucatán», *El Machete* Nº. 29, 15-22 enero 1925.

«En Guanajuato quedó establecida la sección del PC DE M», *El Machete* Nº. 30, 22-29 de enero de 1925.

«Los crímenes de Michoacán reclaman justicia», *El Machete* Nº. 31, 5-12 febrero 1925.

«The Mexican farmers join the Peasant International», *Inprecor* Nº. 14, 11 de febrero de 1925.

«El presidente de la República falló contra los panaderos», *El Machete* Nº. 32, 19-26 de febrero de 1925.

«La huelga de los tranviarios», *El Machete* Nº. 33, 5-12 de marzo de 1925.

«Abajo los muertos», *El Machete* Nº. 34, 12-19 de marzo de 1925.

«La discusión con los de la Internacional calumniadora», *Nuestra Palabra* Nº. 58, 2 de abril de 1925.

«Resumen del tercer congreso del PC DE M», *El Machete* Nº. 36, 1 de mayo de 1925.

«Sobre la unidad obrera», *Galeote* Nº. 1, 1 de mayo de 1925.

«Establishment of direct connections between the mexican trade unions and the RILU», *Inprecor* Nº. 77, 29 de octubre de 1925.

«Organicemos los comités pro *Machete*», *El Machete* N°. 106, 17 de marzo de 1928.
«14 aniversario del PC DE M», *El Machete ilegal*, 10 de septiembre de 1933.

VI. Correspondencia

Carrillo Puerto a Soto y Gama, 4 junio 1920.
Linn A.E Gale a Antonio I. Villarreal, 29 enero 1921.
Linn A.E. Gale a Antonio I. Villarreal, 28 febrero 1921.
Sen Katayama a José Rocha, 16 octubre 1921.
Rodolfo Mercado a José C. Valadés, agosto de 1922.
C. Dehesa a J.C. Valadés, 19 septiembre 1922.
«Roberto» (M.N. Roy) a José C. Valadés, 28 enero 1923.
José C. Valadés a A. Barrera, 2 enero 1924.
José C. Valadés a Diego Abad de Santillán, 12 enero 1924.
Arturo Bruschetta a José C. Valadés, 20 enero 1924.
Rosendo Gómez Lorenzo a Alfonso F. Soria, 9 de marzo 1924.
Secretariado de la AIT a José C. Valadés, 24 abril 1924.
Director Bureau of Investigation a Arthur Bliss, 19 agosto 1925.

VII. Colecciones de Prensa Consultadas

Prensa Comercial

El Demócrata (DF) 1919-1925
El Dictamen (Veracruz) 1917-1923
Excelsior (DF) 1919-1925
El Heraldo de México (DF) 1919-1922
El Monitor Republicano (DF) 1919-1920
El Mundo (DF) 1922
New York Times (NY) 1919-1922
El Pueblo (DF) 1918-1919
El Universal (DF) 1919-1921

PRENSA OBRERA NORTEAMERICANA

Liberator (NY) 1919-1924
Daily Worker (Chicago) 1923-1924
The Worker (NY) 1923-1924
The Nation (NY) 1923-1924
Worker Monthly (Chicago) 1925
Labor Herlad (Chicago) 1924

PRENSA OBRERA ARGENTINA

Suplemento de *La Protesta* 1924-1926

PRENSA OBRERA GUATEMALTECA

Unión Obrera 1921

PRENSA OBRERA MEXICANA

Acción (Órgano de la CROM) 1919-1920
*Acción (*Órgano del grupo Acción) 1922-1923
Alba Anárquica (Órgano del grupo Regeneración, Monterrey) 1924
Alianza (Órgano de la Alianza de Ferrocarrileros Mexicanos) 1925
Aurora Social (Hermosillo) 1920
El Azote (DF) 1919
Boletín Comunista (Órgano del Bureau Comunista Latinoamericano de la IC) 1920-1921
El Comunista (Órgano del PCM) 1919-1920
El Comunista de México (Órgano del PC DE M y de la Administración Mexicana de la IWW) 1920-1921
CROM (Órgano de la Confederación Regional Obrera Mexicana) 1925
El Desmonte (DF) 1919

El Frente Único (Órgano de la Local Comunista de Veracruz) 1922-1923

Fuerza y Cerebro (Órgano de la Local Comunista de Veracruz) 1922-1925

Gale's Magazine (DF) 1918-1921

Guillotina (Veracruz) 1923

Horizonte Libertario (Aguascalientes) 1922-1923

La Humanidad (DF) 1922

Iconoclasta (Guadalajara) 1919

El Inquilino (Guadalajara) 1924

Irredento (Órgano del grupo Antorcha Libertaria, Veracruz) 1919-1920

Juventud Mundial (Órgano de la FJC) 1921

El Libertador (Órgano de la Liga Antiimperialista Latinoamericana) 1925

Libertario (DF) 1919

Libertario (Veracruz) 1921

Lucha Continua (Órgano de la sucursal N°. 8 de la Unión de Carpinteros, Orizaba) 1925

Luz (DF) 1917-1920

La Luz del Campesino (Ciudad Victoria) 1926

El Machete (Órgano del Sindicato de Pintores, más tarde órgano del PC DE M) 1924-1928

El Microteléfono (Órgano del Sindicato de la Ericsson) 1920

La Mujer (Órgano del Consejo Feminista Mexicano) 1920

Nuestra Palabra (Órgano de la Federación Tranviaria, más trade de la CGT) 1923-1926

Nuestros Ideales (Órgano de la CGT) 1922

El Obrero Comunista (Órgano del Partido Comunista Mexicano) 1921-1922

El Obrero Industrial (Órgano de la IWW de México) 1921

El Pequeño Grande (Villa Cecilia) 1919-1922

La Plebe (Órgano del PCM y posteriormente del Sindicato Inquilinario) 1922

Prensa Federada (DF) 1923

El Proletario (Nogales) 1922

Rebeldía (Órgano del Partido Comunista Revolucionario Mexicano) 1921-1923

Resurgimiento (Órgano de la Confederación Sindicalista de Puebla) 1919-1924
Rusia trágica (DF) 1924-1925
Sagitario (Villa Cecilia) 1922- 1925
El Socialista (Órgano del Partido Socialista) 1918-1919
Socialista (Órgano del Partido Socialista) 1919
El Socialista (Mérida)(Órgano de la Liga Central del Partido Socialista del Sureste) 1921
Solidaridad (Veracruz) 1921
El Soviet (Órgano del Grupo Hermanos Rojos) 1919
El trabajador (DF) 1921
Verbo Rojo (DF) 1922-1923
Vida Nueva (Órgano de la Federación Comunista del Proletariado Mexicano) 1920-1921

PRENSA COMUNISTA INTERNACIONAL

Inprecor 1922-1925
The Red International Labor Union Bulletin (RILU Bulletin) 1921-1925

VIII. ARCHIVOS

1) Archivo Mario Gill.
2) Archivo Jacinto Huitrón.
3) Archivo José C. Valadés.
4) Archivo-hemeroteca del instituto Internacional de estudios Sociales, Ámsterdam.
5) Archivo Diego Abad de Santillán, en el IIES/Ámsterdam.
6) Fondo de Investigadores/ENAH.
7) Archivo del Centro de Estudios Marxistas (CEM), hoy CEMOS.
8) Archivos Nacionales, Washington. Fondos de Inteligencia militar (RG 165), Departamento de Estado/Departamento de Justicia y Asuntos Exteriores (en el Colegio de México en microfilm).
9) Archivo General de la Nación: Fondos presidentes Obregón/Calles, Trabajo y gobernación (este solo para 1919).
10) Archivo Histórico Secretaría de Relaciones Exteriores.